KLAUS HERBERS

DER JAKOBUSKULT DES 12. JAHRHUNDERTS
UND DER „LIBER SANCTI JACOBI"

HISTORISCHE FORSCHUNGEN

IM AUFTRAG DER HISTORISCHEN KOMMISSION DER AKADEMIE DER
WISSENSCHAFTEN UND DER LITERATUR

HERAUSGEGEBEN VON

KARL ERICH BORN UND HARALD ZIMMERMANN

BAND VII

FRANZ STEINER VERLAG WIESBADEN GMBH
1984

DER JAKOBUSKULT DES 12. JAHRHUNDERTS UND DER „LIBER SANCTI JACOBI"

STUDIEN ÜBER DAS VERHÄLTNIS ZWISCHEN RELIGION UND GESELLSCHAFT IM HOHEN MITTELALTER

VON

KLAUS HERBERS

Mit fünf Abbildungen auf Tafeln
und einer Karte im Anhang

FRANZ STEINER VERLAG WIESBADEN GMBH
1984

Gefördert durch das
Bundesministerium für Forschung und Technologie, Bonn
und das Hessische Kultusministerium, Wiesbaden

CIP-Kurztitelaufnahme der Deutschen Bibliothek

Herbers, Klaus:

Der Jakobuskult des 12. Jahrhunderts und der
„Liber Sancti Jacobi" : Studien über d. Verhältnis zwischen Religion u. Gesellschaft im
hohen Mittelalter / von Klaus Herbers. –
Wiesbaden : Steiner, 1984.
    (Historische Forschungen ; Bd. 7)
    ISBN 3-515-03875-2

NE: GT

INHALT

ABKÜRZUNGSVERZEICHNIS

Für die allgemeinen Abkürzungen sei auf G. WAHRIG, Deutsches Wörterbuch, Gütersloh 1971, Sp. 43–46 und Sp. 253 ff; DUDEN, Mannheim/Wien/Zürich ¹⁸1980, S. 13 f. und das Handbuch der Europäischen Geschichte, Bd. 1, hg. von TH. SCHIEFFER, Stuttgart 1976, S. 20 ff. verwiesen. Wie im Duden wird die zu ergänzende Nachsilbe -isch nicht aufgeführt, die Nachsilbe -lich wird ...l. abgekürzt.

AB	Analecta Bollandiana, Brüssel
Abb.	Abbildung
Abhandl. der (bayr.) Akad. der Wiss., phil.-hist. Kl.	Abhandlungen der bayrischen Akademie der Wissenschaften, philosophisch- (oder philologisch-) historische Klasse (andere Akademieveröffentlichungen werden entsprechend zitiert)
Abh.	Abhandlungen
A.E.S.C.	Annales, Économies, Sociétés, Civilisations, Paris
Arch. cat.	Archivo de la Catedral
Arch. dép.	Archives départementales
Aufl.	Auflage
Aufs.	Aufsatz, Aufsätze
Bd., Bde	Band, Bände
bearb.	bearbeitet
BHL	Bibliotheca hagiographica latina, 2 Bde, Brüssel 1898–1901 (zitiert wird jeweils mit der zugehörigen Nummer)
Bibl.	Bibliothek, Bibliothèque, Biblioteca
B-Karolus	Schreiber einiger Folia im Codex Calixtinus (vor allem im III., IV. und V. Buch)
BN	Bibliothèque nationale, Paris. Biblioteca Nacional, Madrid
CC	Codex Calixtinus, teils auch als „Codex Compostellanus" (DAVID) bezeichnet
CCM	Cahiers de Civilisation Médiévale, Poitiers
CEG	Cuadernos de Estudios Gallegos, Santiago de Compostela
Coll.	Collection
Comp.	Compostellanum, Revista trimestrial de la Archidiócesis de Santiago de Compostela, Santiago de Compostela
DA	Deutsches Archiv für Erforschung des Mittelalters
DAVID	DAVID, Pierre, Études sur le livre de Saint-Jacques attribué au pape Calixte II
	I/1945 I. Le Manuscrit de Compostelle et le Manuscrit d'Alcobaça (Bulletin des Etudes portugaises et de l'Institut français au Portugal 10/Lissabon 1945, S. 1–41)
	II/1947 II. Les livres liturgiques et le livre des Miracles (Bulletin, l.c., 11/1947, S. 113–185)
	III/1948 III. Le Pseudo-Turpin et le Guide du pèlerin (Bulletin, l.c., 12/1948, S. 70–223)

	IV/1949 IV. Révision et Conclusion (Bulletin, l.c., 13/1949, S. 52–104) (Alle vier Folgen sind auch separat erschienen, hier wird nach den Folgen der Zeitschrift zitiert)
ders.	derselbe
dies.	dieselbe
Diss.	Dissertation
Ed.	Edition
ersch.	erschienen
erw.	erweitert(e)(er)(es)
ES XIX	España sagrada, Bd. XIX, hg. von Henrique FLOREZ, Madrid 1765
ES XX	España sagrada, Bd. XX, hg. von Henrique FLOREZ, Madrid 1765, repogr. Nachdruck Madrid 1965
fol.	folio, Blatt
H.	Heft
HA	Schreiber, der fast den gesamten Codex Calixtinus erstellte
Hd.	Hand; entsprechend: von gl./frd. (gleicher/fremder) Hd.
HÄMEL	HÄMEL, Adalbert, Überlieferung und Bedeutung des Liber Sancti Jacobi und des Pseudo-Turpin (Sitzungsberichte der bayr. Akad. der Wiss., phil.-hist. Klasse, München 1950, Heft 2)
HÄMEL - DE MANDACH	HÄMEL, Adalbert (Hg.), Der Pseudo-Turpin von Compostela. Aus dem Nachlaß herausgegeben von André DE MANDACH (bayr. Akad. der Wiss., phil.-hist. Klasse, München 1965, Heft 1)
Hist. Comp.	Historia Compostelana (mit folgender römischer und arabischer Ziffer jeweils Buch und Kapitel zitiert)
HZ	Historische Zeitschrift
Inst.	Institut, Instituto
JL	Regesta pontificum Romanorum ab condita ecclesia ad annum post Christum natum 1198, hg. von Philipp JAFFÉ, Berlin 1851, 2. Aufl. Bd. 1–2, hg. von W. WATTENBACH, bearb. von S. LÖWENFELD, F. KALTENBRUNNER und P. EWALD, Leipzig 1885–88, ND Graz 1956; hier mit JL die von LÖWENFELD bearb. Regesten (882–1198) bezeichnet
LSJ	Liber Sancti Jacobi, teils auch als Liber Calixtinus (DAVID) bezeichnet. Jeweils zitiert mit Angabe des Buches (röm. Ziffer I–V) und des Kapitels (arabische Ziffer)
MGH	Monumenta Germaniae Historica
	AA Auctores antiquissimi, Bd. 1–15, Berlin 1877–1919 (ND 1961)
	LdL Libelli de lite imperatorum et pontificum saec. XI et XII conscripti, Bd. 1–3, Hannover 1891–1897 (ND 1957)
	Epp. Epistolae, 1. Abt., Bd. 1–8, Berlin 1887–1939 (ND 1957 und 1974)
MORALEJO	Liber Sancti Jacobi. Codex Calixtinus. Traducción por A. MORALEJO, C. TORRES y J. FEO, Santiago de Compostela 1951
MPL	MIGNE, Jacques Paul, Patrologiae cursus completus, seu bibliotheca universalis . . . omnium patrum, doctorum, scriptorumque ecclesiasticorum . . ., Series Latina, Bd. 1–221, Paris 1844–1865
ND	Nachdruck
no./nos.	numero(s), numéro(s), Nummer(n)
Pkt.	Punkt
Priv.	Privileg

PT	Pseudo-Turpin
Rez.	Rezension
ser.	series, série
sog.	sogenannt(e)(er)
Tb.	Taschenbuch
trad.	tracucción, traduction
überarb.	überarbeitet
Übers.	Übersetzung, übersetzt
VIELLIARD	VIELLIARD, Jeanne, Le Guide du pèlerin de Saint-Jacques de Compostelle, texte latin du XIIᵉ siècle, édité et traduit en francais d'aprés les manuscrits de Compostelle et de Ripoll, Mâcon 1938, 4. Aufl. 1969
WHITEHILL	WHITEHILL, Walter Muir (Hg.), Liber Sancti Jacobi, Codex Calixtinus

Bd. I   Texto – Transcripción

Bd. II   Musica. Reproducción en fototipia seguida de la transcripción por Dom German PRADO

Bd. III   Estudios e indices

Santiago de Compostela 1944

ZRG	Zeitschrift der Savignystiftung für Rechtsgeschichte

GA Germanistische Abteilung

KA Kanonistische Abteilung

RA Romanistische Abteilung

Zs.	Zeitschrift

VORBEMERKUNGEN

Das im Untertitel dieser Arbeit verwendete Begriffspaar „Religion und Gesellschaft" wird in historischen Abhandlungen erst in jüngerer Zeit verstärkt angetroffen.[1] Dies liegt wohl größtenteils daran, daß sowohl Gesellschafts- wie Religionsgeschichte ihre eigenen wissenschaftlichen Traditionen verfolgten, ohne bislang über die jeweiligen Grenzen hinweg Berührungspunkte zu suchen. Zudem ist „Religion" von den meisten Historikern, besonders in Deutschland, nahezu ausschließlich für die Institution „Kirche" beschrieben worden.

Eine theoretische Bestimmung von Religion haben bisher fast nur die (Religions-) Soziologie, die Anthropologie und teilweise die Volkskunde geleistet; Geschichtswissenschaftler haben das von dieser Seite kommende Angebot bisher nur selten genutzt.

Die folgende Untersuchung möchte versuchen, Religion und Gesellschaft im Zusammenhang zu betrachten. Hierbei wird zunächst von dem Vorverständnis ausgegangen, daß Religion in der gesellschaftlichen Totalität gründet, gleichzeitig jedoch auch auf diese verändernd oder bestätigend einwirkt. Diese gegenseitige Bedingtheit von Religion und Gesellschaft ist für die mittelalterliche soziale Realität besonders gut greifbar, weil hier religiöse Phänomene in höherem Grade auch soziale und ökonomische sind und umgekehrt diese in höherem Grade auch religiösen Charakter tragen als in den Jahrhunderten während und nach der Aufklärung.

Die Heiligenverehrung eignet sich hierfür deshalb besonders gut, weil in diesem Bereich vornehmlich Elemente religiöser Praxis deutlich werden. Das Studium der Heiligenkulte bietet oftmals die Möglichkeit, zwischen verschiedenen Typen von Heiligen zu unterscheiden, die meist einer unterschiedlichen sozialen Realität zuzuordnen sind, die zeitlich, geographisch und ständisch bedingt sein kann.

Die Funktionen, die Heilige für bestimmte Gläubige ausüben, lassen für Platz und Bedeutung der jeweiligen Gläubigen im Gesellschaftsgefüge des Mittelalters interessante Aufschlüsse zu. Einige Möglichkeiten sollen hier nur stichwortartig erwähnt werden. Der Heilige kann sein:
- Schutzherr von bestimmten Interessen
- Helfer in bestimmten Nöten und Gefahren
- Vorbild für ein bestimmtes eigenes Handeln
- Mittler zum in typischer Weise „entfernteren", weniger greifbaren Gott.

Als Beispiel für die Beziehungen zwischen Religion und Gesellschaft ist der Jakobuskult deshalb besonders gut geeignet, weil wir zur Auswertung über eine Quellenkompilation aus dem 12. Jahrhundert verfügen, die einen Großteil der verschiedenen Aspekte deutlich machen kann. Gleichzeitig schließt diese Untersuchung an die neuesten

---

[1] Vgl. z. B. den Titel der Zeitschrift „Geschichte und Gesellschaft", 3/1977, Heft 3: „Religion und Gesellschaft im 19. Jahrhundert." Für weitere Belege sei generell auf Kap. 3 verwiesen.

Arbeiten von Engels, Herwaarden und Plötz an[2], welche die Frühzeit des Kultes einer erneuten Revision unterzogen haben.

Die vorliegende Arbeit beruht auf einer überarbeiteten Dissertation[3], wobei die nach 1980 erschienene Literatur nur noch ergänzend berücksichtigt werden konnte; für einige Nachdrucke und Neuerscheinungen sei auf den „Korrekturnachtrag" verwiesen. Zur Gestaltung der Zitate aus dem „Liber Sancti Jacobi" (Buch I–III) sind die Editionsgrundsätze (Kapitel 8.2.) zu beachten. Alle übrigen lateinischen Textstellen folgen in Orthographie und Interpunktion der jeweiligen Edition. – Das Manuskript entstand, nachdem durch eine eigene Fahrt nach Santiago de Compostela der persönliche Bezug zum Jakobuskult hergestellt war, auf Anregung meines Lehrers, Prof. Dr. Dr. H. Zimmermann (damals Saarbrücken, jetzt Tübingen), der die Arbeit bis zur jetzt erfolgten Drucklegung intensiv betreut hat, so daß ich ihm zu großem Dank verpflichtet bin. Nachdem ich im August 1975 Assistent an der Technischen Universität Berlin wurde, begleitete Prof. Dr. E. Pitz den Fortgang ebenso mit Anregung, Kritik und Ermutigung. Auch ihm gebührt mein herzlicher Dank.

Allen anderen, die durch Hinweise, Materialbeschaffung, kritisches Gespräch oder sonstige Hilfe zum Gelingen der Arbeit beitrugen, sei hier ebenfalls gedankt: Prof. Dr. H. Beumann, Prof. Dr. B. Bischoff, Prof. Dr. M. C. Diaz y Diaz, Kathedralarchivar D. J. M. Diaz Fernandez, Prof. Dr. O. Engels, Dr. P. Feige, Dr. L. Kuchenbuch, Prof. Dr. E. R. Labande, F. Lopez Alsina, Prof. Dr. B. Schimmelpfennig, Dr. C. Servatius. Die Akademie der Wissenschaften und der Literatur zu Mainz und ihr Generalsekretär Dr. Brenner sowie Prof. Dr. Dr. Zimmermann als Herausgeber setzten sich für die Aufnahme der Arbeit in die Schriftenreihe der Akademie ein. Ohne die Geduld und Hilfe meiner Frau wäre diese Arbeit nicht zum Abschluß gekommen. Meinen Eltern, die mir Studium und wissenschaftliche Ausbildung ermöglichten, sei sie gewidmet.

Marburg, im Oktober 1982   K.H.

---

[2] Vgl. hierzu Kap. 1.

[3] Angenommen von der Technischen Universität Berlin, Fachbereich I, am 23. Juli 1980.

1. ENTSTEHUNG UND VERBREITUNG DER JAKOBUSLEGENDE

Gemäß legendären Berichten soll der Apostel Jakobus Palästina auf dem Seeweg verlassen haben, um dem Missionsauftrag Jesu in Spanien nachzukommen. Einige Jahre später sei er nach Judäa zurückgekehrt und habe dort als erster Apostel das Martyrium erlitten. Seine Jünger hätten seinen Leichnam aus Angst vor den Juden zu Schiff nach Spanien gebracht. Dort seien sie in der Nähe der Küstenstadt Iria Flavia gelandet. An einem „arca marmorea" oder ähnlich genannten Platz habe dann der Körper des hl. Jakobus seine letzte Ruhestätte gefunden. Der Ort des Grabes sei in Vergessenheit geraten, und erst zu Beginn des 9. Jahrhunderts, zu Zeiten des Bischofs Theodomir von Iria/Compostela (gest. 847), sei das Grab durch den Hinweis eines leuchtenden Sternes wiederentdeckt worden. Das Jakobusgrab konnte nunmehr zum Zentrum eines Heiligenkultes werden. In der Schlacht von Clavijo (844) soll Jakobus dann bereits als Schlachtenhelfer gegen die Mauren eingegriffen haben. Soweit die legendäre Tradition.[1]

Fast jeder der vorstehenden Sätze hat die Forschung äußerst intensiv beschäftigt. Im Grunde sind es vier Problemkreise, die heftig diskutiert werden:

1. Predigttätigkeit des hl. Jakobus in Spanien,
2. Translation seines Körpers,
3. Grabentdeckung im 9. Jahrhundert,
4. Gründe zur Entwicklung des Jakobuskultes.[2]

---

[1] Vgl. z. B. die Überlieferung des 12. Jahrhunderts in der Hist. Comp. I, 1–2, (ES XX), S. 5–9. Vgl. zu dieser Quelle unten Kap. 3, Anm. 37. Zur Schlacht bei Clavijo (843/44): T. D. KENDRICK, St. James in Spain, London 1960, S. 22f. und ausführlicher: C. SANCHEZ ALBORNOZ, La auténtica batalla de Clavijo (Cuadernos de Historia de España 9/1948, S. 94–139); ferner: ders., Orígenes de la nación española. Estudios críticos sobre la historia del reino de Asturias, Bd. III, Oviedo 1975, S. 281–313. Dies sind nur die wichtigsten Elemente der Jakobuslegende, die im Laufe der Zeit verschiedenste Ausgestaltungen erfuhr.

[2] Über die umfangreiche Spezialliteratur gewähren folgende Zusammenfassungen und „Forschungsberichte" einen Überblick: L. VAZQUEZ DE PARGA/J. M. LACARRA/J. URÍA RÍU, Las Peregrinaciones a Santiago de Compostela, 3 Bde, Madrid 1948 (Grundlegendes Standardwerk nicht nur zur Pilgerfahrt, sondern zum Jakobuskult allgemein; für dieses Kapitel vgl. Bd. I, S. 27–36 und S. 172–198); J. GUERRA (CAMPOS), Notas críticas sobre el orígen del culto sepulcral a Santiago de Compostela (La Ciencia Tomista 88/1961, S. 417–474 und S. 559–590) (Das Werk handelt trotz des enger gefaßten Titels allgemein zur Kultentstehung); R. PLOTINO/J. FERNÁNDEZ ALONSO, Santo Giacomo il Maggiore apostolo (Bibl. Sanctorum VI, Roma 1965, Sp. 363–388); M. C. DIAZ Y DIAZ, La literatura jacobea anterior al Códice Calixtino (Comp. 10, 4/1965, S. 283–305); C. SANCHEZ ALBORNOZ, En los albores del culto jacobeo (Comp. 16/1971, S. 37–72, ND: ders., Orígenes de la nación española. Estudios críticos sobre la historia del reino de Asturias, 3 Bde, Oviedo 1972–1975, Bd. II, S. 367–395, hier nach ND zitiert); J. GUERRA CAMPOS, Santiago (Diccionario de Historia Eclesiastica de España, Bd. 4, Madrid 1975, S. 2183–2191). Die ebenfalls von J. GUERRA CAMPOS verfaßte Bibliographie: Bibliografía (1950–1969). Veinte años de estudios jacobeos, Comp. 16/1971, S. 575–736 ist ein fast unentbehrliches Hilfsmittel, zumal sie in den hier

Zu 1): Für den Nachweis einer Missionstätigkeit des Apostels Jakobus in Spanien reichen Bibelstellen oder Texte aus unmittelbar nachchristlicher Zeit nicht aus.[3] Erste Hinweise gibt das „Breviarium Apostolorum" (BHL 652) (ca. Ende 6. Jahrhundert), das in zahlreichen Manuskripten im lateinischen Westen, besonders Gallien, seit dem 8. Jahrhundert anzutreffen ist, sicherlich dort jedoch bereits seit dem 7. Jahrhundert verbreitet war.[4] Die Quellen dieses „Breviarium" und der Bezug zu anderen Schriften sind noch nicht endgültig geklärt; sicherlich bestehen jedoch Verbindungen zu griechisch-byzantinischen Apostelkatalogen und zu den Schriften des sogenannten Pseudo-Abdias (6. Jahrhundert).[5] Nicht ohne Grund ist weiter vermutet worden, daß

einschlägigen Passagen als „bibliographie raisonnée" verfaßt ist. Ich verweise nur im Ausnahmefall auf die Bibliographie, u. a. auch deshalb, weil diese wertvolle Arbeit in Deutschland nur in einer Bibliothek (Friedrich Meinecke Institut der FU Berlin) zugänglich ist. Das Werk: Santiago y Compostela en la Historia (con amor y con verdad), Madrid 1977, konnte nur teilweise benutzt werden. Es faßt allerdings im wesentlichen frühere Ergebnisse des Autors (FR. J. PEREZ DE URBEL) zusammen. Knappe dt. Zusammenfassung bei H. J. HÜFFER, Sant'Jago. Entwicklung und Bedeutung des Jakobuskultes in Spanien und dem Römisch-Deutschen Reich, München 1954, S. 24–27. Jüngst: O. ENGELS, Die Anfänge des spanischen Jakobusgrabes in kirchenpolitischer Sicht (Römische Quartalschrift 75/1980, S. 146–170); J. VAN HERWAARDEN, The origins of the cult of St. James of Compostela (Journal of Med. History 6/1980, S. 1–35); R. PLÖTZ, Der Apostel Jacobus in Spanien bis zum 9. Jahrhundert (Gesammelte Aufsätze zur Kulturgeschichte Spaniens 30/1982, S. 19–145), und knapper: L. VONES, Die ‚Historia Compostellana' und die Kirchenpolitik des nordwestspanischen Raumes 1070–1130, Köln–Wien 1980, S. 273–277. Bei R. PLÖTZ ist der Stand der Forschungen mit der Scheidung von gesicherten und ungesicherten Ergebnissen am umfassensten dokumentiert. – Insgesamt ist festzustellen, daß die Literatur, insbesondere die von spanischen Klerikern verfaßte, oft die Tendenz hat, die Compostelaner Tradition zu retten oder zu verteidigen, dies machen bereits Titel wie „Standum est pro traditione" (s. nächste Anm.) deutlich. Unterstützt wurde dieses Interesse, insbesondere zur Zeit des Franco-Regimes, auch von staatlicher Seite, ein gutes Beispiel hierfür bietet das im „Heiligen Jahr" 1971 erschienene Werk: Santiago en España, Europa y America, Madrid 1971 (= Publicaciones del Ministro de Información y Turismo), das mit großer Aufmachung und Bebilderung eindeutig propagandisti-sche Absichten dokumentiert.

[3] Besonders die Bibelstelle Römer 15,24 läßt, wenn überhaupt, eine Predigttätigkeit des Paulus in Spanien vermuten (so bereits P. B. GAMS, Kirchengeschichte von Spanien, Regensburg 1862–1876, ND Graz 1956, Bd. I, S. 1–75). T. AYUSO MAZARUELA, Standum est pro traditione (Santiago en la historia, la literatura y el Arte, Bd. I, Madrid 1954, S. 83–126) (auch separat) will mit Apg. 15,36 die Möglichkeit der Compostelaner Tradition „retten".

[4] Klassisch hierzu: L. DUCHESNE, St-Jacques en Galice (Annales du Midi 12/1900, S. 145–179). Vgl. zu diesem Aufs. weiter unten Anm. 23–26. B. DE GAIFFIER, Le Breviarium Apostolorum (BHL 652). Tradition manuscrite et œuvres apparentées. (AB 81/1963, S. 89–116). GAIFFIER weist S. 92–99 die handschriftliche Tradition nach. Zum neuesten Stand der Erfassung der Handschrif-ten: ders., Les manuscrits du Breviarium Apostolorum. Nouveaux témoins (Corona Gratiarum, Miscellanea . . . Elogio Dekkers, OSB, . . . oblata, Bd. 1, Bruges 1975, S. 237–241, ND in: B. DE GAIFFIER, Recueil d'hagiographie, Brüssel 1977, no. XVI – mit alter Seitenzahl und einem Nachtrag – = Subsidia hagiographica, 61); gut zusammenfassend auch ENGELS, wie Anm. 2, S. 155f. und PLÖTZ, wie Anm. 2, S. 60–65.

[5] GAIFFIER, Breviarium, wie Anm. 4, S. 113. Diese Vorlagen enthielten aber nur legendäre Teile des Martyriumsberichtes und noch keinen Hinweis auf eine Predigttätigkeit des Apostels in Spanien.

hier ein westlicher Autor den Bereich apostolischer Missionstätigkeit auf den Okzident ausdehnen wollte[6]; dieser Eindruck verdichtet sich durch die Beobachtung, daß im „Breviarium" abweichend von der Sammlung des Pseudo-Abdias (BHL 4047, 5690 und 6814) für Jakobus Spanien, für Philippus Gallien und für Matthäus Judäa, Mazedonien und Persien als jeweiliges Missionsgebiet angeführt werden.[7]

Weitere Nachweise der Predigttätigkeit hängen wohl teils von diesem „Breviarium" ab bzw. gehen mit diesem auf eine gemeinsame, unbekannte Vorlage zurück.[8] Das letztere gilt wohl beispielsweise für das oftmals Isidor von Sevilla zugeschriebene Werk „De ortu et obitu patrum" (wohl aus dem beginnenden 7. Jahrhundert).[9] Diese Schrift hat wiederum als Quelle für andere Zeugnisse gedient, die genauen Abhängigkeiten sind jedoch noch nicht bis ins einzelne geklärt. So berichten u. a. Beda Venerabilis[10], Aldhelm von Malmesbury[11] oder Frechulf von Lisieux[12] von der Predigttätigkeit des Apostels in Spanien.[13]

In Spanien selbst hat der Kommentar zur Apokalypse des Mönches Beatus von Liébana[14] (gest. 798) die Nachricht der Missionstätigkeit aufgenommen. Diese Schrift

---

[6] Ibid. und SANCHEZ ALBORNOZ, wie Anm. 2, S. 371.

[7] GAIFFIER, Breviarium, wie Anm. 4, S. 104.   [8] Ibid., S. 104ff.

[9] Zur bisherigen Diskussion: GAIFFIER, Breviarium, wie Anm. 4, S. 104 f.; SANCHEZ ALBORNOZ, wie Anm. 2, S. 370. Es bestehen zwei Fassungen: BHL 6544 und 6545. Es geht hier um BHL 6544, die andere Version ist sicher apokryph (so GAIFFIER, ibid.). Bei M. DIAZ Y DIAZ, Die spanische Jakobus-Legende bei Isidor von Sevilla (Historisches Jahrbuch 77/1958 = Fs. ALTANER, S. 467–472) ist die entscheidende Stelle nach 30 Handschriften neu ediert und als Zusatz des 8. Jahrhunderts nachgewiesen: *Iacobus, filius Zebedaei, frater Ioannis, quartus in ordine, duodecim tribus, quae sunt in dispersione gentium* [*scripsit atque Spaniae et occidentalium locorum evangelium praedicavit et in occasum mundi*] *lucem praedicationis infudit. Hic ab Herode tetrarcha gladio caesus occubit. Sepultus in acha marmarica.* (ibid., S. 472, vgl. dort auch den krit. App., die eckige Klammer kennzeichnet die Interpolation.) DIAZ Y DIAZ modifizierte aufgrund der Beobachtungen von B. BISCHOFF (Die europäische Verbreitung der Werke Isidors von Sevilla, in: Isidoriana, León 1961, S. 317–344, S. 323) seine These: die vermutete Interpolation stamme von Isidor selbst in Anlehnung an das Breviarium Apostolorum (La literatura, wie Anm. 2, S. 288f.).

[10] Excerptiones Patrum, Collectanea (MPL 94, Paris 1850, Sp. 539–560) Sp. 545.

[11] Aldhelmi opera, hg. von R. EWALD, Berlin 1919, ND 1961, (MGH, AA 15) S. 23. Vgl. zur Echtheit der einschlägigen Stellen: P. E. ELORDUY, De re Jacobea (Boletín de la real Academía de la Historia 135/1954, S. 323–360) S. 323–326, der die Echtheit als gesichert annimmt.

[12] Freculphi Chronicorum tomi duo (MPL 106, Paris 1861, Sp. 918–1258) t. II, Sp. 1147. Dieses Werk ist wohl von „De ortu et obitu patrum" abhängig (vgl. z. B. GUERRA CAMPOS, Santiago, wie Anm. 2, S. 2184).

[13] Weitere Zeugnisse bei GUERRA CAMPOS, Santiago, wie Anm. 2, S. 2184 und PLÖTZ, wie Anm. 2, S. 58–76 mit Klärung der jeweiligen Abhängigkeiten.

[14] Beati in Apocalipsin libri duodecim, ed. by H. A. SANDERS. American Academy in Rome 1930, S. 116: *ad praedicandum in mundo sortes propias acceperunt, Petrus Roma ..., Iacobus Spania, Iohannes Asia.* Beatus' Version hat vor allem wegen der mehreren Handschriften zugefügten Miniaturen und Karten zur Predigttätigkeit der Apostel (geographisch gesehen) Bedeutung erlangt.
Vgl. jetzt das ausgezeichnete Facsimile der Handschrift aus Gerona (10. Jh.): Sancti Beati a Liebana in Apocalypsin Codex Gerundensis. Die Apokalypse von Gerona, mit Einleitung von J.

ist deshalb so bedeutend, weil sie im Zusammenhang mit der kirchenpolitischen Auseinandersetzung um den Adoptianismus entstanden ist und große Verbreitung erlangt hat.[15] Eventuell zeichnet Beatus auch als Autor für die Hymne „O Dei verbum" der alten spanischen Liturgie, die für die Frühzeit des Kultes aufschlußreich ist.[16]

Im 10. Jahrhundert wurde jedoch die Legende von der Predigttätigkeit des Jakobus in Spanien noch nicht durchweg angenommen. Dies beweist recht gut der Brief des Cesarius von Montserrat an Papst Johannes (XIII.)[17], in dem sich Cesarius – um Ansprüche auf die Metropole von Tarragona geltend zu machen – u. a. auf die Predigt des hl. Jakobus in Spanien berief. Der Erzbischof von Narbonne polemisierte hiergegen

---

MARQUÉS CASANOVAS/W. NEUSS/ C. E. DUBLER, Olten und Lausanne 1962. In der Einleitung, S. 44–63 erneute Revision der handschriftlichen Überlieferung von W. NEUSS. Die zitierte Stelle, Miniatur und Karte, fol. 52, 53 und 55. C. CID, Santiago el Mayor en el texto y en las miniaturas de los codices del „Beato" (Comp. 10, 4/1965, S. 231–283) stellt die Entstehung der Beatusversion in den größeren Zusammenhang der Auseinandersetzung zwischen Asturien und Toledo im Adoptianismusstreit (S. 232–241) und legt die Quellen für die oben zitierte Stelle dar (S. 242–248). U. a. kommt hierfür auch das in Anm. 9 zitierte Zitat aus „De ortu et obitu patrum" in Frage. Die kartographische und illustrative Darstellung der Zuweisung Spaniens zu einer Predigttätigkeit des Jakobus (nur in einem Teil der überlieferten Handschriften) ist jedoch nicht durchgängig festzustellen (Entstehungszeit und -ort bedeutsam) (S. 270–273).

Nach Fray J. PEREZ DE URBEL, Orígenes del culto de Santiago en España (Hispania Sacra 5/ 1952, S. 1–31) kann Beatus als Hauptpropagandist für die Jakobusverehrung in Spanien gelten (S. 15–18). Ähnlich: SANCHEZ ALBORNOZ, wie Anm. 2. Vgl. hierzu unten S. 12.

[15] Vgl. hierzu unten S. 12.

[16] Vgl. PEREZ DE URBEL, zuerst 1952 (wie Anm. 14) S. 16ff., erneut 1977 (Santiago, wie Anm. 2, S. 121–27); Pasionario Hispánico (siglos VII–XI), hg. von A. FABREGA GRAU, 2 Bde, Madrid-Barcelona, 1953–1955, Bd. I, S. 198–200 und SANCHEZ ALBORNOZ, wie Anm. 2, S. 386–292. Gegen eine Autorschaft von Beatus: M. C. DIAZ Y DIAZ, Los himnos en honor de Santiago de la liturgía hispanica (Comp. 11/1966, S. 457–502, ND in: ders., De Isidoro al siglo XI: Ocho estudios sobre la vida literaria peninsular, Barcelona 1976, S. 235–288) (nach ND zitiert), S. 251–261. DIAZ Y DIAZ geht im ND kurz auf die Einwände von SANCHEZ ALBORNOZ ein (S. 251, Anm. 27). PLÖTZ, wie Anm. 2, S. 90ff. folgt SANCHEZ ALBORNOZ, der seine These 1980 erneut bekräftigte: ders., La España cristiana de los siglos VII al XI. 1. El reino Asturleonés (722–1037): Sociedad, economía, gobierno, cultura y vida, Madrid 1980, S. 617–620 (= Historia de España, 7). Einigkeit herrscht jedoch bei den Autoren darüber – und darauf kommt es hier an –, daß der Ursprung der Hymne im asturischen Klima der beginnenden Reconquista gesucht werden müsse. Vgl. auch ENGELS, wie Anm. 2, S. 157f. und HERWAARDEN wie Anm. 2, S. 7ff. Neuedition der Hymne bei DIAZ Y DIAZ, S. 239–242 und HERWAARDEN, wie Anm. 2, S. 30–32. – Zu ‚späteren' Hymnen und deren Verhältnis zu ‚früheren' Vorlagen: F. J. VELOZO, Jacobus Zebedaei. Um desaparecido Hino a Sao Tiago Maior (Revista de Portugal 30/1965, S. 239–324).

[17] Papstregesten 911–1024, bearb. von H. ZIMMERMANN, Wien–Köln–Graz 1969 (= J. F. BÖHMER, Regesta Imperii II, 5) no. 470. Vgl. die dort angegebene Literatur und ferner: A. E. DE MAÑARICUA, El abad Cesário de Montserrat y sus pretensiones al arzobispado de Tarragona (Scriptorium Victoriense 12/1965, S. 30–73), der den Brief auch wie ZIMMERMANN als echt ansieht, doch mögliche Interpolationen nicht ausschließt (zusammenfassend, S. 72). Jüngst hat J. M. MARTÍ BONET, Las pretensiones metropolitanos de Cesareo abad de Santa Cecilia de Monserrat (Anthologica Annua 21/1974, S. 157–182) den Brief neu ediert (S. 163–165) und als Fälschung nachweisen wollen. Seiner Meinung vermag ich mich nicht anzuschließen; vgl. VONES, wie Anm. 2, S. 278 mit Anm. 20.

mit der Begründung, lediglich der Leichnam des hl. Jakobus sei nach Spanien gekommen.[18] Auch Ademar von Chabannes[19], Ordericus Vitalis[20] und andere wissen von einer Präsenz des hl. Jakobus in Spanien zu dessen Lebzeiten nichts zu berichten.[21] Erst seit dem 11. Jahrhundert ist die Predigttätigkeit des Apostels im Okzident größtenteils angenommen worden, bis die gelehrte Kritik seit dem 16. Jahrhundert diese Tradition zunehmend wieder bezweifelt hat.[22]

Als bahnbrechend und immer noch grundlegend für die kritischen Stimmen des 20. Jahrhunderts kann der Aufsatz von L. DUCHESNE angesehen werden, der 1900 erschien.[23] DUCHESNE gründet seine Beweisführung vornehmlich auf das „argumentum e silentio", das Fehlen von Zeugnissen während der ersten nachchristlichen Jahrhunderte, und unterscheidet mehrere Stufen, die die Entwicklung der legendären Tradition dokumentieren. DUCHESNES Aufsatz hat zu Beginn des Jahrhunderts eine heftige Gegenkritik hervorgerufen[24], die sich zum Teil bis heute – allerdings ausschließlich bei spanischen Gelehrten[25] – fortgesetzt hat. Die außerspanische Forschung ist DUCHESNE weitgehend gefolgt.[26] Es ist unwahrscheinlich, daß durch weitere Forschungen die

---

[18] Vgl. z. B. R. MENÉNDEZ PIDAL (Hg.), Historia de España, Bd. VI von F. J. PEREZ DE URBEL und R. DEL ARCO Y GARRAY, Madrid 1956, S. 516 und VAZQUEZ DE PARGA u. a., wie Anm. 2, S. 42f. Allgemein hierzu: F. J. PEREZ DE URBEL, El culto de Santiago en el siglo X (Comp. 16, 1–4/ 1971, S. 11–36) zur hier erörterten Problematik S. 34. Ansonsten handelt P. de U. hauptsächlich zu den verschiedenen Kultformen, insbesondere zur Frage des unterschiedlichen Festtagsdatums im arabischen und christlichen Spanien sowie im übrigen Europa aufgrund liturgischer Quellen.

[19] Epistola de apostolatu Martialis (MPL 141, Paris 1853, Sp. 87–112), Sp. 100.

[20] The ecclesiastical History of Orderic Vitalis, hg. von M. CHIBNALL, 6 Bde, Oxford 1968–1980, Bd. I, 1980, S. 179f.

[21] Diese beiden Autoren glaubten vielmehr, daß die Jünger des Jakobus, die den Leichnam des Apostels nach Spanien brachten, in der Nähe der Grabesstätte missioniert hätten. Weitere „negative" Zeugnisse bei: GUERRA CAMPOS, Santiago, wie Anm. 2, S. 2185; vgl. ferner: B. DE GAIFFIER, Une ancienne liste des localités où reposent les apôtres (L'homme devant Dieu. Mélanges offerts au Père Henri DE LUBAC, Bd. 1, Paris 1964, S. 365–371, ND in: ders., Etudes critiques d'hagiographie et d'iconologie, Brüssel, 1967, S. 361–368 = Subsidia hagiographica, 43) zu einem Zeugnis aus dem 8. Jahrhundert.

[22] Einen guten Überblick über die Jakobusverehrung und die wissenschaftliche Behandlung bis in die Neuzeit bieten KENDRICK, wie Anm. 1 und PLÖTZ, wie Anm. 2, S. 22–36.

[23] S. o. Anm. 4.

[24] Als bedeutendste Kritiker können wohl A. LÓPEZ FERREIRO, Santiago y la crítica moderna (Galicia Histórica 1/1901, S. 11–31; 2, S. 65–82; 3, S. 129–146 und 4/1902, S. 209–226) und F. FITA, Santiago de Galicia. Nuevas impugnaciones y nueva defensa (Razon y Fé 1/1901, S. 70–74, S. 200–205, S. 306–315; 2/1902, S. 35–45, S. 178–195; 3/1902, S. 49–62, S. 314–324, S. 475–488) angesehen werden.

[25] Hier sind vor allem zu nennen: C. VELASCO GOMEZ, Santiago y España, Madrid 1948; AYUSO MAZARUELA, Standum est, wie Anm. 3; P. PEDRET CASADO, La venida de Santiago el Mayor a España (Santiago en la historia, la literatura y el arte, Bd. I, Madrid 1954, S. 75–82); S. DA SILVA PINTO, O problema de S. Pedro Mártir. 1. Bispo de Braga, Braga 1959.

[26] Z. B. Y. BOTTINEAU, Les chemins de Saint Jacques, Paris – Grenoble (1964) S. 23ff, ähnlich: ders., La légende de St-Jacques (Pèlerins et chemins de St-Jacques en France et en Europe du Xe siècle à nos jours, hg. von R. de LA COSTE MESSELIÈRE, Paris 1965), S. 25–34; M. DEFOURNEAUX, Les Français en Espagne, Paris 1949, S. 60ff. Als frühester bedeutender spanischer Bezweifler der

grundsätzliche These von Duchesne revidiert werden muß, wenn auch J. Guerra Campos nach wie vor glaubt, das Problem der Missionstätigkeit des Apostels in Spanien sei weiterhin unbeantwortet und verlange eine genauere Klärung.[27] Vielmehr wird es möglich sein, die einzelnen Stufen der Theorie von Duchesne weiter zu präzisieren und eventuell zu modifizieren.

Zu 2): Auch zum Nachweis einer Translation des Jakobusleichnams können wir uns nicht auf unmittelbar nachchristliche Zeugnisse stützen. Die sogenannte „Passio Jacobi" zum Martyrium des hl. Jakobus ist heute in zwei Formen bekannt; die „Passio modica" geht auf eine Fassung des Eusebius von Caesarea (260–340)[28] zurück, die „Passio magna" basiert wohl auf Texten des 6. Jahrhunderts und ist vor allem in der Übernahme des Pseudo-Abdias[29] verbreitet worden. In Spanien ist die letztere wohl erst seit dem 7. Jahrhundert bekannt.[30] In einigen Fassungen wird in diesem Bericht noch ein Hinweis auf die Translation des hl. Jakobus angefügt, oft begnügen sich die Texte aber auch nach der Beschreibung des Martyriums mit der lapidaren Bemerkung, daß Jakobus am „gleichen Ort", nämlich in Jerusalem, begraben wurde.[31] Es konnte bisher jedoch kein Grabeskult in Jerusalem nachgewiesen werden. Auch die Bezeichnung des Grabesortes in den oben zitierten Fassungen der Legende[32] „Acha marmarica" oder ähnlich hat bisher mehr Probleme aufgeworfen als zur Lösung beigetragen. Vermutlich setzt eine solche Bezeichnung die Annahme einer Translation voraus. Bisher konnten Versuche, eine Stadt in Nordafrika hiermit zu identifizieren, der Kritik

---

Jakobustradition kann Z. García Villada, Historia eclesiastica de España, Bd. I, Madrid 1929, S. 27–104, angesehen werden. Seine Untersuchungen sind von E. Sanchez Martin, El padre Villada y la venida de Santiago a España, Valladolid 1940 kritisiert worden.

[27] So Guerra Campos, Santiago, wie Anm. 2, S. 2185. Viele Abhandlungen begnügen sich damit, die verschiedenen Thesen der Forschung bzw. das Pro und Contra vorzutragen. Dies ist angesichts der Problematik des zu interpretierenden Materials nicht verwunderlich, jedoch scheint mir die Analyse von Duchesne bislang auch durch neuere Detailforschung in keinem wesentlichen Punkt erschüttert. Plötz, wie Anm. 2, zusammenfassend S. 98f. bestätigt und konkretisiert Duchesne.

[28] Historia ecclesiastica II, 9, hg. v. G. Bardy, 4 Bde, Paris 1952–1971 (= Sources chrétiennes, 31, 41, 55, 73bis), Bd. I, S. 60–62. Vgl. Vazquez de Parga u. a., wie Anm. 2, Bd. I, S. 183f.

[29] Vgl. R. A. Lipsius, Die apocryphen Apostelgeschichten und Apostellegenden, Bd. I, Braunschweig 1883, S. 206–208. Zu Pseudo-Abdias vgl. ibid., S. 117ff., bes. S. 177 und bereits oben Anm. 7.

[30] Vgl. Diaz y Diaz, literatura, wie Anm. 2, S. 287. Diaz y Diaz nimmt gegen Fabrega Grau, wie Anm. 16, Bd. I, S. 200f., an, Julian habe die „Passio" als Gegenstück zur sonst verbeiteten Predigttätigkeit durch „De ortu et obitu patrum" benutzt.

[31] Guerra Campos, Notas, wie Anm. 2, S. 440 und erneut: ders., Santiago, wie Anm. 2, S. 2186.

[32] S. Anm. 4 und 9. Die Auflistung aller einschlägigen Stellen bei Guerra Campos, Notas, wie Anm. 2, S. 449–451. M. C. Diaz y Diaz, El lugar de enterramiento de Santiago el Mayor en Isidoro de Sevilla (Comp. 1,4/1956, S. 365–369) mit Lesarten aller Mss. von „De ortu et obitu patrum". C. Torres Rodriguez, Arca Marmorea (Comp. 2, 2/1957, S. 147–166) und ders., Nota sobre „Arca Marmorea" (Comp. 4, 2/1959, S. 165–171) hat mit seiner Theorie, die die verschiedenen Lesarten erläutert, bisher nicht durchdringen können. Zur Kritik vgl. Diaz y Diaz, Literatura, wie Anm. 2, S. 290.

nicht standhalten.[33] Die von BOTTINEAU geäußerte Vermutung, hiermit sei schlichtweg ein Marmorgrab gemeint, das entsprechend archäologischen Funden in der Nähe von Compostela lokalisiert werden könne, berücksichtigt zumindest Archäologie und philologische Kritik gleichermaßen.[34]

Wie bei der Predigttätigkeit deutet auch in dieser Frage alles darauf hin, daß die oben zitierten Werke, die nicht weiter als ins 6. Jahrhundert zurückreichen, erstmals eine Translation nach Spanien ins Auge fassen.[35] Jedoch noch mehr als dieses Problem der Predigttätigkeit hat der Translationsbericht in der Forschung zu verschiedenen Hypothesen geführt, weil in ihm die wichtigste Grundlage der Compostelaner Tradition zu sehen ist. Neben Versuchen, eine Translation nicht direkt nach dem Martyrium des hl. Jakobus anzusetzen, sondern sie auf das 4. oder gar erst auf das 8./9. Jahrhundert zu datieren bzw. eine doppelte Übertragung der Gebeine anzunehmen[36], hat in den fünfziger Jahren vor allem die These von PEREZ DE URBEL[37] heftige Diskussionen ausgelöst. PEREZ DE URBEL geht von einer neuentdeckten Inschrift der Kirche Sta María en Mérida[38] (7. Jahrhundert) aus, die neben anderen Reliquien auf eine Jakobusreliquie hinweist.[39]

Für das 9. Jahrhundert ist bei Compostela eine Kirche nachweisbar, deren Reliquien in ihren Zusammensetzungen mit denen von Mérida übereinstimmen sollen.[40] PEREZ DE URBEL folgert weiter, daß die Reliquien von Mérida nach dem 7. Jahrhundert wegen der islamischen Invasion von Geistlichen nach Compostela übertragen worden seien. Dies wäre die eigentliche Translation.[41] Der Grund für einen Kult in Compostela im 8. Jahrhundert liege vor allem darin, daß ausländische Notizen zur Predigt des Apostels in Asturien aufgenommen und verbreitet wurden.[42] Soweit die Hauptthese von PEREZ DE URBEL.

[33] Vgl. GUERRA CAMPOS, Notas, wie Anm. 2, S. 457.

[34] BOTTINEAU, chemins, wie Anm. 25, S. 28. Vgl. hierzu unten S. 11, Anm. 64. Ähnlich: PLÖTZ, wie Anm. 2, S. 103f.

[35] Vgl. Anm. 29–32.

[36] Vgl. zu möglichen Daten: GUERRA CAMPOS, Notas, wie Anm. 2, S. 559–565 und ders., Santiago, wie Anm. 2, S. 2187 und E. KIRSCHBAUM, Das Grab des Apostels Jakobus in Santiago de Compostela (Stimmen der Zeit no. 176/1965, S. 352–362), S. 360 zur Theorie einer späten „Translatio", die in jüngster Zeit von V. und H. HELL (Die große Wallfahrt des Mittelalters. Kunst an den romanischen Pilgerstraßen durch Frankreich und Spanien nach Santiago de Compostela. Einf. von H. J. HÜFFER, Tübingen 1964, 3. überarbeitete und ergänzte Aufl. 1979) mit zusätzlichen kunsthistorischen Beobachtungen erneut in die Diskussion eingebracht worden ist (S. 35–38). Jüngst ähnlich: HERWAARDEN, wie Anm. 2, S. 23ff. Unabhängig von HERWAARDEN wurde diese These jedoch von PLÖTZ, wie Anm. 2, S. 104f. als unbewiesen widerlegt.

[37] Fr. J. PEREZ DE URBEL, wie Anm. 14. Die These ist vom Autor in vielfacher Weise neu vorgetragen worden (vgl. GUERRA CAMPOS, Bibliografia, wie Anm. 2, S. 597–603), zuletzt in ders., Santiago, wie Anm. 2, S. 145–163 und passim.

[38] J. M. NAVASCUÉS Y DE JUAN, La dedicación de la iglesia de Santa María de Mérida y de todas las vírgenes (Archivo español de Arqueología 21/1948, S. 309–359) Text S. 311. J. VIVES, La dedicación de la iglesia de Santa María de Mérida (Analecta sacra Tarraconensia 22/1949, S. 67–73) sieht in der Inschrift den ersten Nachweis für den Jakobuskult in Spanien.

[39] PEREZ DE URBEL, wie Anm. 14, S. 4–6.

[40] Ibid., S. 6–9.   [41] Ibid., S. 9–11.   [42] Ibid., S. 12–24.

Der originelle Erklärungsversuch entspricht allerdings einer Gleichung mit mehreren Unbekannten; so kann sowohl die Übereinstimmung der Mérida-Reliquien mit denen von Compostela – von 11 Reliquien aus Mérida sind in Santiago nur 8 unter 32 nachweisbar – als auch der Zusammenhang mit der Grabentdeckung und den legendären Translationsberichten nur vermutet werden. Möglicherweise war in Mérida auch Jakobus der Jüngere gemeint. Die These von PEREZ DE URBEL hat zwar bedingt Zustimmung erfahren[43], die meisten Forscher stehen ihr jedoch kritisch gegenüber.[44] Sie ist u. a. deshalb problematisch, weil die zwei detaillierten Zeugnisse zur „Translatio" des hl. Jakobus, die wir seit dem 9. Jahrhundert antreffen, die „Translatio" (BHL 4058, 4067–69) und die „Epistola Leonis papae" (BHL 4059, 4060, 4061, 4061b) von PEREZ DE URBEL nur als Berichte angesehen werden, welche die allgemeine Neugier befriedigen sollten.[45] Hingegen müßten deren einzelne Elemente genauer auf mythischen und realen Gehalt hin untersucht werden.[46] Diese beiden Dokumente sind wohl in ihrer ältesten Form frühestens auf das 9./10. Jahrhundert zu datieren.[47] Sie geben vor allem über die Ankunft des Jakobusleichnams in Galizien genaue Auskunft.[48] Die verschiedenen Fassungen dieser Texte lassen auf Übernahme aus unterschiedlichen Quellen und auf verschiedene Abfassungsorte schließen; Compostela kommt aus

---

[43] Vor allem J. VIVES, Importancia de la Epigrafía para la Historia de la Iglesia antiqua (Analecta Gregoriana, 70/1954, S. 19–38); J. M. GÓMEZ, Nota en torno a los orígenes del culto de Santiago en España (Hispania Sacra 7/1954, S. 487–90); H. J. HÜFFER, wie Anm. 2, S. 24f.; vgl. hierzu: GUERRA CAMPOS, Bibliografía, wie Anm. 2, S. 598–603.

[44] S. PORTELA PAZOS, Orígenes del culto al Apóstol Santiago (Arbor no. 91–92/1953; S. 23–73, ND: Compostela nos. 26–27/1953 und Santiago en la Historia, wie Anm. 3, Bd. I, S. 23–73); C. SANCHEZ ALBORNOZ, España, un enigma histórico, Buenos Aires 1956, Bd. I, S. 269–270; J. GUERRA CAMPOS, El descubrimiento del cuerpo de Santiago en Compostela según la „Historia de España" dirigida por MENÉNDEZ PIDAL (Comp. 1,2/1956, S. 161–191); E. KIRSCHBAUM, Das Grab, wie Anm. 36, S. 360; weitere Kritiker: vgl. GUERRA CAMPOS, Bibliografía, wie Anm. 2, S. 598–603 und KENDRICK, wie Anm. 1, S. 187–189.

[45] PEREZ DE URBEL, wie Anm. 14, S. 27–30.

[46] Über beide Schriftstücke zuletzt: B. DE GAIFFIER, Notes sur quelques documents relatifs à la translation de St-Jacques en Espagne (AB 89/1971, S. 47–66); engl. Fassung: Notes on some documents bearing on the Translatio Sancti Jacobi to Spain (Classical folia. Studies in the Christian perpetuation of the Classics 26/1972, S. 3–25). GAIFFIER vergleicht die verschiedenen Fassungen der „Translatio" und des „Leo-Briefes", jüngst PLÖTZ, wie Anm. 2, S. 124ff.

[47] GAIFFIER, wie Anm. 46, S. 15 und DIAZ Y DIAZ, wie Anm. 2, S. 299 datieren sogar eher auf das 11. Jahrhundert. Zur führeren Datierung: GUERRA CAMPOS, Santiago, wie Anm. 2, S. 2187. Die verschiedenen Fassungen des Leo-Briefes sind in letzter Zeit an unterschiedlichen Orten gedruckt worden: P. DAVID, Notes Compostellanes (Bulletin des Etudes Portugaises et de l'Institut Français au Portugal 15/1951, S. 180–193), S. 180–188 zum Leo-Brief: S. 184f., Ed. nach Ms. lat. 2036 der BN Paris. A. MUNDÓ, El Cod. Parisinus 2036 y sus añadiduras hispanicas (Hispania Sacra 5/1952, S. 67–78), Ed. S. 73f. J. GUERRA CAMPOS, La carta del papa León sobre la translacion de Santiago en el manuscrito 1104 de la biblioteca Casanatense (Comp. 1,2/1956, S. 481–92), Ed. S. 489–92. M. GARCÍA ALVAREZ, El monasterio de San Sebastian del Picosagro (Comp. 6,2/1961, S. 4–48) Ed. des Leo-Briefes im Anhang nach Kopie des Klosters Picosagro (Archivo Historico Nacional, Madrid, Clero Montesacro, carpeta 511, num. 16) mit Varianten von BN Paris, Ms. lat. 2036 fol. 47ᵛ auf S. 41–43.

[48] Vgl. das Kurzresümee bei GAIFFIER, wie Anm. 46, S. 11f.

Gründen innerer Kritik als Entstehungsort hierfür sicherlich nicht in Frage.[49] Endgültig sind die Einzelheiten des ausführlichen Translationsberichtes erst relativ spät (10./11. Jahrhundert) im Okzident zur allgemeinen Meinung geworden, allerdings wohl früher als die Annahme der Missionstätigkeit. Dies dürfte nicht zuletzt mit der „Grabentdekkung" zusammenhängen, denn die Authentizität eines Apostelgrabes verlangte eine Antwort auf die Frage, wie der Leichnam des Apostels nach Spanien gekommen sei.

Zu 3): Gesicherte schriftliche Quellen zur Legende von der Grabentdeckung stammen ebenfalls erst aus dem 11. Jahrhundert (1077)[50], ein früherer Brief Alfons' II. ist vermutlich als unecht anzusehen.[51] Das Datum der Grabentdeckung wird meist mit 813 angegeben[52], zur Zeit des Bischofs Theodomir. Als gesichert gilt, daß seit dem 9. Jahrhundert ein zunächst lokaler Kult um den Apostel Jakobus zugenommen hat.[53] Die Archäologie hat versucht, die spärlichen Quellennotizen zur Grabentdeckung zu konkretisieren. Die Ausgrabungen von 1879 und 1946–1959[54] konnten sowohl ein römisches Mausoleum des 1./2. Jahrhunderts, das wohl bis ins 5. Jahrhundert als Grabstätte gedient hat und vor allem durch Ostung der Gräber und Fehlen der Grabbeigaben auf eine frühchristliche Begräbnisweise hinweist, als auch das Grab des Bischofs Theodomir freilegen. Da dieses Mausoleum zwar noch von den Sueben

---

[49] DIAZ Y DIAZ, wie Anm. 2, S. 298f. In Zusammenhang mit dem Brief Papst Leos steht wahrscheinlich ein Brief Alfons' III. an die Kirche von Tours. Die Echtheit des Briefes ist sehr umstritten, vgl.: L. BARRAU-DIHIGO, Recherches sur l'histoire politique du royaume asturien (718–910) (Revue hispanique 52/1921, S. 1–360) S. 86–91 (auch separat erschienen); R. MENENDEZ PIDAL, El Imperio Hispánico y los cinco reinos, Madrid 1950, S. 29–33; A. SANCHEZ CANDEIRA, El „regnum-imperium" leonés hasta 1037, Madrid 1951, S. 13–15 und DIAZ Y DIAZ, wie Anm. 2, S. 300. Ed. des Briefes: ES XIX, S. 346–349, und: A. LOPEZ FERREIRO, Historia de la Santa A. M. Iglesia de Santiago, Bd. II, Santiago 1899, App. no. XXVII, S. 57–60.

[50] „Concordia de Antealtares", hg. und erläutert von J. CARRO GARCÍA, La escritura de concordia entre Don Diego Peláez, Obispo de Santiago, y San Fagildo abad del monasterio de Antealtares (CEG 4/1949, S. 111–122). Vgl. auch BOTTINEAU, chemins, wie Anm. 26, S. 22, ferner: ENGELS, wie Anm. 2, S. 148ff. und PLÖTZ, wie Anm. 2, S. 99ff.

[51] Vgl. die Studien bei GUERRA CAMPOS, Bibliografía, wie Anm. 2, S. 626.

[52] Vgl. LOPEZ FERREIRO, wie Anm. 49, S. 18ff. Die Hist. Comp. I,2 berichtet *sub tempore Karoli magni factum fuisse* (ES XX, S. 9). Vielleicht suchten die späten Quellen, eine Verbindung zwischen Karl dem Großen und dem Jakobuskult nachträglich herzustellen (so DIAZ Y DIAZ, Jakobuslegende, wie Anm. 9, S. 470, in Anm. 20, und ders. literatura, wie Anm. 2, S. 296). Diese Verbindung wird uns bei der Behandlung des LSJ noch weiter beschäftigen (Kap. 5.2.).

[53] Vgl. GUERRA CAMPOS, Santiago, wie Anm. 2, S. 2186 (verstärkte königliche Schenkungen, Bau einer Basilika, Hinweis auf den hl. Jakobus in den bischöflichen Titeln etc.), ebenso ENGELS, wie Anm. 2, S. 153f., vgl. unten S. 13f.

[54] Vgl. M. CHAMOSO LAMAS, Noticias de las excavaciones en la Catedral de Santiago (Comp. 1,2/1956, S. 5–48; 1,4/1956, S. 257–328; 2,4/1957, S. 225–330), S. 275–330, mit Abbildungen (= Ausgrabungstagebuch). Kurzfassung: ders., Noticias sobre recientes descubrimientos arqueológicos y artísticos efectuados en Santiago de Compostela (Principe de Viana 32/1971, S. 35–49) und ders., Los Lugares Santos Jacobeos, Iria Flavia, Padrón y Compostela (Santiago en España, wie Anm. 2, S. 21–54) mit weiteren allgemeinen Hinweisen zum Jakobuskult. E. KIRSCHBAUM, Die Grabungen unter der Kathedrale von Santiago de Compostela (Römische Quartalschrift 56/1961, S. 234–354), zur hier angesprochenen Problematik S. 240 und S. 253f. Ders., wie Anm. 36, S. 355–358, kurze Zusammenfassung der wichtigsten Grabungsergebnisse.

benutzt wurde, aber seit dem 7. Jahrhundert verlassen dastand, wie eine Erdschicht bezeugt, ist es durchaus wahrscheinlich, daß im 9. Jahrhundert – zur Zeit Theodomirs – ein Grab aus der christlichen Frühzeit Galiziens entdeckt worden ist. Unbeantwortet bleibt jedoch die entscheidende Frage, ob das damals gefundene Grab als Jakobusgrab identifiziert werden kann. Dieses Problem ist teils in den größeren theoretischen Erklärungsversuchen des Gesamtphänomens beantwortet worden, die es nunmehr abschließend vorzustellen gilt.

Zu 4): In nächster Zukunft ist kaum damit zu rechnen, daß die Entstehung des Jakobuskultes endgültig bestimmt werden kann. Allein die gegenseitige Abhängigkeit der unterschiedlichen schriftlichen Zeugnisse für die Legende und deren geographische und zeitliche Verbreitung, die immer noch durch die Detailforschung ergänzt und korrigiert wird[55], verhindert eine vollkommen schlüssige Antwort für die Kultentstehung. Deshalb wird auch z. B. die Frage, wie sich die Berichte zur Predigttätigkeit und zur Translation zueinander verhalten, völlig kontrovers beantwortet, denn die zeitliche Entstehung des Translationsberichtes kann zum einen als Folge einer bekannten Predigttätigkeit, umgekehrt jedoch auch als Ursache für die Verbreitung einer Nachricht zur Mission des Apostels in Spanien gesehen werden. Diese Schwierigkeiten, die im Zustand des Materials gründen, haben zu einer Reihe verschiedener Hypothesen geführt.[56]

Neben der bereits erläuterten Theorie von PEREZ DE URBEL[57] haben verschiedene Autoren eine späte Translation – im 4. oder 8. Jahrhundert (GAMS, HELL)[58] – angenommen, bei der die Entstehung des Kultes in Spanien allerdings wenig beachtet wurde. Hierauf legen hingegen Untersuchungen Wert, welche die Religionsgeschichte Galiziens in den Jahrhunderten vor und während der Christianisierung genauer beleuchten. Verschiedene Kultgewohnheiten des vorchristlichen Galiziens sind hiernach u. a. im Translationsbericht wieder erkennbar und lassen so wenigstens andeutungsweise die heidnische Vorgeschichte eines christlichen Kultes bzw. das Übergangsstadium von der heidnischen zur christlichen Form erkennen.[59]

---

[55] Vgl. oben Anm. 5–13.

[56] Im folgenden wird die wissenschaftliche Gefolgschaft der These von DUCHESNE nicht weiter berücksichtigt (vgl. oben Anm. 23–26). Teils hat sich auch diese Nachfolge darin erschöpft, DUCHESNES Ergebnisse zu akzeptieren und auch die von diesem offen gelassenen Fragen nicht weiter zu vertiefen. Vgl. zur Historiographie bis ins 19. Jh.: J. VILLA AMIL Y CASTRO, Ensayo de un catálogo sistematico y critico de algunos libros, folletos y papeles que tratan en particular de Galicia, Madrid 1875, nos. 277–348 und: A. LÓPEZ, Bibliografía del Apóstol Santiago (Nuevos estudios críticos historicas acerca de Galicia, Bd. I, hg. v. L. GÓMEZ CANEDO, Santiago de Compostela, 1947, S. 3–130) (= ND verstreuter Miszellen aus Ultreya, 1–2/1919–20).

[57] S. o. Anm. 37–42.

[58] S. o. Anm. 36.

[59] Vgl. den Deutungsvorschlag bei B. BENNASSAR, Saint-Jacques de Compostelle, Paris 1970, S. 211–220. BENNASSAR stützt sich theoretisch auf die Archetypenlehre C. G. JUNGS und auf lokalgeschichtliche Beobachtungen von V. RISCO (Manual de historia de Galicia, Vigo ¹1952, ³1954). Ähnlich hatte bereits H. W. HOWES (The cult of Sant Jago at Compostela, in: Folk-Lore 36/1925, S. 132–150) bes. S. 138 in Nachfolge und Erweiterung von: H. PEAKE, Santiago. The evolution of a patron saint (Folk-Lore 30/1919, S. 208–226) den Ursprung des Jakobuskultes in

Eine religionsgeschichtliche Erklärungsmethode wurde auch von A. Castro[60] herangezogen, allerdings mit Bezug auf die griechisch-römische Mythologie. Castro betrachtet vor allem den kriegerischen Aspekt des Jakobuskultes und will die „Donnersöhne" (Jakobus und Johannes) als christliche Form des Dioskurenpaares Castor und Pollux verstanden wissen. Hierbei weist er u. a. auch auf ein römisches Heiligtum zu Ehren der Dioskuren in Galizien hin.[61] Die Theorie Castros wurde in der Forschung weitgehend nicht akzeptiert[62], sicherlich auch deshalb, weil hier eine Funktion allein, nämlich die kriegerische des hl. Jakobus, die Entstehung des Gesamtkultes erklären soll.

Die an archäologischen Ergebnissen der fünfziger Jahre orientierten Deutungsversuche bejahen fast alle verschiedene Elemente der legendären Tradition: eine Translation im 1. Jahrhundert und die Grabentdeckung im 9. Jahrhundert seien vom archäologischen Standpunkt vertretbar.[63] Eine relativ schlüssige Postition hat in dieser Hinsicht Y. Bottineau[64] bezogen. Er faßt Bemerkungen von R. Louis zusammen, der Ergebnisse von Duchesne, David und Chamoso Lamas in einen Deutungsversuch einbezog. Hiernach könnte unter „arca marmorica" ein Marmorgrab verstanden werden, wie es u. a. auch bei einem Hügel in der Nähe von Compostela angetroffen werden konnte. Die Kunde von der Predigttätigkeit des Apostels habe im 9. Jahrhundert dazu geführt,

---

der heidnischen Steinverehrung gesehen. Demzufolge hätten die „Grabentdecker" die Aufmerksamkeit des Volkes von der Steinverehrung zur Heiligenverehrung bewußt gelenkt (S. 139). Laut Bennassar dürfte beim Übergang vom heidnischen zum christlichen Kult die „Häresie" des Priszillianismus eine größere Rolle gespielt haben. Eine solche, möglicherweise berechtigte Sicht kann aber wohl kaum dazu führen, das Jakobusgrab mit dem Priszillians zu identifizieren (zu dieser These vgl. Kirschbaum, wie Anm. 36, S. 359 mit Hinweis auf Guerra Campos, Notas, wie Anm. 2). Hierfür läßt sich kein sicherer Beleg erbringen, zumal Priszillians Verurteilung als Häretiker in Trier geschah.

[60] Vgl. vor allem: A. Castro, Dos Ensayos, Mejico 1956, S. 50–61 und ders., Santiago de España, Buenos Aires 1958, bes. S. 89–103. Beide Werke sind bereits Rechtfertigungen und gehen auf Kritik ein; die erste Formulierung der These ist in Castros Hauptwerk (s. folgende Anm.) zu finden.

[61] So A. Castro, La realidad histórica de España. Mejico 1954, S. 107–187, dt.: Spanien – Vision und Wirklichkeit, Köln–Berlin 1957, bes. S. 138–150, wo zusätzlich auf die Bedeutung des Islams bei der Entwicklung des Jakobuskultes hingewiesen wird. Diese von Castro formulierte These ist bereits im 18. Jh. vorgetragen worden, wie J. Cepeda Adán, Los dioscuros y Santiago en el siglo XVIII. La „Representación" del duque de Arcos (Anuario de Estudios medievales 1/1964, S. 647–649) vermerkt.

[62] Die stärkste Zurückweisung kam von C. Sanchez Albornoz, vor allem in der Abhandlung: El culto de Santiago no deriva del mito dioscórido (Cuadernos de Historia de España 28/1958, S. 5–42; ND in: ders., Miscelanea de Estudios Historicos, León 1970, S. 419–455). Der Haupteinwand von Sanchez Albornoz geht dahin, daß Castro spätere Entwicklungen als Ursprung annimmt (ND S. 441). Zu weiteren kritischen Stimmen: Guerra Campos, Bibliografía, wie Anm. 2, S. 615; vgl. ferner: Kendrick, wie Anm. 1, S. 183–191, der die Castro – Sanchez Albornoz Kontroverse gut zusammenfassend darstellt.

[63] Vgl. u. a. die Arbeiten von Kirschbaum, wie Anm. 36 und 54. Auch in diese Richtung tendierend: J. Guerra Campos, Notas, wie Anm. 2, S. 583–585 und Chamoso Lamas, Lugares, wie Anm. 54, S. 54.

[64] S. Anm. 26 und 34.

daß bei Compostela nach dem „Marmorgrab" gesucht worden sei. Bei der so gemachten „Grabentdeckung" habe man dann Knochenreste eines antiken Friedhofes mit dem Leichnam des Apostels einfach gleichgesetzt.[65]

Sowohl diese als auch viele der anderen Theorien bedürfen allerdings einer Antwort auf die Frage, woher das plötzliche Interesse an der Jakobusverehrung im Spanien des 8. Jahrhunderts herrührt. Einige Gelehrte lassen diese Frage offen, andere stimmen jedoch weitgehend darin überein, daß das geistige Klima für die Aufnahme und Weiterentwicklung der Jakobuslegende im Asturien des 8. Jahrhundert zu suchen sei. In den Auseinandersetzungen des Adoptianismusstreites lieferte die Jakobustradition Asturien entscheidende Hilfen, um den alten Vorrang Toledos für Asturien zu beanspruchen.[66] Den größten Einfluß dürften hier die Schriften des bereits erwähnten Mönches Beatus von Liébana gehabt haben.[67] Hinzu kommt, daß zunehmender Reliquienkult und der in Asturien beginnende Kampf gegen den islamischen Gegner diese Entwicklungen weiter begünstigt haben.[68]

Als Ergebnis der bisherigen Forschungen kann festgehalten werden, daß sowohl Predigt- als auch Translationslegende keinesfalls weiter als ins 6. Jahrhundert zurückverfolgt werden können. Im lateinischen Okzident ist die Legende seit dem 7. Jahrhundert nachweisbar. Ebenso kann eine Translation der Jakobusreliquien von Jerusalem nach Spanien weder für das 1. Jahrhundert nach Chr. noch für spätere Zeit schlüssig erwiesen werden. Der Kult um den Apostel Jakobus muß in Asturien seit dem 8. Jahrhundert entstanden sein. Dieser Kult verursachte wohl die „Grabentdeckung" bzw. den Kult um die Grabstätte, nicht umgekehrt; möglicherweise wurde hier ein älterer heidnischer Kult „christianisiert".[69]

---

[65] BOTTINEAU, chemins, wie Anm. 26, S. 29.

[66] J. M. LACARRA unter Mitwirkung von O. ENGELS, Mauren und Christen in Spanien (711–1035) (Handbuch der Europäischen Geschichte, hg. von TH. SCHIEDER, Bd. 1: Europa im Wandel von der Antike zum Mittelalter, hg. von TH. SCHIEFFER, S. 997–1034) S. 1008. Diesen Aspekt griff ENGELS erneut 1980 auf und behandelt ihn überzeugend im Zusammenhang mit der kirchenpolitischen Situation Spaniens bis ins 11. Jh. Er glaubt, die Verlegung des Bischofsitzes von Iria nach Compostela als Auslöser für den Grabkult ansehen zu können; das Grab selber sei bereits vorher vorhanden gewesen (wie Anm. 2, S. 169).

[67] Dies unterstrichen u. a. PEREZ DE URBEL, wie Anm. 14, S. 18; SANCHEZ ALBORNOZ, wie Anm. 2, S. 383ff.; BOTTINEAU, chemins, wie Anm. 26, S. 29f.

[68] BOTTINEAU, ibid.

[69] Vgl. auch ähnlich zusammenfassend: J. FONTAINE, L'Art préroman hispanique, (Paris) 1973, Bd. I, S. 30f. Meines Erachtens müßte sich die Forschung in Zukunft noch mehr darauf konzentrieren, vor allem diesen letzten Fragenkomplex (Kultentstehung in Asturien, heidnische Grundlagen) weiter in den Griff zu bekommen. Je präziser künftige Ergebnisse in dieser Hinsicht werden, desto leichter wird auch die Beantwortung der Frage nach dem „realen" Kern der überlieferten Jakobustradition fallen.

2. BEDEUTUNG UND STAND DER ERFORSCHUNG DES LIBER SANCTI JACOBI

2.1. Die Anfänge der Jakobusverehrung in Compostela bis zur Entstehung der Kompilation

Der Jakobuskult blieb im 9. Jahrhundert zunächst auf den näheren geographischen Umkreis der „wiederentdeckten" Reliquien beschränkt. Die Form und Art dieser ursprünglichen Verehrung ist quellenmäßig allerdings nur schwer faßbar, so ist z. B. die Nachricht der Chronik des Sampiro[1] zu Bau und Weihe einer Basilika (zur Zeit Alfons' III.) bisher nicht unumstritten geblieben, wenn auch zuletzt SANCHEZ ALBORNOZ versucht hat, den „echten Kern" aus diesen Überlieferungen herauszuschälen.[2] Der kontinuierliche Aufschwung des Kultzentrums läßt sich an stetig zunehmenden königlichen Privilegien für Compostela ablesen[3]; hier finden sich bereits Ende des 9. Jahrhunderts Hinweise auf Pilger. Die ebenfalls in diesen Urkunden auftauchenden Bitten – vor allem um die Hilfe des hl. Jakobus im Kampf – weisen schon auf das entstehende Landespatronat des hl. Jakobus hin.[4]

---

[1] Sampiro, su cronica y la Monarquía Leonesa en el Siglo X, hg. v. Fr. J. PEREZ DE URBEL, Madrid 1952 (= Consejo superior de investigaciones científicas, Escuela de Estudios Medievales, XXVI), S. 289–294.

[2] C. SANCHEZ ALBORNOZ, Sobre una epistola del Papa Juan IX a Alfonso III de Asturias (Bulletin de l'Institut Historique Belge de Rome 44/1974 S. 551–563); ders., Sobre el acta de consegración de la iglesia de Compostela en 899 (Classica et Iberica. A Festschrift in Honor of J. M. F. MARIQUE, S. J., hg. v. P. T. BRANNAN, Worcester (Mass.) 1975, S. 275–292). Mit diesen beiden Abhandlungen dürfte allerdings noch nicht das letzte Wort über den Fälschungskomplex des Pelayo von Oviedo, dem auch diese Nachrichten zuzuordnen sind, gesprochen sein. Zuletzt hat O. ENGELS (Papsttum, Reconquista und spanisches Landeskonzil, in: Annuarium historiae Conciliorum 1/1969, S. 37–49 und S. 241–87) diesen Zusammenhang analysiert (S. 276–87). Hiernach enthalten die Angaben zur Konsekration der Jakobusbasilika „eine gleichsam gegen Santiago gerichtete Spitze" (S. 279). Trotzdem dürften jedoch der Zeitpunkt und der Akt der Konsekration gesichert sein. So auch: R. PLÖTZ, Der Apostel Jacobus in Spanien bis zum 9. Jh. (Ges. Aufs. zur Kulturgesch. Spaniens 30/1982, S. 19–145) S. 105–108.

[3] Vgl. L. VAZQUEZ DE PARGA/J. M. LACARRA/J. URÍA RÍU, Las peregrinaciones a Santiago de Compostela, 3 Bde, Madrid 1948/49, Bd. I, S. 30f.

[4] Hinweise auf Pilger: vgl. z. B. ein Privileg von 886: Regest bei: L. BARRAU-DIHIGO, Etude sur les actes des rois asturiens, 718–910 (Revue hispanique 46/1919, S. 1–191), no. 45, S. 143f., gedruckt bei: A. LOPEZ FERREIRO, Historia de la Santa Iglesia de Santiago de Compostela, Bd. II, Santiago 1899, Apéndices no. XIX, S. 35: *pro victu . . . vel etiam peregrinorum . . .* Hinweise auf das Patronat: BARRAU-DIHIGO, no. 44, S. 143, = LOPEZ FERREIRO, ibid., S. 32: . . . *patroni nostro Iacobo apostolo. . .* (Privileg von 885). Quellenauszüge auch bei PLÖTZ, wie Anm. 2, S. 106–108.

Nachrichten über einzelne Pilger setzen erst in der 2. Hälfte des 10. Jahrhunderts mit der Notiz zur Pilgerfahrt eines Bischofs Godescalcus von Le Puy im Jahre 951 ein.[5] Die Eroberungszüge des islamischen Feldherrn Al-Mansūr, die ihn 997 nach Compostela führten[6], behinderten sicherlich die Pilgerfahrten für eine gewisse Zeit, indessen kann kurz danach der Durchbruch Compostelas zum bedeutendsten Fernwallfahrtszentrum neben Rom und Jerusalem angesetzt werden.[7] Die möglichen Gründe für diesen Aufschwung darzustellen, bedürfte es einer eigenen Abhandlung, hier müssen einige kurze Andeutungen genügen.

Mit einer Unterscheidung, wie Du Cange sie beispielsweise für verschiedene Pilgertypen trifft (Pilger aus Frömmigkeit, Pilger als Bestrafte oder Büßende, Pilger, die am Wallfahrtsort sterben wollen[8]), ist dem Problem nur bedingt näher zu kommen, in der Realität werden diese Pilgertypen nie in jeweiliger Ausschließlichkeit vorgekommen sein. Mit dem letzten Pilgertypus weist jedoch Du Cange in eine Richtung, die für eine Charakterisierung des mittelalterlichen Pilgers bedeutsam sein könnte, spielt doch für diesen die physische Nähe zum Heiligen eine außerordentliche Rolle.[9]

Wenn sich zunehmend auch aus der Ferne Pilger zum Grab des hl. Jakobus aufmachten, so muß dies wohl daran gelegen haben, daß Berichte über am Grab oder durch die Pilgerreise geschehene, d. h. von dem Heiligen bewirkte Wunder – sei es

---

[5] Die Wallfahrt selbst war wohl noch 950 begonnen worden. Vgl. Vazquez de Parga, wie Anm. 3, S. 42. Ob eventuell ein früherer Pilger aus dem 9. Jahrhundert persönlich nachgewiesen werden kann, ist umstritten, vgl. Ch. Petouraud, Geilon, premier abbé de Tournus, évêque de Langres, pèlerin de Compostelle en 883?, Lyon 1954, der die Nachrichten aus dem 12. Jahrhundert hierzu als nicht zuverlässig ansieht.

[6] Vgl. z. B. J. M. Lacarra (unter Mitwirkung von O. Engels), Mauren und Christen in Spanien (711–1035) (Handbuch der europäischen Geschichte, Bd. 1, hg. von Th. Schieffer; Stuttgart 1976, S. 997–1033), S. 1014. Spezialliteratur: M. Fernandez Rodriguez, La expedición de Almanzor a Santiago de Compostela (Cuadernos de Historia de España 43–44/1967, S. 345–363) (zu den Quellen), vgl. ferner zum Weg Al-Mansūrs: N. Peinado, La ruta de Almanzor a través de Galicia (Boletín de la Comisión provincial de Monumentos Historicos y Artisticos de Lugo 3/1949, S. 250–256) und ders., La expedición de Almanzor a Santiago de Compostela en 997 (Boletín de la Real Academia de Córdoba de Ciencias, Bellas Lettras y Nobles Artes 23/1952, S. 76–84).

[7] Vgl. Vazquez de Parga u. a., wie Anm. 3, S. 51f. und P. A. Sigal, Les marcheurs de Dieu, pèlerinages et pèlerins au Moyen âge, Paris 1974, S. 113–115, der den eigentlichen Einschnitt erst auf das 12. Jh. datiert. Über den grundsätzlichen Aufschwung Compostelas zum Fernwallfahrtszentrum in dieser Zeit besteht in der Literatur zur Santiagowallfahrt Einigkeit. (Ich nenne an dieser Stelle keine weitere Literatur, sondern verweise auf das Literaturverzeichnis und auf Kapitel 6). Trotz vieler neuerer Literatur geht das dreibändige Werk von Vazquez de Parga u. a., wie Anm. 3, am detailliertesten und mit den meisten Nachweisen auf die Problematik ein. Weniger fundiert: L. Huidobro y Serna, Las peregrinaciones jacobeas, 3 Bde, Madrid 1949–1951. Zur Konkurrenz zwischen Rom und Compostela vgl. Kap. 4 und 4.2.

[8] C. Du Cange, Glossarium mediae et infimae latinitatis, Bd. 1–3, Paris 1678, Bd. 1–10 bearb. von L. Favre, Niort ⁵1883–87, ND Graz 1954, s. v. peregrinus.

[9] Vgl. die im Literaturverzeichnis genannte Literatur zum Pilgerwesen und zum mittelalterlichen Pilger, insbesondere sind hier die Arbeiten von Labande und Lacarra (für die Anschauungswelt und Einstellung des Pilgers) einschlägig. Zur Einstellung des aus dem LSJ nachzeichenbaren Pilgers in dieser Hinsicht, vgl. unten, Kap. 6.1. und 6.2.

durch schriftliche oder mündliche Verbreitung – die besondere Wirksamkeit einer Wallfahrt zu diesem Ort versprachen. Compostela konnte als einzige Stadt im Westen neben Rom ein Apostelgrab vorweisen. Die Jakobuslegende verstärkte die Bereitschaft, den Wunderberichten zu glauben. Ihre Entstehung und Verbreitung – soweit auf schriftlichen Quellen basierend – ist oben bereits kurz besprochen worden, das Ausmaß einer möglichen oralen Tradition ist nur sehr schwer faßbar.[10] Der massive Aufschwung des Jakobuskultes seit dem 11. Jahrhundert mag somit u. a. mit den zunehmenden Möglichkeiten und Formen, Nachrichten zu verbreiten, zusammenhängen; ferner dürften die Wechselbeziehungen zwischen Kreuzzugsbewegung und Wallfahrt diesen Prozeß zusätzlich gefördert haben.[11]

Neben dem spirituellen Impetus für eine solche Fernwallfahrt – nach K. BOSL ein bedeutendes Element der mittelalterlichen „horizontalen Mobilität"[12] – bedurfte es allerdings auch vor allem zweier weiterer Voraussetzungen, die nicht zu jeder historischen Epoche und für jeden Gläubigen gleichermaßen gegeben waren.

Ich denke hierbei zum einen an die Abkömmlichkeit des Pilgers in seiner Heimat, zum anderen aber auch an die materiellen Gegebenheiten: Diese letzteren betrafen zwar jeden einzelnen Pilger, grundsätzlich ging es jedoch um eine generelle Vorsorge für seinen Weg (Straßen, Brücken, Hospize usw.) und eine Reduzierung der bedrohenden Gefahren. Vor allem in bezug auf die Organisation des Verkehrs auf dem Jakobsweg sind sowohl von weltlichen als auch von kirchlichen Kräften im 11./12. Jahrhundert große Leistungen erbracht worden.[13]

Dies dürfte oftmals nicht ganz uneigennützig geschehen sein. Besonders der Ort Compostela hat von dem zunehmenden Pilgerstrom profitiert; 1077 wurde eine neue Kathedrale errichtet[14], päpstliche Privilegien bestätigten 1095 die endgültige Verlegung des Bischofssitzes von Iria Flavia nach Compostela[15], erlaubten 1104 dem Bischof das Tragen des Palliums[16] und erhoben 1120/1124 Santiago de Compostela zur Metropole[17].

---

[10] Vgl. Kap. 1. Zu eventuell möglichen Rückschlüssen aus dem LSJ auf eine orale Tradition vgl. unten Kap. 5.1.

[11] Für den Jakobuskult soll dieser Wechselbeziehung eingehend nachgegangen werden. Vgl. unten Kap. 5.2.1.

[12] K. BOSL, Die horizontale Mobilität in der europäischen Gesellschaft im Mittelalter und ihre Kommunikationsmittel (Zs. für bayerische Landesgeschichte 35/1972, S. 40–53), S. 51. Jüngst hat L. SCHMUGGE, „Pilgerfahrt macht frei" – Eine These zur Bedeutung des mittelalterlichen Pilgerwesens (Römische Quartalschrift 74/1979, S. 16–31) neben den rechtlichen Bestimmungen die wirtschaftliche und soziale Bedeutung des Pilgerwesens recht einleuchtend hervorgehoben, allerdings vermißt man an mehreren Stellen konkrete Belege (z. B. S. 27 zur sozialen Schichtung der Pilger oder S. 31 zur Siedlungstätigkeit von Pilgern).

[13] Vgl. u. a. SIGAL, wie Anm. 7, S. 114f.

[14] Vgl. z. B. A. G. BIGGS, Diego Gelmírez, first archbishop of Compostela, Washington 1949, S. 16f. und J. CARRO GARCÍA, D. Diego Peláez. La construcción de la actual basilica (Galicia 4, 19/ 1935, S. 27–30). Zur Datierung: W. M. WHITEHILL, The date of the beginning of the cathedral of Santiago de Compostela (The Antiquaries Journal 15/1935, S. 336–342), der S. 342 für das Datum 1075 plädiert.

[15] JL 5601.   [16] JL 5986.

[17] JL 6823 und JL 7160; zu den Anm. 15–17 genannten Privilegien vgl. unten Kap. 4.3.

In dieser Zeit, als die Pilgerbewegung und das Ansehen Compostelas ihren ersten Höhepunkt erreichten, nämlich zu Beginn des 12. Jahrhunderts, ist der Liber Sancti Jacobi (LSJ), eine Kompilation zur Ehre und Verehrung des hl. Jakobus, entstanden.

2.2. Inhalt

Der LSJ ist ein anonymes Sammelwerk, dessen älteste Handschrift im Kathedralarchiv von Santiago de Compostela aufbewahrt wird.[18] Diese wird gemeinhin als Codex Calixtinus (CC) bezeichnet, weil Papst Calixt (II.) als angeblicher Autor zeichnet.[19] Auf einer Transkription ausschließlich dieser Handschrift von W.M. WHITEHILL beruht bisher die einzige Edition der Gesamtkompilation.[20] Das Werk umfaßt fünf Teile (= Buch I–V), die von einem Vorspann und einem Anhang eingerahmt werden.

Dem Gesamtwerk vorangestellt ist ein angeblicher „Brief Papst Calixts (II.)", der die Authentizität des gesamten Codex bestätigen soll.[21] Der Brief ist an den Konvent von Cluny, an Wilhelm, den Patriarchen von Jerusalem, und Diego, den Erzbischof von Compostela adressiert, denen Korrekturen des Buches anheimgestellt werden.[22]

---

[18] Zur Diskussion des Problems der ältesten Handschrift und der ursprünglichen Fassung vgl. unten Kap. 2.3., S. 21ff. Seit den Arbeiten HÄMELS gibt es keinen umfassenden neueren Bericht zum Stand der Forschung über den gesamten LSJ. Inhalt, Überlieferungslage und Detailforschung sind weitgehend unbekannt. Deshalb sei hier eine ausführlichere Skizze zum Stand der Diskussion, zu der auch eigene Beobachtungen gehören, erlaubt.

[19] Die Bezeichnung der Kompilation als „Liber Sancti Jacobi" und der Compostelaner Handschrift als „Codex Calixtinus" geht auf BÉDIER zurück (J. BÉDIER, Les légendes épiques. Recherches sur la formation des chansons de geste, Bd. III, Paris 1912, ³1929, ND 1966, S. 73, Anm. 1). Trotzdem wird oft das gesamte Werk als CC bezeichnet. Um aus dem terminologischen Dilemma herauszukommen, hat P. DAVID versucht, einerseits den Terminus LSJ durch „Liber Calixtinus", um die fiktive Autorschaft Calixts grundsätzlich deutlich zu machen (diese hat ja nichts ausschließlich mit der Compostelaner Handschrift zu tun), andererseits CC durch „Codex Compostelanus" zu ersetzen (DAVID I/1945, S. 1). DAVID ist zuzustimmen, seine Terminologie ist korrekter, trotzdem sollen hier die traditionellen Bezeichnungen beibehalten werden, zum einen, weil sich DAVIDS Vorschlag, soweit ich sehe, nicht durchgesetzt hat, zum anderen, weil die vorhandene Edition und andere Arbeiten die Terminologie BÉDIERS auch im Titel verwenden und bei einer neuen Terminologie die Verwirrung eher größer würde. Zu einem weiteren Vorschlag vgl. unten Anm. 196.

[20] Diese Edition ist unzulänglich, aus diesem Grunde wird im folgenden jeweils das folio des CC und daneben die Seiten der Edition von WHITEHILL zitiert (für Buch IV und V bestehen bessere Editionen, die an den entsprechenden Stellen eingeführt werden, zu den Mängeln der WHITEHILL-Edition vgl. unten S. 28f).

[21] JL †7108, CC fol. 1ʳ–2ᵛ, WHITEHILL, S. 1–4. Vgl. zum folgenden die gute, wenn auch stark unter dem Aspekt des eigenen Interpretationsansatzes verfaßte Inhaltsanalyse von DAVID I/1945, S. 11–27.

[22] ... sanctissimo conventui Cluniacensis basilice sedis apostolice sue electionis, heroibusque famosissimis Guil(le)lmo patriarche Hierosolimitano et Didaco Co(m)postellanensi archiepiscopo cunctisque ortodoxis salutem et apostolicam benedictionem in Christo. Quoniam in cunctis cosmi climatibus excellentiores vobis heroes dignitate et honore repperiri nequeunt, hunc beati Iacobi codicem paternitati vestre misi, quatinus si quid corrigendum in eo invenire poteritis, auctoritas vestra amore apostoli diligenter emendet (fol. 1ʳ, WHITEHILL, S. 1).

Pseudo-Calixt zeichnet die angebliche Entstehungsgeschichte des Buches genau nach; u. a. nennt er die benutzten Quellen[23] und empfiehlt Buch I und II als besonders wichtige Teile; alles bis zu einer mit dem Christusmonogramm (☧) bezeichneten Stelle solle zur Matutin und während der Messen gelesen werden.[24] Anschließend erläutert Pseudo-Calixt noch unterschiedliche liturgische Vorlagen, welche die bisher häufig gebrauchten „apokryphen" Texte ersetzen sollen.[25] Diese liturgischen Neuerungen schreibt Pseudo-Calixt dem Klerus der Jakobusbasilika vor.[26]

Das anschließende Buch I bietet Vorlagen und Hinweise für die Liturgie der verschiedenen Feste zu Ehren des hl. Jakobus. Es stellt den umfangreichsten Teil des gesamten LSJ dar; von insgesamt 225 Blättern entfallen hierauf fol. 2ᵛ bis fol. 139ᵛ.[27] Das vorangestellte Inhaltsverzeichnis – wenn auch nicht in allen Punkten mit den späteren Texten übereinstimmend[28] – läßt eine Dreiteilung des Buches erkennen. Zunächst finden wir verschiedene Predigten zu den beiden Festtagen des hl. Jakobus (einschließlich Vigil und Oktav) – teilweise mit einem vorgestellten Incipit der zugehörigen Lesungen – (Lektionarium und Homiliarium) (fol. 4ʳ–101ʳ)[29]; als zweites sind Gebete, Textstellen, Responsorien und Antiphone für den Gottesdienst und das Stundengebet der Festtage zusammengestellt (Antiphonarium) (fol. 101ʳ–113ᵛ)[30], als drittes folgt nach zwei kurzen, die Liturgie erläuternden Abschnitten Pseudo-Calixts (fol. 113ʳ–114ʳ)[31] das Sakramentar mit dem jeweiligen Proprium der Festtagsmessen (fol. 114ʳ–139ᵛ)[32]. Antiphonarium und Sakramentar sind teilweise mit Noten ausgestattet; die Absicht, ein Buch zur Benutzung im Gottesdienst zu schaffen, ist unübersehbar.

Im Lektionarium/Homiliarium geht gut die Hälfte der Predigten auf bekannte Quellen zurück, u. a. zeichnen Hieronymus, Gregor der Große, Beda Venerabilis als Autoren. Die den Päpsten Leo und Calixt zugeschriebenen Auslegungen entstammen wohl der Feder des Kompilators, zumindest konnten für diese Teile bisher keine exakten Vorlagen ermittelt werden.[33] Die Art dieser Predigten ist unterschiedlich;

---

[23] Fol. 1ᵛ, WHITEHILL, S. 2.   [24] Fol. 2ʳ, WHITEHILL, S. 2.

[25] Fol. 2ʳ⁻ᵛ, WHITEHILL, S. 3–4.

[26] Fol 2ᵛ, WHITEHILL, S. 4: *Hoc faciendum clero sancti Iacobi in eius basilica precipimus cunctis diebus excepto...*

[27] In der Ed. von WHITEHILL (insgesamt 416 Seiten), S. 4–257.

[28] Inhaltsverzeichnis: fol. 2ᵛ–3ᵛ, WHITEHILL, S. 4–6. Wegen der Diskrepanz zwischen Inhaltsverzeichnis und tatsächlichen Texten vgl. das am Text erstellte Inhaltsverzeichnis von HÄMEL, S. 63–65, zum I. Buch allgemein: ibid., S. 45–60. In allen weiteren Büchern stimmen die Inhaltsverzeichnisse mit den Texten überein. Für Buch I bietet sich hier eine Möglichkeit, ggfs. nachträgliche Änderungen festzustellen.

[29] WHITEHILL, S. 6–192 (= Kap. 1–20).

[30] WHITEHILL, S. 192–212 (= Kap. 21–23).

[31] WHITEHILL, S. 212–215 (= Ende von Kap. 23). Die Abschnitte sind folgendermaßen überschrieben: *Argumentum Calixti pape de matutinis Sancti Iacobi* (fol. 113ʳ), und: *Item Calixt(us) pape de missis simul et matutinis Sancti Iacobi* (ibid.).

[32] WHITEHILL, S. 215–257 (= Kap. 24–31). Eingeschaltet sind auf fol. 116ᵛ–118ʳ (WHITEHILL, S. 218–219) Verse Pseudo-Calixts zu einer Prozession.

[33] Innerhalb der Predigten wird häufig auf andere Autoren zurückgegriffen, dies wird an späterer Stelle jeweils erwähnt und diskutiert.

neben allegorischen Kommentaren der Bibelstellen finden sich auch häufig moralisierende Hinweise und Details aus der dem Kompilator bekannten Alltagspraxis der Wallfahrt.[34]

Das Antiphonarium greift mit seinen Antiphonen, Antwortversen und Schriftlesungen größtenteils im Eingangstext als „gut" bezeichnete Texte auf. Angeblich sind diese vom Papst Calixt zusammengestellt. Es orientiert sich an den Festtagen und innerhalb dieser an den „horae canonicae". Die jeweilige Anzahl der Lesungen, Antiphonen und Responsorien schwankt zwischen 9 und 12.[35]

Das Sakramentar richtet sich wiederum nach den Festtagen, hier wird jedoch ein dritter Festtag – ein angebliches Mirakelfest am 3. Oktober, wohl eine nachträgliche Interpolation[36] – berücksichtigt. Wo die Überschriften einen Autor ausweisen, wird ausschließlich auf Papst Calixt hingewiesen. Die Meßformulare sind mit einer Reihe paraliturgischer Texte durchzogen, die Autoritäten wie Anselm von Canterbury, Fulbert von Chartres, Venantius Fortunatus von Poitiers[37] und einigen anderen zugeschrieben sind. Neben den Meßproprien sind teils Gebete für einige „horae canonicae" zugefügt.

Buch II verzeichnet 22 Mirakel, die der hl. Jakobus durch Intervention bzw. Interzession bewirkt haben soll. Vorangestellt ist ein *Argumentum* von Pseudo-Calixt, das eigens die Authentizität dieses Teils erläutert, und ein Inhaltsverzeichnis.[38] Auf insgesamt 14 weiteren Blättern (fol. 141r–155v)[39] werden die einzelnen Mirakel geschildert. Mit Ausnahme von Mirakel 16, 17 und 19 nimmt kaum eine Wundererzählung mehr als ein Blatt ein, viele sind eher kürzer. 13 Mirakelberichte weisen eine exakte Datierung zum Ereignis auf, die früheste Jahreszahl ist 1080, die späteste 1135, bis auf Mirakel 2[40] dürften auch alle anderen Mirakel etwa in diesem Zeitraum anzusiedeln sein.[41]

Pseudo-Calixt ist fast ausschließlich als Aufzeichner der Wunder ausgewiesen, neben ihm fungieren Beda Venerabilis (Mirakel 2), ein Magister Hubert von Besançon (Mirakel 4) und Anselm von Canterbury (Mirakel 16 und 17) als Berichterstatter. Die

---

[34] Für die Kenntnis der Probleme der Pilgerfahrt durch den Autor sind vor allem die Predigten *Vigilie noctis sacratissime* (Kap. 2, fol. 6v–18r, WHITEHILL, S. 11–35) und *Veneranda dies* (Kap. 17, fol. 74r–93v, WHITEHILL, S. 141–176) hervorzuheben. Auch in diesen Teilen finden sich gelegentlich gekennzeichnete Übernahmen aus anderen Autoren.

[35] Es muß hier zunächst offenbleiben, ob die Meinung von DAVID (II/1947, S. 144–148)zutrifft, eine ursprüngliche Fassung des Jakobusbuches sei mit 12 Lektionen versehen gewesen (neun Lektionen und Gebete kennzeichnen die Kanonikerliturgie, zwölf Lektionen und Gebete einen mönchischen Kult).

[36] Vgl. hierzu unten S. 27f.

[37] Anselm: fol. 130v–131r, WHITEHILL, S. 244; Fulbert: fol. 131r–132r und fol. 132v–139r, WHITEHILL, S. 245f. und S. 248–256; Venantius Fortunatus: fol. 132r–v, WHITEHILL, S. 247f.

[38] Fol. 140r–141r, WHITEHILL, S. 259–260. Das Inhaltsverzeichnis stimmt im Gegensatz zu Buch I mit dem folgenden Inhalt überein.

[39] WHITEHILL, S. 261–287.

[40] Dieses wird auf die Zeit des Bischofs Theodomir, also zu Beginn des 9. Jhs., im Mirakel selbst datiert.

[41] Vgl. hierzu genauer unten Kap. 5.1., S. 116f.

Struktur aller Wundererzählungen ist größtenteils ähnlich: sie beginnen meist mit einer präzisen Zeit-, Orts- und Personenangabe und schließen mit einer gebetsähnlichen Schlußformel.[42]

Am Ende des II. Buches taucht das in der Eingangsepistel erwähnte Christusmonogramm (✷) am Rand wieder auf.[43]

Buch III hat im wesentlichen die Translationslegende des hl. Jakobus zum Inhalt. Dieses Buch ist mit knapp 7 Blättern das kürzeste.[44] Es beginnt mit einem Inhaltsverzeichnis und einem Prolog, angeblich von Papst Calixt; diese Einführung dient hauptsächlich dazu, den Translationsbericht und den „Leo-Brief", die in den ersten zwei Kapiteln aufgeführt sind[45], aufeinander abzustimmen. Ein drittes Kapitel von Pseudo-Calixt handelt über die „drei Festtage" des hl. Jakobus. Diese Darstellung ist in sich recht widersprüchlich, zunächst wird der Todesgedenktag auf den 25. Juli festgelegt, dann jedoch dem 25. März das Martyrium, dem 25. Juli die Reise von Iria nach Compostela und dem 30. Dezember die Grablegung zugeordnet. Wegen der Fastenzeit scheidet jedoch der 25. März als Festtag aus. Es wird dann in einer Randbemerkung ein Mirakelfest (3. Oktober) auf Anselm von Canterbury zurückgeführt[46] und im Text die Einführung des Translationsfestes (30. Dezember) durch einen Kaiser Alfons vermerkt. Ein detaillierter Bericht über den Verlauf eines Translationsfestes und ein kurzes 4. Kapitel zu den Jakobsmuscheln, dem Emblem der Santiagopilger, schließt dieses Buch ab.

Buch IV ist als einziges nicht Pseudo-Calixt, sondern einem Erzbischof Turpin zugeschrieben. Turpin soll zur Zeit Karls des Großen die Metropolitanwürde von Reims innegehabt haben.[47] Dieses Buch hat deshalb in der Forschung den Namen Pseudo-Turpin (PT) erhalten.[48] Es berichtet über die Kämpfe Karls des Großen in Spanien gegen die islamischen Gegner und über die Öffnung des Pilgerweges durch diesen Herrscher.

In einem Brief des Erzbischofs von Reims an den fiktiven Aachener Dekan Leodprand empfiehlt Turpin die Lektüre der Heldentaten Karls des Großen in Spanien. Es lassen sich im Text drei Komplexe unterscheiden:

1. Karl der Große eroberte Spanien, nachdem ihm der hl. Jakobus im Traum erschienen war, machte den Weg zum Grab des hl. Jakobus wieder zugänglich und setzte in Santiago Bischof und Kanoniker ein (Kapitel 1–5).[49]

---

[42] Vgl. eingehender zur Struktur der Mirakel: unten Kap. 5.1.

[43] Fol. 155ᵛ, WHITEHILL, S. 287.   [44] Fol. 155ʳ–162ʳ, WHITEHILL, S. 289–299.

[45] Vgl. zu diesen beiden Zeugnissen (auch in der Überlieferung des CC) oben Kap. 1., S. 8f. Die im CC vorhandene Form des Translationsberichtes erwähnt die Predigttätigkeit des Apostels auf der iberischen Halbinsel.

[46] Zu den Randnotizen vgl. unten Kap. 2.3., S. 26f.

[47] A. HÄMEL, Turpin (Lexikon für Theologie und Kirche, 10, Freiburg 1965, Sp. 339).

[48] Vgl. die Titel der verschiedenen Editionen im Literaturverzeichnis. Der Ausdruck wird meist – so auch in dieser Arbeit – sowohl für den angeblichen Autor als auch für das IV. Buch des LSJ benutzt, vgl. DAVID III/1948, S. 74 mit Hinweis auf andere Titel dieses Teils.

[49] HÄMEL – DE MANDACH, S. 41–46. Die Nennung der Folia des CC erübrigt sich bei dieser vergleichsweise guten Edition (vgl. unten Kap. 2.3., S. 29f.).

2. Ein König Aigoland aus Afrika drang in Spanien ein, Karl erlitt eine Niederlage und mußte bis Aquitanien zurückweichen. In einem Gegenzug konnte Karl den Gegner bei Pamplona schlagen und eroberte ganz Spanien bis Cordoba. Ein von Karl einberufenes Konzil stellte den kirchlichen Vorrang Santiagos de Compostela in Spanien sicher (Kapitel 6–19).[50]

3. Nach einem Einschub über die Person Karls des Großen (Kapitel 20) wird der Tod Rolands in Roncesvalles erzählt (Kapitel 21–29)[51]. Ein Konzil in St-Denis bestätigte den Vorrang dieser Stätte in Frankreich (Kapitel 30). Ansonsten werden noch in diesem Komplex der Tod Karls (Kapitel 32) und ein Mirakel um Roland (Kapitel 33) berichtet.

In drei abschließenden Kapiteln fungiert wieder Pseudo-Calixt als Autor.[52] Er erläutert die Auffindung des Leichnams von Turpin und die Invasion Al-Mansūrs in Compostela. In einem Abschlußbrief versichert er, Karl habe als erster die Sarazenen in Spanien bekämpft, ferner gewährt er allen Kämpfern gegen die Heiden in Spanien einen Ablaß.[53]

Das Buch V wird gemeinhin als „Pilgerführer" bezeichnet.[54] In diesem Teil zeichnet Calixt (II.) wieder als angeblicher Autor für einige, wenn auch wenige Kapitel. Neben einem kurzen *Argumentum* von Pseudo-Calixt zu Beginn soll er noch Kapitel 2,6 und 9 (teilweise) von den insgesamt 11 Kapiteln (fol. 192ʳ–213ᵛ)[55] verfaßt haben. Buch V dient dazu, Pilgern nützliche Ratschläge zu erteilen. So wird der Pilgerweg genauestens erläutert: Etappen, zu durchquerende Städte, verschiedene Landschaften, ihre Bewohner und deren Eigenheiten.

Kapitel 8 und 9 stellen das Kernstück dieses Buches dar (sie nehmen von den 22 Blättern allein ca. 15 ein)[56]. In Kapitel 8 werden verschiedene Reliquienstätten auf dem Weg nach Santiago de Compostela dem Pilger zum Besuch empfohlen; Kapitel 9 bietet eine minutiöse Beschreibung der Stadt Santiago und ihrer Kathedrale. Ein Kapitel über die Verteilung der Oblationen unter den Kanonikern (Kapitel 9) und den richtigen Empfang von Pilgern (Kapitel 10) beenden den Pilgerführer.

Ein *Explicit* schließt das Gesamtwerk ab[57] mit dem Hinweis, daß der LSJ in Rom, Jerusalem, Frankreich, Italien, Deutschland, Friesland und besonders in Cluny zu finden sei.

---

[50] HÄMEL – DE MANDACH, S. 46–71.

[51] Ibid., S. 74–88. Ab Kapitel 22 werden die Kapitel in verschiedenen Handschriften unterschiedlich gezählt. Wir folgen hier zunächst der Kapitelzählung der Edition, die nicht mit der des CC übereinstimmt.

[52] Ibid., S. 97–102.   [53] Ibid., S. 100–102 (= JL † 7111).

[54] Für diese Bezeichnung ist wohl die inzwischen in 4. Auflage erschienene Ausgabe von VIELLIARD nicht unverantwortlich, wenn auch diese Namensschöpfung wohl weiter zurückliegt (vgl. die im Literaturverzeichnis zitierten älteren Editionen).

[55] Olim fol. 163ʳ–184ᵛ (warum hier eine olim-Signatur angegeben wird, habe ich weiter unten erläutert, vgl. Kap. 2.3., S. 24f). Eine olim-Signatur wäre grundsätzlich auch für den PT und den Anhang nötig.

[56] VIELLIARD, S. 34–118.

[57] VIELLIARD, S. 124: *Explicit codex quartus sancti Jacobi Apostoli. Ipsum scribenti sit gloria sitque legenti* (das ‚arʻ von *quartus* wurde noch erkennbar aus ‚inʻ verbessert, vgl. MORALEJO, S. 576, Anm. 11; zu diesen Änderungen im CC vgl. unten Kap. 2.3., S. 24). Es folgt: *Hunc codicem*

Im Anhang des LSJ in der Form des CC finden sich noch diverse Zusätze. Fol. 214^r–219$^{v\,58}$ enthält musikalische Stücke, die sich durch ihre mehrstimmige Notierung auszeichnen.[59] Die jeweiligen Komponisten sind erwähnt und können größtenteils mit auch an anderer Stelle nachgewiesenen Personen identifiziert werden.[60]

Das letzte Lied dieser Serie wird einem *Aymericus Picaudi*, Priester von Parthenay, zugeschrieben.[61] In einem auf fol. 221^r folgenden Brief, den angeblich Innozenz (II.) verfaßt haben soll[62], wird dieser Aymericus wiederum als Überbringer des CC nach Compostela erwähnt. Der Brief ist mit verschiedenen Kardinalunterschriften versehen und bildet das letzte Glied päpstlicher Bestätigungen im LSJ. Die Rückseite von fol. 221 enthält ein von Albericus, Abt von Vezelay, verfaßtes Mirakel über ein Ereignis aus dem Jahre 1139.

Die letzten vier Folien sind mit Hymnen, Gedichten, Lesungen und mit fünf weiteren Mirakelgeschichten gefüllt, die wohl allesamt erst in der zweiten Hälfte des 12. Jahrhunderts dem LSJ zugefügt worden sind.[63]

2.3. Die älteste Handschrift (Codex Calixtinus = CC)

Um die philologischen Probleme der vorliegenden Kompilation des LSJ angemessen darzustellen, ist es zunächst wichtig, zwei Fragen zu unterscheiden:
1. Welches ist die ursprüngliche und älteste Fassung der Gesamtkompilation?
2. Welche „Urform" der einzelnen Teile läßt sich ermitteln?
Diese Unterscheidung ist bedeutsam, weil vor allem Buch IV, der PT, vielfach unabhängig von der Gesamtkompilation überliefert ist (mit Übersetzungen in ca. 300 Handschriften[65]) und zur Genese dieses Buches kontroverse Standpunkte vertreten

---

prius Ecclesia Romana diligenter suscepit; scribitur enim in compluribus locis, in Roma scilicet, in Hierosolimitanis horis, in Gallia, in Ytalia, in Theutonica et in Frisia et precipue apud Cluniacum (bei VIELLIARD irrig: *silicet*).

[58] Olim fol. 185^r–190^v, WHITEHILL, S. 391–398 (fol. 220 = olim fol. 191 fehlt, vgl. unten S. 23).

[59] Vgl. unten Anm. 132.

[60] DAVID I/1945, S. 22.

[61] *Aymeric(us) Picadi* (über dem ,a' ein ,u' von fremder Hand), fol. 219^v = olim fol. 190^v. Ein Teil seines Liedes, das Martyrium, Translation und alle 22 Mirakel zusammenfaßt, ist nur noch durch andere Handschriften erschließbar, da fol. 220 fehlt (vgl. oben Anm. 58).

[62] Fol. 221^r, olim fol. 192^r, WHITEHILL, S. 399 (= JL † 8286): . . . *Hunc codicem a domno papa Calixto primitus editum, quem Pictauensis Aymeric(us) Picaud(us) de Partiniaco veteri, qui etiam Oliuer(us)^a de^b Iscani, villa sancte Marie Magdalene de Uiziliaco, dicitur, et Girberga Flandrensis sotia eius, pro animarum redemptione sancto Iacobo Gallecianensi dederunt* . . . a) ,er' ' auf Rasur von frd. (?) Hd. b) Nach ,de' Rasur, 1 Spatium. Vgl. zur Identifizierung der Namen und der verschiedenen Vorschläge zu Lesarten: unten Kap. 2.4., Anm. 139.

[63] Das erste dieser Mirakel (fol. 223^r = olim 194^r, WHITEHILL, S. 404f.) ist auf 1164 datiert, das dritte Mirakel (fol. 223^v = olim 194^v, WHITEHILL, S. 406) kann auf 1184 datiert werden (Ereignisdatum!).

[65] A. HÄMEL, Los manuscritos latinos del Falso Turpino (Estudios dedicados a MENÉNDEZ PIDAL, Bd. IV, Madrid 1953, S. 67–85) verzeichnet 139 lateinische Handschriften (vgl. auch HÄMEL, S. 7). A DE MANDACH, Naissance et développement de la chanson de geste en Europe. I. La geste de Charlemagne et de Roland, Genève 1961, S. 364–398 benennt mehr als 300 Denkmäler; allerdings unter Heranziehung von Übersetzungen und hypothetischen Fassungen. 1969 sprach

worden sind. Für diese Arbeit hat die erste Frage größeres Gewicht; auf sie soll zunächst eingegangen werden.

HÄMEL hat für die verschiedenen handschriftlichen Überlieferungen zwei Fassungen, den „Liber Sancti Jacobi" und den „Libellus Sancti Jacobi" unterschieden.[66] Die Libellusfassung (Handschrift-Familie: L) bietet laut HÄMEL einen Auszug aus dem zweiten, dritten, vierten und aus einigen Teilen des fünften Buches.

Für den LSJ in seiner vollständigen Form ist sicher der Codex Calixtinus (CC) nicht nur die älteste überlieferte Handschrift, sondern dürfte auch nach dem bisherigen Stand der Forschung der ursprünglichen Fassung des LSJ am nächsten kommen. Sämtliche anderen Handschrift-Familien, die HÄMEL unterscheidet, stammen vom CC ab (A, B, R, L und O) bzw. gehen eventuell auch mit dem CC auf eine gemeinsame Vorlage zurück (A, B).[67]

SHORT von 170 lateinischen Handschriften (I. SHORT, The Pseudo Turpin Chronicle: Some unnoticed versions and their sources, in: Medium aevum 38/1969, S.1–22), S. 1.

[66] A. HÄMEL, Aus der Geschichte der Pseudo-Turpin Forschung (Romanische Forschungen 57/1943, S. 229–245), S. 243; HÄMEL, S. 6f.; ders., Los manuscritos, wie Anm. 65, S. 73–81.

[67] HÄMEL, S. 21–45 und S. 65–73. Hier kurz die Ergebnisse HÄMELS:
a) der CC geht mit den Gruppen A und B entweder auf eine gemeinsame Vorlage zurück, oder A und B stammen direkt von CC, wenn auch in einer ursprünglicheren Form ab (S. 36). Selbst die erste Möglichkeit, die die Anciennität von CC in Frage stellte, hat für die Gesamtkompilation nur geringere Bedeutung, da A und B nur den Pseudo-Turpin enthalten.
b) CC ist sicher älter als R (S. 26–28). HÄMEL vertritt diesen Standpunkt gegen ältere eigene Forschungen und WHITEHILL, der im Anschluß an musikhistorische Argumente für R eine andere Vorlage als CC annahm. Aus musikhistorischen Gründen war geschlossen worden, R stehe einer noch früheren Fassung des LSJ näher. Das Hauptargument stellte hierfür die Notationsweise der musikalischen Passagen im LSJ dar. Während im CC größtenteils im Vierliniensystem notiert wurde, weist R eine Notation „in campo aperto" auf, die gemeinhin als eine zeitlich frühere Aufzeichnungsform angesehen wird. Aus diesen Gründen hatten vor allem G. PRADO (La musica, in: WHITEHILL Bd. III, S. XLV–LXIV, S. LX) und WHITEHILL (El libro de Santiago, in:WHITEHILL Bd. III, S. XI–XLIII, S. XXV) geglaubt, R habe eine der Urform näherstehende Fassung als der CC kopiert. Zwei Punkte können diese Ansicht jedoch entkräften: zum einen müssen lokale Unterschiede bei der zeitlichen Abfolge verschiedener Aufzeichnungssysteme berücksichtigt werden (vgl. auch DAVID, I/1946, S. 29f.), zum anderen kann für den Kopisten von R unterstellt werden, daß er aus Platzmangel „in campo aperto" notierte, wie sein „Kopierbericht" verdeutlicht (s. u. Anm. 129).
Laut HÄMEL erklären sich die sonstigen Abweichungen von R daraus, daß zur Abfassungszeit von R der CC noch vollständig mit der Schrift des ersten Schreibers bestand (zu den Schreibern des CC, vgl. unten S. 25f.). J. LÓPEZ CALO (La notación musical del Códice Calixtino de Santiago y la de Ripoll y el problema de su interdependencia, in: Comp. 8,4/1963, S. 181–189) hat auch die äußere Grundlage der unterschiedlichen Notationsweise von R und CC richtiggestellt, indem er R als diastematisch ebenso exakt wie den CC beschrieb: „el Códice de Ripoll no tenía su musica escrita in campo aperto, sino en clarisimo pautado in secco; de modo que con la notación aquitana que él usó resultaba, desde el punto de vista de la diastematia, tan preciso como el Calixtino, y quizá incluso más claro." (S. 187–189, Hervorheb. von L.C.). Damit dürfte die Abhängigkeit der Handschrift vom CC aus musikhistorischem Blickwinkel nicht mehr angezweifelt werden. Allerdings scheint J. SZÖVERFFY, Iberian Hymnody: Survey and Problems, Wetteren 1971, der ansonsten den besten Überblick zum Stande der musikhistorischen Arbeiten über den LSJ gibt, dieses Ergebnis noch nicht exakt zur Kenntnis genommen zu haben (S. 108).

Dies heißt jedoch nicht, daß man im CC, so wie er heute vorliegt, den Archetypus der Kompilation erblicken könnte: „Druckt man nämlich den Text von Compostela ... kritiklos ab ..., dann bietet man ... einen ‚texte composé'"[68] und zwar deshalb, weil mehrere Folia später ergänzt bzw. ersetzt worden sind.[69] Deshalb gilt es nunmehr, für den CC eine genaue paläographische Beschreibung zu liefern.

Der LSJ in der Überlieferung des CC umfaßt fünf verschiedene Bücher. Im 17. Jahrhundert hat man das vierte Buch, den PT, herausgetrennt und separat eingebunden. Der Titel des Pilgerführers wurde von ursprünglich ... *Liber Quintus*... in ... *Liber IIII*[ms] ... geändert. Die so entstandenen zwei Teile wurden neu paginiert.[70]

Der größere Teil bestand aus 193 Folia mit 3 Vorsatzblättern, die insgesamt 295x210 mm messen und fast immer 34 Zeilen enthalten. Es handelte sich um 24 Lagen und 5 Einzelblätter, die folgendermaßen angeordnet sind[71]:

I (X 1 2 3 4/5 6 7 8 9); II[8] (10–17); III[8] (18–25); IV[8] (26–33); V[8] (34–41); VI[8] (42–49); VII[8] (50–57); VIII[8] (58–65); IX[8] (66–73); X[8] (74–81); XI[8] (82–89); XII[8] (90–97); XIII[8] (97–104); XIV[8] (105–112); XV[8] (113–120); XVI (121 X 122 123 124 / 125 126 127 128 129); XVII[8] (130–137); XVIII[8] (138–145); XIX[8] (146–153); XX[8] (154–161); XXI (162 163 164 / 165 166 X); XXII[8] (167–174); XXIII[8] (175–182); XXIV[8] (183–190); 192 193 194 195 196.

In Lage 4, die falsch eingebunden wurde, ist die richtige Reihenfolge der Folia: 26, 29, 28, 27, 32, 30, 33; in Lage 21 stehen, weil Buch IV herausgetrennt wurde, fol. 163 und 166 sowie fol. 164 und 165 zusammen; fol. 191 fehlt.[72]

---

c) Die Libellusgruppe L ist nach Wirken des zweiten Schreibers im CC entstanden (S. 43).

d) Die Gruppe O stammt vom CC ab und zwar bevor ein dritter und vierter Schreiber im CC wirkten (S. 43f.).

Zusammenfassend gesehen ist für HÄMEL also der CC die Handschrift, die dem Archetypus am nächsten kommt. HÄMEL hat als einziger die philologischen Probleme des gesamten LSJ konsequent im Blick gehalten, u. a. deshalb ist seinen Ergebnissen hier Vorrang einzuräumen. Vgl. auch das auf anderem Weg erzielte gleiche Ergebnis von DAVID III/1949, S. 82.

[68] HÄMEL, S. 11.

[69] Ibid. Die nachfolgende Beschreibung der äußeren Merkmale des CC basiert auf HÄMEL, HÄMEL – DE MANDACH und WHITEHILL, El libro de Santigago, in: WHITEHILL Bd. III, S. XI–XLIII. Die Beobachtungen dieser Forscher konnten an der Handschrift (CC) während einer Archivreise im Sommer 1979 nach Santiago de Compostela überprüft und teilweise ergänzt werden. Erst in Spanien erfuhr ich, daß das Arch. Hist. Nac. einen Microfilm des CC besitzt (Signatur: rollos 1512–1518 und alternativ 5707–5719), der 1954/55 hergestellt wurde, allerdings in der Qualität sehr zu wünschen übrig läßt. Der Mikrofilm repräsentiert auch nicht mehr in allem den heutigen Zustand der Handschrift. Trotzdem ist er für den auswärtigen LSJ-Forscher der beste Behelf, da das Compostelaner Kathedralarchiv über keine Reproduktionsmöglichkeiten verfügt.

[70] HÄMEL, S. 8. Diese Trennung ist 1619 vom Archivkanoniker Alonso RODRIGUEZ LEON vollzogen worden (vgl. das letzte fol. nach dem Anhang auf dem 1954 vom Arch. Hist. Nacional erstellten Mikrofilm – rollos 1512–1517).

[71] WHITEHILL Bd. III, S. XVII. Die Angabe der Folioanzahl folgt HÄMEL, S. 8. WHITEHILL gibt 196 Folia an, zählt also die Vorsatzblätter mit.

[72] WHITEHILL Bd. III, S. XVIII.

Der kleinere Teil, der PT, besteht aus 29 Folia, die ursprüngliche Überschrift „Incipit Liber Quartus" wurde in „Historia Turpini" geändert.[73] Diese Folia messen 300×215 mm und sind folgendermaßen zusammengelegt[74]:

Die ursprüngliche Anordnung des LSJ müßte nach WHITEHILL folgendermaßen ausgesehen haben[75]:

Lagen
1–20 wie oben dargestellt

21	162	I	II	III	IV	V	VI	VII
22	VIII	IX	X	XI	XII	XIII	XIV	XV
23	XVI	XVII	XVIII	XIX	XX	XXI	XXII	XXIII
24				XXIV	XXV			
25	XXVI	XXVII	XXVIII	XXIX	163	164	165	166

26–28 die oben mit 22–24 bezeichneten Lagen und die Einzelblätter.

Das Kathedralkapitel von Compostela hat sich 1964 entschlossen, diesen ursprünglichen Zustand wieder herzustellen. Diese Arbeit wurde in einer Spezialabteilung der Biblioteca Nacional von Madrid ausgeführt.[76] Die unterschiedliche Größe beider Teile ist nunmehr nur noch geringfügig zu erkennen.

Der Titel des IV. Buches ist allerdings beibehalten worden; die Tilgung der ursprünglichen Überschrift hatte bereits im 17. Jahrhundert große Teile einer Miniatur auf fol. 162[r] zerstört, so daß ein abermaliger Eingriff nicht zu rechtfertigen gewesen wäre. Die ohnehin aus dem 17. Jahrhundert stammende Überschrift des Pilgerführers wurde durch Überkleben einer „V" wieder geändert.

In allen Punkten konnte natürlich nicht der alte Zustand erreicht werden. So wurde fol. 162 nunmehr Lage XX zugefügt und bildet jetzt mit fol. 161 zusammen das äußere Doppelblatt dieser Lage. Die Lagen des PT blieben wie beschrieben, und die ursprüngliche Lage XXI ist jetzt die XXVI. Lage, allerdings ohne fol. 162. Insgesamt besteht nunmehr der CC aus 29 Lagen und 5 anschließenden Einzelfolien.[77]

Geändert wurde auch die wohl aus dem 17. Jahrhundert stammende Folierung, fol. I–XXIX des PT entsprechen nunmehr fol. 163–191, und die ehemaligen fol. 163–196 entsprechen fol. 192–225 (Pilgerführer und Anhang). In der Handschrift wurden bis auf

---

[73] HÄMEL, S. 8. Ich bezeichne im folgenden die fol.-Angaben des großen Teils mit arabischen, die des PT mit römischen Ziffern.

[74] WHITEHILL Bd. III, S. XVIII.   [75] Ibid.

[76] Dies steht auf der ersten Seite innerhalb des neuen Ledereinbandes. Gleichzeitig wurde das Pergament gereinigt und teilweise restauriert.

[77] Die Beobachtungen WHITEHILLS zum ursprünglichen Einband der Handschrift (28 Lagen und 5 Einzelfolien) sind auf jeden Fall richtig, weil auf allen Folien am Ende einer Lage unten das Anfangswort der neuen Lage von einer Hand des 14./15. Jhs. steht. Sämtliche Endfolien der Lagen wurden in dieser Hinsicht von mir in Compostela geprüft.

wenige Ausnahmen neben den alten römischen Ziffern neue arabische eingetragen.[78] In Lage IV wurde die richtige Reihenfolge der Blätter beim Neueinband hergestellt, fol. 97bis blieb weiterhin mit dieser Bezeichnung bestehen, das fehlende fol. olim 191 ist als fehlend (= fol. 220) berücksichtigt.

Die Beschreibung der Handschrift von Compostela durch WHITEHILL haben HÄMEL und A. DE MANDACH dahingehend erweitert, daß sie verschiedene Schreiber und Korrektoren für die Handschrift nachwiesen.[79]
Zu den Schreibern:
- Den Großteil der gesamten Handschrift schrieb ein Schreiber: HA.[80]
- Fol. 155–160, 168–171 (olim VI–IX), 176–180 (olim XXI–XXIII), ferner fol. 196 (olim 167), fol. 203–204 (olim 174–175), fol 211 (olim 182) stammen von einem weiteren Schreiber: B-Karolus.[81]
- Fol 128[r–v] geht auf einen weiteren Scriptor: X zurück.[82]
- Hinzu kommen zwei Schreiber für fol. 181/82 (olim XIX/XX) (B IV) und 186/187 (olim XXIV/XXV) (B III).[83]

Ich möchte es zunächst mit diesen Angaben bewenden lassen. Es ist äußerst schwierig, bei Buchschriften Datierung und Herkunft exakt zu erschließen. In unserer Handschrift handelt es sich bei HA, B-Karolus und bei X um eine frühgotische Schrift, B III und B IV lassen eine stärkere Gotisierung erkennen. Hiervon ausgehend glaubte HÄMEL, die zeitliche Entstehung des CC folgendermaßen rekonstruieren zu können:

---

[78] Bei Buch IV, V und dem Anhang zitiere ich die olim-Signatur neben der neuen, da in allen bisherigen Werken zum LSJ (auch nach 1964/66) immer noch die alte Foliierung zitiert wird. In der Handschrift ist für olim fol. 193–196 (= 220–225) nur noch die neue Zählung vermerkt.

[79] Ich folge im Nachstehenden der gegenüber HÄMEL leicht veränderten Terminologie von A. DE MANDACH (HÄMEL – DE MANDACH, S. 19–23). Vgl. auch die Schriftproben im Anhang, unten Tafel 1 und 2.

[80] Laut HÄMEL, S. 12 und 19, für Buch I–V: 190 Folia (HÄMEL – DE MANDACH, S. 19: 191 Folia). Nach meinen Forschungen sind sind nur 187 Folia in Buch I–V für diesen Schreiber nachweisbar (Die Differenz ergibt sich, weil HÄMEL in seiner Zählung wohl fol. 97bis vergaß und weil ich vier weitere Folia Schreiber B-Karolus zuschreiben konnte, vgl. die nächste Anmerkung).

[81] A. DE MANDACH wählte diesen Namen, weil dieser Schreiber *Karolus* immer gesperrt in Kapitälchen schreibt und seine Varianten mit der Handschriften-Gruppe B übereinstimmen (S. 19). Der von DE MANDACH gewählte Ausdruck orientiert sich am PT (sonst kommt das Wort *Karolus* fast nicht vor), er wird nur beibehalten, um die terminologische Verwirrung nicht noch größer werden zu lassen. Für die vier zuletzt genannten Folia, die HÄMEL und HÄMEL – DE MANDACH HA zuschrieben, konnte ich diesen Schreiber ermitteln. Daß dies trotz gründlicher Vorarbeiten von HÄMEL und DE MANDACH möglich war, beweist, wie wichtig es ist, für philologisch-paläographische Fragen immer den gesamten Codex im Auge zu behalten (HÄMEL hat sich offensichtlich für Buch V kaum interessiert). Im Unterschied zu HA schreibt B-Karolus im allgemeinen auf festerem Pergament. Die Initialen dieser Folia sind schlichter und sind mit ganz feinen Strichen verziert.

[82] Dieser Schreiber, weil für den PT ohne Bedeutung, taucht nicht bei HÄMEL – DE MANDACH, sondern nur bei HÄMEL, S. 12, auf. Genau genommen haben auf diesem Folio sogar zwei Schreiber gewirkt (freundliche Mitteilung von Prof. Dr. B. BISCHOFF).

[83] HÄMEL – DE MANDACH, S. 19; für fol. XXIV (olim) bei HÄMEL – DE MANDACH irrig XXV, es ist jedoch sicher fol. XXIV (olim) gemeint, vgl. HÄMEL, S. 20.

Schreiber HA schrieb wohl ursprünglich in der Mitte des 12. Jahrhunderts die gesamte Handschrift, bestimmte Folien wurden dann von B-Karolus am Ende des 12. Jahrhunderts, einige auch von B IV und von B III – beide Anfang des 13. Jahrhunderts – ersetzt. Fol. 128 wurde von Schreiber X nachträglich, aber wohl noch im 12. Jahrhundert, zugefügt. HÄMELS Aussagen basieren auf paläographischen Beobachtungen, die er durch den Vergleich mit anderen Handschriften stützte.[84]

A. DE MANDACH verzeichnet noch drei weitere Schreiber (er nennt sie C, R, R–O); diese erschloß er jedoch aus Varianten anderer Handschriften, so daß nicht sicher ist, ob diese selbst längere Passagen geschrieben (an den Stellen, wo jetzt die Folien der anderen „nachträglichen" Schreiber stehen) oder nur korrigiert haben. Da ihre Tätigkeit materiell nicht für längere Passagen nachweisbar ist, wären sie zu den Korrektoren zu zählen.[85]

Hingegen haben im Anhang mehrere Schreiber gewirkt, die wohl alle noch im 12. Jahrhundert geschrieben haben.[86]

Für die Korrektoren ist eine Einteilung weniger leicht vorzunehmen. A. DE MANDACH hat eine Klassifizierung versucht, die allerdings fast ausschließlich auf den Korrekturen im PT basiert.[87] Es läßt sich jedoch auch in den übrigen Büchern des LSJ im CC eine Fülle von nachträglichen Eingriffen beobachten: Löschungen durch Unterstreichung oder Unterpünktelung, Einfügungen von Buchstaben oder Worten mit und ohne Rasur. Mein an der Arbeit mit der Handschrift gewonnener Eindruck geht dahin, daß ein Großteil der Korrektoren das Latein, besonders in grammatikalischer Hinsicht, verbessern wollte. Eine endgültige Klassifizierung der Korrekturen ist mir zum jetzigen Zeitpunkt jedoch noch nicht möglich.[88]

Unter inhaltlichen Gesichtspunkten dürften die Randnotizen bedeutender sein. Hierunter verstehe ich nicht die zahlreichen Bemerkungen späterer Hände, die

---

[84] HÄMEL S. 19. Der Datierung steht von paläographischer Seite sicherlich nichts entgegen (freundl. Mitteilung von Prof. Dr. B. BISCHOFF, auch die eigene Arbeit an der Handschrift ließ nichts Gegenteiliges erkennen). – Akzeptiert man die Abhängigkeit der Handschrift R vom CC in der ursprünglichen Form von HA (s. o. Anm. 67), so muß HA vor 1173, B-Karolus nach diesem Datum gewirkt haben. Für die anderen Schreiber lassen sich bisher keine ähnlichen Daten aus der Überlieferung anderer Handschriften ermitteln. A. DE MANDACH (HÄMEL – DE MANDACH, S. 19f.) nimmt an, in HA sei ein Domherr von Compostela spanischer Herkunft zu sehen. Die verwendete französische Buchschrift spricht allerdings kaum hierfür. Auch die angeführten inhaltlichen Argumente für die These überzeugt nicht, teils sind sie nicht richtig oder beruhen nur auf Hypothesen.

[85] HÄMEL – DE MANDACH, S. 23–27. Die Annahme dieser Schreiber basiert teilweise auf DE MANDACHS Entstehungstheorie des CC, die nicht unumstritten ist (vgl. unten S. 43f.).

[86] Die Abfassungszeit kann aus inneren Kriterien hergeleitet werden. Vgl. hierzu DAVID I/ 1945, S. 26f. Vorläufig konnte ich folgende Hände unterscheiden (wobei eine endgültige Auskunft Kennern der lateinischen Paläographie Spaniens vorbehalten bleiben muß): bis einschließlich fol. 221^{r-v} schrieb HA (fol. 221^r eventuell von anderer Hand). Für 222^{r-v}, 223^r, 223^v, 224^r, 224^v, 225^{r-v} kann jeweils eine Hand angenommen werden.

[87] Vgl. oben Anm. 85 und HÄMEL – DE MANDACH, S. 31–33.

[88] Der von A. DE MANDACH beschrittene methodische Weg (Vergleich des CC mit verschiedenen Abschriften) ist zwar grundsätzlich richtig, aber seine Klassifizierung kann erst dann als gesichert gelten, wenn sie für den gesamten CC, nicht nur für den PT bestätigt werden kann.

gliedernde oder kommentierende Vermerke am Rand angebracht haben[89], sondern die Notizen, die sichtbar in den Text eingreifen wollten und dies auch äußerlich durch die verwendete Buchschrift und meist mit einem Einfügungszeichen deutlich machen.[90] Einen Teil dieser Randbemerkungen hat bereits HÄMEL einer vorläufigen Analyse unterzogen.[91] Er unterscheidet vier Gruppen:

1. Randnotizen, die mit der Einführung des Mirakelfestes zusammenhängen, das im liturgischen Teil durch fol. 128[r–v] von Schreiber X eingefügt wurde: fol. 20[r], 152[v], 161[r]. Diese Nachträge stehen alle innerhalb einer einfachen Umrahmung und haben ein Kreuz außerhalb dieses Rahmens. Sie sind von fremder Hand.[92]

2. Nachlässigkeiten des Schreibers führten zu Randnotizen in äußerlich gleicher Form. Hier steht das Einfügungszeichen (meist Kreuz) innerhalb des Rahmens (fol. 26[r], 33[v], 40[v], 45[r], 46[v], 60[v], 71[v], 82[r], 94[r], 166[v]). Es handelt sich meist um die Einfügung ausgelassener Wörter oder Satzteile, deren Fehlen durch ähnliche Worte am Satzanfang oder -ende veranlaßt wurde.[93]

3. Äußerlich ähnlich wie die zweite Gruppe, aber fraglich wegen des Inhalts sind Randnotizen auf fol. 28[v], 42[v], 78[r], 88[v].[94]

4. Andere Schrift und abweichende äußere Form – deshalb von fremder Hand – weisen Randnotizen auf fol. 21[v] und 87[r] auf.[95]

HÄMEL hat leider nicht alle Randnotizen des CC verzeichnet – auch hier zeigt sich sein geringes Interesse für Buch V –, so daß ich im Anhang eine Zusammenstellung aller Randnotizen gebe.[96]

Die Scheidung der Randnotizen in diese Gruppen ermöglicht nicht nur Rückschlüsse auf die Textevolution, sondern ist auch – so die Randnotizen zur Einführung des Mirakelfestes – in inhaltlicher Hinsicht aufschlußreich. Die Randnotizen der 2. Gruppe laut HÄMEL weisen zumindest darauf hin, daß der CC nach Vorlagen zusammengestellt worden ist, in denen diese Bemerkungen wohl schon im Text standen. Zumindest große Teile des CC gehen somit auf ältere Vorlagen zurück.[97] Zum Abschluß der paläographischen Beschreibung des CC sei noch betont, daß aufgrund aller bisherigen bekannten

---

[89] Diese Art von Randbemerkungen wären für die Rezeptionsgeschichte des CC in der Compostelaner Kathedrale interessant.

[90] Dies ist auch das Verständnis HÄMELS (wenn auch nicht „expressis verbis"), S. 15–17.

[91] Ibid.

[92] Ibid. S. 15f. Abweichend von HÄMEL glaube ich, daß diese Einfügungen (einschließlich von fol. 128) in Buch II, Kap. 17 (fol. 152[v]) ihren Ausgangspunkt hatten, denn alle anderen Stellen nehmen auf dieses Mirakel Bezug, und einige führen das 3. Jakobusfest auf Anselm von Canterbury, den angegebenen Verfasser dieses Kapitels in Buch II, zurück.

[93] Ibid. S. 16f.   [94] Ibid. S. 17.   [95] Ibid.

[96] Vgl. Anhang, unten S. 205.

[97] Vgl. zum letzten Schluß: HÄMEL, S. 17. Leider muß auch in diesem Punkt die in der Tabelle gegebene phänomenologische Darstellung zunächst genügen, wie bei den Korrekturen ist eine Klassifizierung allein nach äußeren Kriterien nur bedingt möglich. Es scheint jedoch, daß ein Gutteil der Randnotizen von HA in einem zweiten Arbeitsgang hinzugefügt wurde, vgl. die Tabelle im Anhang, unten S. 205.

äußeren Merkmale die Herkunft des CC nicht exakt ermittelt werden kann, die Zuordnung zu einem bestimmten Skriptorium ist nicht möglich.[98]

Auch kunst- und musikhistorische Untersuchungen lassen lediglich Vermutungen ohne letztliche Sicherheit zu: Bei der Ausgestaltung der Miniaturen glaubte man, einen burgundischen Einfluß erkennen zu können[99], für die Form der musikalischen Passagen wurde das Vorbild St-Martial de Limoges angenommen.[100] Diese Hinweise lassen sich jedoch allenfalls aus inneren Kriterien stützen, die an späterer Stelle zu behandeln sind.

Nach der Beschreibung des CC dürfte klar geworden sein, welche Schwierigkeiten eine allen Ansprüchen genügende Edition des LSJ bereitet. So ist denn auch – trotz (oder gerade wegen?) zahlreicher Studien – der gesamte LSJ bis 1944 nie im Druck zugänglich gemacht worden. Die gelehrte Welt ist WALTER MUIR WHITEHILL, der erstmals den gesamten Text druckte[101], zu großem Dank verpflichtet.

WHITEHILL hatte ursprünglich eine kritische Edition besabsichtigt, begnügte sich dann jedoch – angesichts der großen Schwierigkeiten eines solchen Unterfangens – mit einer Transkription der Compostelaner Handschrift.[102]

Das Problem dieser Edition für den heutigen Benutzer stellt sich in doppelter Weise:
1. Die Ausgabe von WHITEHILL ist praktisch nicht zugänglich, nur vier Exemplare konnten bisher außerhalb Spaniens nachgewiesen werden.[103]
2. Schwerer wiegt, daß die Wiedergabe der Compostelaner Handschrift durch WHITEHILL so große Mängel aufweist, daß eine ausschließliche Benutzung dieser Ausgabe kein ausreichendes Fundament für eine Interpretation von Stellen aus dem LSJ bietet, auch wenn dies immer wieder geschieht.

Auf der Grundlage der Forschungen von A. HÄMEL[104] und A. DE MANDACH[105] sollen die wesentlichen Mängel der WHITEHILL-Edition hier zusammengestellt werden:
1. Die Transkription WHITEHILLS bietet kein getreues Abbild der Handschrift von Compostela. Paläographische Vergleiche zeigen, daß verschiedene Schreiber an der Zusammenstellung des heutigen „Codex Calixtinus" beteiligt waren.[106]

---

[98] In einem persönlichen Gespräch vermutete Prof. M. C. DIAZ Y DIAZ (Santiago de Compostela) ein Skriptorium der südlichen Gallia; Prof. B. BISCHOFF äußerte in einem Brief Zweifel, ob sich ein Skriptorium ausmachen ließe, bestätigte aber die grundsätzliche Einordnung der Schriften HA und B-Karolus in die 2. Hälfte des 12. Jhs.

[99] Vgl. J. CARRO GARCÍA, Las miniaturas (WHITEHILL Bd. III, S. LXVII – LXXV), S. LXXV, der bei den Miniaturen allerdings mehrere Gruppen unterscheidet, für die Farben einen spanischen Einfluß annimmt.

[100] Vgl. SZÖVERFFY, wie Anm. 67, S. 107 und 112f.   [101] WHITEHILL.

[102] Ibid., Bd. III, S. XVf.

[103] HÄMEL – DE MANDACH, S. 17. In Spanien sind noch mehrere Exemplare zugänglich (Nach meiner Kenntnis: BN Madrid, Bibl. univ. Santiago de Compostela, Arch. cat. Santiago de Compostela, Inst. de Estudios Gallegos, Santiago de Compostela).

[104] HÄMEL, S. 9–10.

[105] HÄMEL – DE MANDACH, S. 16. Man vgl. auch die krit. Rezensionen zur WHITEHILL-Edition, u. a.: Speculum 23/1948, S. 713–717 (C. MEREDITH-JONES) und Estudis Romanics, 2/1949–50, S. 241–45 (A. HÄMEL), beide von Sachkennern der Materie, die eine Fülle von Detailfehlern aus ihren eigenen Unterlagen aufdecken. Ferner: DAVID I/1945, S. 7f.

[106] HÄMEL, S. 9 und ders., wie Anm. 105, S. 244. HÄMEL – DE MANDACH, S. 16f.

2. Die „Korrekturen" der Handschrift werden in WHITEHILLS Ausgabe nicht als solche kenntlich gemacht, sondern uneinheitlich entweder in den Text aufgenommen oder beiseite gelassen.[107]

3. Randnotizen sind nie als solche gekennzeichnet.[108]

4. Das Register und die „Errata" sind fehlerhaft, in den Errata werden sogar teilweise ursprünglich richtige Lesarten nachträglich entstellt.[109]

Dies zeigt, daß die philologische Kritik des LSJ immerhin schon beachtliche Erkenntnisse zusammengetragen hat, daß jedoch die Arbeit über den LSJ durch das Fehlen einer zuverlässigen Edition behindert wird.

Zwar legen die bisherigen Forschungen nahe, daß der „unverstümmelte" (d. h. der ausschließlich von HA geschriebene) CC dem Archetypus am nächsten kommt, jedoch kann die Kollation jüngerer Handschriften neue Ergebnisse in dieser Frage bringen. Diese Möglichkeit neuer philologischer Erkenntnisse braucht jedoch nicht von jeder Beschäftigung mit dem LSJ abhalten, wenn man bei der Fragestellung berücksichtigt, daß wir den Archetypus nicht mit letzter Sicherheit kennen, sondern nur die historischen Umstände der Compostelaner Handschrift des CC in Betracht ziehen können.[110]

Hieraus ergeben sich zwei wichtige Forderungen: Zum einen darf sich die hier folgende Untersuchung nur auf die Entstehungszeit der Niederschrift des CC beziehen, um in der Textfassung der Compostelaner Handschrift eine ausreichende Grundlage zu besitzen, zum anderen muß der äußere Zustand des CC mit allen Eingriffen und Änderungen – anders als bei WHITEHILL – dem Leser klar vor Augen geführt werden.

Die letzte Forderung haben für Buch IV HÄMEL – DE MANDACH[111], für Buch V VIELLIARD[112] weitgehend erfüllt. Eine Revision der WHITEHILLschen Transkription ist

---

[107] HÄMEL – DE MANDACH, ibid.   [108] Ibid.

[109] Ibid und in der Rezension von MEREDITH-JONES, wie Anm. 105, S. 716f.

[110] Es sei hier nur am Rande vermerkt, daß möglicherweise der letztlich schlüssige Nachweis eines Archetypus nicht zu erbringen ist, bieten doch hagiographische Sammelwerke ganz besondere editorische Schwierigkeiten (vgl.: B. DE GAIFFIER, Hagiographie et Historiographie, in: La Storiografia altomedievale, 1, Spoleto 1970 = Settimane di studio del Centro ital. di studi sull' alto medioevo, 17, S. 139–166, S. 149ff.). Oftmals sind die verschiedenen Fassungen eines Werkes nebeneinander zu stellen und gesondert zu betrachten. Vgl. auch: F. LOTTER, Methodisches zur Gewinnung historischer Erkenntnisse aus hagiographischen Quellen (HZ 229/1979, S. 298–356), S. 304f. Die Analyse des CC kann ein solcher Querschnitt verstanden werden.

[111] HÄMEL – DE MANDACH. Diese Transkription des IV. Buches des CC berücksichtigt weitgehend die oben dargelegten philologischen Beobachtungen. An den von mir überprüften Stellen sind nur ganz wenige Kleinigkeiten unbeachtet geblieben (vgl. auch die Rezension zu dieser Ed.: W. ZILTENER, Zs. f. roman. Philologie 83/1967, S. 119–24) (Im Einzelfall wird deshalb am Mikrofilm des CC jeweils die Lesart von HÄMEL – DE MANDACH überprüft). Neben den sonstigen zahlreichen Editionen des IV. Buches ist noch weiterhin diejenige von C. MEREDITH-JONES (Historia Karoli Magni et Rotholandi ou Chronique du Pseudo Turpin. Textes revus et publiés d'aprés 49 manuscrits, Paris 1936) bedeutend, vor allem wegen der größeren Anzahl der berücksichtigten Manuskripte. Das von MEREDITH-JONES erstellte Stemma ist allerdings nicht mit den obigen Überlegungen in Einklang zu bringen (vgl. unten S. 31), deshalb wird im allgemeinen der Ausgabe von HÄMEL – DE MANDACH der Vorzug gegeben.

[112] VIELLIARD. Dieses mit frz. Übersetzung bereits in 4. Auflage erschiene Werk erfreut sich – zumal bei der Ausnutzung des Jakobsweges als touristischem Objekt – zunehmender Beliebtheit

für die Bücher I–III sowie Prolog und Anhang besonders vordringlich. Aus diesem Grund habe ich diese Teile des LSJ anhand des CC selbst erneut transkribiert und zitiere in dieser Arbeit jeweils den von mir erstellten Text.[113]

Die Frage, warum diverse Folien ersetzt, Korrekturen und Randnotizen im CC angebracht worden sind, gehört zu den schwierigsten Problemen der LSJ-Forschung. Auch HÄMEL streift dieses Problem nur, bzw. er behandelt es lediglich für fol. 155–160 des B-Karolus im II./III. Buch.[114] Für diesen Teil folgert HÄMEL, daß Schreiber B-Karolus wenig kürze, anscheinend also über viel Platz verfüge. Dies glaubt HÄMEL dadurch erklären zu können, daß kunstvolle Initialen und Minaturen einen Liebhaber gefunden hätten und B-Karolus den überflüssigen Platz durch Text habe ausfüllen müssen. Gerade der in diese Folien fallende Übergang vom II. zum III. Buch sei künstlerisch gesehen vergleichsweise schlicht gehalten.[115] So richtig HÄMELS Erklärung für diesen Teil sein mag (wenn auch nicht zwingend nachgewiesen wird, warum sechs Folien von B-Karolus stammen), für die anderen ersetzten Teile wird sie zumindest problematisch.[116] Auch A. DE MANDACH gibt sich mit einer Beschreibung der aufgrund

---

(Leider wird in der Zählung bei VIELLIARD mit fol. 1 für Buch V begonnen). Die in weiten Teilen verläßliche Edition kann seit 1971 von jedermann nachgeprüft werden, weil von diesem Teil eine Facsimile-Ausgabe nach dem CC hergestellt wurde: Libro de la Peregrinación del Códice Calixtíno, hg. von C. ROMERO DE LECEA, Madrid 1971 (= Medievalia Hispanica, 1), die auch den die Gesamtkompilation einleitenden Brief Pseudo-Calixts (JL † 7108) im Facsimile enthält.

[113] Wie aus den Ausführungen klar geworden sein dürfte, gehe ich davon aus, daß der CC die älteste Handschrift der Kompilation darstellt. Wegen der nachträglichen Änderungen in dieser Handschrift bleibt bei meinem Verfahren die endgültige Erstellung einer Urfassung (im Sinne eines Lachmannschen Archetypus), sofern dies überhaupt möglich ist, weiterhin offen. Allerdings glaube ich durch eine paläographisch exakte Transkription der in dieser Arbeit verwandten Zitate, die Randnotizen etc. berücksichtigt, dem Leser jeweils deutlich machen zu können, an welchen Stellen der CC nicht mehr in „unverstümmelter" Form vorliegt. Es ist dann möglich, am konkreten Fall zu entscheiden, welche Auswirkungen die äußeren Eingriffe auf die jeweilige Interpretation haben können und dürfen. Für die Gestaltung des Textes sei auf die Richtlinien im Anhang (unten, S. 203f.) verwiesen, grundsätzlich wurden vor allem die Überlegungen von H. FUHRMANN (Über Ziel und Aussehen von Texteditionen, in: Mittelalterliche Textüberlieferungen und ihre kritische Aufarbeitung. Beiträge der MGH zum 31. dt. Historikertag, Mannheim 1976, München 1976, S. 12–27) zugrunde gelegt. Vgl. zur Sache ferner: ders., Überlegungen eines Editors, in: Probleme der Edition mittel- und neulateinischer Texte. Kolloquium der Dt. Forschungsgemeinschaft, Bonn, 26.–28. Feburar 1973, hg. v. L. HÖDL und D. WUTTKE, Boppard 1978, S. 1–34. Im folgenden werde ich deshalb für Buch I–III und den Anhang jeweils nach den Folia des CC zitieren. Die parallele Angabe der WHITEHILL-Ed. dient lediglich der besseren Orientierung. Bei Buch IV und V werde ich hingegen in der Regel nach den in Anm. 111 und 112 angegebenen Editionen zitieren und nur im Einzelfall auf den CC zurückgreifen.

[114] HÄMEL, S. 12–14. Die Gründe für eine Ersetzung der Folia werden bei der Erörterung der Schreiber für den PT (ibid. S. 19f.) nicht mehr behandelt.

[115] Ibid. S. 13.

[116] C. HOHLER, A note on Jacobus (Journal of the Warburg and Courtauld Institutes 35/1972, S. 31–80) vertritt zu den ersetzten Folien des PT die Auffassung, diese seien absichtlich herausgenommen worden, damit einem Leser nur bestimmte Teile des PT zugänglich würden (S. 67). Diese These hängt mit HOHLERS genereller Theorie zum LSJ zusammen, die weiter unten diskutiert wird (unten S. 45f.).

von Abschriften feststellbaren Varianten zufrieden.[117] Allenfalls für die Korrektur vermutet er die Intervention eines philologisch interessierten Domherrn von Compostela. Die durch verschiedene Schreiber oder Korrektoren entstandenen Varianten sind auch für sich genommen oftmals nicht genügend aussagekräftig. Sie können dazu dienen, Handschrift-Familien zu unterscheiden, ein inhaltliches Interesse läßt sich hingegen bis jetzt nicht nachweisen.[118] So bleibt zunächst zur Erklärung der unterschiedlichen Schreiber die Hypothese HÄMELS als Möglichkeit, für die Korrektoren mag hingegen im Regelfall philologisches Interesse als Motiv unterstellt werden. Lediglich bei einigen Randnotizen haben wohl auch inhaltliche Belange eine Rolle gespielt (Einführung eines Mirakelfestes, Erweiterung oder Verdeutlichung getroffener Aussagen).

Es ist bis jetzt ausschließlich vom gesamten LSJ die Rede gewesen; es sollen nun noch kurz drei Haupttheorien zur Entstehung des oft auch unabhängig vom LSJ tradierten PT vorgestellt werden. Damit gehe ich gleichzeitig zur Beantwortung der oben gestellten zweiten Frage über.[119]

1. A. HÄMEL hält an der von BECKER aufgestellten und von BEDIER bekräftigten These fest, der PT sei im Zusammenhang mit dem LSJ entstanden[120]; allerdings stelle die im CC überlieferte Fassung nicht die Urform dar, weil nachträglich mehrere Folien ersetzt worden seien.[121] Die im „Libellus Sancti Jacobi" überlieferte Redaktion sei ein Auszug aus dem LSJ, die gefertigt wurde, nachdem Schreiber B-Karolus in die Handschrift eingegriffen hatte.[122]

2. Bereits 1936 legte C. MEREDITH-JONES eine Edition des PT nach 49 Handschriften vor.[123] MEREDITH-JONES unterscheidet kürzere (A) und längere Versionen (B) und kommt zu der Auffassung, das Ms. A6 stehe der Urfassung am nächsten, während (B) (= CC-Familie) einschließlich der verwandten Familien (C) und (D) eine erweiterte Fassung darstelle.[124]

---

[117] HÄMEL – DE MANDACH, S. 23–33.

[118] Dies läßt sich z. B. auch an den Varianten der B-Karolus Stellen in Buch V (fol. 196, 203–204, 211 = olim 167, 174–175, 182) zeigen. Die Varianten des Kopisten R, der noch den Text von HA vor Augen hatte, sind allesamt unbedeutend. (Vergleichbar in der Ed. von VIELLIARD, die CC und R berücksichtigt, ähnlich unbedeutende Varianten für die B-Karolus-Passagen von Buch II/III, fol. 155–160, verzeichnet HÄMEL S. 14).

[119] Vgl. oben S. 21.

[120] Ph. A. BECKER, Grundriß der altfranzösischen Literatur, Heidelberg 1907, S. 45; BÉDIER, wie Anm. 19, und WHITEHILL Bd. III in Nachfolge von BÉDIER (S. XXVIII). Ähnlich DAVID III/ 1948, S. 170–174, allerdings teilweise kritisch zu BÉDIER: trotz der Zugehörigkeit des PT zum LSJ müsse dessen unterschiedlicher Charakter besondere Beachtung finden.

[121] Vgl. oben S. 25f. Dies ist der wesentliche Erkenntfortschritt HÄMELS gegenüber seinen Vorgängern.

[122] HÄMEL, S. 43.   [123] MEREDITH-JONES, wie Anm.111.

[124] Ibid. S. 3–32, bes. S. 19–24, Stemma, S. 23. MEREDITH-JONES hat mit seinem Stemma teilweise auf weitere Forschungen seitens der Romanistik gewirkt. Von Historikern ist seine Einteilung der handschriftlichen Überlieferung von R. FOLZ, Le souvenir et la légende de Charlemagne dans l'Empire médiéval, Paris 1950 (= Publications de l'Université de Dijon, 6), ND Genf 1973, übernommen worden (S. 223–225 und S. 235–237). Am Stemma von MEREDITH-JONES

3. A. DE MANDACH versuchte, beide Theorien zu vereinen.[125] Für ihn ist die kurze Version (= A) von MEREDITH-JONES zwar eine Kürzung, allerdings nicht in der Fassung des „Libellus Sancti Jacobi" (so HÄMEL), sondern der „Urfassung" des PT, der sie näher steht als der CC. Diese Familie sei vor allem in St-Denis verbreitet worden. Die PT Fassung im CC basiere zwar auch auf dem „Urturpin", sei aber im 12. Jahrhundert sehr stark verändert worden, so daß HÄMELS AB-Gruppen, MEREDITH-JONES' C-Familie, R (lt. HÄMEL) und die CC-Fassung in ihrem heutigen Zustand aus diesem Entwicklungsstrang hervorgegangen seien.

Die Frage, ob der CC nicht nur das älteste Manuskript, sondern auch die älteste Fassung des PT darstellt, hängt letztlich von der Beurteilung des HÄMELschen „Libellus Sancti Jacobi" (L) ab; ist er Auszug oder aber Vorform einer längeren Version? Das Hauptargument HÄMELS dafür, daß es sich um einen Auszug handele, gründet darin, „daß der Redaktor von L bestrebt war, ein nach seiner Meinung korrekteres Latein zu bieten".[126]

Für den CC als älteste Fassung auch des PT haben sich in letzter Zeit WALPOLE und HORRENT ausgesprochen.[127] Wenn also in dieser Arbeit davon ausgegangen wird, daß der CC (vor seiner Verstümmelung) nicht nur die älteste Handschrift der Gesamtkompilation, sondern auch des PT darstellt und wahrscheinlich auch der Urfassung am nächsten kommt, so ist dies nach dem Stande der Forschung eine zumindest zulässige, wahrscheinlich sogar berechtigte Annahme.[128]

---

hat bereits B. DE GAIFFIER in seiner Rezension (AB 71/1953, S. 485–91) mit dem Hinweis auf die Ergebnisse HÄMELS Kritik geübt. Dieser Kritik ist beizupflichten.

[125] MANDACH, wie Anm. 65, S. 93–97, S. 106–129 und S. 300–307.

[126] HÄMEL, S. 43 mit Nachweisen. Ähnlich äußerte sich bereits L. VAZQUEZ DE PARGA in seiner Rezension zu MEREDITH-JONES (wie Anm. 111) und dessen These (Hispania 1/1940, S. 129–135). Vgl. auch DAVID IV/1949, S. 100.

[127] R. N. WALPOLE, Sur la chronique du Pseudo-Turpin (Travaux de linguistique et de littérature III, 2/Strasbourg 1965, S. 7–18), S. 10f. WALPOLE war noch 1947 stärker der Theorie von MEREDITH-JONES gefolgt (R.N. WALPOLE, Philip Mouskès and the Pseudo-Turpin Chronicle, Berkeley/Los Angeles 1947, S. 381ff.). Allerdings ist die Frage nach dem ältesten Manuskript von der nach einer (hypothetischen) Urfassung zu trennen. WALPOLE beantwortet 1965 nur die erste Frage eindeutig zugunsten des CC. Entschiedener in beiden Richtungen: J. HORRENT, Note de critique textuelle sur le Pseudo-Turpin du Codex Calixtinus et du ms. BN nouv. fonds lat. 13774 (Le Moyen Age 81/1975, S. 37–62). Bei HORRENT werden auch die hier besprochenen Hauptthesen kurz skizziert (S. 39f.). HORRENT vergleicht vier Kapitel des PT in den zwei im Titel genannten Fassungen (S. 41–61) und kommt zu dem Schluß, die Lesarten des CC seien denen des „ms. BN" vorzuziehen.

[128] Theoretisch ist hiermit noch nicht ausgeschlossen, daß vor der CC-Fassung eine Urform des PT bestanden haben könnte. Eine ggfs. eindeutig nachgewiesene Urform des PT würde indessen die Ergebnisse dieser Arbeit kaum berühren (wie später noch deutlicher werden wird), weil der Stellenwert des PT im LSJ beachtet und dementsprechend auch diese Fassung zugrunde gelegt wird.

2.4. Die Genese des Textes des Liber Sancti Jacobi (Autoren, Datum, Zweck)

Wie der vorige Abschnitt deutlich gemacht hat, kann die Entstehungsfrage, insbesondere eine exakte Datierung nicht aus paläographischen Daten allein beantwortet werden. Für die zeitliche Eingrenzung der Fassung des 1. Schreibers (HA) können wir allerdings einen präzisen terminus ante quem geben: 1173 schrieb Arnaldus de Monte aus dem Kloster Ripoll große Teile des ursprünglichen CC ab: *reperi volumen ibidem V libros continens de miraculis apostoli prelibati ...*[129] Ein im Anhang zugefügtes Mirakel erlaubt wohl, den Zeitpunkt noch früher anzusetzen: Das auf 1164 datierte Wunder über ein vom Tode erwecktes Kind soll nach dem Bericht des Vaters, der sich auf Dankwallfahrt nach Compostela begab, in der Apostelstadt aufgezeichnet worden sein. Der Zusatz müßte demnach noch 1165 erfolgt sein, als der gesamte CC bereits vorlag.[130]

Ein terminus post quem ist wesentlich schwieriger festzulegen, diese Frage ist am ehesten im Zusammenhang mit einer Skizzierung der Forschungsgeschichte zum LSJ zu beantworten.

Die romanistische Forschung interessierte sich ursprünglich fast ausschließlich für den PT, um die Entstehung der „chansons de geste" zu erklären.[131] Unabhängig von diesen Forschungen wies P. F. FITA 1880 auf den gesamten CC in Santiago de Compostela hin.[132] Das kirchengeschichtliche Interesse FITAS und die romanistische

---

[129] VIELLIARD, S. 126. Zu seinem Auszug bemerkt Arnaldus: *Verum tamen cum copiam sola voluntas ministraret, sumptuum vero penuria et temporis me coartaret angustia, de V libris, III transcriptos atuli, secundum scilicet et tercium et IIII^{um} in quibus integre miracula continentur atque translacio apostoli ab Jherosoliminis ad Yspanias et qualiter Karolus magnus domuerit et subjugaverit jugo Xpisti Yspanias. De primo quidem aliqua licet pauca de dictis Calixti secundi collegi, in presenti volumine conscripta. Quintus liber supradicti voluminis scribitur de diversis ritibus et varia consuetudine gentium; de itineribus quibus ad sanctum Yacobum venitur et qualiter omnia fere ad Pontem Regine terminantur; de civitatibus, castellis, burgis, montibus et de pravitate simul et bonitate aquarum, piscium, terrarum, hominum et ciborum; et de sanctis qui sub precipua veneracione coluntur per viam Jacobitanam, scilicet de santo Egidio, sancto Martino et ceteris. Continentur eciam in eodem libro V^o situs civitatis Compostellane et nomina circumfluencium aquarum et numerus; neque preterit fontem qui dicitur de Paradiso. Comprehendit eciam sufficienter formam ecclesie Sancti Jacobi / et institucione[m] canonicorum quantum spectat ad distributionem oblacionum, cum numero eorumdem, qualiter sedis metropolitane dignitas auctoritate Romanorum pontificum ab Emerita sit translata ad Compostellam, propter predicti apostoli favorem.* Die Abschrift des Mönches wurde oben als R nach HÄMEL bezeichnet (oben Anm. 67). Vgl. auch HÄMELS Nachweis, daß R den ursprünglichen CC vor sich hatte (HÄMEL, S. 22 gegen seine ursprüngliche Abhandlung: Arnaldus de Monte und der Liber Sancti Jacobi, in: Homenaja a ANTONIO RUBIÓ I LLUCH I, Barcelona 1936, = Estudis Universitaris Catalans, XXI, S. 147–159).

[130] Fol. 223^r (olim 194^r), WHITEHILL, S. 404f. Vgl. DAVID, I/1946, S. 27f.

[131] Grundlegend: G. PARIS, De Pseudo-Turpino, Paris 1865. Vgl. zur älteren Forschung, die hier nicht in extenso referiert werden kann: HÄMEL, Geschichte, wie Anm. 66.

[132] F. FITA /A. FERNANDEZ GUERRA, Recuerdos de un viaje de Galicia, Madrid 1880, mit ausführlicher Beschreibung des CC (S. 42–60) und Auseinandersetzung mit: R. DOZY, Recherches sur l'Histoire de la Littérature de l'Espagne pendant le Moyen âge, 3. verb. Auflage Paris – Leiden 1881 (S. 115–119). DOZY hatte die in den LSJ integrierten Papsturkunden als Fälschungen nachgewiesen, FITA verteidigte demgegenüber deren Echtheit. Zu weiteren – auch und insbeson-

Forschung trafen sich jedoch erst, als J. Bédier, den PT als integralen Bestandteil des LSJ sehend, beide Zweige zusammenbrachte und eine Theorie zur Entstehung des gesamten LSJ aufstellte.[133]

Bédiers Theorie zufolge muß im LSJ ein Propagandawerk zur Verbreitung des Jakobuskultes gesehen werden, das Autoren aus Cluny vor 1140 – hierfür sprechen einige innere Merkmale[134] – zusammenstellten. Als Quellen dienten die zahlreichen „légendes de route" der Pilgerstraße nach Compostela. Der PT ist nur ein Teil innerhalb des LSJ, der die historische Verbindung von der Translation zur Pilgerfahrt des 12. Jahrhunderts schaffen sollte, indem der Kreis um Karl den Großen als erste Pilgerschar herausgestellt wurde. Die Theorie Bédiers ist lange Zeit fast unbesehen rezipiert worden[135], und in der Tat hat Bédier sicherlich einzelne entscheidende Punkte richtig herausgestellt, wenn auch seine Theorie in vielen Fragen einer genaueren Kritik nicht standzuhalten vermag.

In seiner These wird die Bedeutung Clunys bei der Abfassung des LSJ zusammen mit der Organisation der Compostelaner Wallfahrt durch Cluniazenser gesehen. An dieser Beobachtung Bédiers ist Kritik laut geworden. Der Annahme des cluniazensischen Einflusses läßt sich ebensogut die Annahme eines Einflusses von Regularkanonikern und anderen Orden entgegensetzen, deren Hospize und Niederlassungen an der Pilgerstraße von Compostela zu finden sind. Insbesondere bei einer zeitlichen Differenzierung wird die These Bédiers zugunsten eines cluniazensischen Ursprungs des LSJ zumindest problematisch. Die Abfassung durch einen Kanoniker erscheint E.

dere früheren – musikhistorischen Forschungen (Dreves, Wagner) vgl. Hämel, wie Anm. 66, S. 235–238, sowie Anm. 67 und 100.

[133] Bédier, wie Anm. 19, S. 52–113 bes. S. 88–113 und ders., La chronique de Turpin et le pèlerinage de Compostelle (Annales du Midi 23/1911, S. 425–450 und 24/1912, S. 18–48) bes. S. 31–41. Vgl. zu Bédiers Theorie und ihren Nachwirkungen: K. Kloocke, Joseph Bédiers Theorie über den Ursprung der Chansons de geste und die daran anschließende Diskussion zwischen 1908 und 1968, Göppingen 1972 (= Göppinger Akademische Beiträge 33/34), zum LSJ: S. 410–425 (allerdings fast ausschließlich Referat der Forschungen von David).

[134] Bédier, wie Anm. 19, S. 81f.

[135] Bédiers Auffassung war zuvor bereits thesenartig von Becker, wie Anm. 120, S. 45, vorweggenommen worden. Ich nenne als Beispiele für die Rezeption der Theorie von Bédier (ohne Anspruch auf Vollständigkeit): E. Mâle, L'Art réligieux du XIIe siècle en France, Paris 1922, ⁵1947, S. 291f; ders., L'Art réligieux du XIIIe siècle en France, Paris 1923, ⁸1948, S. 328; ders., St-Jacques le Majeur (Bulletin trimestriel du Centre international d'Etudes Romanes 1–2/1957, S. 4–26), S. 18–20; K.J. Conant, The early architectural history of the Cathedral of Santiago de Compostela, Cambridge (Mass.) 1926, S. 47; H.M. Smyser (Hg.), The Pseudo-Turpin, ed. from Bibl. Nat. fds. lat. Ms. 17656 with an annotated synopsis, Cambridge (Mass.) 1937, Vorwort S. 3; W.F. Starkie, Road to Santiago, Pilgrims of St. James, New York 1957, S. 39f.; F. Marés, Cluny y la ruta de los peregrinos a Santiago (Ensayo no. 13/1961, S. 25–38), besonders S. 30f.; M. Martins, Peregrinações e livros de milagres na nossa Idade Média, Lisboa ²1957, S.108; J. Vielliard, Le livre de St-Jacques et le Guide du pèlerin (Pèlerins et Chemins de St-Jacques en France et en Europe du Xe siècle a nos jours, hg. v. R. de la Coste-Messelière, Paris 1965, S. 35–40), S. 36; J. Filgueira Valverde, Glosa a la Guía del „Liber Sancti Jacobi", Códice Calixtino (Libro, wie Anm. 112, S. 29–56), S. 31. Innere Kriterien des LSJ für diese These bieten vor allem die Einleitungsepistola, die u. a. an Cluny gerichtet ist und das erwähnte Schluß-Kolophon (s. o. Anm. 57).

LAMBERT hingegen wahrscheinlicher. LAMBERT zufolge haben vor allem die Augustiner lokale, z. T. orale Traditionen aufgegriffen und verarbeitet.[136] Diese These LAMBERTS basiert allerdings – dies muß betont werden – auf der Erfassung von Hospizen und Klöstern an der Pilgerstraße einerseits und auf der Analyse des IV. und V. Buches des LSJ andererseits.[137] So können LAMBERTS Ergebnisse, sollen sie nicht nur eine Neuauflage von BÉDIERS Theorie der Pilgerstraßen als Verbreitungskanäle von Literatur mit anderem Vorzeichen darstellen, im strengen Sinne nur für die beiden letzten Bücher des LSJ Beweiskraft beanspruchen.

Diese Zweiteilung des LSJ in Buch I–III und Buch IV–V läßt auch in gewisser Weise der Aufbau der Kompilation selbst erkennen; auch andere Forscher griffen diese Beobachtung auf.[138]

[136] E. LAMBERT, Ordres et confréries dans l'histoire du pèlerinage de Compostelle (Annales du Midi 55/1943, S. 369–403) bes. S. 386–389 (leicht gekürzter ND in: ders., Le pèlerinage de Compostelle, Paris – Toulouse 1959, S. 15–35, S. 22–24. Dieses Werk ist ein ND der S. 121–271 v. dems., Etudes médiévales, 4 Bde, Toulouse 1956/57); ders., L'Historia Rotholandi du Pseudo-Turpin et le pèlerinage de Compostelle (Romania 69/1946–47, S. 362–387), S. 384–387. Die in der letzten Abhandlung S. 387 getroffene Äußerung, als Autor des LSJ komme ein Kleriker aus der Umgebung von Diego Gelmírez in Frage, bleibt ohne Nachweis. Das sich in diesem Zusammenhang stellende Problem besteht darin, daß die unter Einfluß von Diego Gelmírez verfaßte Hist. Comp. (vgl. unten Anm. 151 und Kap. 3, Anm. 37) keine Spuren des LSJ erkennen läßt (und umgekehrt); es könnte also allenfalls eine sehr späte Datierung für den LSJ und ein später Verehrer von Diego Gelmírez als Autor angenommen werden; ein diesbezüglicher Nachweis dürfte allerdings schwer zu erbringen sein. LAMBERT vertritt seinen Standpunkt auch in seinen anderen Abhandlungen (vgl. das Literaturverzeichnis).

[137] In Buch IV und V wird auch die Institution der Regularkanoniker besonders herausgestrichen (vgl. unten vor allem Kap. 5.3.). Vgl. dazu auch: VAZQUEZ DE PARGA u. a., wie Anm. 3, Bd. I, S. 178. OURSEL hat BÉDIERS und LAMBERTS Thesen miteinander verglichen und entscheidet sich für die Clunythese, die zumindest für die Verbreitung des LSJ größere Bedeutung besitze: R. OURSEL, Les pèlerins du Moyen âge, les hommes, les chemins, les sanctuaires. Paris 1963, S. 125–132 und ders., Le rôle de Cluny et des ordres hospitaliers dans le pèlerinage de Compostelle (Pèlerins et Chemins de St-Jacques en France et en Europe du Xᵉ siècle à nos jours, hg. v. R. DE LA COSTE-MESSELIÈRE, Paris 1965, S. 59–69). Mir scheint, daß sich gerade der Aspekt der Wallfahrtsorganisation, der bei OURSEL vornehmlich diskutiert wird, nicht alternativ beantworten läßt; in der religiösen Landschaft des 12. Jahrhunderts waren sicherlich beide Bewegungen entscheidend. Geographische und zeitliche Differenzierung wäre hier besonders nötig. – Für den Einfluß Clunys in Spanien hat P. SEGL (Königtum und Klosterreform in Spanien. Untersuchungen über die Clunicenserklöster in Kastilien und León vom Beginn des 11. bis zur Mitte des 12. Jahrhunderts, Kallmünz 1974) die bisherige Forschung entscheidend korrigiert. Nach seinen Untersuchungen ist der Einfluß Clunys in Spanien eher geringer als bisher angenommen zu veranschlagen. Vgl. auch dessen zusammenfassende Bemerkungen: Cluny in Spanien. Ergebnisse und neue Fragestellungen (DA 33/1977, S. 560–570).

[138] Vgl. neben LAMBERT: A. BURGER, Sur les relations de la Chanson de Roland avec le récit du faux Turpin et celui du Guide du pèlerin (Romania 73/1952, S. 242–247). BURGER vertritt die Auffassung, daß die Roncevaux-Episoden in Buch IV und V des LSJ auf einer nicht überlieferten „Passio Rotholandi" in Hexametern basiere. Hierzu ergänzend und korrigierend: A. HÄMEL, Die Rolandlegende des Pseudo-Turpin, in: Estudios hispanicos. Homenaje a Archer M. HUNTINGTON, Wellesley (Mass.) 1952, S. 219–228, S. 226–228. Das Rolandgebet basiert nach HÄMEL auf der „Passio Jacobi" in Buch I. Es sei bereits hier kurz vermerkt, daß B. DE GAIFFIER in seiner

Rückt man von der Annahme einer einheitlichen Verfasserschaft für alle Bücher ab, dann erhebt sich allerdings besonders eindringlich die Frage, wer die verschiedenen Teile zur Gesamtkompilation des LSJ zusammengefügt haben mag. Den besten Ansatzpunkt für dieses Problem bietet die oben zitierte, den CC abschließende Innozenzbulle, die als Überbringer des CC Aimericus von Parthenay (Poitou) ausweist: *Hunc codicem a domno papa Calixto primitus editum, quem Pictauensis Aymeric(us) Picaud(us) de Partiniaco veteri, qui etiam Oliuer(us)* ᵃ *de*ᵇ *Iscani, villa sancte Marie Magdalenę de Uiziliaco dicitur, et Girberga Flandrensis sotia eius pro animarum suarum redemptione sancto Iacobo Gallecianensi dederunt . . .*[139] Dieser Aimericus ist lediglich aus dem LSJ bekannt.[140]

Um eine Klärung des in der zitierten Stelle erwähnten Zweitnamens von Aimericus hat sich R. Louis verdient gemacht. Er konnte mit großer Wahrscheinlichkeit nachweisen, daß Aimericus Kaplan einer Jakobskirche bei Vézelay gewesen sei und dort unter dem Namen Oliver d'Asquins gelebt habe.[141] Der Innozenzbulle folgend besteht in der Forschung große Übereinstimmung darüber, daß Aimericus zumindest als Überbringer des CC nach Compostela anzusehen sei; denn warum sollte – selbst in einer gefälschten Urkunde – für einen sonst unbekannten Kleriker ein falscher Name gesucht werden?[142]

Ziel dieser Übergabe war nach R. Louis, daß in Compostela für die nötige Verbreitung des Buches – hierfür fehlten Aimericus die Mittel – gesorgt würde.[143] Darüberhinaus ist weiter angenommen worden, Aimericus habe die letzte Zusammenstellung des LSJ bewerkstelligt.[144] Inwieweit unterschiedliche Teile aus seiner Feder

---

Rezension von Whitehill und David (AB 69/1951, S. 173–76) für die Passio Jacobi wiederum u. a. auf die Passio Dionysii (BHL 2175) als Quelle hingewiesen hat, vgl. dazu unten S. 40–43. Vgl. ferner: A. Burger, La question rolandienne. Faits et hypotheses (CCM 4/1961, S. 269–291), S. 277. Auch weiter unten behandelte Autoren, welche die Genese des LSJ zu erklären versuchen, teilen oft in dieser Form das Gesamtwerk ein, so z. B. P. David (vgl. unten S. 38f)

[139] a) ,*er*'' auf Rasur, v. anderer Hd. b) nach ,*de*' 1 Spatium frei, Rasur. Fol. 221ʳ (= olim 192ʳ). Whitehill, S. 399 (JL † 8286), neu ediert von R. Louis, ohne Titel, in: Bulletin de la Societé Nationale des Antiquaires de France, 1948/49, S. 80–97, S. 82f. Zur Diskussion der *qui etiam* Stelle vgl. Louis, ibid., S. 86f.; J. R. Richard, Etablissements bourguignons en terre de Croisade (Annales de Bourgogne 1950, S. 48–54), S. 50 mit Anm. 1. und J. Guerra Campos, El „Liber Sancti Jacobi" o Códice Calixtino (Libro, wie Anm. 112, S. 17–28), S. 22; ferner: R. de la Coste Messelière, A propos d'une publication récente (Compostelle, Bulletin no. 16/1963, S. 8–9), S. 9.

[140] Vgl. A. Lambert, Aymeric (Dictionnaire d'histoire et de géographie ecclésiastique, Bd. V, Paris 1931, Sp. 1296–1298). Im LSJ (Anhang des CC) wird ihm noch eine Hymne zugeschrieben (fol. 219ᵛ =olim fol. 190ᵛ, Whitehill, S. 398), vgl. oben S. 21.

[141] Louis, wie Anm. 139, S. 87–89, vgl. auch Richard, wie Anm. 139.

[142] G. Paris, wie Anm. 131, S. 41; Dozy, wie Anm. 132, Bd. II, S. 427ff.; Vazquez de Parga, El Liber Sancti Jacobi y el Códice Calixtino (Revista de Archivos, Bibliothecas y Museos 53/1947, S. 35–45), S. 41; Guerra Campos, wie Anm. 139, S. 22.

[143] Louis, wie Anm. 139, S. 93.

[144] V. Le Clerc, Aimeric Picaudi de Parthenai. Cantique et itineraire des pèlerins de St-Jacques de Compostelle (Histoire littéraire de la France, 21, Paris 1847, S. 272–292), S. 274; G. Paris, wie Anm. 131, S. 41; L. Delisle, Note sur le recueil intitulé „De miraculis Sancti Jacobi" (Le Cabinet historique 24/1878, S. 1–9), S. 6; G. M. Dreves, Hymnodia hiberica. 2. Liturgische Reimoffizien,

stammen sollen, wird kontrovers beantwortet. Teilweise wurde er als Autor von Buch V angesehen, denn in diesem Teil fällt u. a. die Beschreibung der Poiteviner besonders positiv aus. Darüberhinaus glaubt man zuweilen, ihm auch Teile von Buch IV und Buch I bzw. die gefälschten Papsturkunden zuschreiben zu können.[145] Auf jeden Fall muß Aimericus – seine Autorschaft für diese Teile vorausgesetzt – die Pilgerstraßen aus eigener Erfahrung gekannt und eine besondere Abneigung gegen die Navarresen entwickelt haben.[146] Es scheint deshalb berechtigt, an einen vielgereisten Kleriker zu denken.[147] Es ist zwar sehr gut möglich und wahrscheinlich, daß der Kompilator des

Carmina Compostellana, die Lieder des sogenannten Codex Calixtinus. Leipzig 1894 (= Analecta Hymnica medii aevi, Bd. XVII) (ND Frankfurt/M. 1961), S. 13–15; VAZQUEZ DE PARGA, wie Anm. 142, S.41; VAZQUEZ DE PARGA u. a., wie Anm. 3, S. 175f.; LOUIS, wie Anm. 139, S. 90; L. MAÍZ ELEIZEGUI, La Borgoña – Cluny – Compostela (Compostela no. 40/1956, S. 16–23), S. 23; WALPOLE, chronique, wie Anm. 127, S. 18.

[145] LE CLERC, wie Anm. 144, S. 274; DOZY, wie Anm. 132, S. 427 (für den Anfang des PT); U. ROBERT, Aymeric Picaud et le recueil des miracles de Saint Jacques (Bulletin de la Société nationale des antiquaires de France, 1890, S. 291–294), S. 292; ders., Histoire du pape Calixte II, Paris 1891, S. 211; M. MANITIUS, Geschichte der lateinischen Literatur des Mittelalters, München 1931, Bd. III, S. 989f.; LAMBERT, wie Anm. 140, Sp. 1296–1298; VIELLIARD, S. XIII; A. DE APRAÍZ, Notas sobre la cultura de las peregrinaciones. Algunas lecturas de la Guía del Peregrino del Siglo XII (Bulletin Hispanique 87/1939, S. 60–64), S.60; M. DEFOURNEAUX, Les Français en Espagne aux 11e et 12e siècles, Paris 1949, S. 95–99 (bedingt); LOUIS, wie Anm. 139, S. 90–97; MARÉS, wie Anm. 135, S. 25 (bedingt); VIELLIARD, wie Anm. 135, S. 37; B. BENNASSAR, Saint-Jacques de Compostelle, Paris 1970, S. 139 (für Buch V); F. TORROBA BERNALDO DE QUIROS, Retablo Estelar del Apostol. El camino de Santiago, Madrid 1971, S. 51; E.R. LABANDE, Las condiciones de vida del peregrino a Santiago según el „Codex Calixtinus" (Boletín de la Asociación Europea de Professores de Español 8, no. 15/1976, S. 45–53), S. 46 (allerdings mit Fragezeichen).

[146] Vgl. z. B. L. VAZQUEZ DE PARGA, Aymeric Picaud y Navarra (Correo erudito 4/1947, S. 113–114). Der „antinavarrismo" geht vor allem aus einigen Stellen von Buch I und V hervor: I,2, fol. 11r, WHITEHILL, S. 20; I,17, fol. 78r, WHITEHILL, S. 148; V, 7, VIELLIARD S. 32 (die besonders ausführliche letzte Passage taucht in einigen Handschriften des PT als Anhang auf, vgl. HÄMEL – DE MANDACH, S. 100, Anm. 1 und MEREDITH-JONES, wie Anm. 111, S. 248–250 und S. 339). Teils dürfte sich die Antipathie auch auf die Basken erstrecken, vgl. die Passage von Buch V und einen Mirakelbericht (II,4, fol. 143v, WHITEHILL, S. 265). Laut VAZQUEZ DE PARGA verrät der Autor des PT auch eine gute Bekanntschaft mit Navarra, daß man glauben möchte, Aimericus habe einige Zeit in einer französischen „Kolonie" in Navarra gelebt. In dieser Umgebung sei wohl auch – so an anderer Stelle (VAZQUEZ DE PARGA u. a., wie Anm. 3, Bd. I, S. 506) – die Urform des PT entstanden (vgl. auch unten, Kap. 6.3.).

[147] So LOUIS, wie Anm. 139, S. 96, der in Nachfolge von A. LAMBERT, wie Anm. 140, die Identität Aimericus' mit einem gleichnamigen Jerusalemer Kleriker annimmt, der 1131 in Compostela weilte (vgl. Hist. Comp. III, 26, ES XX, S. 523f.). Gründe hierfür sieht er in den verschiedenen Mirakeln, die über Pilger aus dem hl. Land berichten, die Details über die Basilika vom Berge Tabor (Buch I, Kap. 5, fol. 19v–24r = WHITEHILL, S. 38–48; LOUIS meint wohl fol. 22v = WHITEHILL, S. 44) und die Erwähnung des Patriarchen von Jerusalem im Einleitungsbrief Pseudo-Calixts. Die Kompilation müßte demnach zwischen 1135 und 1139 fertiggestellt worden sein. Die Aimericus zugeschriebene Hymne im Anhang des LSJ (s. o. Anm. 140) entspreche zudem in der Form denjenigen der fahrenden Kleriker (ibid. S. 97). Unabhängig davon, aber ähnlich: VAZQUEZ DE PARGA, wie Anm. 142, S. 41f., VAZQUEZ DE PARGA u. a., wie Anm. 3, S. 176; ferner: GUERRA CAMPOS, wie Anm. 139, S. 22 (vgl. auch unten Anm. 168).

LSJ Aimericus geheißen hat; bis heute ist dies jedoch noch nicht zwingend erwiesen.[148] Sieht man als gegeben an, daß Aimericus die CC-Fassung des LSJ nach Compostela brachte, so ist auch die durch die Innozenzurkunde gegebene Datierung akzeptabel: Für die Zeit 1139/40 können alle in der Urkunde unterzeichnenden Kardinäle im Amt nachgewiesen werden.[149] So glaubte R. LOUIS, Aimericus habe 1140 den CC nach Compostela gebracht.[150] Das Jahr 1140 muß im übrigen in etwa auch den terminus post quem darstellen. Ein früherer terminus post quem für die Gesamtkompilation scheidet ebenfalls deshalb aus, weil hier der Berichtszeitraum der „Historia Compostelana" endet, welche die Jakobustradition fortwährend zur Legitimation besonderer Würden der Apostelstadt betont, den LSJ jedoch anscheinend nicht kennt.[151]

Auch ich halte 1139 als frühesten terminus post quem für möglich. Im äußersten Falle dürfte eine Verschiebung bis kurz nach dem Pontifikatsende Innozenz' II. (1130–1143) noch sinnvoll sein. Für die päpstliche Legitimation steht im ganzen LSJ ein Pseudo-Calixt. Die Innozenzurkunde sollte also diese u. a. für den Überbringungsakt aktualisieren. Auf 1139 wird auch das im Anhang verzeichnete Mirakel – das letzte folio von Schreiber HA – datiert. Aus diesen Gründen sollte die Fertigstellung und Überbringung des CC zwischen 1139 und 1143 – eventuell wenige Jahre später – angesetzt werden.[152]

Eine solche Datierung kann für die Gesamtkompilation vertreten werden. Zu einem nur geringfügig abweichenden Ergebnis kam auch P. DAVID durch eine Analyse zur Entstehung der einzelnen Teile. Er gelangte dabei zu dem Schluß „que les éléments du recueil en cinq livres étaient rassemblés vers 1150."[153]

Die Genese des LSJ hat P. DAVID äußerst minutiös nachzuzeichnen versucht. Zumal für den Historiker dürften seine Studien den besten Einstieg in die LSJ-Problematik darstellen. Anders als A. HÄMEL, der sich hauptsächlich philologisch-paläographischen Problemen widmete und nur en passant zu Autor und Tendenz des LSJ Stellung bezog[154], will DAVID mit den Methoden der inneren Kritik die ursprünglichen von den nachträglichen Teilen der Kompilation scheiden.

---

[148] Vgl. z. B. die reservierte Haltung von GUERRA CAMPOS, wie Anm. 139, S. 24f.; vgl. auch DAVID (unten S. 39), der allenfalls Schlußredaktion und Überbringung Aimericus zugesteht.

[149] Vgl. LOUIS, wie Anm. 139, S. 85, ausführlicher: unten Kap. 4.1., Anm. 47.

[150] Ibid. und: J. STIENNON, Le voyage des Liégois à St-Jacques de Compostelle en 1056 (Etudes sur l'Histoire du pays mosan au Moyen âge, in: Mélanges Felix ROUSSEAU, Brüssel 1958, S. 553–581), S. 573.

[151] Zuerst zu diesem Aspekt: V. H. FRIEDEL, Etudes Compostellanes (Otia Merseiana 1/1899, S. 75–112) bes. S. 83–86. Vgl. ferner: Y. BOTTINEAU, La légende de St-Jacques (Pèlerins et chemins de St-Jacques en France et en Europe du Xᵉ siècle à nos jours, hg. von R. DE LA COSTE-MESSELIÈRE. Paris 1965, S. 25–34), S. 32.

[152] DAVID, IV/1949, S. 102f. glaubt, zum Ausfertigungsdatum hätten alle „unterschreibenden" Kardinäle bereits tot sein müssen, ohne hierfür einen präzisen Grund anzugeben. Ich teile diese Ansicht nicht.

[153] Ibid., S. 102. DAVID setzt also lediglich die Innozenzurkunde etwas später an (d. h. nach 1150, s. vorige Anm.).

[154] HÄMEL, S. 45–52 zu Buch I und S. 52–61 zu Buch IV (PT). Demzufolge ist Buch I vor allem im Zusammenhang mit der Durchsetzung des römischen Ritus und mit dem Kampf gegen die Simonie zu sehen; Buch IV wird durch die Verbindung von Wallfahrt und Kreuzzugsgedanken,

Nach DAVID[155] stellt das II. Buch den ursprünglichen Kern der Kompilation dar, der größte Teil der Mirakel war wohl bereits um 1110 zusammengestellt. Das I. Buch, das eine Liturgiereform von Compostela zum Ziele hatte, sei in einer zweiten Stufe zugefügt worden (um 1135); spätere Autoren hätten dann die ursprünglich ausgeschalteten „apokryphen" Texte und Buch III zugefügt. Als Verfasser des I. Buches könnte sich DAVID einen Mönch vorstellen. Der Name von Papst Calixt sei ursprünglich nur mit den ersten beiden Büchern verbunden gewesen, äußerlich sei dies noch heute durch das Chrismon nach Buch II deutlich.[156] Der PT habe wohl vorher in einer, heute nicht mehr erhaltenen „rédaction sandionysienne" bestanden, ihr Autor sei dem Milieu von St-Denis sehr verpflichtet. Um 1150 sei er in den LSJ eingegliedert worden, möglicherweise gleichzeitig mit dem Pilgerführer, Buch V. Der Verfasser dieses letzten Teiles stamme vermutlich aus Aquitanien und habe den Pilgerführer um 1130 verfaßt. Alle Elemente des heutigen CC seien somit um 1150 zusammengestellt gewesen. Ein letzter Redaktor habe dem LSJ ein relativ einheitliches Gesicht gegeben und die konkrete Form des CC sei wohl von Aimericus geschaffen worden. Soweit P. DAVID.

Der Gelehrte hat sicherlich die verschiedenen Elemente und die Komplexität des LSJ bislang am besten beleuchtet. An zwei Punkten ist allerdings bereits hier Kritik zu üben.[157] Zum einen hat sich DAVID wohl weitgehend auf die Edition von WHITEHILL verlassen. Er ist deshalb zu einigen Schlußfolgerungen gekommen, die nach einer Prüfung am CC nicht bestätigt werden können.[158] Zum zweiten geht DAVID zur Analyse von Buch I davon aus, Pseudo-Calixt wolle die Liturgie von Compostela reformieren und versuche deshalb, apokryphe Texte auszuschließen.[159] Diese seien jedoch später von einem anderen Redaktor eingefügt worden. DAVID glaubt in diesem Zusammenhang nachweisen zu können, daß alle Passagen, die von der Predigttätigkeit des hl. Jakobus handelten, nachträglich zugefügt seien.[160] Insbesondere zähle hierzu die von Pseudo-Abdias übernommene „Passio magna", die der ursprüngliche Autor aus der Compostelaner Tradition habe verbannen wollen.[161] Nun nimmt die Eingangsepistel zur „Passio" des Pseudo-Abdias beim genauen Lesen der Passage[162] keineswegs zu

---

wie sie den Ritterorden eignete, verstanden. Diese Aussagen HÄMELS enthalten wichtige Aspekte, die an gegebener Stelle in dieser Arbeit aufgegriffen werden, dürfen jedoch nicht als Theorie zum gesamten LSJ verstanden werden.

[155] Für die folgende kurze Zusammenstellung vgl. DAVIDS abschließende Bemerkungen (IV/ 1949, S. 97–104).

[156] Vgl. oben S. 19.

[157] Auf DAVIDS Studien wird in der ganzen folgenden Arbeit zurückgegriffen und ggfs. im jeweiligen Zusammenhang noch weitere Kritik geübt.

[158] Vgl. die zwei von A. HÄMEL (Rezension zu WHITEHILL, Estudis Romanics 2/1949–50, S. 241–45) S. 242f. zitierten Beispiele. DAVID zieht so z. B. von Verweisen in Buch I (*ut supra* (bei WHITEHILL); in Wirklichkeit (CC) *ut postea* o. ä.) Schlußfolgerungen auf die ursprüngliche Anordnung innerhalb von Buch I.

[159] Vgl. z. B. DAVID II/1947, S. 115.   [160] Ibid. S. 132–135.

[161] S. Anm. 159.

[162] Fol. 2r, WHITEHILL, S. 3: *Sunt nonnulli qui dicunt esse apocrifa responsoria[a] passionis sancti Iacobi[b]; Apostolus Christi Iacobus per sinagogas ingrediens, eo quod cuncta, quę in passionibus apostolorum scripta habentur, non apud omnes pro magna auctoritate recipiuntur. Alii cantant ea, alii non cantant. In urbe tamen, qua fuerant(?) edita, non ad plenum cantantur.*

dieser „Passio" so negativ Stellung, wie DAVID glaubt, und auch an anderen Stellen wird diese durchaus nicht negativ beurteilt.[163] Es scheint mir deshalb fraglich, ob das Kriterium der Predigttätigkeit des hl. Jakobus ausreicht, um verschiedene Schichten des Jakobsbuches nachzuweisen.[164] Trotzdem dürfte DAVID mit der Beobachtung Recht haben, daß die „Passio magna" eine nachträgliche Einfügung in Buch I darstellt. Der Nachweis hierfür könnte von anderer Seite präziser geführt werden.

HÄMEL wies 1952 in der Auseinandersetzung mit A. BURGER[165] eine Interdependenz zwischen der Rolandspassion in Buch IV und der „Passio magna" nach.[166] Unabhängig von HÄMEL stellte B. DE GAIFFIER die „Passio" des hl. Andreas (BHL 428) und vor allem die „Passio" des hl. Dionysius (BHL 2175)[167] als Vorlagen für die gegenüber Pseudo-Abdias geänderten Teile der „Passio magna" heraus. Somit schließt sich ein Kreis von der Dionysius-Passion zu Buch IV und Buch I, d. h. man könnte beide Passagen möglicherweise einem für alle Bücher verantwortlichen Schlußredaktor zuschreiben.

Die kurze Präzisierung von DAVIDS Aussagen führt uns gleichzeitig zu einem letzten Schwerpunkt der LSJ-Forschung. Die Ermittlung möglicher Vorlagen und Quellen der Kompilation kann – wenn auch nicht immer – weitere wichtige Hinweise zur Entstehung des Werkes geben. Für viele Einzelprobleme sind bereits eine Reihe von Vorarbeiten geleistet worden.[168] Als besonders bedeutend hat sich bisher der Einfluß

---

a) *responsoria*: rote Farbe.   b) ‚*b*' als Kapitälchen.

[163] Insbesondere im Prolog zur „Passio modica" (fol. 18^{r-v}, WHITEHILL, S. 35f.) und zur „Passio magna" (fol. 47^v – 48^r, WHITEHILL, S. 93f.). Laut DAVID sind allerdings beide Passagen Interpolationen (DAVID II/1947, S. 138f.). Es bleibt dann die Frage, wo eigentlich die angestrebte Liturgiereform im LSJ deutlich zur Sprache gebracht wird.

[164] So auch B. DE GAIFFIER in seiner Rezension zu WHITEHILL und DAVID (AB 69/1951, S. 173–76), S. 175, der allerdings DAVIDS Position nicht ganz korrekt wiedergibt. M.C. DIAZ Y DIAZ (Problemas de la cultura en los siglos XI–XII. La Escuela Episcopal de Santiago, in: Comp. 16/ 1971, S. 187–200) weist darauf hin, daß bereits vor 1138 ein dem Buch II des LSJ ähnlicher „Liber Miraculorum" in Compostela bekannt war und kündigte hierzu eine (bisher noch nicht erschienene) Studie an (S. 199f.). Dies würde die Entstehungstheorie DAVIDS modifizieren und ggfs. einen starken Einfluß Compostelaner Kreise für eine „Vorlage" des Mirakelbuches wahrscheinlich machen.

[165] HÄMEL, wie Anm. 138, bes. S. 226–228 zu A. BURGER (La légende de Roncevaux avant la chanson de Roland, in: Romania 70/1948–49, S. 433–473; ähnlich ders., relations, wie Anm. 138). BURGER verglich u. a. die Rolandspassion (HÄMEL – DE MANDACH, S. 80f.) mit den entsprechenden Passagen von Buch V (VIELLIARD, S. 78) und nahm als Quelle für beide ein lateinisches Gedicht in Hexametern an.

[166] HÄMEL, wie Anm. 138, S. 227f. Der von HÄMEL abgedruckte Textauszug aus der „Passio magna" des CC ist allerdings nicht ganz korrekt.

[167] B. DE GAIFFIER, Rezension zu VAZQUEZ DE PARGA u. a., wie Anm. 3, (AB 70/1952, S. 214–218), S. 215 (zur „Passio" des hl. Andreas); ders., wie Anm. 164, S. 175 (zur „Passio" des hl. Dionysius).

[168] Der Stand der Forschungen bis 1950 ist größtenteils in der spanischen Übersetzung der WHITEHILL-Edition in den Anmerkungen berücksichtigt (Liber Sancti Jacobi. Codex Calixtinus, trad. por A. MORALEJO, C. TORRES y J. FEO, Santiago de Compostela 1951). Ebenso in den Studien von DAVID. – Es ist ferner hinzuweisen auf die Fassungen der Translatio und des Leo-

von Texten im Zusammenhang mit dem Kloster St-Denis herausgestellt, der schon lange von der PT-Forschung ins Blickfeld gerückt worden war.[169]

Kapitel 19 des PT, das über die von Karl dem Großen angeblich verliehenen Vorrechte Compostelas handelt, entspricht Kapitel 30 zur Vorrangstellung von St-Denis in Frankreich.[170] Für dieses Kapitel hat vor allem M. BUCHNER die Abhängigkeit von einem gefälschten Karlspriveg für St-Denis nachweisen wollen.[171]

Diesem Ergebnis sind u. a. A. HÄMEL, der sich eingehend mit der These BUCHNERS auseinandersetzte, und MEREDITH-JONES weitgehend gefolgt.[172]

Briefes (vgl. oben Kap. 1, S. 8f.) – Zum Rückgriff auf Venantius Fortunatus im LSJ: A. MORALEJO LASO, Las cítas poeticas de San Fortunato en el Códice Calixtíno (CEG 4/1949, S. 349–366); E. ELORDUY, De re Iacobea (Boletín de la Real Academía de la Historia 135/1954, S. 323–360); A. MORALEJO LASO, Sobre el sentido de unos versos de Venancio Fortunato a San Martín Dumiense en relación con la tradición jacobea (Bracara Augusta 9–10, no. 39–42/1958–59, S. 18–24; auch in: Comp. 3, 4/1958, S. 341–48).

Für Mirakel 16–18 wurde jetzt eine Vorlage in den „Dicta Anselmi" nachgewiesen: R. W. SOUTHERN, The Making of the Middle Ages, London 1953, dt.: Gestaltende Kräfte des Mittelalters. Das Abendland im 11. und 12. Jahrhundert, Stuttgart 1960, S. 225f. (Hinweis). Druck der „Dicta Anselmi" (mit Varianten des CC): R.W. SOUTHERN, The English Origins of the Miracles of the Virgin (Medieval and Renaissance studies 4/1958, S. 176–216), S. 205–216 (teilweise) und vollständig: ders./F.S. SCHMITT (Hgg.), Memorials of St. Anselm, London 1969, S. 196–209. Zu Vorgeschichte und Nachleben der Mirakel vgl. unten Kap. 5.1. – Zu diversen Einzelaspekten, wie Kenntnis antiker Autoren: B. DE GAIFFIER, Une citation de Théophile d'Antioche dans le „Liber Sancti Jacobi" (Mélanges Michel ANDRIEU, Straßburg 1956, S. 173–79; ND in: ders., Etudes critiques d'hagiographie et d'iconologie, Brüssel 1967 = Subsidia hagiographica, 43, S. 108–114). Zu Griechisch- und Hebräisch-Kenntnissen: M. RABANAL ALVAREZ, Las palabras griegas de la „Prosa Sancti Jacobi" (Compostela, julio 1950, S. 17–18; ders., Griego medieval en el „Codex Calixtinus": El Aliluia en Greco y otros grecismos esporádicos (CEG 8/1953, S. 179–205); A. MORALEJO LASO, Sobre las Voces hebraicas de una secuencia del Calixtino y su transcripción (CEG 10/1955, S. 361–372). Die letzte der drei Abhandlungen ist wohl am interessantesten: MORALEJO LASO vermutet (zumindest für die behandelten Passagen) einen Autor aus Südfrankreich (wegen linguistischer Eigenheiten), der aber auch Griechisch und Hebräisch vom Hören her gut gekannt haben muß. Eine Reise des vermuteten Autors ins hl. Land und nach Byzanz ist deshalb anzunehmen (Dieser Erfahrungshorizont des Autors war bereits von anderem Gesichtspunkt betrachtet worden, vgl. oben Anm. 147). Weitere Studien zum PT, s. unten Kap. 5.2.

[169] So schon G. PARIS, wie Anm. 131, S. 26–28.

[170] Kap. 19, HÄMEL – DE MANDACH, S. 69–71 und Kap. 30, ibid., S. 88–89. Bei WHITEHILL und in der Handschrift (CC) als Kapitel XXII bezeichnet (fol. 185^v–186^r = olim 23^v–24^r).

[171] M. BUCHNER, Pseudo-Turpin, Rainald von Dasselt und der Archipoet in ihren Beziehungen zur Kanonisation Karls des Großen (Zs. für frz. Sprache und Literatur 51/1928, S. 1–72), S. 1–20; bereits in dieser Richtung: ders., Das gefälschte Karlspriveg für St. Denis BM²Nr. 482 und seine Entstehung (Hist. Jahrbuch 42/1922, S. 12–28) (S. 13–25 zur Abfassungszeit vom BM² 482 = DK d. Gr. 286: 1147–49) und ders., Das fingierte Privileg Karls d. Großen für Aachen – eine Fälschung Rainalds von Dassel – und die Entstehung der Aachener „Vita Karoli Magni" (Zs. des Aachener Geschichtsvereins, 47/1927, S. 179–254), bes. S. 243.

[172] A. HÄMEL, Eine neue Pseudoturpin-Hypothese (Philologisch-philosophische Studien. Berliner Beiträge zur romanischen Philologie I = Festschrift E. WECHSSLER, Jena-Leipzig 1929, S. 45–52) bes. S. 46f.; MEREDITH-JONES, wie Anm. 111, S. 328–333. HÄMEL kritisiert allerdings einen

P. E. Schramm, dessen Erkenntnisinteresse allerdings etwas anders gelagert war – ihm
diente der PT als Quelle für angebliche oder tatsächliche Ambitionen von St.-Denis –,
glaubt im Gegensatz zu Buchner eher an ein umgekehrtes Abhängigkeitsverhältnis.[173]

Trotz dieser Differenz ist auch für Schramm die Rolle von St-Denis im PT
bedeutend[174]; E.R. Curtius hat dieses Ergebnis Schramms ebenfalls hervorgehoben.[175]
R. N. Walpole und besonders B. de Gaiffier haben den Einfluß von St-Denis noch
eingehender herausgearbeitet, wobei vor allem der letztere nicht nur den PT, sondern
auch den gesamten LSJ ins Blickfeld rücken konnte. B. de Gaiffier wies neben den
oben gezeigten Bezugspunkten zwischen „Passio Iacobi", „Passio Rotholandi" und
„Passio Dionysii" auch für die Passion den hl. Eutropius, die im Pilgerführer (Buch V)
auftaucht, die „Passio Dionysii" (BHL 2175) als eine Quelle nach.[176] Walpole hat im
wesentlichen weiterhin nur den PT betrachtet und die These Buchners in modifizierter
Form wieder aufgegriffen.[177] Er glaubt, für den PT könne der Ursprung in St-Denis als

---

Großteil der anderen Ergebnisse Buchners, wie z. B. die These, der Archipoet sei Autor des PT,
oder den von Buchner gesehenen Zusammenhang zwischen der Abfassung des PT und der
Kanonisation Karls des Großen, oder die Gleichsetzung des Aimericus, den die Innozenzbulle
erwähnt (s. o. Anm. 139), mit dem Kanzler Aimericus an der römischen Kurie. Der Kritik
Hämels ist beizupflichten.

[173] P. E. Schramm, Der König von Frankreich. Das Wesen der Monarchie vom 9. zum 16.
Jahrhundert, 2 Bde, Weimar 1939, 2. verb. Aufl. Darmstadt 1960, Bd. I, S. 142–44 zum PT; zur
hier angerissenen Problematik, Anmerkungsteil, S. 93–95 (= Anm. 2 zu S. 143). Schramms
Argumentation geht zum einen gegen die von Buchner angenommene Verfasserschaft des Abtes
Suger von St-Denis für BM²482, der „Nachweis" Buchners passe ebensogut für jeden unter
Sugers Einfluß aufgewachsenen Mönch (ibid. S. 94), zum anderen gegen das von Buchner
behauptete Abhängigkeitsverhältnis, das zu der Annahme zwänge, der PT habe die Tendenz der
urkundlichen Fälschung abgeschliffen; plausibler erscheint Schramm umgekehrt eine Zuspitzung
der Aussagen durch den Fälscher von BM² 482 (ibid.). Damit werden auch Buchners
Datierungsversuche für den PT hinfällig. Laut Schramm hat sich A. Hämel auch entgegen seinem
Aufsatz (s. o. Anm. 172) das umgekehrte Abhängigkeitsverhältnis von PT und BM²482, d. h. die
Schramm-These, zu eigen gemacht (ibid. S. 94). Zum Verhältnis von St-Denis zum kapetingischen
Königtum vgl.: G. M. Spiegel, The Cult of St. Denis and Capetain Kingship (Journal of Medieval
History 1/1975, S. 43–69), zur Entstehung der Legende des hl. Dionysius: S. 46–53.

[174] Ibid. S. 142.

[175] E. R. Curtius, Über die altfranzösische Epik. IV. 1. St. Denis und der Codex Calixtinus
(Romanische Forschungen 62/1950, S. 294–305 = ND in: ders., Gesammelte Aufsätze zur
romanischen Philologie, Bern 1960, S. 237–44).

[176] B. de Gaiffier, Les sources de la passion de St-Eutrope de Saintes dans le „Liber Sancti
Jacobi" (AB 69/1951, S. 57–66), bes. S. 60–63, vgl. ferner oben Anm. 167.

[177] Zuletzt: Walpole, chronique, wie Anm. 127, S. 15; bereits vorher: ders., Philip Mouskès,
wie Anm. 127, S. 327–440), wo der PT als Propagandaschrift für den Karlskult in Frankreich zur
Stärkung der königlichen Zentralgewalt angesehen wird (vgl. auch die ausführliche Rezension zu
diesem Werk von Wallace-Hadrill, in: Medium Aevum 17/1948, S. 37–45). Bereits in einer
Rezension zu Smyser, wie Anm. 135, in: Speculum 13/1938, S. 364–66, S. 365 hatte F. M.
Powicke auf die Bedeutung von St-Denis hingewiesen; hierbei jedoch wohl eher an die
Verbreitung und Rezeption des PT gedacht. Diese Vermutung, daß St-Denis und das französische
Königtum vom PT profitierten, ist einleuchtend, aber zunächst ein anderes Problem als die
„Entstehung" des PT und des LSJ.

äußerst wahrscheinlich gelten[178]; dabei will er die sogenannte „Descriptio", welche die angebliche Fahrt Karls des Großen ins hl. Land schildert, mit dem PT zusammen in diesen Entstehungszusammenhang einbetten.[179] Neben den Beobachtungen von B. DE GAIFFIER, die WALPOLE übernimmt, fügt er dessen Bezugspunkten noch ein weiteres Glied in der Kette hinzu: Die Schilderung von Karls Tod im PT sei den „Gesta Dagoberti", die in St-Denis verfaßt und aufbewahrt wurden, nachempfunden.[180] Die Reihe der Berührungspunkte des LSJ zu St-Denis hat – wie man sieht – bereits eine stattliche Anzahl erreicht. Dabei verdanken wir besonders B. DE GAIFFIER Hinweise auf alle Teile der Kompilation. Es besteht allerdings nach wie vor die Möglichkeit, daß sämtliche bisher zusammengetragenen Stellen einem Endredaktor zuzuschreiben sind.[181]

Der Stand der LSJ-Forschung wäre damit weitgehend gekennzeichnet. Es müssen jedoch noch zwei neuere Theorien zum LSJ zumindest kurz erörtert werden. Beide Abhandlungen enthalten zwar wichtige Anregungen; ihren Schlußfolgerungen ist allerdings mit größter Reserve zu begegnen.[182]

A. DE MANDACH mißt dem Kloster St-Denis eine große Bedeutung bei der Herstellung und Verbreitung des „Urturpin" zu[183], dessen Ursprünge jedoch weiter zurückreichen. Ein Teil des PT stammt laut A. DE MANDACH aus der Feder des Bischofs

---

[178] WALPOLE, chronique, wie Anm. 127, S. 16. Ähnlich: SHORT, wie Anm. 65, S. 3, und ders., The Anglo Norman Pseudo-Turpin Chronicle of William de Briane, Oxford 1973 (= The Anglo-Norman Text Society), S. 1. Lt. SHORT wurde der PT vermutlich um 1140 in St-Denis verfaßt und Mitte des 12. Jhs. in den LSJ inkorporiert.

[179] Ibid. (WALPOLE), S. 17. Ähnlich hatte Ph. A. BECKER (Die Heiligsprechung Karls d. Gr. und die damit zusammenhängenden Fälschungen, in: Berichte über die Verhandlungen der sächsischen Akademie der Wissenschaften zu Leipzig phil.-hist. Kl. 96,3/1944/8, erschienen 1947, ND in: ders., Zur romanischen Literaturgeschichte, München 1967, S. 308–323) versucht, den Leoprand-brief (Einl. des PT, vgl. oben S. 19), und die „Descriptio" als eigenständige Werke aus St-Denis nachzuweisen, denen der PT in der Entstehung gefolgt sei. Die Überlieferungslage der Handschriften spricht allerdings gegen BECKERS These (HÄMEL, S. 6). Auch J. PETERSOHN, St-Denis – Westminster – Aachen. Die Karls-Translatio und ihre Vorbilder (DA 31/1975, S. 420–455) nimmt gegen BECKERS These Stellung (S. 446f.).

[180] WALPOLE, Chronique, wie Anm. 127, S. 17. Es handelt sich um PT, Kap. XXXII (Kapitelzählung nach HÄMEL – DE MANDACH, S. 92–94 = Kap. XXII des CC, fol. 187ᵛ–188ᵛ, olim fol. 25ᵛ–26ᵛ).

[181] Auch ein solches Ergebnis ist jedoch bedeutend. So könnte evtl. die Abfassung der endgültigen Kompilation (oder eine Vorstufe hierzu) nach St-Denis verlegt werden. Bis zu einer endgültigen Formulierung einer solchen These müßte die Quellenfrage zum LSJ noch eingehender beantwortet werden. Daß hier das Feld noch nicht abgeerntet ist, beweisen die ständig neuen Funde, zu denen in letzter Zeit auch HOHLER (Anm. 116, App. II) mit vielen liturgischen Quellenstellen beigetragen hat.

[182] Es handelt sich um die Abhandlungen von A. DE MANDACH (Naissance, wie Anm. 65 und ders., Naissance et développement de la chanson de geste en Europe. II. Chronique de Turpin. Texte Anglo-Normand de Willem de Briane, Genf 1963) und von HOHLER, wie Anm. 116.

[183] Vgl. oben Anm. 125. Auf die Aussagen DE MANDACHS in bezug auf die handschriftliche Überlieferung und die Verbreitungsgeschichte der Abschriften gehe ich an dieser Stelle nicht mehr ein.

von Pamplona, „Peter von Andouque"[184], der 1114 in Toulouse starb, wo Papst Calixt II. (1119–1124) im Sommer 1119 den Text übernahm und erweiterte. Die in Pamplona erstellten Teile hatten die Verherrlichung von Alfons VI. zum Ziel, der gemäß A. DE MANDACH durch Karl den Großen symbolisch verkörpert wird[185]; Calixt II., der seine Fähigkeiten als Fälscher bereits als Erzbischof von Vienne unter Beweis gestellt hatte[186], fügte im PT insbesondere das Statut für Compostela und für St-Denis[187] hinzu. Calixts Vorliebe für beide Städte sei aus seinen sonstigen Privilegien ersichtlich. Die so entstandene Kurzversion habe dann durch das Kloster St-Denis Verbreitung erfahren.[188]

Eine Vorform der im CC enthaltenen Fassung brachte Aimericus Picaudus nach verschiedenen Ergänzungen 1139/40 nach Compostela[189], die dort noch mehrfach umgestaltet wurde.[190]

DE MANDACHS Ausführungen zeichnen sich durch die Berücksichtigung eines ungeheuer umfangreichen Materials aus; seine Bemerkungen zu Handschriften-Varianten und die daraus folgende Erläuterung der Handschriften-Gruppen verdienen Beachtung. Es dürfte jedoch auch aus dem kurzen Resümee klar geworden sein, daß die von ihm gezogenen Schlußfolgerungen nur mit größter Vorsicht zu genießen sind. Seine Versuche, hinter den Personen des PT zeitgenössische Gestalten zu entdecken, gründen teilweise auf Formulierungen des PT, die als literarische Topoi angesehen werden müssen[191]; die vermutete Teilautorschaft Papst Calixts spricht nicht nur allen bisherigen Forschungen Hohn[192], sondern mutet geradezu absurd an, bedenkt man, mit welcher Mühe (Erz-)Bischof Diego Gelmírez von Compostela Privilegien – teils durch Geldzahlungen an die Kurie – erworben hat.[193]

Als Materialsammlung dürfte DE MANDACHS Werk für jeden LSJ- oder PT-Forscher wertvoll sein – dies gilt insbesondere für die vielen neuen Erkenntnisse zur Verbreitungsgeschichte –, die vom Autor aufgestellte Theorie zur Entstehung des LSJ darf m. E. nicht ernsthaft in Betracht gezogen werden.[194]

---

[184] A. DE MANDACH, wie Anm. 65, S. 60–72; ähnlich bereits: J. SAROÏHANDY, La légende de Roncevaux (Homenaje ofrecido a MENÉNDEZ PIDAL, Madrid 1925, Bd. II, S. 259–284), S. 273. Kritisch zu SAROÏHANDY: A. HÄMEL, Roland-Probleme (German.-Roman. Monatsschrift 15/ 1927, S. 141–147).

[185] Ibid. (DE MANDACH), S. 34–54.   [186] Ibid., S. 77–83.

[187] Vgl. oben Anm. 170.

[188] A. DE MANDACH, wie Anm. 65, S. 91–100, vgl. oben Anm. 125.

[189] Ibid., S. 106–124.   [190] Ibid., S. 127–130 und S. 300–307.

[191] Vgl. z. B. die Rezension von A. ADLER (Archiv für das Studium der neueren Sprachen 199/ 1962-63, S. 425f.), S. 426.

[192] Seit langer Zeit steht für die Forschung fest, daß Papst Calixt II. nichts im LSJ selbst verfaßt hat, sondern lediglich Legitimationshilfe leistete, vgl. die Zusammenstellung der bisher wichtigsten Forscher hierzu bei: I. SHORT, Le pape Calixte II, Charlemagne et les fresques de Santa Maria in Cosmedin (CCM 13/1970, S. 229–238), S. 238, Anm. 19–25. SHORT nimmt in diesem Aufsatz scharf gegen A. DE MANDACH Stellung und gegen die in dessen Nachfolge getroffenen kunsthistorischen Betrachtungen von R. LEJEUNE/J. STIENNON, La légende de Roland dans l'art du Moyen âge, 2 Bde, Brüssel 1966.

[193] Vgl. dazu unten, Anhang 8.1.

[194] In dieser Hinsicht werten auch die meisten mir bekannt gewordenen Rezensionen des Werkes. Vgl. (neben der in Anm. 191 zitierten Besprechung): J. BOURCIEZ, Revue des langues

C. HOHLER[195] verläßt sämtliche bisherige Erklärungsschemata. Fehler in Grammatik, Wortwahl und Stil des LSJ (in der CC-Fassung)[196] führen ihn zu der Annahme, der LSJ sei als pädagogisches Werk verfaßt worden[197], dessen Fehler von Schülern verbessert werden sollten. Der Kompilator habe sich einen Spitznamen „papa Calixtus", wie es bei Schulmeistern des 12. Jahrhunderts üblich gewesen sei, zugelegt.

Der PT wurde laut HOHLER vermutlich von einem anderen Lehrer – wohl anfangs in einer französischen „Kolonie" in Spanien – zusammengefügt, sei dann aber nach 1130 für eine Schule mit Bezug zu St-Denis, vermutlich „St-Jacques de la Boucherie" in Paris, arrangiert worden.[198] Diese Kirche und nicht etwa Santiago de Compostela sei auch in der Einleitungsepistola angesprochen.[199] Bei der Durchsicht der Bücher sieht HOHLER seine These bestätigt; Buch I sei u. a. auch für die liturgische Praxis bestimmt, allerdings mit Ausnahme einzelner Teile, die HOHLER als „humoristische Einlagen" zum Ende des Studienjahres (Jakobusfest am 25. Juli!) oder für die Weihnachtsferien sieht.[200] Der LSJ sei jedoch nicht nur in Paris/St-Denis entstanden, sondern teilweise auch in Cluny[201]; außerdem verdanke er den Reiseerfahrungen des Lehrers „Calixtus" sehr viel. Einer der Hilfslehrer Calixts nannte sich wohl „Aimericus" und verlegte später seine eigene Schule von Cluny nach Vézelay, wo wohl ein Schüler im Spaß die abschließende Innozenzurkunde erdacht habe, um den Lehrer und das verhaßte (Lehr-)Buch loszuwerden.[202] Zu diesem Zeitpunkt sei aber noch kein Exemplar des LSJ nach Santiago de Compostela gekommen[203], vielmehr seien zunächst eine Anzahl revidierter Texte angefertigt worden, die ebenfalls eine klare pädagogische Ausrichtung erkennen ließen.[204] HOHLER untersucht die von MEREDITH-JONES mit (A), (B), (C), (D)[205] bezeichneten Handschriften-Familien und glaubt, daß alle auf B_1(= CC) zurückgingen.[206] B_1 sei zu dieser Zeit wohl in St-Denis aufbewahrt worden. Den kritischen

---

romanes 75/1962, S. 135–137; C. MEREDITH-JONES, Speculum 37/1962, S. 634–637; R. RUGGIERI, Studi medievali 3,3/1962, S. 632–637; C. SEGRE, Zs. f. roman. Philologie 79/1963, S. 437–445. (Für weitere Rezensionen vgl. das Literaturverzeichnis). DE MANDACH hat in seinem 2. Bd. (wie Anm.182), wo er die Ergebnisse aus Bd. 1 auf S. 11–19 zusammenfaßt, seine Theorie in einigen Punkten abgeschwächt.

[195] HOHLER, wie Anm. 116.

[196] HOHLER nennt den LSJ lieber „Jacobus" gemäß der Einleitungsepistola, fol. 1[r] (ibid. S. 31) (Ebenso bereits FRIEDEL, wie Anm. 151). Diese quellengerechtere Bezeichnung halte ich nicht für sinnvoll, da z. B. allein der Titel von HOHLERS Aufsatz sicherlich viele Forscher in eine falsche Richtung weist.

[197] „His purpose is to teach boys Latin and music", ibid. S. 33.

[198] Ibid. S. 34–39.   [199] Ibid. S. 39, Anm. 27.   [200] Ibid. S. 43–46.

[201] Ibid. S. 39.   [202] Ibid. S. 57   [203] Ibid. S. 58.

[204] Ibid. S. 62.   [205] Vgl. oben, Anm. 124.

[206] HOHLER, wie Anm. 116, S. 58f. Schematisiert ergäbe sich lt. HOHLER folgende Abhängigkeit (- - - = alternativ):

Zeitpunkt in der Geschichte des LSJ sieht HOHLER, „when Turpin's reminiscences escaped from the schoolroom and began to be regarded as literature and even as history."[207] Diesen Punkt glaubt er an der Handschrift-Familie (M) ablesen zu können, denn der PT der (M)-Überlieferung tauche immer in Gesellschaft mit anderen historiographischen Texten auf.[208] Soweit in knappen Zügen die These HOHLERS.

Der Autor hat noch zwei Appendices mit vielen nützlichen Beobachtungen zu den liturgischen Teilen des LSJ zusammengestellt. So sehr auch diese und andere Detailergebnisse von der LSJ-Forschung berücksichtigt werden müssen, die Grundthese HOHLERS scheint mir schlichtweg ohne solides Fundament zu sein. Es kann aus dem LSJ keine pädagogische Absicht schlüssig nachgewiesen werden; die Tatsache, daß sich Passagen des LSJ für den Unterricht eignen, beweist noch nichts; dies trifft mit Sicherheit auch für eine Reihe anderer Bücher des Mittelalters zu. Auch aus anderen Handschriften als dem CC gibt es in dieser Hinsicht keinen direkten Hinweis.

Deshalb ist auch der Beweis für den Wendepunkt „vom Schulbuch zur Literatur" vom Autor letztlich nicht erbracht worden. Wenn der LSJ wirklich einem Schulbuch entsprach, stellt sich die Frage, warum alle Kopisten ein solches Werk plötzlich als Literatur ansahen? War der schulische Charakter so leicht zu übersehen?[209]

Die Grundthese ermöglicht es dem Autor auch, viele bisher kontrovers behandelte Fragen einer völlig neuartigen Lösung zuzuführen: Die Innozenzurkunde ist die Pausenhofidee eines gequälten Schülers, der seinen Lehrer loswerden will[210], das Statut für St-Denis wohl ein Scharadespiel, nach dem anschließend für die Basilika von St-Denis gesammelt wurde.[211] Einige Predigten sind zum fröhlichen Ende des Studienjahres erstellt worden.[212] Der Standpunkt HOHLERS führt dazu, daß ernsthafte bisherige Forschung in seinem Erklärungskonzept einfach nicht berücksichtigt werden kann.[213] Trotzdem sind die hier abschließend behandelten Studien eine anregende Lektüre, die neben ihren Detailergebnissen auch der Mut zu unkonventionellen Lösungsversuchen auszeichnet; vielleicht läßt sich die eine oder andere These der Autoren mit anderen Argumenten dennoch in der Zukunft aufgreifen.

2.5. Zusammenfassung

Als Ergebnis der bisherigen Forschungen zum LSJ kann folgendes zusammenfassend festgehalten werden:

1. Der LSJ entstand zu einer Zeit, die als erster Höhepunkt der überregionalen europäischen Jakobusdevotion angesehen werden kann.

---

[207] Ibid. S. 63.   [208] Ibid. S. 63f.

[209] Vgl. ibid. S. 69f. HOHLER überzeugt nicht, wenn er behauptet, Arnaldus de Monte habe 1173 das Buch wohl in der Schule abgeschrieben.

[210] Vgl. hierzu oben Anm. 62 und 139, HOHLER, ibid. S. 57.

[211] Ibid. S. 37.   [212] Ibid. S. 45.

[213] So wird der Standpunkt HÄMELS oft verzerrt dargestellt; die WHITEHILL-Edition wird trotz der offenkundigen Mängel (vgl. oben Anm. 106–109) gelobt usw. Ich möchte darauf verzichten, Ungenauigkeiten in Einzelheiten nachzuweisen, HOHLER kam es wesentlich auf seine Theorie an, deshalb habe ich auch nur sie hier behandelt.

2. Der Codex Calixtinus (CC) ist die älteste Handschrift der Gesamtkompilation. In diese Handschrift griffen jedoch verschiedene nachträgliche Schreiber und Korrektoren (noch im 12. und 13. Jahrhundert) ein. Die Form des CC vor diesen Eingriffen kommt wahrscheinlich dem Archetypus sehr nahe. Da noch keine kritische Edition des LSJ vorliegt, wird in dieser Arbeit nach dem CC zitiert, mit Hinweisen auf alle äußerlichen Besonderheiten des Textes.

3. Keine der bisher in der Literatur vorgebrachten Theorien wird der Problematik des gesamten LSJ voll gerecht. Immerhin kann festgehalten werden, daß die Kompilation in der Form des CC sicherlich zwischen 1139 und 1173 (bzw. 1165) zusammengestellt worden ist, wahrscheinlich bereits zwischen 1140 und 1150. Buch II muß wohl als ältestes angesehen werden, dem die Teile I und III (um 1135), dann Buch IV und V zugefügt wurden.

4. Als Verfasser kommen mehrere Autoren, zumindest teilweise französischer Herkunft, in Frage, wobei evtl. Cluniazenser für Buch I, Kanoniker für Buch IV und V zeichnen könnten. Mehrere Zufügungen und die nachträglich hergestellte Einheit des Werkes weisen auf mindestens einen Redaktor bzw. Kompilator hin, der wohl Aimericus geheißen hat und den CC nach Compostela brachte.

5. Im Werk selbst ist der Rückgriff auf verschiedenste Vorlagen und Quellen erkennbar, einige signifikante Passagen weisen einen Bezug zu Texten um das Kloster St-Denis auf.

3. FRAGESTELLUNG, METHODE UND GLIEDERUNG DER STUDIE

Die zuvor umrissene Forschungsgeschichte zum LSJ hat deutlich gemacht, wie heftig Form, Zweck und Entstehung heute noch umstritten sind. Die Arbeiten, die sich eingehender mit der vorliegenden Quelle beschäftigt haben – bewußt sehe ich hier sowohl von der romanistischen Forschung zum Verhältnis von PT und Chansons de geste als auch von den Studien ab, die Teile des LSJ nur als Steinbruch für unterschiedlichste Darstellungsinteressen benutzten[1] –, gehen meist fast ausschließlich auf die philologischen Fragen des LSJ ein oder entwerfen eine recht globale Entstehungstheorie.

Auch der vorangehende Forschungsbericht (Kap. 2) dokumentiert, für wie bedeutend weitere philologische Arbeit erachtet wird.[2] Zumindest dürfte hiermit neben einigen Korrekturen auf die entscheidenden Punkte künftiger Arbeit hingewiesen worden sein. Trotzdem hat nicht hauptsächlich philologisches Interesse die vorliegende Arbeit bestimmt.

Vielmehr kommt es mir darauf an, zur allgemeinen Frage nach Grundlagen, Funktion und Wirkung von Religion durch die Analyse eines bedeutenden hochmittelalterlichen Heiligenkultes für das 12. Jahrhundert einige neue Gesichtspunkte zusammenzustellen. Dieses Erkenntnisinteresse fühlt sich sowohl theoretischen Überlegungen der modernen französischen Sozialgeschichtsschreibung als auch Ansätzen der neueren Religionssoziologie und -geschichte verpflichtet. Die letzte Disziplin hat sich vor allem auf der Basis der Arbeiten von K. MARX, M. WEBER, E. DURKHEIM und M. MAUSS[3] entwickelt. Als bedeutend für die Entwicklung der Religionssoziologie kann die Beschäftigung mit außereuropäischen Gesellschaften gesehen werden.

Für den Komplex Religion – Gesellschaft lassen sich drei bedeutende Näherungsversuche unterscheiden[4]: Durch die Analyse des australischen Totemismus angeregt betont

---

[1] Der Bezug des PT zu den Chansons de geste ist seit G. PARIS und J. BÉDIER ständiges Forschungsthema der romanistischen Mediävistik (vgl. oben, Kap. 2.3.). In zweiter Hinsicht denke ich an die vielen Arbeiten zur Pilgerfahrt (vgl. Literaturverzeichnis), die immer wieder Einzelinformationen aus dem LSJ heranziehen.

[2] Vgl. oben bes. S. 30ff. und S. 43 mit Anm. 181.

[3] Ich zitiere hier nur die Hauptwerke: K. MARX/F. ENGELS, Über Religion, Berlin-Ost 1958, M. WEBER, Gesammelte Aufsätze zur Religionssoziologie, 3 Bde, Tübingen [4/5]1963–66 und ders., Wirtschaft und Gesellschaft. Grundriss der verstehenden Soziologie, Studienausgabe, hg. v. J. WINCKELMANN, Tübingen [5]1972, S. 245–381; E. DURKHEIM, Les formes élémentaires de la vie religieuse. Le système totémique en Australie, Paris 1912, [4]1960, dt. Auszug daraus (S. 594–616) bei: F. FÜRSTENBERG (Hg.), Religionssoziologie, Neuwied/Berlin 1964 (= Soziologische Texte, 19), S. 35–55; M. MAUSS, Soziologie und Anthropologie, 2 Bde, München 1975, ND Berlin u. a. 1978 (dt. Fassung wichtiger Aufs. des Autors).

[4] Ich folge hier H.G. KIPPENBERG, Wege zu einer historischen Religionssoziologie. Ein Literaturbericht (Verkündigung und Forschung. Beih. zur Evang. Theologie, 16,2/1971, S. 54–82)

DURKHEIM vor allem die Integrationsfunktion von Religion. MARX/ENGELS, deren Ausgangspunkt der Analyse die bürgerliche Gesellschaft darstellte, sehen in Religion eine Oberflächenerscheinung, die sich häufig zur Ideologie erhebt, die gesellschaftlichen Zustände verschleiert und so meist Kompensationsfunktion einnimmt. Schließlich hat Max WEBER die Bindung von Religion an je spezifische Klassen und Stände hervorgehoben.

Diese drei Bestimmungsversuche deuten schon an, daß die Vielfalt der Beziehungen von Religion und Gesellschaft besondere Beachtung verdient; erst so wird es möglich, religiösen Erscheinungen ihren jeweiligen Stellenwert in einer Gesellschaft zuzuschreiben.[5] Die gegenseitige Bedingtheit beider Bereiche soll in dieser Arbeit durch die Analyse des Jakobuskultes konkretisiert werden. Allerdings birgt dieses Erkenntnisziel auch vielfältige methodische Schwierigkeiten. Als Grundproblem erhebt sich die Zuordnungsfrage, denn jedes religiöse Phänomen (wie auch andere „Überbau"-Erscheinungen) kann als Folge und auch als Ursache gesellschaftlicher Struktur und Entwicklung konzipiert werden. Mit P. L. BERGER ausgedrückt: Menschen schaffen Religion, die gleichzeitig – einmal durch Entäußerung hervorgebracht – als objektives Gebilde dem Menschen entgegentritt und in dessen subjektivem Bewußtsein wieder verinnerlicht wird.[6] So sehr die aus diesem Verständnis resultierenden Aufgaben auf der Hand liegen, in der Praxis des Historikers entziehen sich viele Phänomene einem dieser Hypothese gerecht werdenden methodischen Zugriff.

Zwar liegen inzwischen einige für eine mittelalterliche Religionsgeschichte zentrale Detailstudien vor[7], aber die dort jeweils angewandte Methode ist nicht immer ohne

---

S. 60f. (Mit Rückgriff auf FÜRSTENBERG, wie Anm. 3, S. 13–15). Dieser Bericht stellt m. E. zusammen mit 2 weiteren Abhandlungen des Autors den besten Einstieg in die gegenwärtige Diskussion der Religionssoziologie dar: vgl. ders., Religion und Interaktion in traditionalen Gesellschaften. Ein Forschungsbericht zu neuen Theorien der Religionsgeschichte (Verkündigung und Forschung, l.c., 19,1/1974, S. 2–24) und ders., Zu einem sozialwissenschaftlichen Verständnis religiöser Weltbilder (Religionsgespräche. Zur gesellschaftlichen Rolle der Religion, Darmstadt – Neuwied 1975, S. 65–94). Noch immer gute Einführung ferner bei: J. WACH, Religionssoziologie (Handbuch der Soziologie, hg. von A. VIERKANDT, Stuttgart 1931, S. 479–494) (vor allem auf den Ergebnissen von DURKHEIM und M. WEBER aufbauend).

[5] Daß Religion nicht nur Spiegel der gesellschaftlichen Verhältnisse ist oder legitimierende, bzw. tröstende Funktionen ausübt, sondern auch symbolisch Widerstand auszudrücken vermag, hat KIPPENBERG, Verständnis, wie Anm. 4, S. 90, durch die Analyse von Beispielen aus außereuropäischen Kulturen klar herausgearbeitet. Erkennbar wird dies auch an diversen Arbeiten zu den Reformbewegungen und zur Ketzergeschichte des 11. und 12. Jahrhunderts. Vgl. auch die neue, bei Kohlhammer (Stuttgart) erscheinende Reihe: Christentum und Gesellschaft, 1980ff.

[6] P. L. BERGER, Zur Dialektik von Religion und Gesellschaft. Elemente einer soziologischen Theorie, Tübingen 1973 (= Conditio humana), dessen Theorie hier nur sehr vergröbert skizziert ist (ibid. S. 3–50).

[7] Ich denke hier vor allem an: F. GRAUS, Volk, Herrscher und Heiliger im Reich der Merowinger. Studien zur Hagiographie der Merowingerzeit, Prag 1965; K. BOSL, Der „Adelsheilige", Idealtypus und Wirklichkeit. Gesellschaft und Kultur im merowingerzeitlichen Bayern des 7. und 8. Jahrhunderts. (Speculum Historiale. Geschichte im Spiegel von Geschichtsschreibung und Geschichtsdeutung, hg. v. C. BAUER, L. BOEHM, H. MÜLLER, Festschrift für J. SPÖRL Freiburg/München 1965, S. 167–187) (jetzt auch in: Mönchtum und Gesellschaft im Frühmittelal-

weiteres auf einen anderen Untersuchungsgegenstand übertragbar. Wichtige Impulse für eine präzisere Fragestellung der vorliegenden Arbeit haben Untersuchungen zur mittelalterlichen ‚Volksreligion' und zur ‚Mentalitätsgeschichte' gegeben.

1. In neuerer Zeit ist von verschiedener Seite versucht worden, die mittelalterliche ‚religion populaire' genauer zu bestimmen.[8] Dabei wird leider nicht immer klar gesagt, was unter dem Begriff verstanden wird.[9] R. Manselli sieht in der ‚religion populaire' den Widerpart der ‚religion savante', die sich dadurch unterscheiden, daß die erste eher durch ‚emotionalere, affektive' Elemente, die zweite durch ihre ‚logischere' Struktur gekennzeichnet sind.[10] Quellenmäßig faßbar ist die ‚religion populaire' weitaus schwerer als die ‚religion savante', oftmals kann sie erst durch diese ‚hindurch' erkannt werden; Bußbücher, Beschwerden, hagiographische Texte,

---

ter, hg. von F. Prinz, Darmstadt 1976, S. 354–386 = Wege der Forschung Bd. 312); A. Borst, Die Sebaldslegenden in der mittelalterlichen Geschichte Nürnbergs (Jahrbuch für fränk. Landesforschung 26/1966–67, S. 19–178); F. Prinz, Frühes Mönchtum im Frankenreich, Kultur und Gesellschaft in Gallien, den Rheinlanden und Bayern am Beispiel der monastischen Entwicklung (4.–8. Jh.), München – Wien 1965; E. Pitz, Religiöse Bewegungen im mittelalterlichen Niedersachsen (Niedersächsisches Jahrbuch für Landesgeschichte 49/1977, S. 45–66; im gleichen Band weitere einschlägige Beiträge). In bezug auf die Heiligenkulte in ihrer Bedeutung für die hochmittelalterlichen Städte ist die Arbeit von H.K. Peyer, Stadt und Stadtpatron im mittelalterlichen Italien, Zürich, 1954 hervorzuheben. – Es sollen hier nur Beispiele genannt werden, weitere Werke, die diese Arbeit maßgeblich beeinflußt haben, werden an späterer Stelle zitiert.

[8] B. Lacroix/P. Boglioni (Hgg.), Les religions populaires. Colloque international, 1970, Quebec 1972 (= Les Presses de l'Université Laval, Histoire et Sociologie de la Culture, 3); R. Manselli, La religion populaire au Moyen âge. Problèmes de méthode et d'histoire, Montréal – Paris 1975 (= Conférence Albert Le Grand 1973) (zusammenfassende Arbeit des Autors, der bereits wichtige andere Beiträge zur Sache vorgelegt hat); E. Delaruelle, La piété populaire au Moyen âge, Torino 1975 (Aufsatzsammlung, Vorwort von P. Wolff und Einl. von R. Manselli und A. Vauchez); M. Mollat, Les formes populaires de la piété du Moyen âge (Actes du 99ᵉ Congrès nat. des Sociétés savantes, Besançon 1977, Paris 1977, S. 7–25, ND in: ders., Etudes sur l'économie et la société de l'Occident mediéval, XIIᵉ–XVᵉ siècle, London 1977, no. XIII). Weitere Literatur bei K. Bosl, Gesellschaftswandel, Religion und Kunst im hohen Mittelalter (Sitzungsberichte der bayr. Akad. der Wiss., phil.-hist. Kl., 1976, H.2) S. 3, Anm. 2.

[9] Dies bemängelte J.-C. Schmitt, „religion populaire" et culture folklorique, (A.E.S.C. 31/1976, S. 941–953) in seiner Auseinandersetzung mit dem Werk von Delaruelle (wie Anm. 8) und wies insbesondere auf die Schwierigkeit hin, die das Wort ‚populaire' bietet: „ce mot désigne-t- il ce qui est créé par le peuple . . , ce qui est reçu par le peuple, ou ce qui est destiné au peuple?" (S. 442). Schmitts Beitrag führt gut in die Problematik der Forschung ein und gibt eigene Anregungen. Ähnliche definitorische Erörterungen bei Mollat, wie Anm. 8, S. 9, der auch vorzieht, von „formes populaires de la piété" zu sprechen. Bosl, wie Anm. 8, S. 12 übernimmt die Definition Mansellis.

[10] Manselli, wie Anm. 8, S. 17. Gewiß sind beide Begriffe noch ‚Notlösungen', da hier kein logisches Gegensatzpaar vorliegt. Allerdings wäre aufgrund der von Manselli gegebenen Definition das ‚populaire' allenfalls durch das farblose ‚nicht gelehrt' zu ersetzen. – Für Teile des LSJ – darauf sei bereits hier hingewiesen – hat bereits J. M. Lacarra (Espiritualidad del culto y de la peregrinación a Santiago antes de la primera Cruzada, in: Pellegrinaggi e culto dei Santi in Europa fino alla 1ᵃ crociata, Convegni del Centro di Studio sulla spiritualità medievale IV, 1961, Todi 1963, S. 113–145) diese Unterscheidung zwischen ‚populärer' und ‚gelehrter' Religion für seine Analyse benutzt (vgl. unten Kap. 6.).

Nachrichten über Häresien usf. können sich als geeignete Quellen erweisen, um das Bild der ‚religion populaire' klarer zu umreißen.[11] Die Auswertung archäologischer Zeugnisse und auch monumentaler Quellen steckt bisher noch in den Anfängen. Eine so angeregte Beschreibung von Religion vermag religiöse Einstellung und Praxis der gesamten Gesellschaft ins Blickfeld zu rücken. Kirchengeschichte kann so zur umfassenderen Religionsgeschichte erweitert werden.

Ein besonderes Problem stellt jedoch die Interdependenz zwischen ‚religion savante' und ‚religion populaire' dar. Beide Formen haben sich nämlich in vielfältiger Weise bedingt und beeinflußt. Dieses konkurrierende wechselseitige Zusammenspiel ist vor allem langfristig wohl der ‚religion savante' zugute gekommen. Laut SCHMITT hat ‚die Kirche'[12] – m. E. ist fraglich, ob hierbei nicht zu leicht von einer geschlossenen oder in sich homogenen Institution ausgegangen wird –[13] die ‚religion savante' vor allem mit zwei Mitteln durchzusetzen versucht: 1. Unterdrückung, ggfs. mit Gewalt, oder 2. Absorption und Veränderung der Volksreligion. Eine Geschichte der Kirche in Hinsicht auf diese Doppelstrategie trüge dem konstitutiven Platz des Faktors Kirche in der Feudalgesellschaft Rechnung und wäre in der Lage, sowohl die gesellschaftliche Kraft ‚Religion' als auch die Funktionsweise der ‚societé féodale' näher zu bestimmen.[14] Hierbei wäre weiter zu fragen, ob nicht doch eine Unterscheidung von Volksreligion für verschiedene soziale Gruppen, bisher in diesen programmatischen Arbeiten weitgehend vernachlässigt[15], zu weiterer methodischer Präzisierung beitragen könnte.

---

[11] Ibid., MANSELLI, S. 36 und 55f. Das gesamte 2. Kapitel (S. 43–124) behandelt erste Feststellungen und Ergebnisse zum Charakter der ‚religion populaire', die zumeist aus Quellenstudium hervorgegangen sind.

[12] SCHMITT, wie Anm. 9. S. 948.

[13] Zumindest wird nicht der gesamte sich aus allen Ständen rekrutierende Klerus gleichermaßen zu einer durch ihr dogmatisches Lehrgebäude bestimmten ‚Kirche' zu rechnen sein. Vielmehr ist anzunehmen, daß die Kleriker nicht unbedingt ihren religiösen Standort auf der Seite der ‚religion savante' fanden. So bemerkt auch MANSELLI richtig, daß sich die Trennung zwischen seinen zwei Religionsformen durch die Klerikerklasse zog (wie Anm. 8, S. 28). Ebenso gut hervorgehoben bei J. C. POULIN, Les Saints dans la vie réligieuse populaire au Moyen âge, in: LACROIX/BOGLIONI, wie Anm. 8, S. 67–74.

[14] SCHMITT sieht für jede Analyse der ‚religion populaire' im Mittelalter einen wesentlichen Ausgangspunkt in der ‚société féodale' (wie Anm. 9, S. 946f.). Er betont die fundamentale soziale Bedeutung der Volksreligion bzw. der ‚culture folklorique' innerhalb der Feudalgesellschaft, die nicht beliebig von der gelehrten-christlichen Religion durchsetzt werden konnte, sondern oft erst mit der Ablösung einer Produktionsweise ihr ganz spezifisches Eigenleben beendete. SCHMITT verwendet den Ausdruck ‚Feudalgesellschaft' im weiteren Sinn des Wortes, sicherlich ist sein Ansatz für die verschiedensten sozialen Systeme innerhalb dieser Gesellschaft weiter zu differenzieren (so z. B. für die Stadtgesellschaft und ihr Verhältnis zur Religion).

[15] MANSELLI betont, die ‚religion populaire' gehe über Klassen hinweg, obwohl verschiedene soziale Gruppen auch nach seiner Meinung unterschiedliche religiöse Praxis erkennen lassen, es ist fraglich, ob das Interesse MANSELLIS an der allen Gruppen gemeinsamen ‚populären Spiritualität' die gesellschaftliche Verflechtung der Religion nicht zu sehr unberücksichtigt läßt (wie Anm. 8, S. 27). Neben dem von MANSELLI gut erarbeiteten ‚Gemeinsamen' hat das ‚Unterscheidende' als Untersuchungsgegenstand mindestens eben so große Bedeutung.

2. In dieser Hinsicht hat die ‚Mentalitätsgeschichtsschreibung' – die von Frankreich ihren Ausgang nahm –[16] wertvolle Vorarbeit geleistet. Wenn auch diese Richtung der Geschichtswissenschaft noch nicht in jeder Beziehung ihren theoretischen Standort bestimmt hat[17], so dürfte doch die von R. MANDROU gegebene Charakterisierung kennzeichnen, worauf es bei einer ‚Mentalitätsgeschichte' vornehmlich ankommt: „L'histoire des mentalités se donne pour objectif la reconstitution des comportements, des expressions et des silences qui traduisent les conceptions du monde et les sensibilités collectives....“[18] Es sind also weniger die Ideen (entsprechend der ‚religion savante') Gegenstand der Analyse als vielmehr unbewußtes, alltägliches Verhalten und geläufige Vorstellungen, deren Bedeutung für den historischen Prozeß herauszustellen ist. Mentalitäten haben „ihren systematischen Ort zwischen Ideen und Verhalten, Doktrin und Stimmung, an der Verbindungsstelle von Individuellem und Kollektivem, Absichtlichem und Unwillkürlichem, Außergewöhnlichem und Durchschnittlichem.“[19] Religion kann in diesem Zusammenhang als (Re-)Produktion von Verhalten und Einstellungen (Mentalitäten) verstanden werden. G. DUBY hat die drei wichtigsten analytisch faßbaren Bezugspunkte der Verflechtung von Mentalität und Gesellschaft gekennzeichnet: Raum, Zeit und Stratifikation.[20] Zur Mentalität verschiedener sozialer Gruppen sind besonders von J. LE GOFF zahlreiche Arbeiten erschienen, welche die Tragfähigkeit

---

[16] Vgl. allgemein G. G. IGGERS, Die Tradition der Annales in Frankreich: Geschichte als integrale Humanwissenschaft (ders., Neue Geschichtswissenschaft. Vom Historismus zur Historischen Sozialwissenschaft, München 1978, S. 55–96 =erw. ND aus: HZ 219/1974, S. 578–608); C. HONEGGER, Geschichte im Entstehen. Notizen zum Werdegang der Annales in: dies. (Hg.), M. BLOCH/F. BRAUDEL/L. FEBVRE u. a., Schrift und Materie der Geschichte. Vorschläge zur systematischen Aneignung historischer Prozesse, Frankfurt/M. 1977, S. 7–44, Hinweise zur deutschen Rezeption in der Bibliographie, ibid. S. 440f.; ferner M. ERBE, Moderne französische Sozialgeschichtsforschung. Die Gruppe der ‚Annales', Darmstadt 1979. Speziell zu Mentalität: G. DUBY, Histoire des mentalités (Ch. Samaran (Hg.), L'Histoire et ses méthodes, Paris 1961, S. 937–966); A. DUPRONT, Problèmes et méthodes d'une histoire de la psychologie collective (A.E.S.C. 16/1961, S. 3–11); ders., D'une histoire des mentalités (Revue roumaine d'histoire 9/ 1970, S. 381–403); R. MANDROU, L'histoire des mentalités (Encyclopaedia universalis, VIII, [8]1975, S. 436–438); J. LE GOFF, Les mentalités. Une histoire ambiguë, in: ders. u. P. NORA (Hgg.), Faire de l'histoire, Bd. III: Nouveaux objets, Paris 1974, S. 76–94. Für den deutschen Leser sind neben den oben genannten Arbeiten noch folgende deutschsprachige Arbeiten ein guter Einstieg: G. TELLENBACH, Mentalität (Geschichte – Wirtschaft – Gesellschaft. Festschrift f. C. BAUER zum 75. Geburtstag, hg. v. E. HASSINGER, J.H. MÜLLER, H. OTT, Berlin 1974, S. 11–30); R. REICHARDT, „Histoire des Mentalités“. Eine neue Dimension der Sozialgeschichte am Beispiel des französischen Ancien Régime (Internat. Jahrbuch für Sozialgeschichte der dt. Literatur 3/1978, S. 130–166, bes. S. 130–138, danach Beispiele aus der Ancien Régime Forschung).

[17] Diese Unsicherheit macht sicher auch die Anziehungskraft dieser Art von Geschichtsschreibung aus: „Le premier attrait de l'histoire des mentalités réside précisément dans son imprécision, dans sa vocation à désigner les résidus de l'analyse historique, le je ne sais quoi de l'histoire“, LE GOFF, wie Anm. 16, S. 76.

[18] MANDROU, wie Anm. 16, S. 436.   [19] REICHARDT, wie Anm. 16, S. 131.

[20] DUBY, wie Anm. 16, S. 948f.

des von DUBY erläuterten Bezugsrahmens demonstrieren.[21] In methodischer Hinsicht darf noch die Auswahl des Quellenmaterials und die Art seiner Interpretation besonderer Beachtung. Grundsätzlich kann zwar jede Quelle für den Mentalitätshistoriker aussagekräftig werden, besonders sind jedoch literarische, hagiographische u. ä. Texte geeignet. Richtungsweisend hat L. FEBVRE auf den ,outillage mental' hingewiesen.[22] Unter diesem ,geistigen Rüstzeug' einer Epoche versteht er z. B. sprachliche Ausdrucksformen, semantische Felder, Begriffe usf., denen bestimmte Mentalitäten zugrunde liegen. Ebenso gehören liturgische oder andere Riten, Topoi, stereotype Formeln usf. in das Untersuchungsfeld des Mentalitätshistorikers.

Die Anregungen, die diese Arbeit von der ,histoire des mentalités' empfangen hat, liegen vor allem in der neuen Sicht und Art der Auswertung von Quellen, die mit ihrer spezifischen Art von Fragen die mögliche Statik und Dynamik von Mentalitäten erschließt und so deren Platz im gesellschaftlichen Zusammenhang verdeutlicht.[23]

Es gilt nunmehr, den Blick erneut auf den LSJ zu lenken. Hierbei mag die Komplexität der Quelle, die u. a. deshalb in philologischer Hinsicht viele Probleme aufwirft, für die hier formulierte Fragestellung entscheidende Vorteile bieten. Der unterschiedliche Charakter der einzelnen Teile erlaubt es nicht nur, die vielfältigsten Aspekte des Jakobuskultes ins Blickfeld zu rücken, sondern ermöglicht es, unterschiedliche Fragen an die Quelle zu richten.[24] Da diese durch Struktur und Art der Texte mitbedingt sind, empfiehlt es sich, die strukturelle Einheit und Vielfalt des LSJ nunmehr systematisch herauszustellen.

Der LSJ stellt eine vom Kompilator gewollte Einheit dar, nicht mehr, nicht weniger. Die leitende Absicht dürfte hierbei gewesen sein, ein Werk zur Ehre und Verehrung des hl. Jakobus zusammenzustellen, das sich ganz direkt, besonders zu Anfang und Ende der einzelnen Teile, an einen bestimmten Leserkreis richtet.[25] Hierbei ist wohl zunächst

---

[21] Vgl. vor allem: J. LE GOFF, Marchands et Banquiers du Moyen Age, Paris 1956; ders., Les intellectuels au Moyen Age, Paris 1957. Weitere verstreut erschienene Beiträge des Autors sind in: ders., Pour un autre moyen âge. Temps, travail et culture en Occident. 18 Essais, Paris 1977, bequem zugänglich.

[22] L. FEBVRE, Le problème de l'incroyance au XVIᵉ siècle. La religion de Rabelais, Paris 1942, Tb-Ausgabe Paris 1968. In einem zentralen Abschnitt demonstriert hier FEBVRE, daß das ,geistige Rüstzeug' der Epoche für einen möglichen Atheismus keine Voraussetzungen bot, es fehlten sowohl abstrakte philosophische Begriffe, als auch eine Syntax, die komplexere Gedankengänge zuließ (Tb-Ausgabe, S. 327–342).

[23] Zu Entwicklung und zur Konjunktur von Mentalitäten vgl. MANDROU, wie Anm. 16, S. 437 mit Beispielen. Ich bleibe in diesem Teil noch bewußt allgemein, da ich glaube, daß konkrete Anregungen, z. B. zur Auswertung von Mirakeln, in den jeweiligen Abschnitt der Abhandlung und nicht hierher gehören. Auf den instruktiven und für dieses Thema besonders wichtigen Literaturbericht von: B. DE GAIFFIER, Mentalité de l'hagiographe médiéval d'après quelques travaux récents (AB 86/1968, S. 391–399) sei dennoch bereits hier verwiesen.

[24] Die Fragestellung der Arbeit hätte es sonst notwendig gemacht, die verschiedensten Quellen zum Jakobuskult, wie legendäre Berichte, Urkunden, Mirakel, liturgische Texte etc. zusammenzustellen, wobei deren zeitliche und räumliche Kohärenz wahrscheinlich weniger gut gewährleistet wäre als beim LSJ. Mein Dank für diese Vorarbeit gilt also dem Kompilator.

[25] An mehreren Stellen des LSJ wird der Leser direkt angesprochen: *o prudens lector* (I,7, fol. 38ᵛ, WHITEHILL, S. 75); ... *scribenti sit gloria sitque legenti* (rot, fol. 155ᵛ, WHITEHILL, S. 287, =

an kirchliche Gemeinschaften zu denken, wie auch in der einleitenden Epistola Pseudo-Calixts nahegelegt wird: Hier verdeutlicht sich bereits in dem vermutlich vom Endredaktor verfaßten Brief die aus dem intendierten Zweckbereich resultierende Struktur der Kompilation; die Bücher I und II dienen zur praktischen Verehrung im Kult, Buch III, IV und V werden eher als zusätzliche Information zur Festigung der Reputation in der Tischlesung angesehen.[26]

Von den angesprochenen kirchlichen Gemeinschaften wurde sicherlich angenommen, sie könnten die Inhalte des Buches weiterverbreiten, sei es als Predigt[27] oder auf sonstige geeignete Weise. Die Hinweise des V. Buches hätten ohne eine solche Annahme kaum Sinn.[28]

Die vom Kompilator selbst getroffene Einteilung orientiert sich an der von ihm geforderten Praxis. Die innere Struktur des Werkes und das Verhältnis seiner Teile zueinander ist hiermit jedoch noch nicht genügend charakterisiert.

Inhaltlich läßt sich am ehesten daran anschließen, was den eigentlichen Mittelpunkt der spanischen Jakobustradition ausmacht: die Translation. Dieser Bericht im III. Buch[29] ist gleichsam der mythologische Kern, die Legende und der Grundstock für den Kult. Um dieses Herzstück über die Person lagern sich die Erzählungen von der Wirkung des Heiligen: Im PT (Buch IV) von seiner gesellschaftlich-politischen, die durch Karl den Großen und seinen Umkreis symbolisiert wird[30], in den Mirakeln von seiner Bedeutung für verschiedene Individuen. Buch I und V könnten hingegen als Anleitungen zum Vollzug des Kultes angesehen werden, Buch I für den liturgisch-rituellen, Buch V für den materiell-realen:

Ende des II. Buches), ebenso am Ende von Buch V, VIELLIARD, S. 124, ähnlich am Ende von Buch IV, HÄMEL – DE MANDACH, S. 96 und S. 102 (diese Formulierungen im PT sind deshalb an zwei Stellen, weil nach einigen Zusätzen erneut eine Schlußformel aufgeschrieben wird). Am Beginn von Buch V wird ein gebildeter, nach Wahrheit suchender Leser vorausgesetzt: *Si veritas a perito lectore nostris voluminibus requiratur, in hujus codicis serie, amputato esitationis scrupulo, secure intelligatur* (VIELLIARD, nach S. XXI, nicht paginiert).

[26] *Quicquid scribitur in duobus primis codicibus usque ad consimile signum huius signi ℞ᴬ quod est Ih(e)s(us) Christus, in ęcclesiis prout ordinatum est ad matutinas et missas decantetur et legatur. Est enim autenticum magnaque auctoritate expressum. Et quicquid post signum illud in sequentibus scribitur, in refectoriis ad prandia legatur.* a) erstreckt sich über 5 Zeilen, grün, fol. 2ʳ, WHITEHILL, S. 2.

[27] Z. B. als *publica instructio . . . ex auctoritatum fonte proveniens* (Alanus de Insulis, Summa de arte praedicatoria, MPL 210, Paris 1855, Sp. 109–198, Sp. 111), vgl. J. BENZINGER, Zum Wesen und zu den Formen von Kommunikation und Publizistik im Mittelalter. Eine bibliographisch-methodologische Studie (Publizistik 15/1970, S. 295–318), S. 309.

[28] *Idcirco hec flumina sic descripsi ut peregrini ad Sanctum Jacobum proficiscentes evitare studeant ad bibendum que sunt letifera et eligere valeant que sunt sana sibi et jumentis* (VIELLIARD, S. 16). Wie sollten Pilger dies erfahren, wenn nicht durch die, die lesen konnten?

[29] Es sei hier davon abgesehen, daß auch einige Predigten im I. Buch dieses Thema aufgreifen.

[30] Die Bedeutung des hl. Jakobus ist in diesem Teil nur sehr schwach erkennbar (vgl. oben Kap. 2.2, S. 19f.). Beginn und Ende dieses Teiles legen jedoch nahe, daß der Bezug Karls des Gr. zum Jakobuskult vom Kompilator sicherlich gewollt ist.

Wenn auch die gesamte Kompilation als eine Sammlung hagiographischer Texte bezeichnet werden könnte, so läßt sich jedoch in bezug auf die vertretenen Quellarten noch einiges präzisieren. Lediglich der Translationsbericht (Buch III) und die Mirakelerzählungen (Buch II) verdienen das Etikett ,hagiographische Texte' im engeren Sinn, Buch IV dürfte hingegen besser mit ,Heldendichtung', Buch V mit ,praktischer Ratgeber' und Buch I mit ,Sammlung liturgischer Texte' charakterisiert sein.[31] Das äußerliche, alle Teile umspannende Band sind die verschiedenen angeblich päpstlichen Legitimationspassagen, die das ganze Buch durchziehen und einrahmen.[32]

Im Zusammenhang mit den oben skizzierten methodischen Hilfestellungen hat die Erkenntnis dieser Struktur des LSJ die im nachfolgenden zu behandelnden Fragen hervorgebracht:

1. Der LSJ gibt sich selbst als einheitliches Werk aus. Dem Unterfangen der Autoren bzw. des Kompilators liegen Interessen und Einstellungen zugrunde, die – bewußt oder unbewußt – gleichzeitig Parteinahmen bedeuten. Es gilt also, die Mentalität unserer Hagiographen, ihre Vorgehensweise und die für ihre Interessen und diejenigen anderer benutzten Legitimationshilfen genauer zu studieren. Der im LSJ bereits äußerlich klar erkennbare Rückgriff auf päpstliche Legitimation bietet sich als Orientierungspunkt an[33] (Kap. 4).

2. Die zweite Frage gilt dem Problem, inwieweit der Jakobuskult im LSJ eine Bindung zu bestimmten sozialen Gruppen verrät (als begriffliche Hilfe kann die Unterscheidung von ,religion populaire' und ,religion savante' dienen) (Kap. 5).

---

[31] Diese quellenmäßige Zuordnung erhebt keinen Anspruch auf Ausschließlichkeit, gewisse Überschneidungen, die hier nicht weiter erfaßt werden, sind an vielen Stellen erkennbar. Dies gilt jedoch auch teils für andere liturgische Bücher des Mittelalters, wie die Pontifikalien. In allen Teilen lassen sich moralisierende Passagen finden (besonders stark im I. Buch), dies hängt sicherlich mit dem von Autoren und Kompilator anvisierten Publikum zusammen.

[32] Vgl. oben Kap. 2.1., genauer unten Kap. 4.1.

[33] Es sei hier inErinnerung gerufen, daß im Mittelalter ein „hl. Patron in erster Linie Schutzherr von Interessen" ist (BENZINGER, wie Anm. 27, S. 306).

a) Hierfür eignet sich vornehmlich eine Analyse der Mirakel; neben der schichten-spezifischen Zuordnung soll es darum gehen, religiöse Denkschemata der betroffenen Heilsuchenden und die Funktion des Heiligen für diese Gruppe aufzuzeigen (Kap. 5.1.).

b) In einem weiteren Schritt wird zu fragen sein, ob im LSJ versucht wird, die Interessen dieser Gruppe aufzugreifen bzw. auf diese einzuwirken (Kap. 5.2.).

c) Dem Ergebnis entsprechend sollen dann mögliche Rückschlüsse auf den geistigen und sozialen Standort der Autoren bzw. des Kompilators gezogen werden (Kap. 5.3.).

3. Ein letztes Kapitel fragt nach der Verschränkung von Jakobuskult, Anschauungs-welt der Pilgerfahrt und Ökonomie. Die hier mögliche Erörterung verweist sowohl auf vorhandene Interessenslagen als auch auf die gesellschaftlichen Kräfte der Zukunft – Handel und Gewerbe – und damit auf die Bedeutung des Jakobuskultes für die weitere spätnittelalterliche Entwicklung[34] (Kap. 6).

Die Bindung des Jakobuskultes an gesellschaftliche Gruppen und Interessen, die in Verflechtung mit seiner Praxis entstandene Mentalität der Kultvollzieher und -vermittler und die daraus ersichtliche Bedeutung und Funktion eines Teiles von Religion in der mittelalterlichen Gesellschaft des 12. Jahrhunderts sind mithin hauptsächlich Thema der Arbeit. Gleichzeitig erlaubt eine so formulierte Fragestellung, einen neuen Beitrag zur Entstehung und zum gesellschaftlichen Standort der Verfasser des LSJ zu liefern.

Die gesellschaftliche Bedeutung des Jakobusverehrung kann jedoch nur erfaßt werden, wenn der oben skizzierte Teilausschnitt seinen Bezug zum Ganzen wieder-findet.[35]

Deshalb wird in jedem Kapitel der Bezug zur gesellschaftlichen Entwicklung versuchsweise hergestellt; diese Teile stützen sich weitgehend auf vorhandene neue Literatur, nur im Einzelfall werden weitere Quellen eigenständig interpretiert. Das

---

[34] Für alle Fragen wird grundsätzlich die ganze Kompilation herangezogen; aber entsprechend der oben betonten Komplexität des Werkes, sind für die einzelnen Kapitel bestimmte Bücher besonders aussagekräftig: so für Kap. 4 die Bücher II–V und die jeweiligen Anfangs- und Endpassagen aller Bücher, für Kap. 5.1. die Mirakelsammlung, für Kap. 5.2. der PT und für Kap. 6 Buch I und V. – Zur Vernachlässigung des formalen Aufbaus von Buch I als Untersuchungsgegen-stand vgl. unten Kap. 5.3., Anm. 352.

[35] Vgl. J. KOCKA, Sozialgeschichte – Strukturgeschichte – Gesellschaftsgeschichte (Archiv für Sozialgeschichte 15/1975, S. 1–42) jetzt als erweiterter ND in: ders., Sozialgeschichte. Begriff – Entwicklung – Probleme, Göttingen 1977 (= Kl. Vandenhoek Reihe 1434), S. 48–111. Hiernach will KOCKA die Gesellschaftsgeschiche die „geschichtliche Wirklichkeit als ein in Teilsysteme differenziertes, sich wandelndes Gesamtsystem" begreifen (S. 35, ND, S. 98). KOCKA fordert im Rahmen solcher „gesellschaftsgeschichtlichen Ansätze" Studien zu den „bisher so vernachlässig-ten Strukturen und Prozessen im engeren Sinn (wie kollektive Mentalitäten, Verhaltensmuster . . . etc.) . . . so, daß ihre Bezüge zur Wirtschaft und Politik dennoch nicht abgeschnitten oder übersehen werden." (S. 39f., ND, S. 108). Er liefert für solche Studien einen möglichen Bezugsrahmen, der – wenn auch eher an den Möglichkeiten der neueren Geschichte orientiert – in den vorigen Zeilen berücksichtigt wurde (so die Gegenstandsabgrenzung, die Grundhypothese und die anzuwendende Begrifflichkeit; die zeitliche Eingrenzung soll in den nächsten Sätzen erläutert werden).

letztere gilt für die gesamte Arbeit, lediglich die Papsturkunden von Calixt II.[36] und die bereits zitierte ‚Historia Compostelana‘[37] sind häufiger herangezogen worden.

Die Bedingung der Gleichzeitigkeit der Quellen ist für diese benutzen Dokumente gegeben. Ihre Entstehung fällt in den zeitlichen Rahmen der Arbeit, der durch die ungefähre Abfassungszeit des LSJ in der CC-Form vorgegeben ist. Schwerpunktmäßig wird die erste Hälfte des 12. Jahrhunderts behandelt. Es ist allerdings ratsam, den Zeitraum nicht genauer einzugrenzen, sondern eher einen gewissen Spielraum zuzugestehen, wie sicher auch die Art der Themenstellung deutlich gemacht hat.

---

[36] U. ROBERT (Hg.), Bullaire du pape Calixte II, 2 Bde, Paris 1891, ND Hildesheim – New York 1979.

[37] ES XX. Spanische Übersetzung: R. P. Fr. M. SUAREZ und R. P. Fr. J. CAMPELO, Santiago de Compostela 1950 mit guter Einleitung zu den Hintergründen und eingehender Inhaltsanalyse (S. V–CXL). Zur Forschung: A. G. BIGGS, Diego Gelmírez, first archbishop of Compostela, Washington 1949, S. XIII–XL mit Resumé der älteren Forschung. Ferner: C. SANCHEZ ALBORNOZ, Ante la Historia Compostelana (Logos 7/1954, S. 67–95), S. 86–92 und F. RICO, Las letras latinas del siglo XII en Galicia, León y Castilla (Abaco, Bd. 2, Madrid 1969, S. 9–91), S. 50–58. – An neueren Arbeiten sind die Forschungen von B.F. REILLY zu verzeichnen: The Nature of Church Reform at Santiago de Compostela during the Episcopate of Don Diego Gelmírez, 1100–1140, Bryn Mawr College, Ph. D. 1966, bes. S. 141–144; ders., The „Historia Compostelana": The Genesis and Composition of a twelfth Century Spanish Gesta (Speculum 44/1969, S. 78–85); ders., Existing Manuscripts of the Histoira Compostelana (Manuscripta 15/1971, S. 131–152). Erfreulicherweise kann jetzt auf die Dissertation von L. VONES, Die ‚Historia Compostellana‘ und die Kirchenpolitik des nordwestspanischen Raumes 1070–1130, Köln – Wien 1980, zurückgegriffen werden. Bei VONES findet man u. a. die handschriftliche Überlieferung, den Forschungsstand, den Charakter der Quelle und die Verfasserfrage vorzüglich aufgearbeitet (S. 11–74). Entgegen den bisher „neueren Theorien", die von mindestens drei Verfassern ausgingen, betont VONES, daß im Grunde nur zwei Verfasser an der Hist. Comp. gearbeitet hätten, die teils Passagen aus anderer Feder inserierten. Nicht zugänglich war mir: J.F. STEPHENS, Church Reform, Reconquest, and Christian Society in Castile-León at the time of the Gregorian Reform (1050–1135), New York 1977. Eine kritische Edition der Hist. Comp. existiert nicht. MPL, 170, Paris 1894, Sp. 879–1236, ist ein Nachdruck von ES XX, jedoch werden hier die Papsturkunden nicht im vollen Wortlaut wiedergegeben. In dieser Arbeit wird nur nach ES XX zitiert, allerdings ermöglicht Buch- und Kapitelangabe einen Vergleich bei MPL.

4. LEGITIMATION DER KOMPILATON UND PARTEINAHME IM LIBER SANCTI JACOBI. DAS VERHÄLTNIS ZU PAPSTTUM, KIRCHLICHER HIERARCHIE UND KIRCHENREFORM

Die komplexe und disparate Struktur des LSJ ist oben eingehend erläutert worden.[1] Der Kompilator[2] versuchte jedoch, das Gesamtwerk mit einem gemeinsamen Band zu verknüpfen: zum ersten stehen alle Teile in mehr oder minder intensiver Beziehung zur Jakobusverehrung, zum zweiten vereint die angebliche Autorschaft und Kompilatortätigkeit Papst Calixts (II.) die unterschiedlichen Elemente.

An diesen letzten Aspekt knüpft das folgende Kapitel an. Der vom Kompilator herangezogene Name des Papstes Calixt läßt danach fragen, wie sich die so gewählte Legitimationsform konkret ausgestaltet hat und ferner, warum ausgerechnet Calixt (II.) als Garant gewählt wird, um den LSJ als authentisches und wertvolles Werk auszuweisen. Diese Fragen versuchen das zu erfassen, was B. DE GAIFFIER im Rahmen der Diskussion über den mittelalterlichen Wahrheitsbegriff treffend mit „mentalité de l'hagiographe médiéval"[3] umschreibt. So ist es beispielsweise relativ einfach, die im LSJ erhaltenen Papsturkunden als „Fälschungen" nachzuweisen, hingegen schwerer, aber wohl auch lohnender, die Umstände und Gründe ihrer Entstehung zu erhellen.[4]

Deshalb sollen im folgenden zunächst Art und Funktion der angeblich päpstlichen Autorschaft beschrieben werden, vor allem anhand der von Pseudo-Calixt stammenden Kapitel und einiger die Authentizität bekräftigenden Passagen, ferner anhand der Papsturkunden im LSJ, um dann fortschreitend zu fragen, warum vom Kompilator ausgerechnet auf Calixt (II.) verwiesen wurde (Kapitel 4.1.).

---

[1] S. oben, S. 54f.

[2] Ich rede im folgenden aus Gründen der sprachlichen Vereinfachung immer von „den Autoren" und „dem Kompilator" (der sich selbst als Papst Calixt bezeichnet, deshalb hier auch Pseudo-Calixt genannt), obwohl hiermit noch keine Vorentscheidung in dieser noch offenen Frage beabsichtigt ist (vgl. oben S. 47). Ohnehin ist bei hagiographischen Sammelwerken die ausschließliche Initiative eines Autors oder Kompilators bei der Abfassung nur selten anzunehmen, vgl. hierzu (am Beispiel der problematischen Verwendung des Wortes „éditeur"): B. DE GAIFFIER, A propos des légendiers latins (AB 97/1979, S. 57–68) S. 59f.

[3] Mentalité de l'hagiographe médiéval d'après quelques travaux récents (AB 86/1968, S. 391–399).

[4] Der hier vorgeschlagene Näherungsversuch steht im Zusammenhang mit der vor allem 1963 durch ein Referat von H. FUHRMANN ausgelösten Diskussion um den mittelalterlichen Wahrheitsbegriff (Die Fälschungen im Mittelalter: Überlegungen zum mittelalterlichen Wahrheitsbegriff, in: HZ 197/1963, S. 529–601 mit Beiträgen von K. BOSL, H. PATZE und A. NITSCHKE), die hier einschlägigen Überlegungen finden sich im Zusammenhang mit französischen Arbeiten (u. a. von H. SILVESTRE) gut besprochen bei B. DE GAIFFIER, wie Anm. 3, S. 392–396; vgl. auch die allgemeinen Bemerkungen von C. BRÜHL, Der ehrbare Fälscher. Zu den Fälschungen des Klosters S. Pietro in Ciel d'Oro zu Pavia (DA 35/1979, S. 209–218) S. 209–212.

In einem weiteren Abschnitt wird zu behandeln sein, wie in einer auf päpstliche Legitimation außerordentlich stark bedachten Kompilation das Verhältnis zwischen den zwei Zentren Rom und Compostela, die beide gleichermaßen als einzige Städte im lateinischen Westen den Besitz von Apostelreliquien beanspruchten, dargestellt wird (Kapitel 4.2.). Sowohl dieser Punkt als auch die beiden folgenden, welche die Stellung Compostelas innerhalb der kirchlichen Hierarchie Spaniens (Kapitel 4.3.) und die Verfechtung des (päpstlichen) Reformprogramms (Kapitel 4.4.) erörtern sollen, dürften die Parteilichkeit der Autoren bzw. des Kompilators erkennen lassen. Deshalb gilt es, in einem zusammenfassenden Schlußbericht deren geistigen und gesellschaftlichen Standort zu präzisieren (Kapitel 4.5.).

4.1. Der Liber Sancti Jacobi als angeblich päpstliches Werk. Papst Calixt (II.) als Garant

Der dem Gesamtwerk vorangestellte Einleitungsbrief (JL † 7108) schreibt grundsätzlich die Kompilatortätigkeit für das gesamte Werk Papst Calixt (II.) zu. Hier wird auch bereits ansatzweise die Funktion – zumindest die des I. Buches – deutlich: liturgische Neuerung bzw. Korrekturen an der bisherigen Jakobusliturgie.[5] Ferner legt Pseudo-Calixt in diesem Brief dar, auf welchen Grundlagen die Zusammenstellung beruhe:
1. Übernahme aus authentischen Büchern, dem Alten und Neuen Testament und den Kirchenvätern (... *nemo putet me aliquit ex proprio senso in eo scripsisse, sed ex libris autenticis, utriusque scilicet testamenti sanctorum doctorum* ...),
2. eigene sinnliche Wahrnehmung (... *aut propriis occulis vidi* ...),
3. Zurückgreifen auf schriftliche Quellen (... *aut scripta repperi* ...),
4. Gehörtes, das für wahr erachtet wurde (... *aut verissima relacione didici et in eis scripsi* ...),
5. eigene Predigten (... *nostros sermones in eo scripsimus* ...).[6]
Punkt 1 ist hierbei dem I. Buch zugeordnet, Punkt 2–4 den folgenden Büchern, Punkt 5 besitzt keine nähere Bestimmung, sicherlich ist aber hier vornehmlich an Buch I gedacht.

Den fünf Punkten entsprechend ist der Name Papst Calixts im ganzen LSJ in unterschiedlicher Form und Intensität präsent. Rein quantitativ gesehen sind die von Pseudo-Calixt verfaßten Kapitel zahlreich, vor allem in Buch I und II. Für 21 der 31 Kapitel des liturgischen Teils (Buch I) zeichnet Pseudo-Calixt zumindest teilweise verantwortlich.[7] In Buch II ist die Verteilung ähnlich: von 22 Wundern berichtet Pseudo-Calixt 18.[8] Im Translationsteil (III. Buch) stammen der Prolog und das 3. Kapitel von Pseudo-Calixt, im IV. Buch wird nur der Bericht des PT am Schluß

---

[5] *Responsoria et missarum cantica que e evangeliis edidimus et in hoc libro scripsimus, nemo cantare dubitet* (fol. 2ʳ, WHITEHILL, S. 3).

[6] Fol. 1ᵛ, WHITEHILL, S. 2. Vgl. z. B. eine analoge – wenn auch knappere – Angabe der Auswahlkriterien für eine liturgische Sammlung im Zeremonienbuch („Liber politicus") des Kanonikers Benedikt aus dem 12. Jahrhundert; hierzu: B. SCHIMMELPFENNIG, Die Zeremonienbücher der römischen Kurie im Mittelalter, Tübingen 1973 (= Bibl. des Dt. Hist. Instituts in Rom, 40), S. 7 (mit dem einschlägigen Zitat).

[7] Kapitel 2, 3, 4, 5, 6, 7, 9, 12, 17, 19, 20–30.

[8] Kapitel 1, 3, 5–15, 18–22; vgl. DAVID IV/1949, S. 58, der fälschlich nur 14 Mirakel nennt.

durch drei Calixt zugeschriebene Kapitel legitimiert[9], und der Pilgerführer (V. Buch) kann dreimal die angebliche Autorschaft Calixts verzeichnen.[10] Die fünf verschiedenen Formen der Zusammenstellung, die im Einleitungsbrief angeführt werden, lassen sich weitgehend an den Kapitelüberschriften des gesamten LSJ verfolgen. Das I. Buch enthält neben Übernahmen aus „authentischen Quellen" (so Predigten von Beda Venerabilis, Hieronymus, Gregor dem Gr., Leo dem Gr., Augustinus[11]) (= Punkt 1) eine Vielzahl von Calixt zugeschriebenen Predigten[12] (= Punkt 5). In den weiteren Büchern dürften wohl die von Beda, Hubert und Anselm verfaßten Mirakel[13], der Translationsbericht samt dem Papst Leo zugeschriebenen Brief[14] und der nur abschließend von Pseudo-Calixt bestätigte PT als „Rückgriff auf schriftliche Quellen" (= Punkt 3) angesehen sein. Die anderen, Calixt zugeschriebenen oder nicht näher bezeichneten Passagen müßten der Einteilung gemäß von Pseudo-Calixts „eigenem Erleben" (= Punkt 2) oder der von ihm als echt angesehenen und in die Sammlung aufgenommenen oralen Tradition (= Punkt 4) herrühren.[15]

Am Satzbau der Kapitelüberschriften läßt sich überdies erkennen, ob der Name Calixt für eigenständig Verfaßtes oder für die Zusammenstellung bzw. Niederschrift anderen Gedankengutes verantwortlich gemacht wird. Die angeblich päpstliche Autorschaft ist hier entweder durch einen Genitiv (z. B. *Sermo Calixti papae*) bzw. durch substantivische Nebenordnung (z. B. *De . . ., Calixtus papa*), oder durch eine präpositionale Verbindung mit dem Wort *editum* oder *conscriptum* gekennzeichnet (z. B. *miraculum a domno Calixto conscriptum*). Dies weist auf zwei qualitativ unterschiedliche Funktionen hin; die erste Formulierung treffen wir bei Predigten, erzählenden Passagen oder Vorschriften an, die zweite bei von Pseudo-Calixt aus anderen Quellen zusammengestellten Texten wie Meßformularen oder Mirakelgeschichten. Diese letztere taucht ausschließlich in Buch I und II auf; der Mirakelteil ist durchgängig, Buch I in den Kapiteln 24, 26, 27 und 30[16] durch Überschriften in dieser Hinsicht gekennzeichnet. In Buch III–V ist hingegen kein Pseudo-Papst mit dieser Funktion erkennbar. Der päpstliche Name legitimiert demnach im LSJ ein dreifaches:

1. Die Auswahl von Teilen aus „authentischen Schriften",
2. einen Großteil der bestehenden, meist mündlichen Tradition,
3. die Neueinführung eigener Gedanken und Erfahrungen.

---

[9] Kapitel 24–26 (bei WHITEHILL = Anhang A, B, D bei HÄMEL - DE MANDACH).

[10] Kapitel 2, 6, 9.

[11] Buch I, 1, 8, 10, 11, 13, 15, 18, 20. Hinzu treten einige Passagen in Kapitel 31 (im Meßproprium, also keine Predigten).

[12] S. o. Anm. 7.   [13] Buch II, 2, 4, 16 und 17.   [14] Buch III, 1 und 2.

[15] So berichtet Pseudo-Calixt am Ende der 22. Mirakelgeschichte in Buch II, daß er den Mann, der die Hilfe des hl. Jacobus erfahren hatte, selbst bei dessen Rückreise von Compostela gesehen habe: *Hunc hominem ad beati Iacobi limina denuo regredientem, catenam manibus ferentem, nudis pedibus ac excoriatis, inter Stellam et Grugnum veraciter egomet repperi, et hec omnia michi enarravit* (fol. 155^v, WHITEHILL, S. 287).

[16] In den den Büchern vorgestellten Inhaltsverzeichnissen sind beide Funktionen nicht sichtbar, weil hier entweder die Autorschaft nicht genannt wird oder eine Kurzform der Kapitelüberschriften auftaucht (fol. 2^v–3^v, fol. 140^r–141^r, WHITEHILL, S. 4–6 und S. 259f.); vgl. oben Kapitel 2.2., Anm. 28.

Die Bedeutung der vorgegebenen päpstlichen Autorschaft kann mithin darin gesehen werden, daß eine Auswahl von Altem und die Einführung von Neuem zu einem für die Jakobusverehrung verbindlichen Werk zusammengefaßt werden sollte[17]. Den Autoren und dem Kompilator ging es vornehmlich darum, die Jakobusverehrung zu fördern, gleichzeitig jedoch die Art und den Vollzug dieses Kultes zu lenken und zu kanalisieren. Daß hierbei die Festlegung der richtigen Liturgie besonders bedeutend ist, hat P. DAVID herausgestellt[18]; jedoch besteht darin nur der wichtigste Aspekt dieser generellen Tendenz.

Um dieses Ziel zu erreichen, vertraute der Kompilator auf die Autorität des päpstlichen Namens, doch reichte ihm der Name allein nicht aus. Ähnlich wie der Einleitungsbrief für das gesamte Werk und speziell für das I. Buch die Textauswahl zu begründen sucht, ist auch dem II. und V. Buch ein erläuterndes *Argumentum* vorangestellt.[19] Pseudo-Calixt betont hier erneut, daß er bei Reisen in die verschiedensten Länder einige Mirakelberichte geschrieben gefunden oder gehört, einige Wunder sogar selbst gesehen habe. Allerdings sei im folgenden eine Auswahl, nämlich nur die „wahrsten" Wundergeschichten verzeichnet worden, schon deshalb müsse das Buch zu den authentischen Büchern gezählt werden.[20] Die Beschränkung auf die herausragendsten Berichte soll also noch den Wert der Texte steigern; im Vorspann zu Buch V wird mit demselben Ziel darauf hingewiesen, daß noch viele Lebende das Aufgezeichnete bezeugen könnten.[21]

Pseudo-Calixt greift jedoch auch noch an fünf Stellen des I. und III. Buches ein, zweimal um daran zu erinnern, daß er an dieser Stelle neue liturgische Texte zusammengestellt habe und um deren liturgischen Vollzug anzuweisen[22], an drei

---

[17] ... *ut in uno volumine ea comprehendere potuissem, quatinus sancti Iacobi amatores apcius simul invenirent, quę necessaria sunt festis diebus legenda* (fol. 1[r], WHITEHILL, S. 1, hier auf Buch I bezogen, wie auch der ganze Einleitungsbrief vornehmlich Erläuterungen zum liturgischen Teil gibt).

[18] Laut DAVID hat auch diese Absicht der liturgischen Neuerungen den Rückgriff auf päpstliche Legitimation notwendig gemacht (DAVID, IV/1949, S. 84f.).

[19] Fol. 140[r], WHITEHILL, S. 259 und VIELLIARD, S. (XXII).

[20] Fol. 140[r], WHITEHILL, S. 259: ... *barbaras terras perambulans, quedam ex his miraculis in Gallecia, quedam in Gallia, quedam in Theotonica[a], quedam in Ytalia, quedam in Ungaria, quedem in Dacia, quedam etiam ultra tria maria, diversa scilicet in diversis locis scripta repperi, quedam in horis barbaris, quibus beatus apostolus ea dignatus est operari, narrantibus illis, qui ea viderunt vel audierunt, didici; quedam propriis occulis vidi; que diligenter ad decus Domini et apostoli litteris commendavi. Quę quanto magis sunt pulcriora, tanto magis cariora. Nec quis putet me omnia, que audivi de eodem, miracula et exempla scripsisse, sed quę verissimis assercionibus verissimorum hominum vera approbavi fuisse. Si enim omnia miracula, que de eodem in compluribus locis sub multorum narracione audivi, scriberem, magis deficeret manus studiumque pargamenum* (sic), *quam eius exempla. Quapropter precipimus, ut codex iste inter veridicos et autenticos codices deputetur, et in ecclesiis et refectoriis diebus festis eiusdem apostoli aliisque, si placet, diligenter legatur[b].*   a) von frd (?) Hd. „v‘ über das 1. „o‘ geschrieben, „o‘ durch kl. braunen Pkt. gelöscht   b) folgt: *finit*, rot, v. frd. Hd.

[21] VIELLIARD, S. (XXII): *Que enim in eo scribuntur, multi adhuc viventes vera esse testantur.*

[22] Buch I, 31, fol. 113[r]–114[r], WHITEHILL, S. 212–215: *Argumentum Calixti pape* (rote Schrift); kürzer und nur zum Festkalender: I, 29, fol. 129[r], WHITEHILL, S. 241.

anderen Orten, um die Echtheit der „Passio minor", der „Passio maior" und des Translationsberichtes in einem Prolog zu bekräftigen.[23] Die erneute Legitimation durch Pseudo-Calixt an diesen Stellen weist darauf hin, daß hier wohl umstrittene Texte in die Kompilation aufgenommen wurden, die noch einer zusätzlichen Empfehlung bedurften.[24]

Für den Leser wurde so an die päpstliche Legitimation fortwährend erinnert, die überdies durch genaue Erläuterung der Entstehungsumstände besonders nachvollziehbar und einsichtig erschien. Eine letzte Verstärkung der päpstlichen Autorität kann darin gesehen werden, daß Pseudo-Calixt das Buch sogar erst auf göttliche Eingebung hin verfaßt haben soll: Gott selbst und der Apostel Jakobus hätten ihn hierzu aufgefordert. Wie durch mehrere Wunder habe der Kodex auch, so Pseudo-Calixt, die verschiedensten Gefahren unversehrt überstanden.[25] Die Entstehung des Buches ist somit bereits eine Wundergeschichte und auch seine Verbreitung kann im Einzelfall von Wundern begleitet sein.[26] Die in den LSJ aufgenommenen Meßformulare für das Jakobusfest vom 25. Juli und die zugehörige Oktav soll sogar der Hl. Geist diktiert haben.[27]

---

[23] Buch I, 4, fol. 18[r–v], WHITEHILL, S. 35f.; Buch I, 9, fol. 47[v]–48[r], WHITEHILL, S. 93f.; Buch III, Prolog, fol. 156[r–v], WHITEHILL, S. 289f.

[24] Nicht ohne Grund sah deshalb auch u. a. P. DAVID diese drei Passagen als nachträgliche Zusätze an, denn Translationsbericht und „Passio maior" führten den Bericht über die Predigttätigkeit des hl. Jakobus in Spanien ein, entsprechend habe auch die „Passio minor" einer Einleitung bedurft (DAVID, IV/1949, S. 81f.; s. auch oben Kap. 2, S. 39ff.). DAVIDS Argumentation läßt sich für diese drei Legitimationspassagen noch von anderer Seite, nämlich durch eine Analyse der Wortwahl stützen. In den Überschriften wird nicht nur das sonst nicht auftauchende *prologus* verwendet (an anderen Stellen: *argumentum*), sondern auch die Präpositionen *super* und *ante* treten an die Stelle des sonst üblichen *de*: ... *Prologus super modicam Passionem* ... (fol. 18[r], WHITEHILL, S. 35); ... *Prologus* .... *Calixti ante* ... *magnam Passionem* ... (fol. 47[v]–48[r], WHITEHILL, S. 93); ... *Prologus* ... *super Translationem* ... (nur einige Majuskeln) (fol. 156[r], WHITEHILL, S. 289).

[25] Eingangsepistel, fol. 1[r–v], WHITEHILL, S. 1: *O mira fortuna! Inter predones cecidi, et raptis omnibus spoliis meis, codex tantum mihi remansit. Ergastulis trusus fui, et perdito toto censu meo mihi tantummodo codex remansit. In pelagis multarum aquarum crebro cecidi proximus morti, et evasit codex minime infectus me exeunte. Domus qua eram cremato, et, consumptis rebus meis, evasit codex mecum inustus. Quapropter* (fol. 1[v]) *cepi excogitare, si iam codex iste, quem manibus meis perficere studebam, Deo foret acceptabilis.*

[26] So z. B. Buch III, Prolog, fol. 156[v], WHITEHILL, S. 290: Ein Kleriker und Pilger ließ sich in Compostela den Translationsteil und einige Mirakelgeschichten abschreiben und erhielt vom hl. Jakobus die dem Schreiber bezahlte Summe auf wunderbare Weise in der Kathedrale zurückerstattet. Die Tatsache, daß diese „Compostelaner Episode" über die Verbreitung des bereits erstellten Buches in diesem von B–Karolus geschriebenen Prolog (s. o., S. 25) auftaucht, beweist, daß B–Karolus in Compostela schrieb und diese Passage wohl sicher von ihm am Orte zugefügt wurde (vgl. oben, Anm. 24).

[27] Buch I, 23, fol. 113[r], WHITEHILL, S. 213: *Per unumquemque diem a vigilia eius usque ad diem VIII eius festi, propriam missam ad decus apostoli edidi, Spiritu Sancto dictante[a].* a) ‚*c*‘ interlin. von gl. Hd. über dem 1. ‚*t*‘ ergänzt. Ähnliches äußerte Anselm von Havelberg zur Benediktinerregel (MPL 188, Paris 1890, Sp. 1155, vgl. G. SCHREIBER, Prämonstratenserkultur des 12. Jahrhunderts, in: Analecta Praemonstratensia 16/1940, S. 41–107, S. 95).

Da der Kompilator u. a. auch beabsichtigte, Neues einzuführen, war die Wahl einer zeitgenössichen Autorität notwendig. Die Berufung auf einen Papst mag das Ansehen des päpstlichen Lehramtes und der päpstlichen Entscheidungsbefugnis bei den Autoren und beim Kompilator widerspiegeln.[28] Ein Blick auf die im LSJ vorhandenen Papsturkunden dürfte noch näheren Aufschluß darüber geben – da hier aufgrund der erhaltenen echten Urkunden Vergleichsmaterial vorliegt –, wie der Kompilator in „diplomatischer" Hinsicht versuchte, die päpstliche Autorität zu bemühen.

Die Glaubwürdigkeit eines angeblich päpstlichen Kompilators konnte durch möglichst genaue Imitation anderer päpstlicher Verlautbarungen erreicht werden, zumindest sieht die historische Wissenschaft hierin meistens das Kriterium für einen „geschickten" Fälscher. Festmachen läßt sich dies am besten im Vergleich mit dem zur Verfügung stehenden Corpus an Papsturkunden, das im allgemeinen bestimmte gemeinsame Äußerlichkeiten für alle Urkunden aufweist.

Der LSJ enthält drei angeblich päpstliche Schreiben urkundlichen Charakters:
1. den Einleitungsbrief Calixts (II.)[29],
2. den Brief Calixts (II.) über den spanischen „Heidenkrieg" und die zu erwerbende „Sündenvergebung"[30],
3. den abschließenden Brief Innozenz' (II.) für die Überbringer des Kodex'.[31]

Alle drei Schreiben können an dieser Stelle lediglich nach inneren Merkmalen analysiert werden, da eine Ausfertigung in keinem Fall vorhanden ist. Weitere Kopien des ersten und zweiten Briefes geben die Texte in teilweise veränderter und gekürzter Form wieder[32], so daß wir uns hier ausschließlich auf die Überlieferung des CC beschränken müssen.[33]

---

[28] Die Reformierung eines liturgischen Gebrauchs könnte im Zusammenhang mit der Einführung des römischen Ritus in den unterschiedlichen spanischen Reichen gesehen werden, die vom Papsttum nachhaltig gefördert wurde und in Galizien wohl erst zu Beginn des 12. Jhs. Fuß faßte. Vgl. unten Kap. 4.4.

[29] Fol. 1r–2v, WHITEHILL, S. 1–4 (= JL † 7108).

[30] HÄMEL – DE MANDACH, S. 100–102 (= JL † 7111).

[31] Fol. 221r, olim fol. 192r, WHITEHILL, S. 399f. (= JL † 8286) (neuere Edition mit wichtigen Bemerkungen: R. LOUIS, ohne Titel in: Bulletin de la Société des Antiquaires de France 1948/49, S. 80–97, Ed. des Briefs S. 82–85). Ausschalten möchte ich hier den Leo-Brief im III. Buch, der eine eigene Vorgeschichte hat und nur für die Kompilation angepaßt wurde, vgl. oben Kap. 1, S. 8f.

[32] Vgl. U. ROBERT (Hg.), Bullaire du Pape Calixte II. 1119–1124. Essai de restitution, 2 Bde, Paris 1891, ND Hildesheim – New York 1979, Bd. II, no. 445 und 449 (= S. 257f. und 261f.). Die Abweichungen rühren wohl u. a. daher, daß no. 445 in anderen Kopien einer kürzeren Fassung des LSJ vorangestellt war und sich daher einige Passagen erübrigten. Auch die Urkunde Innozenz' (II.) scheint nur im Zusammenhang mit dem LSJ überliefert, diese Überlieferungen sind für uns hier deshalb nicht weiter bedeutsam, vgl. z. B. eine Überlieferung aus dem 13. Jh.: Paris, BN, Ms. lat. 3550 fol. 147–148, besprochen bei R. DE LA COSTE-MESSELIÈRE, Sources et illustrations de l'histoire des établissements hospitaliers et du pèlerinage de St-Jacques de Compostelle des passages de Loire au grand chemin chaussé des pèlerins de St-Jacques, Niort 1977, S. 29f.

[33] Eine solche Beschränkung ist notwendig, weil alle drei Urkunden direkten Bezug zum LSJ haben, der in der Form des CC analysiert werden soll (vgl. oben Kap. 2, bes. S. 29f.).

Die Art der vorliegenden Schriftstücke wird im LSJ mit dem Wort *epistola* gekennzeichnet, entsprechend bezieht sich die Inscriptio nicht auf eine fest umrissene Rechtsgemeinschaft: in einer Urkunde sind einige kirchliche Große[34], in den beiden anderen das „christliche Volk" schlechthin angesprochen.[35]

Das urkundliche Formular der Papsturkunden dieser Zeit[36] ist in seinen Elementen weitgehend vorhanden; alle drei Briefe enthalten Intitulatio, Inscriptio, Narratio, Dispositio und Sanctio; das Eschatokoll besteht bei JL † 8286 nur aus Kardinalsunterschriften, bei JL † 7108 und JL † 7111 aus einer (wenn auch recht unvollständigen) Datierung. Alle drei Urkunden weisen außerdem am Ende des Kontextes (!) eine Apprecatio auf.

Trotz dieser vorhandenen Grundstruktur sind jedoch alle drei Urkunden nicht nur vom Inhalt, sondern auch vom Aufbau her als nicht kanzleigemäß[37] zu bezeichnen. JL † 7108 hat im Grunde zwei Adressaten, erstens die in der Inscriptio genannten Personen, denen eine kritische Durchsicht des Buches empfohlen wird[38], zweitens das am Ende der Dispositio angesprochene Kathedralkapitel von Compostela, welches die

---

[34] JL † 7108; der Konvent von Cluny, der Patriarch von Jerusalem und Erzbischof Diego von Compostela (fol. 1ʳ, WHITEHILL, S. 1).

[35] JL † 7111, (HÄMEL – DE MANDACH, S. 100) und JL † 8286 (fol. 221ʳ WHITEHILL, S. 399).

[36] Vgl. allgemein: A. v. BRANDT, Werkzeug des Historikers, Stuttgart ⁹1980, S. 110 und L. SCHMITZ-KALLENBERG, Die Lehre von den Papsturkunden (Grundriß der Geschichtswissenschaft, hg. von A. MEISTER, I, 2, Leipzig – Berlin ²1913, S. 172–230), S. 182–187 und S. 208f. Zu den Urkunden Calixts speziell: ROBERT, wie Anm. 32, Bd. I, S. XIVff. – Eine Verwendung von Formeln des Liber Diurnus, die in päpstlichen Urkunden sicherlich bis zum Ende des 11. Jhs., wahrscheinlich aber auch noch darüberhinaus zu verzeichnen ist, konnte für die drei Urkunden des LSJ nicht festgestellt werden. Der Stand der Forschung zum Liber Diurnus ist am besten dokumentiert bei L. SANTIFALLER, Liber Diurnus: Studien und Forschungen, hg. von H. ZIMMERMANN, Stuttgart, 1976 (= Päpste und Papsttum, 10). Am Initien-Verzeichnis von SANTIFALLERS zentraler Abhandlung: Die Verwendung des Liber Diurnus in den Privilegien der Päpste von den Anfängen bis zum Ende des 11. Jahrhunderts, in: ders., l. c., S. 14–158, S. 156–158, wurden die hier vorliegenden gefälschten Papsturkunden überprüft.

[37] Dieser Ausdruck wird hier mit Vorbehalt verwandt, weil eine Kanzlei als festumrissene Behörde an der Kurie wohl erst unter Innozenz III. entstanden ist, wie H. W. KLEWITZ, Cancellaria. Ein Beitrag zur Geschichte des geistlichen Hofdienstes (DA 1/1937, S. 44–79) nachgewiesen hat (für die päpstliche „Kanzlei" s. bes. S. 78f.). Vgl. ferner: B. SCHWARZ, Die Organisation kurialer Schreiberkollegien und ihre Entstehung bis zur Mitte des 15. Jhs., Tübingen 1972, bes. S. 8–19 und S. HAIDER, Zu den Anfängen der päpstlichen Kapelle (Mitteilungen des Inst. für österr. Geschichtsforschung 87/1979, S. 38–70) bes. S. 69f. Hier im Text steht der Ausdruck „kanzleigemäß" als Verkürzung für „gemäß der Form, die unter den Kanzlern Calixts II. üblich war".

[38] *Calixtvsᵃ episcopus, servus servorum Dei, sanctissimo conventui Cluniacensis basilice sedis apostolice sue electionis, heroibusque famosissimis Guil(le)lmo patriarche Hierosolimitano et Didaco Co(m)postellanensi archiepiscopo, cunctisque ortodoxis salutem et apostolicam benedictionem in Christo. Quoniam in cunctis cosmi climatibus excellentiores vobis heroes dignitate et honore repperiri nequeunt, hunc beati Iacobi codicem paternitati vestre misi, quatinus si quid corrigendum in eo invenire poteritis, auctoritas vestra amore apostoli diligenter emendet.*

a) C-Initiale mit Miniatur: Ps.-Calixt schreibend, *Calixtvs* in roten u. grünen Majuskeln (fol. 1ʳ, WHITEHILL, S. 1). Vgl. die Abbildung, Anhang, Tafel 3.

liturgischen Neuerungen beachten soll.[39] Am unübersichtlichsten sind in diplomatischer Hinsicht Narratio und Dispositio. Beide Teile gehen fortwährend ineinander über, wie in einer Gebrauchsanleitung vermengen sich einzelne Vorschriften mit Anwendungsbeispielen und Schilderungen über die Entstehung des Buches.

JL † 7111 bleibt in der Form stärker der Tradition der Papsturkunden verpflichtet. Völlig ungebräuchlich ist jedoch ein dreimaliges *fiat* vor der Datierung.[40] Außerdem zielt eine Sanctio positiva nicht nur auf Einhaltung der Urkunde, sondern verspricht himmlischen Lohn für Verbreitung des Briefes.[41]

Formal läßt sich JL † 8286 als relativ kanzleigemäß bezeichnen.[42] Wie jedoch auch die gefälschten Calixt-Urkunden trotz des teilweise vorhandenen Formulars in Stil und Form keinem Vergleich mit anderen Urkunden von Calixt II. standhalten[43], so läßt sich bei JL † 8286 die abweichende Form am ehesten an den Kardinalsunterschriften ablesen[44]:

1. es fehlt als erste Unterschrift die sonst übliche des Papstes selber, stattdessen unterschreibt Kanzler Aimericus zu Beginn der Liste. Dieser erscheint jedoch in echten Urkunden nicht bei den Unterschriften, sondern anschließend, in der Datierung.
2. JL † 8286 verzichtet mit einer Ausnahme auf eine genaue Nennung der jeweiligen Titelkirchen und auf eine Angabe, ob es sich um Kardinalbischöfe, Kardinalpriester oder um Kardinaldiakone handelt.

---

[39] *Hoc faciendum clero sancti Iacobi in eius basilica precipimus* (fol. 2ᵛ, WHITEHILL, S. 4).

[40] Vgl. bereits ROBERT, wie Anm. 32. S. LXXXIf. Die herkömmlichen Urkundenlehren von BRESSLAU, GIRY, SCHMITZ-KALLENBERG gehen auf diese Eigentümlichkeit nicht ein. Aus dem Pontifikat Johannes' (XV.) und Benedikts (VIII.) konnten jedoch zwei voneinander abhängige Papsturkunden ermittelt werden, die ebenfalls ein solches dreimaliges *fiat* aufweisen (H. ZIMMERMANN, Papstregesten 911–1024, Wien – Köln – Graz 1969, no. 664 und 1194, vgl. auch die dort zitierte Literatur). No. 664 enthält einmal dieses dreimalige *fiat* nach der „sanctio negativa", No. 1194 verzeichnet diese dreifache Form sowohl nach der „sanctio negativa" als auch nach der „sanctio positiva". Ein Abhängigkeitsverhältnis von JL † 7111 zu diesen Urkunden konnte ich bisher nicht nachweisen; lediglich die recht allgemeine Adresse ist allen drei Schreiben gemein. – Ebenso ist unklar, ob hier eine Linie zum Zustimmungsvermerk auf den bei der Kurie eingereichten Suppliken gezogen werden kann; vgl. zu den Suppliken des Spätmittelalters: E. PITZ, Supplikensignatur und Briefexpedition an der römischen Kurie im Pontifikat Papst Calixts III., Tübingen 1972, S. 43f. (mit weiterer Literatur).

[41] *Et quicumque hanc epistolam transcriptam de loco ad locum, vel de ecclesia ad ecclesiam perlataverit, omnibusque palam praedicaverit, perhenni gloria remuneretur. Igitur haec annunciantibus huc et pergentibus illuc, sit pax continua, decus et laeticia, expugnacium victoria, fortitudo et vita prolixa, salus et gloria* (HÄMEL – DE MANDACH, S. 101f.). Es ist hinzuzufügen, daß dieser Teil sich an eine gleichsam zweite Dispositio anschließt, die in gewisser Weise ebenfalls wie JL † 7108 auf zwei Adressaten (das christl. Volk und die verkündigenden Kleriker) hinweist. Vgl. zum Inhalt der Urkunde: Kap. 5.2.3., S. 145ff.

[42] Die Falschheit der Urkunde wird in der Literatur meistens lediglich mit einem lapidaren Satz belegt (zuerst: L. DELISLE, Note sur le recueil intitulé „de miraculis Sancti Jacobi", in: Le Cabinet historique 24/1878, S. 1–9, S. 6. Ferner z. B.: R. LOUIS, wie Anm. 31, S. 85).

[43] Vgl. bereits ROBERT, wie Anm. 32, Bd. I, S. LXXXIf.

[44] Der Vergleich mit anderen Urkunden Innozenz' II. geschah anhand der Ausgabe von MPL, Bd. 179, Paris 1855, Sp. 55–686.

Trotzdem sollten die acht Unterschriften der vorliegenden Urkunde nicht völlig ins Reich der Phantasie verwiesen werden, bis auf *Gregori(us) cardinalis nepos domni pape I(nnocentii)* . . . und *Gregorius Ihenia cardinalis* . . .[45] lassen sich die anderen Kardinäle mit Hilfe der Arbeit von B. ZENKER identifizieren.[46] Die dort vermerkten Jahreszahlen der Amtszeit der Kardinäle mögen sogar Hinweise auf die Datierung der uns vorliegenden Urkunde geben. Der Kernzeitraum, zu dem alle Kardinäle im Amt waren, erstreckt sich von 1139–1141[47]; d. h. es ist fast ausgeschlossen[48], daß die Urkunde JL † 8286 vor 1139 geschrieben worden ist.

[45] Fol. 221ʳ, olim 192ʳ, WHITEHILL, S. 400.

[46] B. ZENKER, Die Mitglieder des Kardinalkollegiums von 1130 bis 1159, phil. Diss. Würzburg 1964; ich gebe im folgenden die Namen und den Nachweis bei ZENKER an (Identifizierungen anhand der Namenszusätze und entsprechend der in Frage kommenden Zeit):
Aimericus cancellarius: S. 142–144 (no. 116), *Girardus de sancta Cruce cardinalis:* S. 129–131 (no. 9), *Guido Pissanus cardinalis:* S. 146–148 (no. 119), *Iuo cardinalis:* S. 77–79 (no. 46), *Guido Lombardus cardinalis:* S. 62–64 (no. 35), *Albericus legatus praesul Hostiensis:* S. 15–20 (no. 3).

[47] Die Auswahl der oben identifizierten Kardinäle könnte zudem Rückschlüsse auf den geistigen Horizont des Verfassers dieser Urkunde zulassen. Es würde allerdings zu weit führen, bei 6 von 8 identifizierten Kardinälen eine Systematisierung des biographischen Werdeganges durchzuführen, dafür ist die Vergleichsbasis zu schmal. Stattdessen möchte ich hier eine Kurzbeschreibung besonders im Hinblick auf diejenigen Aspekte geben, die bei der Interpretation des LSJ besondere Bedeutung haben könnten:
Aimericus: Der Kanzler stammte aus Burgund, war Kanoniker in Bologna und war seit 1123 führender Vertreter der Reformrichtung an der Kurie. Gute Beziehungen unterhielt er vor allem zu St-Victor in Paris, den Ritterorden, Petrus Venerabilis, Bernhard von Clairvaux und Diego von Compostela.
Girardus: Der gebürtige Bolognese war vor seinem Kardinalat Kanoniker in Lucca, unterhielt später Kontakte zu Bernhard von Clairvaux. 1144 wurde er zum Papst gewählt und nahm den Namen Lucius II. an.
Guido: Dieser aus Florenz stammende Kardinal erhielt den Namenszusatz „Lombardus" durch seine lombardische Legation 1139. Am II. Kreuzzug nahm er auf französischer Seite teil.
Albericus: Der Cluniazenser, der aus der Diozöse Beauvais stammte, ist uns als Kardinal vor allem durch seine Legationen bekannt geworden: 1138 in England, 1139 in Antiochien, 1144 in Frankreich.
Guido: Dieser Kardinal, ein gebürtiger Pisaner, ist vor allem durch seine Missionen nach Spanien, Südfrankreich und Portugal für uns von Bedeutung. Er war an der Vorbereitung des II. Kreuzzuges beteiligt und pflegte Kontakte mit Anselm von Havelberg, Diego Gelmírez und Bernhard von Clairvaux
Ivo: Der Kanoniker von St-Victor in Paris stand wohl Bernhard von Clairvaux und anderen Reformvertretern des 12. Jahrhunderts nahe. Seine besondere Kenntnis der französischen Verhältnisse führte wohl zu seiner Verwendung als Legat in Frankreich 1142.
(Diese Kurzcharakteristiken stützten sich auf die jeweils in Anm. 46 angegebenen Passagen bei ZENKER). Der Kernzeitraum der Amtsepochen läßt sich graphisch wie folgt zusammenfassen:

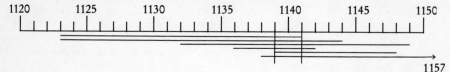

Neben dem zumindest in jeweils unterschiedlichen Punkten abweichenden Formular aller Urkunden vom entsprechenden Vergleichsmaterial lassen sich auch in inhaltlicher und stilistischer Hinsicht keine anderen urkundlichen Vorbilder ausmachen[49], allerdings nimmt JL † 7111 eine Sonderstellung ein.

Dieser Brief steht in gewissem inhaltlichen Bezug zu früheren Papsturkunden[50], bzw. wie der Verfasser selbst vorgibt, zu früheren Konzilsbeschlüssen; den ursprünglich von Turpin gewährten Ablaß für die Teilnahme am „spanischen Kreuzzug" habe nämlich u. a. Urban (II.) während des Konzils von Clermont (1095) erneuert.[51] Auch die Datierung suggeriert, die Urkunde sei während des 1. Laterankonzils (1123) abgefaßt.[52] Es ist behauptet worden, JL † 7111 hinge eng mit Kanon 10 dieses Konzils zusammen; in dem der Kampf gegen die Andersgläubigen ebenfalls propagiert werde.[53] Dieser Bezug ist zwar nicht auszuschließen, gilt grundsätzlich jedoch auch für alle vorherigen Kreuzzugsurkunden der Päpste.[54] Größere Beachtung verdient jedoch eine Urkunde des Erzbischofs von Compostela, Diego Gelmírez, die dieser anläßlich des Compostelaner Konzils (18. 1. 1125?) verfassen ließ.[55] Wie in JL † 7111 wird auch hier ein Konzil

---

[48] Dies wäre nur bei der Annahme nachträglicher Interpolationen möglich. Vgl. auch die Bemerkungen zu dieser Urkunde, um den CC zu datieren. (Kap. 2.4., S. 38).

[49] Für JL † 7111 ließe sich allenfalls auf termini technici wie *remissio peccatorum* etc. hinweisen.

[50] Vgl. DAVID, III/1948, S. 162.

[51] HÄMEL – DE MANDACH, S. 101: *Hoc idem omnes apostolici qui postea usque ad nostrum tempus fuere, corroboraverunt, testante beato Urbano papa, illustri viro, qui in concilio Claromontis, regionis Galliae, adstantibus circiter C episcopis, hoc idem asseruit, quando ytinera iherosolimitana disposuit, ut codex iherosolimitanae ystoriae refert.* Möglicherweise deuten die letzten Worte auf eine Kenntnis des Werkes von Fulcher von Chartres (Fulcheri Carnotensis historia Hierosolymitana, hg. von H. HAGENMEYER, Heidelberg 1913) oder die „Historia Iherosolimitana" von Robert dem Mönch (Roberti monachi historia Iherosolimitana, in: Recueil des Historiens des Croisades, Historiens Occidentaux, III, Paris 1866, S. 717–882). Die sonstigen Werke, die Urbans Rede überliefert haben, tragen einen weniger prägnanten Titel in bezug auf das obige Zitat des PT. Vgl.: D. C. MUNRO, The speech of Pope Urban II. at Clermont 1095 (American Hist. Review 11/1906, S. 231–242), S. 241 und: R. E. SOMERVILLE, Concilium Claromontense 1095 – A Methodological Study in Church History, Yale Univ., Phil. Diss. 1968, S. 336f. mit Anm. 37, die beide den Bezug zu Spanien in Urbans Rede nur für die Fassung des Wilhelm von Malmesbury nachweisen können.

[52] HÄMEL – DE MANDACH, S. 102: *Data Laterani, laetare Iherusalem, adstantibus C episcopis in concilio.* Die Zahl 100 hat wohl in beiden Zitaten allegorischen Charakter. *Laetare* bezeichnet den vierten Fastensonntag, also genau die Zeit, als das 1. Laterankonzil stattfand (März 1123).

[53] So A. DE MANDACH, Naissance et developpement de la chanson de Geste en Europe, Bd. I, Paris – Genf 1961, S. 86. Ed. des Kanons: Conciliorum oecumenicorum decreta, hg. von J. ALBERIGO/P. P. JOANNOU/C. LEONARDI/P. PRODI, Freiburg 1962, ³1973, S. 168.

[54] So z. B. für JL 4530, JL 5401, JL 5840, JL 6665 und besonders JL 7116.

[55] Hist. Comp., II, 78 (ES XX) S. 428–430, vgl. DAVID III/1948, S. 162f. Diese Urkunde und das Konzil sind nach den Forschungen von L. VONES, Die ‚Historia Compostellana' und die Kirchenpolitik des nordwestspanischen Raumes 1070–1130, Köln-Wien 1980, S. 439–442 eventuell auf 1123 zu datieren. – Leider vergleicht VONES die Urkunde Diegos nur mit der echten Papsturkunde JL 7116; mir scheint die Nähe zu JL † 7111 in der CC-Form wesentlich größer zu sein. VONES schließt eine nachträgliche Umarbeitung dieser Passagen in der Hist. Comp. nicht aus (S. 442); sollte vielleicht die Hist. Comp. hier doch Einflüsse des LSJ aufweisen?

besonders erwähnt, ferner ebenso die Fürsprache der Apostel Petrus, Paulus und Jakobus angerufen, und auch hier wird Sündenvergebung nach ordnungsgemäß abgelegter Beichte und Buße beim Tod im Kampfe versprochen. Aber das Auffälligste ist, daß auch in der Urkunde Diegos zur weiteren Verbreitung des Inhaltes aufgerufen wird: *Quicumque S. Ecclesiae praelati sunt, cum hanc cartam viderint, eam in Dei obsequium et suorum peccatorum remissionem regibus, comitibus, ceterisque principibus, militibusque et peditibus viva voce praedicare, laudare et exponere summa cum solicitudine studeant.*[56]

Die Analyse der im LSJ enthaltenen Papsturkunden führt zu dem Ergebnis, daß exaktes Formular und Inhalt anderer zeitgenössischer Papsturkunden dem Kompilator wohl nur in rudimentärer Form vertraut waren. Bei JL † 7111 darf eine Kenntnis anderer päpstlicher Kreuzzugsaufrufe bzw. einschlägiger Konzilsbeschlüsse, bei JL † 8286 diejenige einiger bedeutender Kardinäle an der römischen Kurie angenommen werden. Die Nähe von JL † 7111 zu einer Bischofsurkunde von Diego Gelmírez läßt eine zunächst nicht weiter konkretisierbare Abhängigkeit vermuten; möglicherweise hat hier die Fassung des CC auf die „Historia Compostelana" gewirkt und nicht umgekehrt.[56a]

Trotz der insgesamt recht ungeschickten Imitation echter Papsturkunden entsprechen die angeblichen päpstlichen Briefe im LSJ ganz der gewollten Absicht des Kompilators; die urkundliche Gestalt allein erlaubte es, Anordnungen, Vorschriften und Aufrufe in einer allgemein üblichen, juristisch verbindlichen Form zu fassen.

Wenn nun weiter zu fragen ist, warum ausgerechnet Papst Calixt (II.) als Garant des Jakobusbuches fungiert, so ist eine gewisse Eingrenzung dieser Frage bereits durch das bisher Ausgeführte geleistet worden. Das Anliegen des Kompilators bedurfte der Legitimation durch einen zeitgenössischen Papst. Die in der Literatur zumeist vorgebrachten Hinweise, dies habe nur Calixt II. sein können, stützen sich im wesentlichen auf zwei Punkte: zum einen war Calixt II., selbst aus burgundischem Adel stammend, indirekt durch die Heirat burgundischer Großer auf mehrfache Weise mit spanischen Herrschern und Adeligen verwandtschaftlich verbunden (so war er z. B. Onkel Kaiser Alfons' VII.)[57]; hieraus könne ein besonderes Interesse Calixts II. für Spanien abgeleitet werden. Zum zweiten wird in Calixt II. oft auch ein großer Förderer des Jakobuskultes gesehen, vor allem weil er dem Bistum Santiago de Compostela besonders weitgehende Privilegien verlieh.[58]

---

[56] Ibid., S. 430. Dies blieb von DAVID unbeachtet. Leider lassen sich über diese frappierenden Übereinstimmungen hinaus keine wörtlichen Übernahmen feststellen.

[56a] Vgl. Anm. 55.

[57] Vgl. z. B die genealogische Übersicht bei M. DEFOURNEAUX, Les Français en Espagne aux XIᵉ et XIIᵉ siècles, Paris 1949, S. 136f. Solche Beziehungen allein besagen wenig, auch mit anderen Adeligen war Calixt II. verwandtschaftlich verbunden.

[58] Zu den Privilegien: unten Kapitel 4.3. Vor allem die Erhebung Compostelas zum Erzbistum wird zumeist für die Gunst des Papstes gegenüber dem Jakobuskult angeführt. Man vergleiche den Bericht über die Wahl Calixts II. in der Hist. Comp. (II,9, ES XX, S. 272f.), der bereits diese Argumentationskette vertritt: *Quippe inter praedictum Vienae Archiepiscopum et hunc Ecclesiae S. Jacobi Episcopum magnae dilectionis connexio a praeteritis fuerat, tum quia olim ambo simul*

Beide Argumente haben eine gewisse Berechtigung und mögen auch die Gedanken des Kompilators bei der Wahl seines Garanten beeinflußt haben. Sie gehen jedoch hauptsächlich von der Biographie bzw. der Politik des Papstes aus. Demgegenüber ließe sich auch umgekehrt fragen, wer vor allem auf die päpstliche Unterstützung Calixts II. zurückgriff.

Die vom Kompilator des LSJ herangezogene Legitimationshilfe ist nämlich mit einer gängigen Form, beim Papst Hilfe zu beanspruchen, bedingt vergleichbar: der Bitte um Ausstellung einer Urkunde. Eine statistische Beschreibung der Bittsteller (Petenten) (diese sind zu Beginn des 12. Jahrhunderts häufig, aber nicht immer als identisch mit den Urkundenempfängern anzusehen), welche die Urkunden Calixts II. impetriert haben, in personeller, institutioneller und geographischer Hinsicht kann Hinweise auf diejenigen gesellschaftlichen Gruppen geben, die der päpstlichen Rechtshilfe besonderes Gewicht beimaßen.[59]

Eine solche Statistik, die in bezug auf die Wahl Calixts II. als Garanten vom Kompilator des LSJ erst durch umfassende Vergleiche mit den Petentengruppen der vorhergehenden und nachfolgenden Pontifikate aussagekräftig würde, erforderte eine eigene Untersuchung, die im Rahmen dieser Arbeit nicht zu leisten ist.[60] Eine Analyse der Petenten von Urkunden Calixts II. macht jedoch bereits deutlich, daß ganz bestimmte Zentren die päpstliche Rechtshilfe besonders häufig und intensiv bemühten,

---

Romam adierant . . ., tum quia frater suus Comes Raymundus, quem nimium dilexerat, in Ecclesia B. Jacobi sepultus est; tum quia nepotem suum filium Comitis Raymundi Regem A. in Ecclesia B. Jacobi praedictus Episcopus baptizaverat et in Regem unxerat: his atque aliis de causis Papa Calixtus Ecclesiam B. Jacobi Apostoli ejusdem loci Episcopum paterno dilectionis affectu amplectebatur, et si locus aut tempus concederet, eam sublimare intendebat. Vgl. VONES, wie Anm. 55, S. 57. – Es ist nicht möglich, hier die gesamte ältere Literatur zu diesem Argumentationsmuster zu zitieren, zumal beide Argumente meist nur beiläufig, in einem Nebensatz, eingeführt werden. Vgl. an neuerer Literatur: DAVID IV/1949, S. 84f. und VONES, wie Anm. 55, der die in die Hist. Comp. aufgenommenen Papsturkunden minutiös untersucht hat (bes. S. 376–92 und 453ff.); die Ergebnisse von VONES deuten darauf hin, daß der Verfasser der oben zitierten Passage im Nachhinein den Weg zur Erzbischofswürde geradlinig erscheinen lassen wollte. – A. DE MANDACH, wie Anm. 53, S. 81–90, hat als letzter versucht, Calixt zumindest als Verfasser einzelner Teile des LSJ nachzuweisen, er konnte aber letztlich keine neuen Argumente für diesen Standpunkt, den die Forschung schon lange vor ihm verlassen hatte, beibringen (zur Kritik vgl. oben, Kap. 2.4., S. 44, Anm. 192). Auch in der in der Anm. 31 zitierten Abhandlung (R. DE LA COSTE MESSELIÈRE) wird vermutet, Calixt II. könne als „spiritus rector" der Kompilation anzusehen sein. Außer dem Hinweis auf eine umfassende Reisetätigkeit Calixts durch Frankreich konnte jedoch kein konkretes Argument für diesen Standpunkt beigebracht werden.

[59] Vgl. E. PITZ, Papstreskript und Kaiserreskript im Mittelalter, Tübingen 1971 (= Bibl. des Dt. Histor. Instituts in Rom, 36), S. 314 und ders., Die römische Kurie als Thema der vergleichenden Sozialgeschichte (Quellen und Forschungen aus ital. Archiven und Bibliotheken 58/1978, S. 216–359) S. 282f.

[60] Durchgeführt wurde lediglich die Analyse der Petenten aus dem französisch-spanischen Raum zu den Urkunden Calixts II. Die Ergebnisse dieser Arbeit werden im Anhang, (Exkurs, S. 199–203) dargelegt und hier nur einige vorläufige Schlußfolgerungen wiedergegeben.

so z. B. St-Gilles, St-Victor de Marseille, Vendôme, St-Denis, Cluny, St-Jean de Besançon, Vienne, Poitiers und Compostela, um nur die wichtigsten Namen aus dem französisch-spanischen Raum zu nennen.[61] Auf einige dieser geistlichen Gemeinschaften werden wir auch durch innere Merkmale des LSJ hingewiesen. Es sei hier nur an die Herkunftsgebiete einiger der in den Mirakelberichten genannten Personen (Burgund)[62], an die Beschreibung von St-Gilles und Poitiers im Pilgerführer[63], an die Nennung Clunys in der oben zitierten Urkunde[64] und am Ende des Gesamtwerkes[65], schließlich an das Statut für St-Denis im PT[66] erinnert.

Wenn auch der Kompilator einer dieser Gemeinschaften zugeordnet werden könnte – dies vermag nur eine weitere inhaltliche Analyse zu erbringen – so dürfte auch die Wahl Calixts II. als Legitimator noch einsichtiger erscheinen.

4.2. Die apostolische Stellung Compostelas und ihr Verhältnis zu römischen Primatsansprüchen. Die Theorie der drei „sedes".

Es soll im folgenden darum gehen, dem geistigen Standort der Autoren bzw. des Kompilators durch eine stärker auf den Inhalt des LSJ bezogene Analsye näher zu kommen. Der Kompilator benötigte die päpstliche Legitimation für ein Anliegen, das potentiell reichen Konfliktstoff in sich barg. Seitdem die Verehrung des hl. Jakobus in Compostela zunahm, wuchs für die römische Kirche ein Konkurrent im Westen heran, der – mit dem Anspruch auf ein Apostelgrab – dem noch nicht bis ins letzte gefestigten römischen Primat bedrohlich werden konnte.[67] Deshalb soll nunmehr zunächst gefragt werden, wie das römische Petrusamt im LSJ umschrieben wird.

Diejenigen Stellen, die eine Konzeption des Petrusamtes direkt erkennen lassen, sind ausgesprochen selten. An keiner Stelle wird beispielsweise in irgendeiner Form auf Mt. 16,16, den Fundamentalbeleg für den römischen Primat, zurückgegriffen. Kapitel 15 des I. Buches schreibt Petrus den *principatus* – eine Wortschöpfung der leonischen

---

[61] Vgl. die Tabelle im Anhang (Exkurs, S. 200f.).   [62] Vgl. dazu unten Kap. 5.1.

[63] VIELLIARD, S. 38–46 und S. 62, vgl. unten Kap. 6. Eine gewisse Beziehung der Mirakel des LSJ und der Mirakel von St-Gilles sah P. DAVID, wenn auch letztlich mit größeren Einschränkungen (IV/1949, S. 57).

[64] JL † 7108 fol. 1ʳ, WHITEHILL, S. 1.

[65] VIELLIARD, S. 124, vgl. oben Kap. 2.4., S. 34f.

[66] HÄMEL – DE MANDACH S. 88f., vgl. oben Kap. 2.4., S. 43ff.

[67] So berichtet z. B. die Hist. Comp. zu den zunächst abschlägig beschiedenen Gesuchen Bischofs Diego Gelmírez um die Erzbischofswürde über die möglichen Ängste der römischen Kirche: *Verebatur siquidem Romana Ecclesia ne Compostellana Ecclesia tanto subnixa apostolo adeptis juribus ecclesiaticae dignitatis, assumeret sibi apicem et privilegium honoris in occidentalibus Ecclesiis: et sicut Romana praeerat Ecclesia et dominabatur ceteris Ecclesiis propter Apostolum, sic et Compostellana Ecclesia praeesset et dominaretur occidentalibus Ecclesiis propter Apostolum suum.* (Hist. Comp., II, 3, ES XX, S. 257f.). Vgl. A. G. BIGGS, Diego Gelmírez, first archbishop of Compostela, Washington 1949, S. 140f. und VONES zu den Phasen päpstlicher Politik (wie Anm. 55, bes. S. 351ff.). Gleichzeitig hatte sich Rom auch verstärkt mit byzantinischen Ansprüchen auseinanderzusetzen, vgl. O. ENGELS, Die Anfänge des span. Jakobusgrabes in kirchenpolitischer Sicht (Röm. Quartalschrift 75/1980, S. 146–170) S. 166f.

Ära[68] – wegen seines höheren Alters zu[69]; zwei Kapitel später wird frei nach Markus die kirchliche Leitungsfunktion als eine „dienende" dargestellt: *Qui voluerit in nobis primus esse, sit omnium servus*[70], in dieser Form ein Rückgriff auf Gregor den Großen.[71] Ansonsten wird das Petrusamt nur noch einmal etwas ausführlicher skizziert, und zwar in der inserierten Eutropius-Passion – laut DAVID ein nachträglicher Zusatz[72] –, welche die entstandene Hierarchie der römischen Kirche und die Mission Galliens durch Eutropius darlegt.[73]

Im III. Buch des LSJ wird ferner erwähnt, wie das römische Papsttum die Predigt- und Evangelisationstätigkeit für Spanien nach dem Tod des Jakobus geregelt haben soll.[74] Über die konkrete Durchsetzung päpstlicher Autorität ist wenig zu erfahren, allenfalls beruft sich Pseudo-Calixt im III. Teil des LSJ für die Einführung des Mirakelfestes (3. Oktober) auf Papst Alexander (II.) oder im IV. Teil auf die verschiedenen Ablässe anderer Päpste zum spanischen Glaubenskrieg.[75]

Zusammenfassend ergibt sich, daß der LSJ dem Führungsanspruch Roms äußerst zurückhaltend entgegentritt.

Die Apostolizität des Bischofsitzes von Santiago de Compostela bezeugt im LSJ hauptsächlich das III. Buch (Translationsteil), allerdings ohne daß besonderer Wert auf den Nachweis einer lückenlosen apostolischen Sukzession gelegt wird.[76] Römisches Erbrechtsdenken ist den vermuteten Autoren wohl weitgehend fremd. Dessen ungeachtet lassen sich im LSJ Ansätze feststellen, Rom und Compostela als ebenbürtig zu behandeln.

---

[68] Wohl erstmals von Bonifaz I. (418–422) 422 für das Petrusamt verwendet, dann von Leo I. (440–461) aufgegriffen, vgl. W. ULLMANN, Kurze Geschichte des Papsttums im Mittelalter, Berlin-New York 1978, S. 18; Ch. PIETRI, Roma christiana. Recherches sur l'Eglise de Rome, son organisation, sa politique, son idéologie de Miltiade à Sixte III (311–440), 2 Bde, Rom 1976, Bd. 2, S. 1614f. und H. ZIMMERMANN, Das Papsttum im Mittelalter. Eine Papstgeschichte im Spiegel der Historiographie, Stuttgart 1981, S. 18. Dieser Ausdruck bedeutet für die Geschichte des päpstlichen Primates die Übernahme der römischen Monarchiekonzeption.

[69] Fol. 68ʳ, WHITEHILL, S. 130, vgl. unten Anm. 97.

[70] Fol. 83ᵛ, WHITEHILL, S. 158.

[71] Bezeichnenderweise wird hier das *minister* der Vulgata (Mk. 9, 35) mit der gregorianisch anmutenden Bezeichnung *servus* wiedergegeben. Gregor I. (590–604) veränderte nach F. HEILER (Altkirchliche Autonomie und päpstlicher Zentralismus, München 1941) die Hierarchie in eine Hierodiakonie (S. 228). Das äußere Zeichen ist hierfür die unter ihm eingeführte Devotionsformel der Papsturkunden: *servus servorum Dei*. Zu beiden Zitaten des LSJ ist zu bemerken, daß sowohl von Leo (I.) und von Gregor (I.) Teile in Buch I des LSJ stammen sollen, vgl. oben, Kap. 2.3., S. 17.

[72] DAVID, III/1948 S. 208.

[73] VIELLIARD, S. 66–78, hier bes. S. 72 und 74. Eine weitere Kurzskizzierung: Buch I, 2, fol. 13ᵛ, WHITEHILL, S. 26.

[74] Fol. 155ʳ, WHITEHILL, S. 289.   [75] Vgl. oben S. 67, Anm. 52.

[76] Dies wäre für die Kompilatoren wohl auch angesichts der sonstigen vorhandenen Quellen ein zum Scheitern verurteilter Nachweisversuch geblieben. Mehrfach wird auch im LSJ betont, daß nach der Predigttätigkeit des hl. Jakobus bzw. seiner Jünger, Spanien und besonders Galizien wieder zum heidnischen Glauben zurückgekehrt sei (vgl. z. B. PT, 2 und 19, HÄMEL – DE MANDACH, S. 43 und S. 69).

Die nunmehr vorzustellende „Konzeption der drei sedes" im LSJ hat nichts mit den angeblichen drei Sitzen des Apostels Petrus in Rom, Antiochia und Alexandria, wie im „Decretum Gelasianum" festgehalten[77], gemein und stellt auch zu dieser keine Parallele dar. Vielmehr werden im LSJ an einigen Stellen die *sedes* des Petrus in Rom und die des Johannes in Ephesus in einem Atemzug mit der *sedes* des Jakobus in Compostela genannt.

Den Auftakt bildet eine Passage des 2. Kapitels von Buch I, die in Gedichtform Missions- und Bestattungsorte der Apostel herausstellt und Jakobus für Galizien, Johannes für Ephesus, Petrus für Rom in Anspruch nimmt.[78]

An zwei weiteren Stellen werden die Sitze der anderen Apostel überhaupt nicht erwähnt, sondern nur noch die drei *sedes principales* des Petrus, Jakobus und Johannes, wobei die *sedes* des Jakobus und Johannes im räumlichen Sinne rechts und links im weltlichen Reich Christi liegen sollen.[79]

---

[77] „So ist also die römische Gemeinde der erste Sitz des Apostels Petrus, sie, die ‚keine Makel noch Runzeln noch dergleichen' hat. Der zweite Sitz ist zu Alexandrien im Namen des seligen Petrus von seinem Schüler, dem Evangelisten Markus, geweiht worden; ... Der dritte Sitz desselben seligen Apostels Petrus wird zu Antiochien in Ehren gehalten, weil er dort weilte, bevor er nach Rom kam." C. MIRBT (Hg.), Quellen zur Geschichte des Papsttums und des Katholizismus, Freiburg und Leipzig 1895, Tübingen [5]1934, No. 87, S. 5ff. Der „alte" Mirbt ist durch die Ausgabe „MIRBT – ALAND" (1967), die das „Decretum Gelasianum" nicht verzeichnet, noch nicht ersetzbar. Vgl. H. FUHRMANN, Der alte und der neue Mirbt (Zs. f. Kirchengeschichte 79/1968, S. 198–205). Der hier zitierte dt. Text bei: HEILER, wie Anm. 71, S. 204. Vgl. zum Stand der Forschung K. BAUS/E. EWIG, Die Reichskirche nach Konstantin dem Großen. 1. Halbband: Die Kirche von Nikaia bis Chalkedon, Freiburg – Basel – Wien 1973 (= Handbuch der Kirchengeschichte 2,1), S. 262 mit weiteren Literaturverweisen und N. GUSSONE, Thron und Inthronisation des Papstes von den Anfängen bis zum 12. Jahrhundert, Bonn 1978, S. 99f.

[78] Fol. 17ᵛ, WHITEHILL, S. 34: *Princeps Romana currit ab arce Petrus ... Precipuum meritis Ephesus veneranda Ioh(ann)em/Quem repetunt populi Iacobu(m) natum Zebedei/Gallcie tellus mittit ad astra poli*ᵃ.
a) von *Gallecie* bis *astra* von frd. Hd. (braune Tinte) unterstrichen.

[79] I, 15, fol. 69ʳ, WHITEHILL, S. 132: *Per Petr(um) fides, qua incipimus, per Iacobu(m) spes, qua erigimur, per Ioh(anne)m caritas, qua consumamur intelligitur*, kurz darauf (fol. 71ʳ, WHITEHILL, S. 135): *Ioh(ann)i Asia, que est a dextera, beato vero Iacobo Hispania*ᵃ, *que est a sinistra in divisione provinciarum contigerunt.*
a) von *Hispania* bis Ende dieser Passage und darüber hinaus von frd. Hd. (braune Tinte) unterstrichen.

IV, 19, HÄMEL – DE MANDACH, S. 70f.: *Hae sunt procul dubio sedes: Ephesus scilicet, quae est ad dexteram in regno terreno Christi, et Compostella quae est ad sinistram, quae videlicet sedes his duobus fratribus filiis Zebedaei in divisione provinciarum contigerunt. Quia ipsi petierant a Domino ut unus ad dexteram in regno eius sederet et alius ad laevam. Tres apostolicas sedes principales prae omnibus sedibus in orbe merito religio christiana venerari praecipue consuevit, Romanam scilicet, Gallecianam et Ephesianam. Sicut enim tres apostolos, Petrum videlicet et Iacobum et Iohannem, prae omnibus apostolis Dominus instituit, quibus sua secreta ceteris plenius, ut in evangeliis patet, revelavit, sic per eos tres has sedes prae omnibus cosmi sedibus reverenda constituit.*

Es fällt dem Kompilator des LSJ nicht schwer, die herausragende Stellung des hl. Jakobus bzw. des Aposteltrios auf biblische Quellen zurückzuführen.[80] Im liturgischen Teil wird dies bereits an der Auswahl der Lesungstexte deutlich: Sie handeln nicht nur fast ausschließlich von der apostolischen Nachfolge des Jakobus, sondern zeigen auch, mit welchen anderen Aposteln der hl. Jakobus zusammen genannt wird:

a) Seine Berufung geschah mit der von anderen „wichtigen" Aposteln: Petrus, Andreas und Johannes, seinem Bruder (Mt. 4, 18–22) (2 Lesungen[81]);

b) Petrus, Johannes und Jakobus bilden den „engeren Kreis" der Apostelgruppe: u. a. begleiten nur diese drei Jesus auf den Berg Tabor (Mt. 17, 1–9) (1 Lesung[82]) und in den Garten Gethsemane (Mt. 26, 37–46) (1 Lesung[83]);

c) der hl. Jakobus erlitt als erster unter den Aposteln das Martyrium durch Herodes (Apg. 12, 1–2) (1 Lesung[84]), außerdem bitten die Zebedäussöhne Jesus einmal selbst (Mk. 10, 35–39) (1 Lesung[85]), einmal durch ihre Mutter (Mt. 20, 20–23) (2 Lesungen[86]) darum, im Reiche Jesu zur Rechten und Linken Christi sitzen zu dürfen.

Soweit die Lesungen von Kapitel 1–20 des I. Buches. Gleiche oder ähnliche Bibelzitate finden sich noch an zahlreichen anderen Stellen des LSJ, besonders in den Responsorien und Orationen der Meßformulare. Oft tritt neben die zitierten Stellen der Bericht über die besondere Namensgebung für Jakobus und Johannes durch Jesus: sie werden *Boanerges* genannt, d. h. Donnersöhne[87], analog zur Umbenennung des Simon in Petrus (Mk. 3, 16–17).

Zusätzlich zu dieser biblischen Grundlegung, besonders in den Lesungen, müssen nunmehr noch die Predigttexte im I. Teil und die einschlägigen Passagen aus anderen Teilen des LSJ herangezogen werden, um die der Kompilation eigene Argumentation für die herausragende Stellung des hl. Jakobus noch besser kennenzulernen.

a) Zur Berufung des Jakobus:

Diese wird im I. Buch des LSJ kommentiert, meist mit einem Appell an gläubige Christen, auf irdische Güter zu verzichten, um eine richtige Nachfolge Christi beginnen zu können.[88]

---

[80] Vgl. auch hierzu den ersten Teil des Aufsatzes von J. F. O'MALLEY, An Introduction to the Study of Hymns on St. James as Literature (Traditio 26/1970, S. 255–291), S. 257–266. Die biblischen Grundlagen für O'MALLEYS Hymnenstudien decken sich weitgehend mit denen im folgenden genannten. Zur Einschätzung des Aufsatzes vgl. unten, Anm. 133.

[81] I, 18 und 20, fol. 93ᵛ–94ʳ und 98ʳ, WHITEHILL, S. 177 und S. 186.

[82] I, 11, fol. 55ᵛ, WHITEHILL, S. 107.   [83] I, 13, fol. 63ʳ, WHITEHILL, S. 123.

[84] I, 7, fol. 31ʳ, WHITEHILL, S. 61.   [85] I, 14, fol. 65ᵛ, WHITEHILL, S. 125.

[86] I, 8 und 16, fol. 44ᵛ und 72ʳ, WHITEHILL, S. 87 und S. 137. Außerdem werden die Zebedäussöhne in einer Lesung nach Lk. 9, 51–52 (I, 12, fol. 57ʳ, WHITEHILL, S. 110) als „Boten" charakterisiert.

[87] Z. B. I, 22, fol. 102ᵛ, WHITEHILL, S. 195. Es ist wegen der Fülle der immer wiederkehrenden Zitate unmöglich, alle Stellen hier zu nennen. Vgl. zu den Meßformularen: P. WAGNER, Die Gesänge der Jakobusliturgie zu Santiago de Compostela aus dem sog. Codex Calixtinus, Freiburg (Schw.) 1931 (= Collectanea Friburgensia, NF, Fasc. XX), 129.

[88] So vor allem I, 18 und 20, fol. 94ʳ⁻ᵛ und 99ʳ, WHITEHILL, S. 178 und S. 188f.

In Kapitel 18 übernimmt der Kompilator eine Homilie Papst Gregors (I.) zu Mt. 4, 18–22[89], die eigentlich für das Fest des hl. Andreas bestimmt war und über dessen Berufung handelt; im letzten Teil steht jeweils für „Andreas" der Name „Jakobus", die gesamte Passage erhält dadurch einen uneinheitlichen Charakter.

In Kapitel 5, einer Predigt Pseudo-Calixts, fordert dieser in Anlehnung an Matthäus (4, 18–22) für Jakobus den dritten Platz (zeitlich gesehen) nach der Berufung von Petrus und Andreas.[90]

b) Zum „engeren Apostelkreis" (Petrus, Jakobus und Johannes):

Bereits in der Zusammenstellung der Lesungstexte wurde auf die biblischen Rückgriffe zur Sonderstellung dieser drei Apostel hingewiesen. Kapitel 15 des I. Buches faßt die besonderen Vertrauenserweise Christi zusammen. Auschließlich diese drei Apostel waren zugegen:

1. bei der Verklärung Christi auf dem Berge Tabor,
2. bei der Erweckung der Tochter des Synagogenvorstehers,
3. bei Beginn der Passion Jesu im Garten Gethsemane.[91]

Auf diese Gegebenheiten wird an vielen Stellen des I. Buches hingewiesen, so in Kapitel 2, 5, 8, 9, 13 und 17.[92] In Kapitel 8 und 10 wird auch die Namensform Boanerges als Parallele zur Umbenennung des Simon in Petrus interpretiert.[93]

Besondere Bedeutung nimmt Kapitel 15 ein. Hier findet sich ein Zitat des Apostels Paulus, der Petrus, Jakobus und Johannes als „Säulen" der Kirche bezeichnet habe (Gal. 2, 9)[94]. Nachdem der Autor die besondere Intimität dieser drei Apostel zu Jesus dargelegt hat[95], folgert er weiter, daß Jakobus aufgrund des Berufungsberichtes eine noch radikalere Nachfolge Jesu als Petrus und Andreas angetreten habe. Er habe nämlich nicht nur seinen Beruf, sondern auch Vater und Mutter verlassen: *Beatus vero Iacob(us) non solum navem cum retibus reliquit, quod Petr(us) fecerat, sed etiam patrem, quem lex iubet diligere et honorare, ad vocem dominicam non respexit.*[96]

Die Wahl Petri zum Apostelfürsten sei nicht auf die größere Liebe Jesu für Petrus zurückzuführen, wie manche behaupteten, sondern auf dessen reiferes Alter.[97] Außerdem habe Jesus den *principatus*[98] nicht an seine Verwandten geben wollen. Wie oft in mittelalterlichen Schriften wird hier Jakobus der Jüngere, der „Herrenbruder", mit Jakobus dem Älteren (Zebedäus) verwechselt. Nach der Himmelfahrt habe man – so

---

[89] Sancti Gregorii Magni XL Homiliarum in Evangelia libri II (MPL, Bd. 76, Paris 1849, Sp. 1075–1312), Sp. 1092–1095.

[90] I, 5, fol. 20ᵛ–21ʳ, WHITEHILL S. 40f.   [91] Fol. 67ᵛ, WHITEHILL, S. 129.

[92] Fol. 13ᵛ, 22ʳ⁻ᵛ, 45ʳ, 52ʳ, 64ᵛ, 92ᵛ–93ʳ, WHITEHILL, S. 26, 43f., 88, 101, 123f., 175. Neben den Zitaten in Buch I konnte nur in Buch III, 1 (fol. 157ʳ, WHITEHILL, S. 290) eine Anspielung auf die Taborszene verzeichnet werden.

[93] Fol. 45ʳ, 54ʳ, WHITEHILL. S. 88 und 104.

[94] Fol. 67ʳ⁻ᵛ, WHITEHILL, S. 129; so auch bereits in Kap. 1, fol. 4ʳ, WHITEHILL, S. 6. Der Autor dieser Passage (Kapitel 15) irrt bei Verwendung des Pauluszitates, dieser spielt auf Jakobus den Jüngeren an (vgl. MORALEJO, S. 169, Anm. 15).

[95] Vgl. oben Anm. 91.   [96] Fol. 67ᵛ, WHITEHILL, S. 129.

[97] Fol. 68ʳ, WHITEHILL, S. 130. Das Petrusamt wird hier mit *principatus* und *magisterium* bezeichnet.   [98] Fol. 68ᵛ, WHITEHILL. S. 131.

der Autor dieses Kapitels – dem hl. Jakobus den Zunamen *iustus* beigelegt und ihn zum „Bischof der Apostel" eingesetzt – auch dies bezieht sich auf Jakobus den Jüngeren. Die drei „Säulen" Petrus, Jakobus und Johannes werden dann den drei Kardinaltugenden „Glaube, Hoffnung und Liebe" zugeordnet, Petrus dem Glauben, Jakobus der Hoffnung und Johannes der Liebe. Wegen der fundamentalen Bedeutung des Glaubens sei Petrus der *principatus* zuzugestehen.[99]

c) Zur Vorrangstellung des Jakobus (Martyrium) und zur Bitte der Zebedäussöhne:

Die besondere, herausragende Stellung des Jakobus wird im LSJ damit begründet, daß die Kirche in ihm den ersten Märtyrer unter den Aposteln zu verehren habe. Teilweise wird an diesen Stellen sogar von einem „Primat" gesprochen: *Iacobus valde venerandus est, qui in preclara apostolorum curia primatum tenens, primus eorum martirio coronari meruit ...*[100] Petrus habe hingegen den Primat seines Glaubens wegen inne.[101] Die Berichte über das Martyrium des hl. Jakobus gehen oft mit Bezeichnungen für den Apostel einher, die in den Zusammenhang der noch zu behandelnden Kreuzzugsthematik des LSJ gehören.[102] Doch sei bereits hier darauf verwiesen, daß der erste Märtyrer der Apostel als *Christi athleta*[103], *miles*[104] und *Christi miles*[105] bezeichnet wird, Begriffe, die mit der Entstehung des Kreuzzugsgedankens eng verbunden sind.[106] Der hl. Jakobus als erster Streiter des Herrn, für Ritter sicher ein ansprechendes Bild.

Noch prägnanter, in der Konsequenz auch möglicherweise stärker gegen Rom gerichtet, faßt die oben bereits skizzierte „drei sedes Theorie" die Stellung des hl. Jakobus innerhalb der Apostelgruppe. Die Bitte der Zebedäussöhne bzw. die ihrer Mutter bietet im LSJ die theologische Grundlage für die Theorie; so heißt es zusätzlich zu den oben zitierten Stellen: *Sed nec preces matris quibus sedem regni filiis poposcerat cassate sunt ...*[107] und: *Quia ipsi petierant a Domino ut unus ad dexteram in regno eius sederet et alius ad laevam.*[108]

---

[99] Man beachte in dieser Papst Leo (I.) zugeschriebenen Predigt die häufige Verwendung des Wortes *principatus*, ein Novum der leonischen Epoche (vgl. oben Anm. 68, ferner Anm. 97).

[100] I, 5, fol. 20ʳ, WHITEHILL, S. 39. Dieses Merkmal wird auch von O'MALLEY, wie Anm. 80, S. 261f. und S. 267f. hervorgehoben. Im LSJ ähnelt ferner die Darstellung des Todes und der Passion Jakobs derjenigen Christi, so der gleiche Todestag und die gleiche Todesstunde (III, 3, fol. 160ʳ⁻ᵛ, WHITEHILL, S. 296; ähnlich: I, 15, fol. 70ʳ⁻ᵛ, WHITEHILL, S. 134). Das „Exultet" des Vigilfestes (Buch I, 2, fol. 10ᵛ, WHITEHILL, S. 19f.) kann als Echo des „Exultet" der Osternacht angesehen werden, wie auch der Autor dieses Kapitels selbst vermerkt (vgl. O'MALLEY, S. 267f.). Dieses und auch die anderen bisher genannten Argumente sind in den Responsoria und Meßformularen noch häufiger erkennbar; wegen der Fülle der Anspielungen – zudem allesamt sehr kurz und nicht ausführlich entwickelt – bleiben sie hier unberücksichtigt. Die vertonten Texte hat O'MALLEY in seine Analyse einbezogen.

[101] I, 5, fol. 20ʳ, WHITEHILL, S. 39.   [102] Vgl. unten Kap. 5.2.

[103] Z. B. I, 6, fol. 27ʳ, WHITEHILL S. 56.

[104] Ibid., fol. 30ʳ, olim 32ʳ, WHITEHILL S. 58.

[105] I, 7, fol. 32ʳ, olim 30ʳ, WHITEHILL, S. 62.

[106] Vgl. vor allem: C. ERDMANN, Die Entstehung des Kreuzzugsgedankens, Stuttgart 1935, ND Darmstadt 1974, S. 185–188.

[107] I, 15, fol. 71ʳ, WHITEHILL, S. 135.   [108] IV, 19, HÄMEL – DE MANDACH, S. 70.

Die Bitten der Zebedäussöhne und die daraus entwickelte „drei sedes Konzeption", die das weltliche Reich Jesu in eine östliche und westliche Einflußsphäre (Ephesus und Compostela) aufteilt, dokumentieren sicher am deutlichsten das geforderte Vorrecht für den hl. Jakobus und seine *sedes* im LSJ. Diese übertragene „räumliche" Interpretation der Bibelstellen eignet jedoch nicht dem gesamten LSJ. Wenn an anderen Stellen einzelnen Aposteln bestimmte Einflußgebiete zugeteilt werden, so knüpften die Autoren dort an den allgemeinen apostolischen Missionsauftrag an. Jakobus wird dabei noch nicht einmal unbedingt Spanien direkt als Missionsgebiet zugestanden, so darf z. B. laut einer Passage Johannes den Einfluß über Asien, Jakobus den über Judäa und Samaria beanspruchen, der dann allegorisch „bis an das Ende der Welt" (Galizien) ausgedehnt wird.[109] Auch an anderer Stelle steht Galizien nur symbolisch für die Universalität der Predigttätigkeit der Apostel.[110]

Die Bitte der Zebedäussöhne wird sogar in einer weiteren Predigt im „mystischen Sinne" interpretiert: Zur Linken Christi bedeute das jetzige, zur Rechten das ewige Leben, deshalb müßten beide Apostel eigentlich rechts sitzen. Die Mutter der Zebedäussöhne – welche die Bitte in dieser Passage für die Söhne vorträgt – symbolisiere die Kirche; von beiden Söhnen sei Jakobus Wegbereiter zur Reinigung unserer Herzen, Johannes Träger göttlicher Gnade. Weil nun Johannes vom Herrn stärker geliebt worden sei, liebe Gott auch die *vita contemplativa* mehr als die *vita activa*.[111] So eine andere Interpretation der gleichen Bibelstelle.

Es kann gefolgert werden: Das Aposteltrio Petrus, Jakobus und Johannes wird über weite Teile des Jakobusbuches aus der übrigen Apostelschar herausgehoben.[112] Hingegen bleibt die Darstellung von Rom, Ephesus und Compostela als die drei ausschließlichen Sitze der Christenheit auf wenige Ausnahmefälle, eben die oben zitierten drei Stellen[113], beschränkt. Die Möglichkeit zu dieser Interpretation hätte im Prinzip jedoch an allen Stellen bestanden, wo die Bibeltexte zur „Bitte der Zebedäus-

---

[109] I, 2, fol. 12ʳ, WHITEHILL, S. 22f.: . . . *Ioh(anne)s septem ęcclesiis, quę sunt in Asia mirabiliter tonitruavit . . . Iacobus vero thonitruavit, domino ei precipiente, in omni Iudea et Samaria et usque ad ultimum terre limitem, Gallecie.* Das Verbum *tonitruare* wird wohl gebraucht, weil kurz zuvor vom Zunamen der Zebedäussöhne („Donnersöhne") die Rede ist.

[110] I, 7, fol. 43ᵛ, WHITEHILL, S. 85: *In Iher(usa)l(e)m testis fidei Christi beatus Iacob(us) extitit, quia in eius partes secundum Luca(m) et predicasse Christum et ab Herode Iherosolimo(rum) rege passionem pro Dei fide accepisse dicitur. In omni Iudea et Samaria testis veritatis fuit, quoniam iuxta eius geste istoriam predicationem evangelicam ab Iher(usa)l(e)m usque in Iudae et Samaria precipue dirivavit. Usque ad ultimum terre testis verus Christi approbatur, quia in Gallecia, ubi finis terre et maris est, ingenti honore sepeliri et eiusdem basilica fabricari diciturᵃ, ac crebris miraculis divinis et patrociniis non solum in partes Gallecie et Yspanie verum etiam in fines tocius orbis terre decorari testatur.* a) vom Anfang des Satzes (*usque*) bis hier von frd. Hd. mit brauner Tinte unterstrichen.

[111] I, 5, fol. 23ʳ–24ᵛ, WHITEHILL, S. 45–48, ähnlich: I, 8, fol. 46ʳ–47ᵛ, WHITEHILL, S. 91f.

[112] Dies belegen die unter a) und b) zusammengestellten Lesungen (Anm. 81–83).

[113] S. o. Anm. 78 und 79. Im strengen Sinn genommen sind sogar nur die in Anm. 79 zitierten Stellen einschlägig. Es bleiben hier die im LSJ häufig anzutreffenden Hymnen unbeachtet. Diese hat F. J. VELOZO, Jacobus Zebedaei – um desaparecido himno a Sao Tiago (Revista de Portugal 30/1965, S. 293–324) größtenteils einer Revision unterzogen. Er weist aufgrund der Reimform und Metrik arabisch-mozarabische Einflüsse nach.

söhne" als Lesungen erscheinen. Aber ausgerechnet an diesen Stellen finden wir diese weitergehende Deutung nicht! Der Grund hierfür liegt wohl darin, daß die Lesungen den gesamten Text im Zusammenhang aufführen, in dem an späterer Stelle die Bitte von Jesus abgeschlagen wird. Eine direkt zu einer solchen Bibelstelle gehörende Predigt konnte diese Texte nicht offensichtlich in einer völlig abweichenden Richtung auslegen.[114] Möglich war dies nur in einer Homilie, die lediglich kurz einen biblischen Satz – aus dem Zusammenhang gerissen – zitierte. Die Stellen zur „drei sedes Theorie" müßten meiner Meinung nach von einem Autor stammen, dem der herausragende apostolische Charakter Santiagos besonders am Herzen lag. Es gilt also – aufbauend auf den Forschungen von P. DAVID – die drei Abschnitte und die zugehörigen Kapitel noch einmal einer Revision zu unterziehen.

1. In Buch I, Kapitel 2 handelt es sich bei der für uns einschlägigen Passage[115] nicht um eine originale Schöpfung, sondern um die Übernahme eines Gedichts von Venantius Fortunatus (6. Jahrhundert). Das Gedicht berichtet über die Missionstätigkeit der Apostel. Die uns interessierenden Verse 10–12 sind gegenüber dem ursprünglichen Text verändert.[116]

Das Gedicht scheint dem ursprünglichen Predigttext, dessen Gedankengang bereits mit einer Schlußformel beendet wurde, zugefügt und wird von einer kurzen Einleitung (*De his apostolis qualiter singuli[a] de singulis urbibus in quibus predicaverunt et sepulti fuere . . . beatus Fortunatus . . . in codice laudum . . . dicens*[117]) und einem Schlußwort eingerahmt. Außerdem muß das Gedicht von Venantius Fortunatus auch deshalb als

---

[114] Zudem stammen in allen Kapiteln mit dieser Lesung die Predigten nicht von Pseudo-Calixt, sondern sind aus anderen Büchern übernommen, vgl. oben Anm. 85 und 86; Kapitel 8: Predigt angeblich von Beda Venerabilis; Kapitel 14: Predigt angeblich von Gregor (I.), Kapitel 16: Predigt angeblich von Hieronymus. MORALEJO konnte alle Passagen identifizieren (S. 114, S. 164, S. 183, jeweils in der Anmerkung). Nur Kapitel 16 weicht wohl öfter im Wortlaut von der Vorlage ab.

[115] Fol. 17ᵛ–18ʳ, WHITEHILL, S. 34.

[116] Vgl. DAVID, II/1947, S. 137f.; MORALEJO, S. 47, Anm. 1 und ders., Las citas poéticas de San Fortunato en el Códice Calixtino (CEG 4/1949, S. 349–366), S. 351f. Ed. des Gedichtes von Venantius Fortunatus: Carminum epistolarum expositionum libri undecim, hg. von F. LEO, Berlin 1881 (= MGH, AA, 4,1, S. 7–270), S. 184f. – E. ELORDUY (De re Iacobea, in: Boletín de la Real Academia de la Historia 135/1954, S. 323–360) hat diese Textfassung derjenigen des LSJ gegenübergestellt (S. 338). Aus fünf im LSJ vorkommenden geänderten Gedichten von Venantius Fortunatus versucht er, die Existenz eines eigenständigen, ebenfalls von Venantius Fortunatus verfaßten „Codex laudum" nachzuweisen (S. 345–54) und glaubt, daß auch in unserem Fall die entscheidenden Passagen als ursprünglich von Venantius Fortunatus anzunehmen seien. Obwohl ELORDUY die Texte einer sehr minutiösen Untersuchung unterzogen hat, bleiben seine Ergebnisse vor allem wegen der zu schmalen Argumentationsbasis zumindest fragwürdig. Vgl. auch die kritische Aufnahme durch: A. MORALEJO LASO, Sobre el sentido de unos versos de Venancio Fortunato a San Martín Dumiense en relación con la tradición jacobea (Bracara Augusta 9–10, 39–42/1958–1959, S. 18–24; auch in: Comp. 3, 4/1958, S. 341–48) und: B. DE GAIFFIER, Hispana et Lusitania II (AB 80/1962, S. 382–422), S. 398. Auch mir scheint die Interpretation der für uns einschlägigen Stelle, die laut ELORDUY keine Interpolation des 11./12. Jahrhunderts sein könne, weil sie eine zu starke Zurückhaltung dokumentiere, nicht stichhaltig.

[117] a) Nach *singuli* 2 Buchstaben Lücke, Rasur, fol. 17ᵛ, WHITEHILL, S. 34.

redaktionelle Ergänzung erscheinen, weil im Text kurz vorher Judäa und Samaria als ursprüngliches Einflußgebiet des hl. Jakobus bezeichnet wird.[118]

2. In Buch I, Kapitel 15, erfolgt die Darlegung der „drei sedes Lehre" in Predigtform.[119] Auch hier ist auf eine Quelle – wohl zur Sicherung der Authentizität – hingewiesen: *ut quidam sapiens in himnidicis laudibus astruit* . . .[120] P. DAVID glaubt, eine mozarabische Hymne als Vorbild annehmen zu dürfen (vermutlich aus dem 8. Jahrhundert).[121] Dies bedeutet allerdings wohl nicht – wie im vorigen Fall – einen nachträglichen Zusatz allein dieser Passage. Wahrscheinlicher – so vermutet P. DAVID – hat die gesamte Papst Leo zugeschriebene Predigt nicht zum ursprünglichen Bestand des liturgischen Buches gehört. Gestützt wird DAVIDS Argumentation dadurch, daß in keinem anderen Kapitel des I. Buches von der Predigttätigkeit des Apostels in Spanien die Rede ist[122], außerdem schreibt das Inhaltsverzeichnis dieses gesamte Kapitel einem Bischof Maximus, nicht Papst Leo zu.[123] Deshalb ist anzunehmen, daß das ganze Kapitel 15 nachträglich zugefügt, oder noch eher, daß eine ursprüngliche gegen die jetzt bestehende Fassung ausgetauscht wurde.

3. Im Kapitel 19 des PT[124] werden laut P. DAVID Themen des Kapitels 15 von Buch I aufgegriffen.[125] Hier wird die Konzeption des Vorranges Compostelas noch weiter

---

[118] Vgl. oben Anm. 109.

[119] Fol. 71ʳ, WHITEHILL, S. 135. Es sei hier vermerkt, daß diese Predigt im Text Leo (I.) zugeschrieben wird, im Inhaltsverzeichnis (fol. 3ʳ, WHITEHILL, S. 5) jedoch einem Bischof Maximus (vgl. Kapitel 2, Anm. 28). MORALEJO, S. 168, Anm. 5 vermutet, daß weder Leo noch Bischof Maximus (von Turin) die Autoren sein können. MORALEJO vermerkt weiter, daß am Ende der Predigt der sogenannte leonische Reim auftauche, der erst seit dem 10. Jh. verbreitet sei, und den Gottfried von Vendôme im 11. Jh. als Erfindung Papst Leos I. ausgab. Die Verwechslung rührt laut MORALEJO wohl daher, daß im Mittelalter die Werke beider Autoren (Leo und Maximus) häufig im gleichen Codex überliefert sind.   [120] Fol. 71ʳ, WHITEHILL, S. 135.

[121] Vgl. DAVID, II/1947, S. 133. Die Hymne ist ediert bei: C. BLUME, Hymnica Gotica. Die mozarabischen Hymnen des alten spanischen Ritus, Leipzig 1897 (= Analecta hymnica, hg. von C. BLUME und G. DREVES, Bd. 27), S. 186–188, S. 187 (bei DAVID wird irrig auf S. 97 hingewiesen). Vgl. zur Sache: M. DIAZ Y DIAZ, Los himnos en honor de Santiago de la Liturgia hispánica (Comp. 11/1966, S. 457–488), ND in: ders., De Isidoro al siglo XI. Ocho estudios sobre la vida peninsular, Barcelona 1976, S. 235–88, ND, S. 237–272, Neued. der Hymne: S. 239–249: *Regens Ioannes dextra solus Asia/Eiusque frater potitus Ispania*. Also auch in diesen Vorbild taucht bereits die räumliche Konzeption von rechts und links auf. Vgl. bereits ders., La literatura jacobea anterior al Códice Calixtino (Comp. 10,4/1965, S. 283–305), S. 291–92, wo eine Beeinflussung der einschlägigen mozarabischen Hymne durch die Passio Jacobi nicht ausgeschlossen wird. Vgl. ferner: VELOZO, wie Anm. 113 und WAGNER, S. 5f. – F. J. PEREZ DE URBEL, Orígenes del culto de Santiago en España (Hispania Sacra 5/1952, S. 1–31), S. 18 glaubt diese Hymne Beatus von Liébana (8. Jahrhundert) zuschreiben zu können. Bedingt zustimmend: C. SANCHEZ-ALBORNOZ, España, un enigma historico, I, Buenos Aires 1956, S. 270–74; ablehnend: M. I. GÓMEZ, Nota en torno a los orígenes del culto de Santiago en España (Hispania Sacra 7/1954, S. 487–90), S. 488–90 und DIAZ Y DIAZ, Los himnos, wie oben, ND S. 251–261. Zu Beatus vgl. Kapitel 1, Anm. 16.

[122] DAVID, wie Anm. 121.   [123] Vgl. Anm. 119.   [124] HÄMEL – DE MANDACH, S. 70f.

[125] DAVID, III/1948, S. 130. Gewiß hat eine Interpretation dieses Kapitels die Parallelität zum Statut von St-Denis (PT, 22) zu berücksichtigen, jedoch soll es hier vornehmlich um die Konsequenzen der Aussagen dieses Kapitels für die *sedes* von Compostela gehen. Es ist nicht

entwickelt. Die „drei sedes Lehre" schließt sich an den Bericht eines von Karl dem Großen einberufenen Konzils an. Eine Abhängigkeit von Buch I ist anzunehmen, denn inhaltlich gesehen kann dieses Kapitel des PT durchaus als krasser Einschnitt betrachtet werden.

Insgesamt bleibt festzuhalten, daß die „drei sedes Lehre" wohl einem besonderen Autor oder dem Endredaktor zugeschrieben werden muß. Es kann nicht einer der „Hauptautoren" des LSJ sein, denn an Gelegenheit zu dieser Deutung hätte es an vielen anderen Stellen des Buches nicht gemangelt. Die zugrundeliegenden Interessen für die wohl erst recht spät eingeführten Zusätze sind leicht erkennbar. Die vorgetragene Konzeption sollte das Ansehen und die Entscheidungsbefugnisse des (Erz-)Bistums Santiago und seines Vertreters steigern. Zumindest indirekt könnten sich solche Ansprüche gesamtkirchlich gesehen gegen Rom bzw. den römischen Primatsanspruch, innerspanisch betrachtet gegen die anderen Bischöfe, besonders den spanischen Primas (seit 1088 wieder der Erzbischof von Toledo) richten.

Die stärkste antirömische Tendenz ist im PT, Kapitel 19[126] erkennbar. In den anderen Passagen wird die „drei sedes Lehre" eher in bezug auf einen Ehrenvorrang interpretiert, im PT jedoch auch die praktische Umsetzung anvisiert: Die drei *sedes* gründen auf Predigt und Bestattung der Apostel am jeweiligen Ort. Anschließend wird der römischen *sedes* die Schlüsselstellung zugesprochen: *Iure Roma sedes apostolica prima ponitur ...*[127] Diese Vorrangstellung Roms bleibt allerdings ohne größere Bedeutung, denn aus ihr folgt nicht der allgemeine Jurisdiktionsprimat, sondern im Gegenteil, jede *sedes* soll für Rechtsangelegenheiten gleichermaßen zuständig sein: *Si ergo aliqua iudicia aut divina aut humana in aliis sedibus sua gravitate discerni forte nequeunt, in his tribus sedibus tractari et diffiniri legitime et iuste debent.*[128] Die Spitze gegen den päpstlichen Jurisdiktions- und Lehrprimat (*divina aut humana*) ist unüberhörbar.

Vorläufer zur „drei sedes Theorie" sind, wie auch aufgrund der oben festgestellten Übernahmen deutlich wurde, vorhanden. Unter anderem ist diese Konzeption an die

---

anzunehmen, daß Ansprüche für Compostela allein geltend gemacht wurden, um den Vorrang von St-Denis in Parallelität sicherzustellen. Vgl. zu beiden Kapiteln: oben S. 41f. und unten Kapitel 4.3. S. 89ff.

[126] HÄMEL – DE MANDACH, S. 71.

[127] Ibid. Weiter heißt es: *quia eam princeps apostolorum Petrus praedicatione sua et proprio sanguine et sepultura dedicavit. Compostella namque sedes secunda merito dicitur, quia beatus Iacobus qui inter ceteros apostolos praecipua dignitate et honore et honestate maior post beatum Petrum extitit, et in celis primatum super illos tenet, prius martirio laureatus eam sua praedicatione olim munivit, sepultura sua sacratissima consecravit, et miraculis adhuc perlustrat, et indeficientibus beneficiis indesinenter ditare non cessat. Tercia sedes rite Ephesus dicitur, quia beatus Iohannes evangelista in ea evangelium suum, scilicet: ‚In principio erat verbum', eructavit, coadunato episcoporum concilio quos ipse per urbes disposuerat, quos etiam in apochalipsi sua angelos vocat, eamque suis praedicationibus et miraculis et baselica, quam in ea aedificavit, immo propria sepultura eam consecravit.*

[128] Ibid. Wegen dieses Nachsatzes ist die Bemerkung von P. DAVID II/1948, S. 130: „La prérogative suprême du siège de Pierre est affirmée" nicht richtig, denn bei Betrachtung des Textes im Zusammenhang wird dieser Vorrang zumindest problematisch.

Annahme der Predigttätigkeit des hl. Jakobus in Spanien gebunden, die im Zusammenhang mit den Missionsgebieten der anderen Apostel gesehen werden muß. Die Anfänge dieser Vorstellung sind bereits weiter oben erörtert worden, hier wäre nur noch einmal an Beatus von Liébana zu erinnern.[129] Neu an den einschlägigen Passagen im LSJ ist, daß drei dieser Missions- und Bestattungsorte als die ausschließlichen Zentren der gesamten Christenheit erscheinen. Diese „überzogene" Interpretation, welche die „Bitte der Zebedäussöhne" als biblische Grundlage „mißbraucht", enthält eine über alle Vorläufer hinausgehende Stoßrichtung. In der Form von Kapitel 19 des PT dürfte sie sich auch direkt gegen den römischen Primat wenden.[130] Hier könnten sich zumindest teilweise am Bischofssitz von Santiago de Compostela bestehende Ambitionen widerspiegeln, dessen Bischöfe ja bereits, bevor der LSJ abgefaßt wurde, verschiedene Konflikte mit Rom ausgetragen hatten.[131]

Neben diesen „überzogenen" Stellen durchzieht jedoch noch eine Flut von Bibelzitaten und Predigten den gesamten Text der Kompilation, welche die herausra-

---

[129] Vgl. Kap. 1, S. 3f., Anm. 14–16, ferner in diesem Kapitel Anm. 121. Die Hymne „O Dei Verbum . . ." (hg. von DIAZ Y DIAZ, s. Anm. 121) kann wohl die größte Nähe zur „drei sedes Lehre" beanspruchen. P. E. ELORDUY, La cuestion jacobea en San Martin de Braga (Publicações do XXIII. Congresó Luso-Espanhol, Coïmbra 1957, S. 5–54), S. 51 erwähnt, daß im 6. Jh. lediglich Rom als *sedes* bezeichnet wurde, manchmal Antiochia, Jerusalem, Alexandria und Lugo. Die gelegentliche Bezeichnung Lugos als *sedes apostolica* hat vielleicht etwas mit einer frühzeitigeren als gemeinhin vermuteten Jakobustradition in Spanien zu tun (dies vermutet DE GAIFFIER in seiner Rezension zu diesem Buch, wie Anm. 116, S. 400). Auch die Hist. Comp. läßt an einer Stelle eine ähnliche Stoßrichtung erkennen (II, 3, ES XX, S. 256f.), hierzu: VONES, wie Anm. 55, S. 394f. und 520. Allerdings wird in der Hist. Comp. hieraus keine Theorie entwickelt, sondern die Passage hebt lediglich schlaglichtartig für einen Augenblick die Ambitionen von Diego Gelmírez und seinem Kapitel hervor.

[130] Weitergehend als der LSJ können lediglich die Texte der Normannischen Anonymus (Anonymus von York) gekennzeichnet werden (aus der Zeit um 1100), die einen starken eigenständigen Episkopalismus gegen Ansprüche des Reformpapsttums vertreten. Vgl. K. PELLENS, Das Kirchendenken des Normannischen Anonymus, Wiesbaden 1973 (= Veröffentlichungen des Instituts für Europäische Geschichte, Bd. 69), bes. S. 173–196; und: ders., Die Texte des Normannischen Anonymus, Wiesbaden 1966, bes. S. 125–128. Die Arbeiten von PELLENS sind in der Fachwelt zwar nicht ohne Kritik geblieben (vgl. z. B. H. ZIMMERMANN, in: Mitteilungen des Instituts für österreichische Geschichtsforschung, 82/1974, S. 443f. und W. HARTMANN, Beziehungen des Normannischen Anonymus zu frühscholastischen Bildungszentren, in: DA 31/1975, S. 108–43), bieten für unsere Vergleichszwecke jedoch die beste Grundlage, zumal sich die Kritik hauptsächlich auf die Frage der „Einheit" und der Zwecksetzung des Werkes konzentriert.

[131] Am spektakulärsten dürfte der Beschluß von Reims (Konzil, 5. Okt. 1049) Stellung bezogen haben: Leo IX. verurteilte Bischof Cresconius von Compostela *quia contra fas sibi vindicaverit culmen apostolici nominis.* (JL 4176, MPL 142, Paris 1853, Sp. 1436). Für weitere Bischöfe ist die Titulatur *episcopus apostolicae sedis* häufig bezeugt, zuletzt zu Diego Pelaez (1088 abgesetzt). Vgl. hierzu M. DEFOURNEAUX, wie Anm. 57, S. 69, Anm. 2; DAVID, III/1948, S. 130; BIGGS, wie Anm. 67, S. 15; VONES, wie Anm. 55, S. 281–85, und R. PLÖTZ, Der Apostel Jacobus in Spanien bis zum 9. Jh. (Gesammelte Aufs. zur Kulturgesch. Spaniens 30/1982, S. 19–145) S. 21, Anm. 9. Für Diego Gelmírez sind diese Titulaturen zwar nicht bezeugt (vgl. C. SERVATIUS, Papst Paschalis II., Stuttgart 1979, S. 132), zu dem zeitweise „gespannten" Verhältnis Compostela – Rom vgl. jedoch das Zitat der Hist. Comp., oben Anm. 67.

gende Stellung von Petrus, Jakobus und Johannes betonen. An nicht wenigen Stellen wird sogar ein „geistiger Primat" für Jakobus, den ersten Märtyrer unter den Aposteln, gefordert.[132] Compostela sollte jedenfalls nach der Auffassung des Kompilators nicht nur einen Apostelsitz unter anderen repräsentieren, sondern in den oberen Reihen der Rangskala fungieren. Deshalb galt es, den Leser fortwährend daran zu erinnern, daß grundsätzlich Compostela dem Sitz des hl. Petrus in nichts nachzustehen habe. Teilweise ist sogar eine Imitation der römischen Petrustradition zu erkennen, so findet z. B. die Umbenennung der Zebedäussöhne ihre Parallele in derjenigen des Petrus.[133] Eine solche Nachahmung legt auch das Studium der teilweise in den LSJ aufgenommenen Jakobushymnen nahe.[134]

Die Autoren bzw. der Kompilator ergriffen also zugunsten einer *sedes*, derjenigen von Compostela, Partei und beschritten nicht den Weg einer grundsätzlicheren theologischen Argumentation, die wohl eher dem päpstlichen Einheitsamt eine Gleichrangigkeit aller Bischöfe entgegengesetzt hätte.[135]

4.3. Der Vorrang Compostelas im Verhältnis zur innerspanischen Hierarchie

Wenn wir den Ergebnissen des vorigen Abschnittes folgen, so wird der apostolische Charakter des Sitzes von Compostela im LSJ durchgehend herausgestellt, teilweise in Imitation der römischen Petrustradition. Nur wenige – wahrscheinlich erst kurz vor Abschluß der Kompilation hinzugefügte – Stellen lassen sich als direkte Spitzen gegen den römischen Primat deuten. Betrachtet man die historischen Gegebenheiten an der Wende vom 11. zum 12. Jahrhundert, so dürfte die stärkste Gegnerschaft des Sitzes von Compostela auch in Spanien und nicht in Rom gesucht werden: Seit 1088 waren dem Sitz von Toledo durch ein Privileg Papst Urbans II. die Primatswürde und die Rechte eines päpstlichen Legaten für ganz Spanien übertragen worden.[136] Dies mußte vor allem

---

[132] Vgl. oben Anm. 100.   [133] Vgl. oben Anm. 93.

[134] Vgl. O'MALLEY, wie Anm. 80. Der Autor vermag eine große Parallelität zwischen Petrus- und Jakobushymnen festzustellen (S. 262, S. 270–272). Kritik an der Studie von O'MALLEY ist allerdings angebracht. Sie berücksichtigt zeitliche Schichtungen zu wenig und so läßt sich eine Entwicklung der Abhängigkeit kaum verfolgen. Eine Datierung der Hymnen ist nur mit Hilfe der „Analecta hymnica" (hg. von C. BLUME/G. M. DREVES, 55 Bde, Leipzig 1886–1922) möglich. Hierbei erwiesen sich viele Hymnen als erst aus dem 14./15. Jh. stammend, neben solchen aus dem 8. Jahrhundert.

[135] So z. B. der Normannische Anonymus, vgl. Anm. 130.

[136] JL 5366, ed. bei: D. MANSILLA, La documentación pontificia hasta Innocencio III (965–1216), Rom 1955, no. 27. Vgl. J. F. RIVERA RECIO, El Arzobispo de Toledo don Bernardo de Cluny (1086–1124), Rom 1962, S. 29–43, bes. S. 38f. und ders., La Primacía eclesiastica de Toledo en el siglo XII (Anthologica Annua 10/1962, S. 11–87). Beide Abhandlungen wurden fast unverändert übernommen, in: ders., La iglesia de Toledo en el siglo XII (1086–1208), I, Rom 1966, S. 125–197 und S. 315–390. Knapper: A. BECKER, Papst Urban II. (1088–1099), Stuttgart 1964 (= Schriften der MGH, 19/1), S. 232–235. Die Umschreibung des Jurisdiktionsbereiches von Toledo ist wohl nie völlig klar geworden; insbesondere haben wohl Alfons VI. und Urban II. unterschiedliche Auffassungen kundgetan, vgl. zusammenfassend: O. ENGELS, Papsttum, Reconquista und spanisches Landeskonzil im Hochmittelalter (Annuarium historiae Conciliorum 1/1969, S. 37–49 und S. 241–287), S. 45f. Die Primatswürde generell kann nicht mit festumrissenen

für einen Bischofssitz, der sich selbst als *sedes apostolica* verstand, unerträglich erscheinen. Toledo zu neutralisieren bedeutete für Compostela zunächst einmal, den eigenen Status in der kirchlichen Hierarchie weiter aufzuwerten. Eine solche, wohl nicht allein auf Compostela beschränkte Vorgehensweise führte dazu – hier ist ERDMANN beizupflichten –, daß die spanischen Bischöfe das Papsttum brauchten, um „die interimistische Oberhoheit des Toledaners abschütteln zu können."[137]

Dieser Weg wurde seit dem Ende des 11. Jahrhunderts von Compostela beschritten. Formal lassen sich in dieser Entwicklung folgende Etappen unterscheiden:

1. Die endgültige Verlegung des Bischofssitzes von Iria nach Compostela,
2. Palliumverleihung und Erzbischofwürde,
3. päpstliche Legatenwürde und Anspruch auf primatsähnliche Ehrenvorrechte,
4. besondere Auszeichnungen der Compostelaner *sedes*.[138]

Zu allen vier Punkten nimmt auch der LSJ Stellung, hauptsächlich im III–V. Teil.[139]

zu 1): Die Bedeutung des ehemaligen Bischofssitzes Iria wird in Kapitel 19 des PT völlig heruntergespielt: *(Carolus) aput Yriam praesulem minime instituit qui[a] illam pro urbe non reputavit, sed villam subiectam sedi Compostellanensi esse praecepit.*[140] Kapitel 19 befindet sich hier im Widerspruch zu Kapitel 3, wo Compostela seinerseits als noch unbedeutender Ort zur Zeit Karls des Großen hingestellt wird (im Gegensatz zu Iria).[141] Die Übertragung des Bischofssitzes von Iria nach Compostela hatte de facto

---

Aufgaben und Rechten charakterisiert werden. Diese lassen sich lediglich aus den jeweiligen Privilegien erschließen; zumeist handelt es sich neben einem Ehrenvorrang um juristische Funktionen als Appellationsinstanz (so auch in Toledo, vgl. RIVERA RECIO, Iglesia, S. 331). Die primatialen Verleihungen seit Gregor VII. basieren wohl auf der Übernahme pseudo-isidorischen Gedankengutes und gehen meist von der alten römischen Provinzeinteilung aus, vgl.: E. KEMPF/ H. G. BECK/E. EWIG/J. A. JUNGMANN, Die mittelalterliche Kirche, 1. Halbband: Vom kirchlichen Frühmittelalter zur gregorianischen Reform, Freiburg/Basel/Wien 1966 (= Handbuch der Kirchengeschichte Bd. III/1), S. 331f. und 491; H. FUHRMANN, Studien zur Geschichte mittelalterlicher Patriarchate (ZRG KA, 13/1953, S. 112–176, 40/1954, S. 1–84, 41/1955, S. 95–183), Bd. 41, S. 178f. Bedeutender als der Primatstitel war sicherlich – auch im Falle Toledos – die Einsetzung als päpstlicher Legat, d. h. als Stellvertreter des Papstes für ein bestimmtes Gebiet (vgl. KEMPF u. a., l. c., S. 493f.).

[137] C. EERDMANN, Das Papsttum und Portugal im 1. Jahrhundert der portugiesischen Geschichte (Abh. der preuß. Akad. der Wiss., phil.-hist. Kl., 1928, Nr. 5, S. 1–63) S. 8. Ob dies ein kalkulierter Schachzug Urbans II. war, wie ERDMANN annimmt, ist hier nicht wichtig, entscheidend ist die aus der Verleihung resultierende Konsequenz. Die einzelnen Etappen im Kampf Diegos gegen den Toledaner Erzbischof und spanischen Primas sind jetzt differenziert aufgearbeitet bei VONES, wie Anm. 55, S. 377–473.

[138] Vgl. neben den teilweise bereits zitierten Werken zum Bistum Santiago, den Arbeiten zu Person und Werk Diegos Gelmírez' und der Historiographie zum römischen Papsttum die Zusammenstellung der „Fakten" bei J. GUERRA CAMPOS, Roma y Santiago. Bula „Deus omnipotens" de S. S. León XIII sobre el cuerpo del Apóstol Santiago, Santiago de Compostela 1953, S. VIII–XXII und VONES, wie Anm. 55, passim.

[139] Ergänzend, teils auch kontrastiv zu den Aussagen des LSJ sollen hauptsächlich Zeugnisse der Hist. Comp. herangezogen werden. Vgl. zum Forschungsstand, oben Kap. 3, Anm. 37.

[140] HÄMEL – DE MANDACH, S. 70.

[141] HÄMEL – DE MANDACH, S. 43: *Urbes et maiores villae . . . Yria . . ., Compostella quamvis tunc temporis parva.* DAVID, III/1948, S. 131, Anm. 3 weist irrig auf Kapitel 4 hin. Die Differenz

ca. in der Mitte des 11. Jahrhunderts stattgefunden[142], de jure wurde sie jedoch erst 1095 im Rahmen der Exemtion Compostelas von Papst Urban II. endgültig zugestanden.[143] Es ist denkbar, daß die Degradierung Irias im Text des LSJ den Vorstellungen des Kapitels von Compostela entsprochen haben mag[144], das möglicherweise die tatsächlichen, augenblicklichen Verhältnisse in die Vergangenheit projizierte.

Eine ähnliche Beschreibung Irias liefert Lucas von Tuy in seiner Weltchronik, auch er berichtet im Zusammenhang mit einem Konzil Karls: *Limina etiam beati Iacobi, cum . . . Carolus gratia visitaret orandi saniori ejus concilio Rex Adefonsus Iriam destruxit et Sancti Iacobi apostoli ecclesiam quam ipse construxerat, reverendi patris Leonis tertii Romani Pontificis assensu Metropolitano sublimavit honore, atque ut secundum sancti patris Isidori viverent tam Iacobitani quam omnis Hispaniae clerus statuit.*[145] Auch die Hist. Comp. berichtet trotz der an späterer Stelle aufgenommenen Urkunde Urbans II. zu Beginn ihres Berichtes von einer Übertragung des Bischofssitzes von Iria nach Compostela.[146] Die Wiedergabe geläufiger Vorstellungen und die Vernachlässigung der urkundlichen Grundlagen zum Verhältnis von Iria und Compostela eignet also nicht

---

zwischen Kapitel 19 und Kapitel 3 im PT in dieser Hinsicht kann ein weiteres Argument dafür liefern, daß Kapitel 19 wohl erst recht spät in die Kompilation Eingang gefunden hat, vgl. oben, Kap. 4.2, S. 79.

[142] Vgl. DEFOURNEAUX, wie Anm. 57, S. 69.

[143] JL 5601 (Hist. Comp. I, 5, in: ES XX, S. 21f.). Vgl. DEFOURNEAUX, wie Anm. 57, S. 69; BIGGS, wie Anm. 67, S. 69 und BECKER, wie Anm. 136, S. 237. Laut VONES, wie Anm. 55, ist JL 5601 zumindest verdächtig (S. 80–98).

[144] Dies äußert DAVID, III/1948, S. 131, allerdings ohne Beleg; aus dem Blickwinkel der Hist. Comp. trifft diese Annahme sicher zu (VONES, vgl. die vorige Anm.).

[145] Lucas Tudensis, Chronicon mundi, hg. von A. SCHOTT, Frankfurt 1608 (Hispaniae Illustratae . . . Bd. IV, S. 1–116), S. 75; vgl. M. DEFOURNEAUX, L'Espagne et les légendes épiques françaises. La légende de Bernardo del Carpio (Bulletin hispanique 45/1943, S. 117–138), S. 124 und ders., Carlomagno y el reino asturiano (Estudios sobre la monarquía asturiana, Oviedo 1949, ²1971, S. 89–114) S. 101. Auch in Lucas' Bericht wird die Bedeutung Irias verringert; ebenso wird auf Karl zwar nicht eine primatsähnliche Stellung Santiagos (so im PT, vgl. unten S. 89–93), aber die Metropolitanwürde zurückgeführt. Die Berufung auf Leo III. ist wie der übrige Text nicht auf historisch belegte Ereignisse gegründet. Die Frage, inwieweit das Chronicon des Lucas vom LSJ abhängen könnte, wäre eine Untersuchung wert. Lucas vollendete seine Weltchronik 1236 (vgl. B. SANCHEZ ALONSO, Historia de la historiografia española, Bd. 1, Madrid 1941, ²1947, S. 125); SANCHEZ ALONSO schließt einen Einfluß der Hist. Comp. und des Chronicon Iriense auf Lucas von Tuy aus (ibid. S. 129). P. HOGBERG, La chronique de Lucas de Tuy (Revue hispanique 81/ 1933, S. 401–421) nimmt lediglich zur Edition einer spanischen Textfassung (PUYOL) Stellung. DEFOURNEAUX sieht den Grund für die „karolingische Legitimation" spanischer Belange durch Lucas von Tuy in den französisch-spanischen Beziehungen des 11./12. Jhs. Ob allerdings nicht auch ureigenste spanische Wurzeln hier eine ebenso bedeutende Rolle spielten, sei zunächst dahingestellt. Vgl. auch unten Kap. 5.2., Anm. 154 und Kap. 5.3., Anm. 345.

[146] Hist. Comp. I, 2 (ES XX, S. 8f.): . . . *et ad honorem tanti Apostoli Ecclesiam restaurans, Episcopium Iliensis Sedis in hunc locum qui Compostela dicitur, multorum Episcoporum, ac Dei Servorum, nobiliumque virorum auctoritate, atque Regali privilegio commutavit. Hoc autem sub tempore Karoli magni factum fuisse multis referentibus audivismus.* – Ebenso führte die Analyse von JL 5601 VONES zu dem Schluß, die Verlegung des Bischofsitzes, weniger die Exemtion, sei 1095 für das Bistum Santiago bedeutend gewesen (VONES, wie Anm. 55, S. 98).

nur dem LSJ, sondern auch anderen historiographischen Werken. Bemerkenswert ist, daß die Exemtion Compostelas (1095) im LSJ übergangen wird.

zu 2): Der ehrgeizige Diego Gelmírez erreichte die von ihm erstrebte Erhebung Compostelas zur Metropole nur in aufeinanderfolgenden Etappen: 1104 Verleihung des Palliums[147], 1120 vorläufige Würde eines Erzbistums bis zur Rückeroberung Méridas[148], 1124 endgültige Bestätigung dieses Status.[149]

Im LSJ wird im V. Buch kurz über die Erhebung Santiagos zur Metropole berichtet.[150] Der Text ist nüchtern und sachlich und fügt den Bestimmungen der Bullen Calixts II.[151] nichts hinzu; er könnte geradezu als Regest dieser Urkunden gelten. Abweichend wird Compostela lediglich als *apostolica sede(s)* bezeichnet.[152] Auffällig ist, daß in dem so sehr auf die Vorrechte Compostelas bedachten Kapitel 19 des PT nur vom *episcopus Sancti Iacobi*[153] die Rede ist – in Kapitel 3 des III. Buches wird gar farblos vom *antistes Iacobita*[154] geredet. Insgesamt gesehen nimmt der LSJ vom Metropolitanrang Compostelas – einem der Hauptziele von Diego Gelmírez – relativ wenig Notiz.

zu 3): Die Würde eines Primas für Spanien blieb dem Bischof und späteren Erzbischof von Compostela versagt; hingegen erreichte er es, zeitweise als päpstlicher Legat für die Provinzen Braga und Mérida zu fungieren.[155] Die Möglichkeit, spanischer Primas zu werden, war aufgrund der Gebräuche der Zeit mehr als eingeschränkt, war doch der Primatstitel – anders als das Legatenamt – an den jeweiligen Sitz, nicht an die Person gebunden.[156] So blieb lediglich die Möglichkeit, eine weitgehende Unabhängigkeit – so bereits 1095 durch die Exemtion – und besondere Vorrechte durchzusetzen. Es

---

[147] JL 5986, ed. in: Hist. Comp. I, 17 (ES XX, S. 48), vgl. J. MARTÍ BONET, Roma y las Iglesias particulares en la concesión del palio a los obispos y arzobispos de Occidente. Año 513–1143, Barcelona 1976, S. 207f., dessen Ausführungen jedoch rein kompilatorischen Charakter haben und C. SERVATIUS, wie Anm. 131, S. 121.

[148] JL 6823, ed. bei: U. ROBERT, wie Anm. 32, no. 146 (auch Hist. Comp. II, 16, ES XX, S. 292).

[149] JL 7160, ed. bei: MANSILLA, wie Anm. 136, no. 63 (= ROBERT, wie Anm. 32, no. 502, Hist. Comp. II, 64, ES XX, S. 402). Zu den Bestrebungen Méridas, nach der Rückeroberung erneut Metropole zu werden, vgl.: E. RODRÍGUEZ AMAYA, La sede metropolitana emeritense, su translación a Compostela e intentos de restauración (Revista de Estudios extremeños, 5/1949, S. 493–559) S. 516 (dort auch Abdruck der in Anm. 148 und 149 zitierten Papsturkunden = Appendices VI u. VII, S. 539–542). Vgl auch bereits ERDMANN, wie Anm. 137, S. 13ff. Zu den in Anm. 148 und 149 zitierten Papsturkunden: VONES, wie Anm. 55, S. 365ff. und 454ff.

[150] V, 9, VIELLIARD, S. 118.   [151] S. Anm. 147 und 149.

[152] In diesem Kapitel unterläuft dem Fälscher ein Fehler, er erwähnt *Calixtus, bone memorie dignus,* (VIELLIARD, S. 118) und läßt dabei außer acht, daß das Kapitel von Calixt selbst und seinem Kanzler Aimericus verfaßt sein soll (vgl. DAVID, III/1948, S. 216).

[153] HÄMEL – DE MANDACH, S. 70. Wenn wir dem Verfasser dieser Zeilen nicht unterstellen wollen, daß er den hierarchischen Status zur Zeit Karls d. Großen im Auge hat, so könnten hieraus vielleicht Schlüsse für die Abfassungszeit des Kapitels gezogen werden.

[154] Fol. 161ᵛ, WHITEHILL, S. 298, vgl. unten S. 85ff.

[155] JL 6825, ed. bei ROBERT, wie Anm. 32, no. 148 (27. 2. 1120) und Hist. Comp. II, 18 (ES XX, S. 295f.). Diese Legationswürde wurde nach dem Tod Calixts (1124) nicht mehr erneuert.

[156] Vgl. RIVERA RECIO, Iglesia, wie Anm. 136, S. 331.

lassen sich im LSJ Tendenzen erkennen, die den besonderen Ehrenvorrang der „Apostelstadt" Santiago vor allen anderen Orten Spaniens betonten und im Gegensatz zu den Interessen Toledos gesehen werden könnten.[157]

Der Ehrenvorrang basiert im allgemeinen auf dem apostolischen Charakter der Stadt, die deshalb als die vornehmste Stadt Spaniens angesehen werden muß: *Compostella apostolica urbs excellentissima, cunctis deliciis plenissima, corporale talentum beati Jacobi habens in custodia, unde felicior et excelsior cunctis Yspanie urbibus est approbata.*[158] Zwei bereits genannte Kapitel (III, 3 und IV, 19) berichten genauer über beanspruchte Vorrechte bzw. Gebräuche Compostelas, sie sollen hier erneut kurz analysiert werden.

Im III. Buch wird über die drei Jakobusfeste berichtet.[159] Der Text, in sich reichlich widersprüchlich, wohl aufgrund verschiedener Interpolationen[160], sieht drei Festtage zu Ehren des hl. Jakobus vor: 25. Juli, 30. Dezember, 3. Oktober. Das Fest am 30. Dezember wird auf eine Anordnung des Kaisers Alfons – gemäß dem *fertur* des Textes wohl auf Alfons III. oder Alfons VI. bezogen[161] – zurückgeführt und als „Translations-" und „Elektionsfest" des hl. Jakobus bezeichnet. Der Text beschreibt, wie dieser Tag feierlich zu begehen sei, der Bericht darf wohl als Mischung von Wunschvorstellungen und konkreten historischen Details angesehen werden: Der König pflegt an diesem Tag, in Ehrerbietung für die 12 Apostel, während der Messe 12 Mark Silber und 12 Talente Gold auf den Altar des Apostels Jakobus zu legen, er entlohnt seine Ritter und kleidet sie ein, rüstet neue Ritter aus und verleiht jedem sein Gehör, auch den „Armen". Alle lädt er zum Mahl. Während einer Prozession um die Basilika von Santiago wird er von Rittern und Grafen umgeben und ist mit königlichen Insignien geschmückt: Szepter, Diadem, Schwert, allesamt kostbar verziert und aus erlesenstem Material. Vor ihm schreitet der Compostelaner Bischof (*antistes Iacobita*[162]) mit bischöflichen Gewändern, Mitra, goldenen Sandalen, Ring, weißen Handschuhen und Stab. Umgeben ist er von seinen „Mitbischöfen" (*coepiscopis suis circumfultus decenter preibat*[163]). Es folgen Kleriker und 72 Kanoniker[164], ebenfalls

---

[157] Bereits der oben geschilderte Schritt der Übertragung der Erzbischofswürde von Mérida auf Compostela bedeutete einen Eingriff in Toledaner Rechte; Toledo besaß nämlich administrative Befugnisse über die noch nicht rückeroberte Metropole Mérida. Vgl. RIVERO RECIO, wie Anm. 136, Arzobispo, S. 89–91 und Iglesia, S. 303f.; ferner: P. DAVID, L'énigme de Maurice Bourdin (ders., Etudes historiques sur la Galice et le Portugal, Paris 1947, S. 441–501) S. 456, vgl. dort auch S. 458–460; P. FEIGE, Die Anfänge des portugiesischen Königtums und seiner Landeskirche (Gesammelte Aufsätze zur Kulturgeschichte Spaniens, Bd. 29/1978, S. 85–436) S. 160f. und VONES, wie Anm. 55, S. 463f. u. ö.

[158] V, 3, VIELLIARD, S. 8.

[159] III, 3, fol. 160ʳ–162ʳ, WHITEHILL, S. 296–299. Es sei daran erinnert, daß bis fol. 160ᵛ B-Karolus schrieb. Vgl. oben, Kap. 2.2, S. 25.   [160] DAVID, II/1947, S. 153f.

[161] Vgl. DAVID, II/1947, S. 153, Anm. 2. Trotz des Kaisertitels ist wohl nicht an Alfons VII. gedacht, auch die nachfolgende Festbeschreibung legt dies nahe (vgl. unten, Anm. 257).

[162] Fol. 161ᵛ, WHITEHILL, S. 298.   [163] Ibid.

[164] Diese Anzahl weist auf eine Abfassung nach 1105 hin, denn 1105 wurde die Zahl von 72 Kanonikern gemäß den 72 Jüngern des Herrn festgelegt (vgl. Hist. Comp., I, 20, ES XX, S. 54f.); eventuell war diese Reform bereits 1102 erfolgt, vgl. VONES, wie Anm. 55, S. 146, Anm. 57.

reich geschmückt, unmittelbar vor dem übrigen Volk (*Hos sequebantur populi devoti, heroes scilicet, satrapes, obtimates, nobiles, comites, domestici et barbari, festivis indumentis induti*[165]). Die Frauenscharen (*mulierum venerabilium chori*[166]) werden in ihrer schmuckvollen Aufmachung als letzte genannt.[167]

Das weitere Kapitel (IV, 19), der bereits in anderer Hinsicht ausführlich besprochene Bericht über das von Karl dem Großen einberufene Konzil in Santiago de Compostela[168], betont ebenfalls den herausragenden Charakter der Compostelaner *sedes*, akzentuiert jedoch etwas anders, evtl. offensiver. Hier übernahm die weltliche Gewalt, in diesem Fall Karl der Große, als „Befreier" zunächst die Initiative: Er bekehrte das Land, setzte Pfarrer ein, berief ein Konzil für Bischöfe und Fürsten und gebot, allen christlichen spanischen und galizischen Magnaten, dem Bischof von Compostela zu gehorchen. Ferner wurde jeder Hausbesitzer aufgefordert, jährlich eine Abgabe von vier *nummi*[169] als Gegenleistung für die Freilassung zu entrichten. Die Konzilien ganz Spaniens, so verfügte Karl der Große angeblich weiter, sollten hier abgehalten, Bischofskonsekrationen und Königskrönungen durch den Compostelaner Bischof vollzogen werden.

Beide Kapitel deuten in unterschiedlicher Weise auf den besonderen Charakter Compostelas hin.

Der in Buch III, Kapitel 3 geschilderte Ablauf des Jakobusfestes hat wesentliche Elemente mit einer oft als „Festkrönung"[170] bezeichneten Handlung gemein:
– Die Krone wird an einem hohen Fest getragen (der Unterschied zwischen dem Tragen der Krone und einer erneuten Krönung an Festtagen ist oft nicht klar zu ziehen[171]),
– der Festakt ist mit einer feierlichen Prozession verbunden,
– zur Zeremonie gehört ein Festmahl.[172]

---

[165] Fol. 162ʳ, WHITEHILL, S. 299.   [166] Ibid.

[167] Für alle Personengruppen wird Aufmachung und Schmuck im Detail geschildert; vgl. zur Einordnung in den wirtschaftshistorischen Zusammenhang, unten Kapitel 6.3., S. 182.

[168] IV, 19, HÄMEL – DE MANDACH, S. 69–70, vgl. oben, Kap. 4.2., S. 72 und 78f.

[169] Es ist wohl kaum eine bestimmte Geldmünze gemeint, vgl.: Wörterbuch der Münzkunde, hg. v. F. v. SCHRÖTER, Berlin, 1930, s. v. „nummus", S. 466f.

[170] Vgl. hierzu: E. H. KANTOROWICZ, Laudes regiae. A study in Liturgical Acclamations and Medieval Ruler Worship, Berkeley – Los Angeles 1946, S. 92–101; für Deutschland: H. W. KLEWITZ, Die Festkrönungen der deutschen Könige (ZRG KA 28/1939, S. 48–96), selbständ. ND: Darmstadt 1966 (= Libelli, 133), ferner C. BRÜHL, Fränkischer Königsbrauch und das Problem der „Festkrönungen" (HZ 194/1962, S. 265–326). BRÜHL definiert eine F. als eine an einem hohen kirchl. Festtag „von einem geistlichen Coronator in liturgischem Rahmen vorgenommene Wiederholung der Erstkrönung" (S. 269). Eine eigenständige Krönung bezeichnet BRÜHL hingegen als „unter Krone gehen" (S. 271). Vgl. auch knapper: ders., Festkrönung (Handwörterbuch zur deutschen Rechtsgeschichte I, Berlin 1971, Sp. 1109f.) und jüngst: ders., Kronen- und Krönungsbrauch im Mittelalter (HZ 234/1982, S. 1–32) bes. S. 6–11. In bezug auf den hier zu behandelnden Zeitraum bringt K. U. JASCHKE, Frühmittelalterliche Festkrönungen? Überlegungen zu Terminologie und Methode (HZ 211/1970, S. 556–588) keine neuen Gesichtspunkte.

[171] KANTOROWICZ, wie Anm. 170, S. 92. Auch BRÜHLS Unterscheidung (s. Anm. 170) hilft hier nicht weiter, da der „Krönungsakt" nicht geschildert wird.

[172] Vgl. ibid., S. 93 und 95f.; KLEWITZ, wie Anm. 170, S. 28 und 39.

Unser Bericht enthält daneben auch Hinweise auf einen königlichen Hoftag (*curia regis*), so z. B. die Versammlung und Entlohnung der Ritter.

Der Text des LSJ beschreibt den feierlichen Umzug, insbesondere die Kleider und die kostbaren Insignien[173] im Detail. Die Prozession stellte zweifelsohne gegenüber der Messe und dem Mahl den Teil des Festes dar, der die weltliche und kirchliche Hierarchie auf anschaulichste Weise einer großen Menge näherbrachte.[174] Der ganze Festverlauf dokumentiert die sich gegenseitig bedingende und bedingte Verschränkung von geistlicher und weltlicher Herrschaft; dabei verdeutlicht die Marschordnung auch hierarchische Vorstellungen. Ein Ehrenvorrang Compostelas wird zum ersten darin manifest, daß der König/Kaiser am Jakobstag „unter Krone geht" und Hoftag abhält. Es ist nämlich anzunehmen, daß ein öffentliches Krone-Tragen nur zu ausgewählten Festen im Jahr stattgefunden haben dürfte. Im PT werden für Karl den Großen vier Festtage genannt, die auf diese Art festlich begangen wurden: *In quattuor sollempnitatibus per circulum anni praecipue curiam suam in Yspania tenens, coronam regiam et sceptrum gestabat, die scilicet natalis Domini, et die Paschae, et die Penthecostes, et die sancti Iacobi.*[175] Diese Erläuterung des PT läßt ebenfalls wie Buch III, Kap. 3 eine Verbindung von Hoftag und „Festkrönung" erkennen, möglicherweise ein Indiz für die Beziehung beider Kapitel zueinander.[176] Die Tatsache, daß der LSJ den Jakobustag besonders hervorhebt und in den königlichen Jahresrhythmus einbezieht, deutet eindringlich auf einen „nationalen" Anspruch des Jakobuskultes hin.

Zum zweiten dokumentiert die Wahl des Ortes für Festkrönungen, auf welche Kräfte sich das Königtum besonders stützte.[177] Sie unterstreicht den besonderen Rang der

---

[173] Die im Detail genannten bischöflichen Insignien (s. oben, S. 85f.) sind im 12. Jahrhundert allgemein gebräuchlich, vgl. P. SALMON, Etudes sur les insignes du pontife dans le rite romain, Rom 1955, dt.: Mitra und Stab. Die Pontifikalinsignien im römischen Ritus, Mainz 1960, S. 30. SALMON berichtet von einer allgemeinen Einführung der Handschuhe erst für das 13. Jahrhundert (ibid., S. 31), vgl. jedoch zuverlässiger: J. BRAUN, Die liturgische Gewandung im Occident und Orient. Nach Ursprung und Entwicklung, Verwendung und Symbolik, Freiburg 1907, ND Darmstadt 1964, S. 361–366, der häufigeren Gebrauch seit dem 10. Jahrhundert belegt und B. SCHWINEKÖPER, Der Handschuh im Recht, Ämterwesen, Brauch und Volksglauben. Die Erforschung der mittelalterlichen Symbole, Wege und Methoden, Berlin 1938, ND Sigmaringen 1981, S. 26–29.

[174] Vgl. KANTOROWICZ, wie Anm. 170, S. 95 und KLEWITZ, wie Anm. 170, S. 28f. Eine Prozession war sicherlich laut dem LSJ für beide Festtage des hl. Jakobus vorgesehen, dies legen zumindest die im I. Buch aufgenommenen Prozessionsverse Pseudo-Calixts nahe: *Versus Calixti pape cantandi ad processionem Sancti Iacobi in sollempnitate passionis ipsius et translacionis eiusdem* (rote Schrift, einige Kapitälchen, fol. 116ᵛ, WHITEHILL, S. 218).

[175] IV, 20, HÄMEL – DE MANDACH, S. 72, vgl. P. E. SCHRAMM, Der König von Frankreich, Darmstadt ²1960, S. 122. Die Feste Weihnachten, Ostern, Pfingsten (vermehrt um die Festtage der jeweiligen Landespatrone) dürfen als die gemeinhin üblichen Anlässe für Festkrönungen angesehen werden. Vgl. KLEWITZ, wie Anm. 170, S. 50–53; BRÜHL, Krönungsbrauch, wie Anm. 170, S. 270 und ders., Kronen- und Krönungsbrauch, wie Anm. 170. S. 9.

[176] Vgl. hierzu A. DE MANDACH, wie Anm. 53, S. 287f., der aber in seiner Interpretation jede Mitteilung des LSJ auf ein konkretes Substrat zurückführen will und damit nicht mehr akzeptabel ist. Vgl. zu MANDACHS Werk oben Kap. 2.4., S. 43f.

[177] Für die deutschen Verhältnisse hat KLEWITZ diesen Aspekt deutlich herausgearbeitet (wie Anm. 170, S. 42 und sein dokumentarischer Anhang, S. 44–53). Vgl. zum Jakobuskult als

Königsstadt, so hat in Frankreich St-Denis lange Zeit das Recht auf Festkrönungen gegenüber Reims geltend gemacht.[178] Durch den Bericht über die umfänglichen Geldschenkungen des Herrschers an den Bischofssitz Compostela gewinnt der besondere Charakter der Apostelstadt noch an Kontur.

Zum dritten wird der übrige Episkopat Spaniens, so interpretiere ich die erwähnten *coepiscopi*[179], in die Festlichkeiten einbezogen und assistiert dem Vorsteher der Compostelaner Kathedrale.

Festkrönungen sind leider bisher für Spanien noch nicht belegt bzw. noch nicht genügend aufgearbeitet.[180] Die Hist. Comp. berichtet lediglich von der Krönung Alfons VII.[181] Insofern ist für den Vergleich des im LSJ geschilderten Brauchs mit der Realität Spaniens im 12. Jahrhundert keine direkte Grundlage gegeben. Ich glaube jedoch, daß die sehr ins Detail gehende Beschreibung des Festes, so auch z. B. diejenigen bestimmter Insignien[182], darauf hinweist, daß diese Darstellung nicht ins Reich völliger Fiktion verwiesen werden kann. Die in der Hist. Comp. erwähnte Krönungszeremonie Alfons' (VII.) verdeutlicht zumindest gewisse Parallelen zum Festverlauf; ferner wurde Alfons VII. 1124 zum *miles S. Jacobi* geweiht, anläßlich dieses Festes übergab er dem Compostelaner Erzbischof reiche Geldgeschenke.[183] SCHRAMM vermutet für beide Akte eine Imitation von Gebräuchen französisch/ deutscher Herkunft[184], so daß man auch am Sitz von Compostela den Brauch von Festkrönungen generell aufgegriffen haben mag.

Legitimationshilfe für das spanische König-/Kaisertum die im Literaturverzeichnis zitierten Abhandlungen von HÜFFER. Ferner: VONES, wie Anm. 55, S. 485–498.

[178] Vgl. SCHRAMM, wie Anm. 175, S. 124.

[179] Laut DU CANGE, Glossarium mediae et infimae latinitatis, II. Bd., Graz 1954 (= ND der Ausg. v. 1883–1887); J. F. NIERMEYER, Mediae Latinitatis Lexicon minus, Leiden 1976; und dem Mittellateinischen Wörterbuch bis zum ausg. 13. Jahrhundert, hg. von der bayr. Akad. der Wiss. und der Ak. der Wiss. der DDR, München 1973, s. v. „coepiscopus" ist wohl in unserem Zusammenhang am ehesten an „Amtskollegen" zu denken. Auch in der Hist. Comp. meint *coepiscopus* immer Amtsbruder, so SERVATIUS, wie Anm. 131, S. 118. Die Möglichkeit, es könnten die Suffragane gemeint sein, scheidet wohl aus, weil der Bericht davon ausgeht, daß Compostela noch kein Erzbistum war.

[180] KANTOROWICZ, wie Anm. 170, läßt Spanien bei seinem Durchgang der unterschiedlichen Länder aus. Auch die Arbeiten von SCHRAMM und BRÜHL bieten ebensowenig konkrete Hinweise.

[181] Hist. Comp. I, 66 (ES XX, S. 120). Es wird hier von Gewandung, Krönungsakt, Messe, Prozession zum Palast, von Festmahl und den Hofämtern berichtet, vgl. zur besonderen Art der Thronsetzung bei dieser Krönung: P. E. SCHRAMM, Kaiser, Könige und Päpste. Gesammelte Aufsätze zur Geschichte des Mittelalters, Bd. IV,1, Stuttgart 1970, S. 345 und ders., Das kastilische König- und Kaisertum während der Reconquista (Festschrift G. RITTER, hg. von R. NÜRNBERGER, Tübingen 1950, S. 87–139), S. 103. Lediglich eine Nacherzählung der Hist. Comp. bietet: R. DELGADO CAPENAS, Don Diego Gelmírez, Arzobispo de Santiago consagra y corona a Alfonso VII (Spes, Revista de acción católica, 19, no. 211/1952, S. 8–11). Zu anderen Festbeschreibungen in der Hist. Comp.: vgl. z. B. I, 16, 109 und 112 (ES XX, S. 93, 211 und 223).

[182] Vgl. oben, Anm. 173; zu den mit Mitren geschmückten Kanonikern, ebenfalls ein besonderes Vorrecht, vgl. unten S. 95.

[183] Hist. Comp. II, 64 (ES XX, S. 396), VONES, wie Anm. 55, S. 470.

[184] SCHRAMM, Kastil. König- und Kaisertum, wie Anm. 181, S. 103f. Auch lt. FUENTE SECA (Comunicación auf der ‚1ªReunión de Estudios Clasicos'. Santiago/Pontevedra, 2.–4. Juli 1979)

Das zweite oben erwähnte Kapitel (PT, 19) will nicht Gepflogenheiten erläutern, sondern resümiert die angeblichen Verfügungen Karls des Großen:
– In Übereinstimmung mit dem soeben besprochenen Kapitel wird besonderer Wert auf Abgaben bzw. Geschenke gelegt; die materielle Sicherung des Bischofssitzes erscheint äußerst wichtig,
– zum zweiten soll Santiago Krönungs- und „Hoftags"-Stadt sein,
– zum dritten besteht ein Vorrang des Compostelaner Bischofs vor seinen Mitbischöfen, die sich in Compostela regelmäßig zu Konzilien treffen sollen.

Die in diesem Kapitel erhobenen Ansprüche und Bestimmungen zugunsten Compostelas sind meist als pure Fiktion abgetan worden. In der Tat finden sich hier so weitgehende Verfügungen, fast deuten sie auf primatiale Vorrechte hin, daß dieser Verdacht naheliegt. So glaubt DAVID, die Bestimmungen dieses Statuts entsprächen weder der historischen Wirklichkeit, noch den tatsächlichen Zielen der Erzbischöfe von Compostela.[185] Seiner Meinung nach sind die verliehenen Vorrechte nur im Zusammenhang mit Kapitel 22 des PT zu erklären.[186] Dieser letzte Hinweis DAVIDS ist zweifelsohne richtig[187], allerdings glaube ich, daß dieses Kapitel trotzdem auch eine gewisse Eigenständigkeit beanspruchen darf und in einigem auch die Ambitionen von Diego Gelmírez widerspiegelt.

DAVID ist zuzugestehen, daß der Bericht über Abgaben und Geschenke eher als Stimulus für Leser angesehen werden muß. Die auch von ihm zitierten „votos de Santiago" haben in der Tat mit den Bestimmungen des LSJ wenig gemein.[188] Denkbar wäre es, daß die im LSJ geforderte Abgabe dem römischen Peterpfennig oder anderen Abgaben an den Papst für gewährten päpstlichen Schutz nachempfunden ist, da ganz Spanien der Compostelaner Kirche *in dote* übertragen wird und jeder Hausbesitzer vier

---

war der Ritus dieses Krönungsaktes am Vorbild Karls des Großen orientiert und muß über die Pilgerstraßen nach Compostela gekommen sein. – Die burgundische Herkunft Alfons' VII. mag einen weiteren Bezugspunkt für die Übernahme mitteleuropäischer Festkrönungen liefern.

[185] „Ce prétendu statut ne correspond ni aux faits historiques, ni aux prétentions effectives des archévêques de Compostelle", DAVID, III/1948, S. 133f. HÄMEL, S. 56, wertet hingegen die Bestimmungen in diesem Kapitel als Propaganda für den Primat Compostelas ohne nähere Erläuterung der historischen Umstände.

[186] HÄMEL – DE MANDACH, S. 88f. (bei HÄMEL – DE MANDACH als Kapitel 30 numeriert).

[187] Vgl. dazu oben, Kap. 2.4., S. 41–43. Wenn die Parallelität beider Kapitel betont wird, so muß allerdings auch beachtet werden, inwieweit Kapitel 22 in den französischen Verhältnissen verankert werden kann. SCHRAMM, wie Anm. 175, S. 131–142, hat den Nährboden für die Ansprüche von St-Denis dargelegt und auch die partiellen Erfolge dieser Ansprüche dokumentiert. Vor diesem Hintergrund, den DAVID zu wenig beachtete, kann auch die Interpretation von IV, 19 neu ansetzen, ohne daß hier jedoch eine Kirchengeschichte Galiziens für die erste Hälfte des 12. Jahrhunderts geschrieben werden kann; jetzt viele gute Beobachtungen bei VONES, wie Anm. 55, S. 441ff. und 485ff.

[188] DAVID, III/1948, S. 133. Vgl. jedoch die Bestätigung auch königlicher u. a. Oblationen bereits durch Paschalis II. (JL 5880 = Hist. Comp. I, 12, ES XX, S. 32f.), ferner durch Innozenz II. (JL 7417). Als unmittelbares Beispiel für solche „votos": A. LOPEZ FERREIRO, Historia de la Santa Iglesia de Santiago de Compostela, Bd. 4, Santiago de Compostela 1902, apéndices, no. 10, S. 52f., ferner zusammenfassend: FEIGE, wie Anm. 157, S. 341–343 und VONES wie Anm. 55, S. 205–210.

nummi gleichsam als Lehnsabgabe zahlen soll.[189] Es läßt sich auch weiter darüber streiten, ob das Verhalten von Diego Gelmírez in allen Phasen eindeutig gegen den Toledaner Primat gerichtet war und ob Diego in seinen politischen Einmischungen nicht eher bescheidenere Ziele verfolgte als beispielsweise DEFOURNEAUX in Nachfolge von MEREDITH-JONES vertritt.[190] Die Kritik an DAVID muß jedoch vor allem dessen Maßstab für die Beurteilung von Kapitel 19 des PT in Frage stellen. DAVID spricht von den „tatsächlichen Zielen" der Erzbischöfe von Compostela, hingegen wären die Verfügungen des LSJ besser mit den „(unterschwelligen) Ambitionen" Diegos zu vergleichen. An zwei Beispielen aus der Hist. Comp. glaube ich deutlich machen zu können, daß Diegos Ambitionen, wenigstens zur Zeit seines größten Einflusses[191], Mitte der zwanziger Jahre des 12. Jahrhunderts[191], in eine Richtung gingen, die zumindest die Toledaner Vorrechte grob mißachteten. Es handelt sich um die Beschlüsse zweier Synoden von 1123/25 und 1124.

    1. 1123/25 verkündete Diego den Kreuzzug gegen die Mauren und wandte sich dabei an alle *fratribus, archiepiscopis, episcopis, abbatibus, universisque Sanctae Ecclesiae praepositis . . . omni populo Christiano . . .*[192]

    2. 1124 legte Diego den Grundstein für den Gottesfrieden in Spanien. Der Beschluß des Konzils beginnt folgendermaßen: *Mandamus ergo et apostolica auctoritate constituimus ut . . . pax Dei quae apud Romanos et Francos et alias fideles nationes observatur, in toto Hispaniae Regno ab omnibus Christianis inviolabiliter tenea-*

---

[189] Vgl. zum Peterspfennig: K. JORDAN, Das Eindringen des Lehnswesens in das Rechtsleben der römischen Kurie (Archiv für Urkundenforschung 12/1931, S. 13–110) selbständ. ND: Darmstadt 1971 mit Nachtrag (= Libelli, 325), S. 56 u. ö. Als Lehnsabgabe erscheint der Peterspfennig allerdings nur in der päpstlichen Interpretation. – Ähnliche Abgaben hatte Alfons VI. von Kastilien-León im 11. Jahrhundert an Cluny geleistet. Vgl. P. SEGL, Königtum und Klosterreform in Spanien. Untersuchungen über die Cluniazenserklöster in Kastilien-León vom Beginn des 11. bis zur Mitte des 12. Jahrhunderts, Kallmünz 1974, S. 73–76. Die „Lehnsabgabe" im LSJ wird allerdings im Zusammenhang mit Freilassungen erwähnt; es ist fraglich, ob der Verfasser nicht eher an einen Rekognitionszins gedacht hat. An Königskrönungen durch Diego läßt sich nur die Krönung Alfons' VII. nachweisen (s. o. Anm. 183); diese war wohl – hier ist DAVID zuzustimmen (III/1948, S. 132) – nur eine Krönung zum König von Galizien. Diese Einschränkung legt die alleinige Nennung galizischer Großer zumindest nahe.

[190] DEFOURNEAUX, Carlomagno, wie Anm. 145, S. 106 und ders., Les Français, wie Anm. 57, S. 87–89, betont die aktive Politik von Diego Gelmírez gegen den Toledaner Primat. Jetzt: VONES, wie Anm. 55, S. 376ff. mit Untersuchung der verschiedenen Phasen Compostelaner Politik, die sich zumindest ab 1119 – wenn auch mit verschiedenen Bundesgenossen – durchgängig gegen Toledo richtete.

[191] BIGGS nennt diese Zeit „Diego at the Height of his Influence" (BIGGS, wie Anm. 67, S. 179–219).

[192] Hist. Comp. II, 78 (ES XX, S. 428). Die Urkunde bedeutet mehr als nur eine Verkündigung der Bullen von Paschalis II., Gelasius II. und von Kanon IX des 1. Laterankonzils von 1123 (so DAVID, III/1948, S. 132), denn sonst wären diese Päpste zumindest erwähnt. Eine Ähnlichkeit mit der gefälschten Calixt-Bulle des PT ist wesentlich auffälliger, vgl. oben Kap. 4.1., S.67f., Anm. 55 und 56, dort auch der Nachweis zur Neudatierung.

tur.[193] Die Auswirkungen dieser zwei Beschlüsse sind uns zwar unbekannt[194], doch unterstreichen sie klar genug die Ambitionen Diegos, die auf eine Primatsstellung in der ganzen damaligen „Hispania" (Galizien, León und Kastilien) hinausliefen (*toto Hispaniae Regno!*).

Diego Gelmírez verlieh weiterhin seiner besonderen Stellung in Spanien dadurch Ausdruck, daß er als erster spanischer Bischof das Pendant zur päpstlichen Rota, die sogenannte „Rueda", in seiner Kanzlei einführte.[195] Auch die Unterschriften seiner Urkunden ähneln dem päpstlichen Formular.[196]

Somit scheint es mir wahrscheinlich, daß Kapitel 19 des PT im Einklang mit den Wünschen von Diego Gelmírez stand, d. h. der Neutralisierung des Toledaner Primates, evtl. gar der Errichtung einer eigenen Sonderstellung, die über die vom Papsttum verliehenen Rechte hinausging.

Zwei Beispiele aus der Hist. Comp. mögen sich bei einem Werk von 500 Seiten, das zudem noch zur Ehre von Diego Gelmírez verfaßt ist, relativ bescheiden ausnehmen. Der Wert dieser unerschöpflichen Quelle liegt allerdings gerade darin, daß sie uns das Verhältnis von Mentalität, Ambitionen und praktischer Politik Diegos und seines Kapitels deutlich machen kann. Den Grund für die oft eher zurückhaltenden „Primatsansprüche" Compostelas gibt die Hist. Comp. selbst. Laut ihrem Bericht wurde nämlich die erzbischöfliche Würde von päpstlicher Seite lange Zeit nicht

---

[193] Hist. Comp. II, 71, (ES XX, S. 417f.) (Hervorhebungen von mir). Vgl. P. B. GAMS, Kirchengeschichte von Spanien, Regensburg 1862–1876, ND Graz 1956, Bd. III, 1, S. 95; E. WOHLHAUPTER, Studien zur Rechtsgeschichte des Gottes- und Landfriedens in Spanien, Heidelberg 1933, S. 58f., ders., Wallfahrt und Recht (Wallfahrt und Volkstum in Geschichte und Leben, hg. von G. SCHREIBER, Düsseldorf 1934, S. 217–242), S. 227 und BIGGS, wie Anm. 67, S. 182f. Die Literatur nimmt jedoch nur andeutungsweise zu den Ambitionen Diegos Stellung. J. BARREIRO FERNÁNDEZ, Concilios provinciales Compostelanos (Comp. 15,4/1970, S. 511–552) S. 516f. stellt lediglich die einzelnen Konzilien zusammen. Festzuhalten ist jedoch, daß auch er das Konzil von 1125 als intendiertes Nationalkonzil wertet. Allerdings kann seine Bemerkung, Diego Gelmírez habe sich zumeist auf seinen Rechtstitel als apostolischer Legat bei der Einberufung von Konzilien gestützt, nur für 1124 bestätigt werden. Die Ambitionen Diegos, die sich in den Beschlüssen von 1123/25 und 1124 spiegeln, erhalten jetzt eine ausgewogene Würdigung in bezug auf den Toledaner Primat bei FEIGE, wie Anm. 157, S. 160–162 und bei VONES, wie Anm. 55, S. 439f. und 468f. G. SAEBEKOW, Die päpstlichen Legationen nach Spanien und Portugal bis zum Ausgang des 12. Jahrhunderts, Berlin 1931, S. 41, stellt mit Berufung auf C. ERDMANN (Papsturkunden in Portugal, in: Abh. der Gesellschaft der Wiss. zu Göttingen, phil.-hist. Kl. NF 20,3, Berlin 1927, S. 181) fest, daß in Valladolid der Gottesfriede erstmals verkündet worden sei. Dann würde die hier zitierte Stelle lediglich eine Wiederholung anderweitiger Beschlüsse darstellen. Seine Interpretation konnte jedoch einer Nachprüfung bei ERDMANN und der Hist. Comp. II, 70 (ES XX, S. 416) nicht standhalten.

[194] BIGGS, wie Anm., 67, S. 188. FEIGE wertet sie als das „Ende des Toledaner Primates" (wie Anm. 193).

[195] Vgl. die noch immer grundlegende Arbeit von A. EITEL, Rota und Rueda (Archiv für Urkundenforschung 5/1914, S. 299–336), S. 304ff.; ferner: BIGGS, wie Anm. 67, S. 142ff. und VONES, wie Anm. 55, S. 498.

[196] EITEL, wie Anm. 195, S. 305. Allgemein zum Kampf gegen den Toledaner Primat: ERDMANN, wie Anm. 137, S. 17ff.; FEIGE, wie Anm. 157, S. 160ff. und VONES, wie Anm. 55, S. 376ff.

verliehen, weil man in Rom Primatsbestrebungen Compostelas für die gesamte westliche Kirche befürchtete.[197] So war Diego auf die Gunst Roms angewiesen, um sich gegen Toledo durchsetzen zu können. Der Bericht über die römischen Befürchtungen dürfte allerdings auch klarmachen, daß sicherlich zumindest unterschwellig Bestrebungen in dieser Hinsicht gegeben sein mochten.

Diegos Ambitionen lassen sich an den oben zitierten Beschlüssen ablesen, und bezeichnenderweise fallen beide in eine Zeit, als seine persönliche Position gesichert war und die Sedisvakanz in Toledo und Rom neue Hoffnungen auf eine Vormachtstellung Compostelas nähren konnte. Möglicherweise hat Diego, wenn auch nicht die Würde eines Primas, so zumindest die päpstliche Legation für ganz Spanien angestrebt.[198] Das Spannungsfeld von Ambitionen und konsequenter pragmatischer Politik zur Durchsetzung bestimmter Forderungen kennzeichnen Diegos Charakter, in gewisser Weise schlägt sich dies auch im Verhältnis von Teilen des LSJ und Hist. Comp. nieder.

Auch nach der Arbeit von PASTOR DE TOGNERI[199] dokumentiert Diegos Karriere den Aufstieg einer kirchlich-feudalen Elite, die mit den neuen bürgerlichen Kräften paktierte[200] und die sich gegen traditionell-feudale Kräfte und kleinere Interessensgruppen mit Hilfe von taktischem und pragmatischem Verhalten durchsetzte. REILLY weist überdies in seinen Arbeiten über die Zeit Diegos auf dessen vielfältige Bündnisse mit Cluny, der weltlichen Gewalt und der römischen Kirche hin.[201] Am genauesten hat

---

[197] Hist. Comp. II, 3 (ES XX, S. 257f.), den Text s. oben Anm. 67, vgl. BIGGS, wie Anm. 67, S. 140f.

[198] Dieses Ziel geht aus der Hist. Comp. nicht eindeutig hervor, trotz der Bemerkung von SUAREZ/CAMPELO, (Historia Compostelana, trad. R. P. Fr. M. SUAREZ, con notas y introd. de R. P. Fr. J. CAMPELO, Santiago de Compostela 1950), S. XLIII und XLVIII mit den Hinweisen auf die einschlägigen Textstellen. Laut SUAREZ/CAMPELO soll Diego diese Bitte nach Calixts Tod zur Zeit der Sedisvakanz in Toledo bei Honorius II. vorgetragen haben. Sicherlich hat Diego immer um eine Beibehaltung der Legatenwürde für die Provinzen Braga und Mérida gekämpft (BIGGS, wie Anm. 67, S. 214f.). Vgl. auch ENGELS, wie Anm. 136, S. 38f.

[199] R. PASTOR DE TOGNERI, Diego Gelmírez: Una mentalidad al día. Acerca del rol de ciertas élites de poder (dies., Conflictos sociales y estancamiento económico en la España medieval, Barcelona 1973, S. 103–131, bereits vorher in: Mélanges R. CROZET, Bd. I, Poitiers 1966, S. 597–608.)

[200] Ibid., S. 115: gemeinsames Interesse stellte laut PASTOR DE TOGNERI die Sorge um den ökonomischen Aufschwung durch die Pilgerbewegung dar (vgl. unten Kap. 6).

[201] REILLY charakterisiert in seinen Arbeiten die Episkopatszeit Diegos auch als Beweis für den Aufschwung lokaler Kräfte. Diego suchte seinen lokalen Einflußbereich auszubauen, um dann seinem Rivalen in Toledo gegenüberzutreten. Bei der Verfolgung dieses Zieles bediente er sich pragmatisch jeglicher Hilfe: B. F. REILLY, The Nature of Church Reform at Santiago de Compostela during the Episcopate of Don Diego Gelmírez. 1100–1140, Bryn Mawr College 1966. REILLY legte seine Ansicht leichter zugänglich, aber auch kürzer dar in: Santiago and St. Denis: The French Presence in Eleventh Century Spain, (Catholic Historical Review 44/1968/69 S. 467–483), wo besonders gegen die These des französischen Einflusses Stellung bezogen wird. Damit liefert REILLY u. a. auch durch die Auswertung neuer Quellen eine wesentliche Ergänzung zum Werk von BIGGS (wie Anm. 67) und relativiert die Thesen von DEFOURNEAUX (wie Anm. 57), die oftmals eine „Omnipräsenz" französischer Einflüsse in Spanien suggerieren.

VONES die Phasen und das politische Kalkül Diegos und seines Kapitels aufgrund der Hist. Comp. nachgezeichnet. Auch aus seiner Arbeit geht hervor, daß sich Diego pragmatisch jeder Hilfe bediente, derjenigen anderer kirchlicher Gemeinschaften, der Kurie oder auch des „spanischen Kaisertums". Obwohl Diego das erreichte, was er konnte – so VONES –, bestand doch fortwährend bei ihm „ein latenter Anspruch auf den Primat" in Spanien.[202] Ein solcher Anspruch taucht in beiden besprochenen Kapiteln (III, 3 und IV, 19) des LSJ schlaglichtartig auf, der Ehrenvorrang Compostelas wird deutlich hervorgehoben.[203] Die schärfsten Spitzen finden sich in Kapitel 19 des PT, das konsequent die alte westgotische Tradition, d. h. den Vorrang Toledos, ignoriert, und in diejenige der asturischen Neuorientierung einschwenkt, die im PT wie auch in vielen Chansons de geste ihre Legitimation von Karl dem Großen herleitete und den hl. Jakobus als Landespatron in Anspruch nahm.[204]

zu 4): Auch innerkirchliche Organisationsformen und Neuerungen in Compostela, über die der LSJ in Buch V berichtet, lassen sich im Zusammenhang mit Primatsansprüchen deuten. Die Berichte betreffen Ehrenvorrechte, keine jurisdiktionellen Befugnisse. Die Würde Compostelas wird in zwei Abschnitten herausgestellt, die entsprechend: *De dignitate ecclesie S. Jacobi et canonicorum ejus*[205] und *De dignitate ecclesie S. Jacobi*[206] überschrieben sind. Der zweite Abschnitt berichtet über die Erhebung Compostelas zur Metropole und wurde bereits oben[207] behandelt, der erste nimmt zu der Einführung von Kardinälen in der Kathedralkirche Stellung.

---

[202] VONES, wie Anm. 55, S. 522f.

[203] In beiden besprochenen Kapiteln wird erstaunlicherweise die Erzbischofswürde Compostelas nicht erwähnt, ebensowenig wird im Festtagsbericht auf ein Pallium des Compostelaner Bischofs hingewiesen (vgl. auch oben, S. 84). Dies läßt wohl darauf schließen, daß der Autor der jeweiligen Kapitel seine Schilderung in diesem Punkten bewußt an den Zustand des angeblichen Berichtszeitraumes (zur Zeit Alfons VI. bzw. Karls des Großen) anpaßte. Trotzdem ist dies nicht ganz ohne Widersprüche in Kap. 3 (Buch III) gelungen. So berichtet die Hist. Comp. I, 20 (ES XX, S. 54–57) erst nach der Palliumsverleihung von der Einführung der 72 Kanoniker.

[204] Vgl. bereits oben Kap. 1, S. 12. C. CID, Santiago el Mayor en el texto y en las miniaturas de los codices del „Beato" (Comp. 10/1965, S. 231–83) stellt die Polemik zwischen Toledo und Santiago im 12. Jh. in den Zusammenhang mit der Auseinandersetzung zwischen Asturien und Toledo im 8. Jh., die in Beatus von Liébana und Elipandus von Toledo ihre Hauptvertreter hatte (S. 231–241); vgl. bes. S. 240 mit Zitaten aus der Hist. Comp. zur Polemik zwischen Toledo und Santiago. – Langfristig hatte Diegos Politik nur beschränkten Erfolg, wie fortwährende Auseinandersetzungen über Diözesangrenzen, Konsekrationsrechte usw. bis ins 13. Jahrhundert bezeugen. Vor allem die Reconquista bot die Möglichkeit, eine Neuordnung der Diözesanbezirke immer wieder anzustreben. Vgl. D. MANSILLA, Disputas diocesanas entre Toledo, Braga y Compostela en los siglos XII al XV (Anthologica Annua 3/1955, S. 89–143) S. 89f., danach zu einzelnen Ansprüchen; ders., Formación de la metrópoli eclesiastica de Compostela (Comp. 16/1971, S. 73–101) zum Wechsel der jeweiligen Suffragane in der Zeit nach 1120. Ferner zusammenfassend mit der auch hier teils geschilderten Vorgeschichte: Fr. J. CAMPELO, Orígen del Arzobispado de Santiago y evolución historica de sus sufraganeas (Comp. 11/1965, S. 485–505). Vgl. ferner im Zusammenhang mit dem Eingreifen päpstlicher Legaten: G. SAEBEKOW, wie Anm. 193, S. 48–51 u. 55, und A. RODRIGUEZ GONZALEZ, Legados y jueces apostólicos en la diocesis compostelana (Comp. 11/1965, S. 357–382).

[205] V, 9, VIELLIARD S. 114.   [206] Ibid., S. 118.   [207] S. o., S. 84.

Dort heißt es, keiner solle am Altar des hl. Jakobus die Messe zelebrieren außer einem *episcopus, aut archiepiscopus, aut papa aut cardinalis ejusdem ecclesie. Solent etenim in eadem basilica septem cardinales ex more, qui officium divinum celebrant super altare; constituti atque concessi a multis apostolicis, insuper et confirmati domino papa Calixto.*[208] Nur aus einem Breve von Paschalis II., nicht von Calixt II., wissen wir über eine Festsetzung von sieben Kardinalspriestern, denen das Vorrecht gewährt wird, am Altar des hl. Jakobus die Messe zu zelebrieren[209]: *quod secundum Romanae ecclesiae consuetudinem septem Cardinales Presbyteros in Ecclesia tua ordinaveris, qui ad altare B. Jacobi Missarum officia succedentibus sibi vivibus administrent: quod nostrarum expostules literarum munitione firmari. Nos itaque dilectionis tuae petitionibus annuentes . . .*[210] Die Einführung der Kardinäle als feste Institution in Compostela, jedoch ohne Fixierung der Siebenzahl, geht möglicherweise bereits auf das Jahr 1101 (31. Dezember)[211] zurück.

Mit dem Recht, in der Jakobusbasilika sieben Kardinäle einzusetzen, ist sicherlich ein gewichtiges Ehrenvorrecht Compostelas erwähnt, denn dieses konnte Santiago als einzige spanische Stadt nachweisen. Eventuell waren mit der Einrichtung des auswärtigen Kardinalats auch bestimmte Primatsrechte verbunden, wie KUTTNER betont, dabei stützt er sich vorwiegend auf Präzedenz- und Parallelfälle in anderen Ländern.[212] FÜRST verweist mit Recht darauf, beide zitierten Privilegien Paschalis' II. unterschieden sich dadurch, daß im ersten den Kardinälen eine gewisse administrative Mitwirkung

---

[208] V, 9, VIELLIARD, S. 116.

[209] JL 6208 (Hist. Comp., I, 45, ES XX, S. 93f.). VIELLIARD, S. 115, Anm. 6 weist auf Paschalis II. hin, jedoch fälschlich im Zusammenhang mit der Palliumsverleihung für Diego Gelmírez. Vgl. zur Sache: BIGGS, wie Anm. 67, S. 242ff., S. KUTTNER, Cardinalis: The History of a canonical Concept (Traditio 3/1945, S. 129–214), S. 166; C. G. FÜRST, Cardinalis. Prolegomena zu einer Rechtsgeschichte des römischen Kardinalkollegiums, München 1967, S. 135 und VONES, wie Anm. 55, S. 269 mit Anm. 36 und S. 287; dort auch das Zitat zweier weiterer Privilegien von Paschalis II. und weitere Literatur. Unergiebig hierzu: K. GANZER, Die Entwicklung des auswärtigen Kardinalats im hohen Mittelalter. Ein Beitrag zur Geschichte des Kardinalskollegiums vom 11.–13. Jahrhundert, Tübingen 1963, dem es auf die auswärtige Herkunft der römischen Kardinäle ankommt und der die Stufen der Kompatibilität zwischen Bischofsamt, Abtswürde, Kardinalat etc. betrachtet.

[210] Hist. Comp. I, 45 (ES XX, S. 94), vgl. GAMS, wie Anm. 193, S. 82ff.

[211] Hist. Comp. I, 13 (ES XX, S. 33f., JL 5881), vgl. BIGGS, wie Anm. 67, S. 243; FÜRST, wie Anm. 209, S. 135 und VONES, wie Anm. 55, S. 287. Laut VONES ist diese Urkunde zweifelhaft. Vgl. ferner: Hist. Comp., I, 38 (ES XX, S. 88).

[212] KUTTNER, wie Anm. 209, S. 167. Das von ihm angeführte Privileg Anastasius' IV. (JL 9808, bei: PFLUGK-HARTTUNG, Iter Italicum, Stuttgart 1883, S. 248) als Beweis für die Unabhängigkeit Compostelas vermag in diesem Zusammenhang jedoch nicht zu überzeugen: Es handelt sich erstens nur um eine Erwähnung v. 1153/54, zweitens wurde dieses Privileg von Alexander III. am 11. 7. 1163 widerrufen (JL 10905). Bereits vorher sollte Compostela dem Primat von Toledo unterworfen werden: Vgl. JL 9859 und 9901. Die nach Calixt II. ausgestellten päpstlichen Privilegien beweisen in dieser Hinsicht nichts, allenfalls KUTTNERS Hinweis auf Präzedenzfälle sei in diesem Zusammenhang eine Berechtigung zugesprochen, vgl. etwa zu Magdeburg: H. ZIMMERMANN, Papstregesten (911–1024) (= J. F. BÖHMER, Regesta Imperii, II, 5), no. † 451 und die dort angegebene Literatur, zu Reims: ibid., no. 538 mit Literatur. Weitere Beispiele: BIGGS, wie Anm. 67, S. 243 und FÜRST, wie Anm. 209, S. 119ff.

zugestanden, im zweiten nur noch liturgische Vorrechte erwähnt würden.[213] Dies hebt die Compostelaner in der Tat von der entgegengesetzt verlaufenden römischen Entwicklung ab[214], andererseits ist nicht gesichert, wie in der jeweiligen Kathedralkirche de facto verfahren wurde. In einem Punkt ist eine Imitation römischer Verhältnisse erkennbar: Im Laufe des 12. Jahrhunderts wurden den Kardinälen Titelkirchen und Altäre zugewiesen und ein Petrus Didacus wird beispielsweise 1118 wie ein römischer Kardinal als *cardinalis Sancti Felicis* bezeichnet.[215]

Die in Compostela bestehende Kanonikergemeinschaft von 72 Mitgliedern – gemäß der Jüngerzahl – wird im LSJ, Buch V[216], beschrieben. Der Bericht dokumentiert neben den Bestrebungen um Ordnung und klerikale Disziplin die Besorgnis um die rechte Verteilung der Einnahmen der Kanoniker.[217] Im Kapitel über die drei Feste des hl. Jakobus[218] wird als Kopfschmuck der Kanoniker die „Mitra" genannt.[219] Die Verleihung dieses Rechtes geht ebenfalls auf Paschalis II. zurück und ist dort in gleicher Weise auf die Kanoniker, nicht nur auf die Kardinäle, wie häufig behauptet, bezogen.[220] Es war in Spanien einzigartig, Toledo erhielt ein ähnliches Privileg erst 1217.[221]

---

[213] C. G. FÜRST, I cardinalati non romani (Le istituzioni ecclesiastiche della „societas christiana" dei secoli XI–XII. Papato, cardinalato ed episcopato. Atti della quinta settimana di studio Mendola 1971, Mailand 1973, S. 185–198), S. 191.

[214] Vgl. neben der in Anm. 209 und 213 zitierten Literatur zum Kardinalkolleg grundlegend: H. W. KLEWITZ, Die Entstehung des Kardinalskollegiums (ZRG KA 56/1936, S. 115–221), ND in: ders., Reformpapsttum und Kardinalkolleg, Darmstadt 1957, S. 11–134; K. GANZER, Das römische Kardinalkollegium (Le istituzioni, wie Anm. 213, S. 153–181); R. HÜLS, Kardinäle, Klerus und Kirchen Roms 1049–1130, Tübingen 1977 (= Bibl. des Dt. Hist. Inst. in Rom, 48), S. 3–45. – Die römischen Kardinäle nahmen ursprünglich liturgische, dann zunehmend administrative Aufgaben wahr.

[215] Hist. Comp. II, 4 (ES XX, S. 261). Vgl. als weiteres Beispiel: LOPEZ FERREIRO, wie Anm. 186, Bd. IV, Apendices, S. 24f. und 35. Vgl. ferner: Hist. Comp., span. Übers., Einleitung, wie Anm. 198, S. CXXI mit weiteren Beispielen. FÜRST, wie Anm. 209, S. 138, vermischt mit seinen Hinweisen auf Stellen aus dem LSJ fortwährend Bestimmungen für Kanoniker allgemein und für Kardinäle. Auch seine Hinweise auf Stellen aus LOPEZ FERREIRO betreffen nicht die Kardinäle. Eine Geschichte der Compostelaner Kardinäle im Kontrast zum übrigen Kapitel ist noch zu schreiben.

[216] V, 10, VIELLIARD, S. 120–122.

[217] Vgl. zu diesem Kap.: unten Kap. 5.3. und 6.3.

[218] Vgl. oben, S. 85f.

[219] III, 3, fol. 161ᵛ, WHITEHILL, S. 298.

[220] JL 6042 (Hist. Comp. I, 43, ES XX, S. 93). Laut JL; MPL 163, Paris 1854, Sp. 170; BIGGS, wie Anm. 67, S. 244 und FÜRST, Cardinalis, wie Anm. 209, S. 135 war dies 1105, die Hist. Comp. berichtet jedoch zu 1109. Für die Datierung von JL, der wohl alle Autoren ohne Angabe von Gründen gefolgt sind, besteht jedoch keine Veranlassung, da die Jahreszahl im Privileg nicht genannt ist (vgl. auch: Hist. Comp., Span. Übersetzung, wie Anm. 198, S. 100f., Anm. 3). Auch VONES scheint 1105 anzunehmen (wie Anm. 55, S. 268f.). BIGGS und FÜRST beziehen das Recht, Mitren zu tragen, ausschließlich auf die Kardinäle, aufgrund von Text und Adresse scheint mir diese Interpretation falsch. Die Adresse ist eindeutig: . . . *dilectis filiis Compostellanae Ecclesiae Canonicis* . . . und die Dispostitio: *ut in solemnibus diebus majores Ecclesiae vestrae personae intra Ecclesiam mitris gemmatis capita contegantur, in speciem videlicet Presbyterorum seu Diaconorum Sedis Apostolicae Cardinalium* (Hist. Comp. l. c.). Dies bezieht sich auf das Vorbild römischer Kardinäle, denn den Ausdruck *sedes apostolica* für Compostela wird man in allen Privilegien Paschalis vergebens suchen. Ein Versuch, diesen Ausdruck auf Compostela zu beziehen, müßte

Zusammenfassend gesehen, ist im LSJ durchaus eine Konkurrenz zu Toledo erkennbar, die allerdings nicht „offen" dokumentiert wird. Die Unterbewertung Irias und die relativ knappe und seltene Erwähnung der Erzbischofswürde stellen „Interna" dar, die nicht besonders vordringlich in die Diskussion eingebracht werden. In bezug auf Primatsansprüche und Ehrenvorrechte für die *sedes apostolica* sind vor allem zwei Kapitel (III,3 und IV, 19) einschlägig. In ihnen wird ein Anspruch auf die Abhaltung von Konzilien, auf die Durchführung von weltlichen Festen und Königskrönungen und auf Abgaben und Geschenke angemeldet. Die in diesen Kapiteln geforderten Vorrechte dürften mit den Ambitionen Diegos – besonders zur Zeit der Höhe seiner Macht, Mitte der zwanziger Jahre des 12. Jahrhunderts – übereingestimmt haben; die relativ wenigen bestätigenden Aussagen der Hist. Comp. sind darauf zurückzuführen, daß diese eher Diegos pragmatische kirchenpolitische Haltung erläutert. Die Ehrenvorrechte für Kardinäle und Kanoniker – auch ein Vorsprung gegenüber Toledo – runden das Bild ab; hier berichtet der LSJ konform mit der Hist. Comp.

Die Aussagen zu unserem Themenkomplex entstammen einer relativ kleinen Anzahl von Kapiteln; bei den Stellen des LSJ, die den größten Vorrang für den Sitz von Compostela fordern, wird auch in der Legitimation am weitesten zurückgegriffen: auf Karl den Großen. Wie schon oben bei der Analyse der „drei sedes Lehre" in ihrer räumlichen Interpretation liegt es nahe, die Kapitel III,3 und IV,19 als nachträgliche Zusätze zu bezeichnen.[222] Es ist sicherlich nicht abwegig hierfür, wiederum aus Gründen der inneren Kritik, die Arbeit eines Parteigängers für die Interessen des Bistums Santiago zu vermuten.

Der Wert dieser Teile des LSJ liegt im Vergleich zur Hist. Comp. sicherlich darin, daß Ambitionen, die man vor allem Diego und dem Kapitel von Santiago zuschreiben möchte, prägnanter – wenn auch gelegentlich mit der Gefahr der Überspitzung – zum Ausdruck gelangen. Sie können daher wichtige Aufschlüsse über die Mentalität eines aus lokalen Adelskreisen stammenden Kirchenfürsten geben, der für seine Ziele die unterschiedlichsten Bundesgenossen bemühte. Sind auch die Passagen, die mit Spitzen gegen Toledo direkt für Compostela Partei ergreifen, selten und deshalb eventuell einem eigenen (wohl erst recht spät schreibenden) Autor oder dem Kompilator zuzurechnen, so dürfte trotzdem – allein durch die fortwährende Betonung der apostolischen Tradition Compostelas – jedem Leser des gesamten LSJ Santiago de Compostela als vornehmste und bedeutendste Stadt ganz Spaniens erscheinen.

---

von einer Fälschung oder Interpolation dieser Urkunde ausgehen. Das Privileg galt allerdings in jedem Fall auch für die Kardinäle, die man getrost zu den *majores* rechnen darf.

[221] Vgl. BRAUN, wie Anm. 173, S. 452. Nicht erwähnt wird im LSJ das Recht des Compostelaner Erzbischofs, ein Kreuz vor sich hertragen lassen zu dürfen, ein späterer Streitpunkt mit dem Erzbischof von Braga (vgl. FEIGE, wie Anm. 157, S. 343f. und VONES, wie Anm. 55, S. 391f.).

[222] So bereits DAVID, I/1946, S. 13; II/1947, S. 130 und 153f.; III/1948, S. 129–134, in seiner Einzelanalyse jedoch teils nach anderen Kriterien. Vgl. auch oben Anm. 185. Es sei daran erinnert, daß beide Kapitel im CC von B-Karolus geschrieben wurden (vgl. oben S. 25). Außerdem könnten auf der Grundlage einer soliden Edition noch weitere Stilvergleiche angestellt werden, so taucht z. B. in III,3 die Formulierung *quid plura* auf, die ansonsten dem PT eigen ist (fol. 161ᵛ, WHITEHILL, S. 298).

4.4. Das (päpstliche) Reformprogramm im Liber Sancti Jacobi

Es ist nunmehr noch ein letzter Gesichtspunkt zu behandeln, um den Standort der Autoren bzw. des Kompilators besser kennenzulernen. Es geht darum, den Stellenwert des Kirchenreformprogramms im LSJ näher zu bestimmen. Der Begriff „Kirchenreform" umfaßt im allgemeinen eine Vielzahl von Erneuerungsbewegungen, die seit dem Ende des 10. Jahrhunderts in der westlichen Kirche festzustellen sind.[223] Ihren Ausgang nahmen sie wohl in monastischen Zentren, es sei hier an Cluny erinnert.[224] Diese erstrebten in den meisten Fällen eine Unabhängigkeit von weltlicher Gewalt, griffen jedoch auch innerkirchliche Reformthemen auf und verdeutlichten so die Diskrepanz zwischen biblischer Aussage und kirchlicher Realität. Wie und ob alle die einzelnen Ansätze in eine einheitliche Reformbewegung[225] gemündet sind, ist letztlich noch nicht schlüssig zu erweisen; fest steht, daß seit Leo IX. (1049–1054) auch in Rom Reformgeist Einzug gehalten hat; mit diesem Pontifex wird meist der Beginn des Reformpapsttums gekennzeichnet, das man mit Honorius II. (1124–30) enden läßt.[226]

---

[223] Vgl. zur Orientierung: F. KEMPF, Die Kirche im Zeitalter der Gregorianischen Reform, in: H. JEDIN (Hg.), Handbuch der Kirchengeschichte, Bd. 3,1, Freiburg 1966, S. 401–461; R. KOTTJE, Monastische und Kanonikale Reformbestrebungen im 10./11. Jahrhundert und ders., Die gregorianische Kirchenreform in: R. KOTTJE/B. MÖLLER (Hgg.), Ökumenische Kirchengeschichte, Bd. 2, Mainz/München ²1978, S. 60–69 und S. 69–102; H. ZIMMERMANN, Das Mittelalter. I. Teil: Von den Anfängen bis zum Ende des Investiturstreites, Braunschweig 1975, S. 199–247, bes. S. 199–206. Über weitere Forschungen orientiert die Bibliographie bei ZIMMERMANN.

[224] Vgl. hierzu generell den instruktiven Sammelband: Il monachesimo e la riforma ecclesiastica (1049–1122) (Atti della quarta Settimana internazionale di studio Mendola 1968, Mailand 1971 = Miscellanea del Centro di Studi Medioevali, VI). Zu Cluny: H. E. J. COWDREY, The Cluniacs and the Gregorian Reform, Oxford 1970; H. RICHTER (Hg.), Cluny. Beiträge zu Gestalt und Wirkung der cluniazensischen Reform, Darmstadt 1975 (= Wege der Forschung, 241) mit Forschungen der letzten 30 Jahre. – Neben Cluny waren zahlreiche andere Zentren an dieser „Bewegung" beteiligt, denen sich die Forschung zunehmend widmet (vgl. Th. SCHIEFFER, Die abendländische Kirche des nachkarolingischen Zeitalters, in: ders. (Hg.), Europa im Wandel von der Antike zum Mittelalter, Stuttgart 1976, = Handbuch der europäischen Geschichte, Bd. 1, S. 1054–1067, mit reichen Literaturverweisen). So rückt z. B. auch H. JAKOBS, Die Cluniazenser und das Papsttum im 10. und 11. Jahrhundert. Bemerkungen zum Cluny-Bild eines neuen Buches (Francia 2/1974, S. 643–663) die Beobachtungen von COWDREY in einen konkreten sozialgeschichtlichen Zusammenhang und weist darauf hin, welche Reformgruppen neben Cluny besondere Beachtung verdienen. Zur Frühzeit: O. G. OEXLE, Forschungen zu monastischen und geistlichen Gemeinschaften im westfränkischen Bereich, München 1978 (= Münstersche Mittelalterschriften, 31).

[225] In der Forschung meist mit dem Begriff „Libertas Ecclesiae" belegt, vor allem seit dem grundlegenden Buch von G. TELLENBACH, Libertas. Kirche und Weltordnung im Zeitalter des Investiturstreites, Stuttgart 1936.

[226] R. W. SOUTHERN, Western Society and the Church in the Middle Ages, Harmondsworth 1970, dt.: Kirche und Gesellschaft im Abendland des Mittelalters, Berlin 1975, S. 86f.; H. W. KLEWITZ, Das Ende des Reformpapsttums (DA 3/1939, S. 372–412), ND in: ders., Reformpapsttum und Kardinalkolleg, Darmstadt 1957, S. 207–259; F. J. SCHMALE, Studien zum Schisma des Jahres 1130, Köln – Graz 1961 (= Forschungen zur kirchlichen Rechtsgeschichte und zum

Eine entscheidende Rolle hat dabei sicher auch die intensive „Personalpolitik" Roms gespielt, es bekleideten nun Mitarbeiter aus den unterschiedlichsten Gebieten und Reformzentren wichtige römische Ämter.[227]

Die in Rom aufgegriffenen Reformthemen kreisten vornehmlich um die Mißstände von Simonie und Priesterehe, darüberhinaus hat der Kampf gegen die Laieninvestitur besonders die Auseinandersetzung mit dem deutschen Regnum bestimmt. Im Hinblick auf Spanien muß außerdem auf die ebenfalls stark vom Papsttum dieser Zeit betriebene liturgische Uniformierung (Einführung des römischen anstelle des alten spanischen Ritus) hingewiesen werden.[228]

Simonie und Priesterehe greift auch der LSJ energisch an, allerdings nur in einzelnen Kapiteln. Die hier einschlägigen Stellen finden sich in moralisierenden Passagen[229], die das jeweils Vorgetragene aktualisieren. So wird der Bericht über Karls Niederlage in Roncesvalles, die laut dem PT auf sexuelles Fehlverhalten vieler Krieger zurückzuführen ist[230], durch eine Moral ergänzt, die en passant die Ehelosigkeit der Priester nachdrücklich fordert.[231] Ausführlicher und in größerem Kontext behandeln drei Predigten Simonie und teilweise auch Priesterehe (Kapitel 2, 15 und 17).[232]

Im Zusammenhang mit den Mißständen der Pilgerfahrt erörtert Pseudo-Calixt das generelle Problem der menschlichen Laster und bezeichnet die *cupiditas* als Quelle aller weiterer Übel, sie begründe auch die Simonie und die mangelnde Armutsbereitschaft des Klerus'.[233] Welche Charakteristika dem Klerus positiv gesehen eignen sollen, läßt den Autor auf apostolische Vorbilder zurückgreifen. So habe Jesus z. B. die kirchliche

---

Kirchenrecht, 3). Die Forschung zur „Kernzeit" des Reformpapsttums, zur gregorianischen Epoche, ist am besten durch G. B. BORINO (Hg.), Studi Gregoriani, 11 Bde, Rom 1947–1978 zugänglich.

[227] SCHIEFFER, wie Anm. 224, S. 1062.

[228] Zusammenfassend: A. UBIETO ARTETA, La introducción del rito romano en Aragón y Navarra (Hispania Sacra 1/1948, S. 229–324). Teilweise standen hier das Papsttum und die Cluniazenser in Konkurrenz zueinander; in Compostela wurde die römische Liturgie erst recht spät, wohl nach 1095 eingeführt (VONES, wie Anm. 55, S. 95).

[229] Diese Passagen dürfen insgesamt als recht zahlreich angesehen werden, an anderer Stelle (Kapitel 5.2.) wird noch hierauf einzugehen sein. Zu den tatsächlichen Zuständen in Spanien seit Beginn der Reconquista: H. WINTERER, Zur Priesterehe in Spanien bis zum Ausgang des Mittelalters (ZRG KA 52/1966, S. 370–383).   [230] Siehe unten Kapitel 5.2.2., S. 136f.

[231] PT, 21, HÄMEL – DE MANDACH, S. 76: *Illi qui ebriati et fornicati sunt, significant sacerdotes et religiosos viros contra vicia pugnantes, quibus non licet inebriari et nullatenus mulieribus coinquinari.*

[232] Kapitel 2 und 17 von Pseudo-Calixt, Kapitel 15 angeblich von Papst Leo (vgl. hierzu oben, S. 78, Anm. 119).

[233] I, 17, fol. 89ᵛ, WHITEHILL, S. 169: Nach einem Pauluszitat (Tim. I, 6, 10) heißt es: *Sicut ex caritate omnia bona nascuntur, sic ex cupiditate cuncta vicia oriuntur. Per cupiditatem homo fide postposita mentitur, avarus efficitur, s i m o n i a c u s habetur, Christus venditur . . . universaᵃ mala et vicia penitus operantur; ordo etiam clericalis, quod peius est, vilis efficitur, divicie adunantur, unde vera p a u p e r t a s quam Christus religiosis precipit diligere violatur, et omnis ordo viciorum adimpletur.*

a) Anfangs-‚uʻ von frd. Hd. auf Rasur, davor 1 Spatium frei, Rasur.

(Hervorhebungen von mir).

Leitung (*principatus*) deshalb nicht seinen Verwandten übertragen, um ein Beispiel zu geben und um dem Mißbrauch vorzubeugen, kirchliche Ämter der Verwandtschaft wegen weiterzugeben.[234]

Am eingehendsten bezieht Kapitel 2 apostolische Vorbilder und Priestertum aufeinander. Pseudo-Calixt erläutert hier in einzelner Folge die Namen der zwölf Apostel, die gleichsam die Tugenden und Aufgaben der Priester repräsentieren. Ausgangspunkt ist jeweils die Etymologie bzw. die lateinische Übersetzung der Apostelnamen[235], hieraus folgt dann jeweils eine besonders zu erwähnende Tugend der Priester, so steht z. B. Petrus für den Gehorsam, Johannes für die Keuschheit usf.[236] Nimmt man alle diese Eigenschaften zusammen, so scheint laut Pseudo-Calixt die Hauptaufgabe der Priester in der Predigttätigkeit zu liegen. Dies lassen zwei Punkte erkennen: zum einen repräsentiert bei vielen der geforderten Eigenschaften die Predigt das geeignete Mittel zur praktischen Umsetzung[237], zum zweiten löst das Wort *predicator* die sonst übliche

---

[234] Im größeren Zusammenhang geht es hier um die Ablehnung des Vorranges von Jakobus und die Begründung des petrinischen Prinzipates (Jakobus der Ältere wird hier, wie bereits oben S. 74 erwähnt, mit Jakobus dem Jüngeren, dem „Herrenbruder", verwechselt): *Possumus etiam dicere, quod ideo prudens Dominus noluit cognatis suis quamvis bonis principatum super ceteros dare, ne non pro sanctitate illorum fecisse videretur, sed pro consanguinitate* (I, 15, fol. 68ᵛ, WHITEHILL, S. 131). Ein Seitenhieb auf diejenigen Vertreter, die zu jung die „Cathedra Petri" besteigen (Anspielung auf das „saeculum obscurum"?) findet sich kurz zuvor: *Voluit etiam prudentissimus Dominus nobis prebere exemplum, ut nullum nisi provecte etatis ad magisterium sancte ęcclesię sublimare presumeremus. Solent enim iuvenes plerumque simulare religionem, ut mature ad indebitum assumantur honorem. Multociens etiam quamvisᵃ boni fuerint, quia nondum bene probati sunt, propter honorem indeterius relabuntur. Quotᵇ autem ex huiusmodi negligentia in sancta ecclesia evenerint, calamitates non est nostre possibilitatis referreᶜ.* a) ,visʻ auf Rasur, von frd. Hd. b) ,otʻ auf Rasur, von frd. Hd. c) ,feʻ auf Rasur, von frd. Hd. (fol. 68ᵛ, WHITEHILL, S. 130f.).

[235] Hierzu: M. RABANAL ALVAREZ, Griego medieval en el „Codex Calixtinus". El Aliluia en Greco y otros grecismos esporádicos (CEG 8/1953, S. 179–205), S. 204f. mit Auflistung der „richtigen" und „falschen" (volkstümlichen) Herleitungen.

[236] I, 2, fol. 14ʳ, WHITEHILL, S. 26: *Caput pulcre Petr(us) dicitur, quia eius ecclesia omnium ęcclesiarum caput habetur. Dei gratia ipse dicitur, quia eius predicationibus, meritis et precibus cęlestis gratia datur fidelibus. Sic sacerdotes debent obedire Deo in omnibus . . ./* und: fol. 14ʳ, Whitehill, S. 27: *Ioh(anne)s interpretatur Dei gratia, quiaᵃ privilegium amoris Christi virginitatem custodiendo habere meruit, quia sacerdotibus exemplum tribuit, ut mente et corpore caste vivant in ęcclesiis.* a) *quia* nachträgl. überschrieben, frd. Hd. (Auch hier also Betonung des Priesterzölibates!).

[237] Ich nummeriere die Apostelnamen und füge nur die in dieser Hinsicht „positiven" Belege bei:

2. Jakobus: *Sic sacerdotes debent subplantare hominum vicia exemplum operum bonorum predicationibusque scripturarum* (fol. 14ʳ, WHITEHILL, S. 27).

5. Philippus: *Quam vero fidem sacerdotes debent habere in corde, et predicando cunctis confiteri ore, auditorumque mentes tenebrosas illuminariᵃ*
   a) Das Abschluß-,iʻ mit brauner Tinte zu ,eʻ umgeformt (frd. Hd.) (ibid.).

6. Bartholomeus: *. . . sic sacerdotes debent esse filii Dei per obedientiam et populos aquosos, scilicet in aqua baptizatos, ad polorum arcem suspendere per assiduam predicationem* (fol. 14ᵛ, WHITEHILL, S. 27).

Bezeichnung *sacerdos* bei der Behandlung von Thomas, Jakobus dem Jüngeren, Judas Thaddäus und Simon Cananäus ab.[238] Diese Apostel gelten gleichsam als rhetorische Vorbilder der Verkündung. Predigt und Seelsorge heißen also die positiv geforderten Aufgaben der „guten" Priester.[239] Die „schlechten" Kleriker werden durch den 12. Apostel, Judas Ischariot, symbolisiert: *Cum vero in mala significatione ponitur Iudas, antistes malos, presbiteros, abbates, monachos et prelatos sancte ecclesie iniquos significat, qui dominum ut Iudas vendunt, . . .*[240] Diese Kleriker folgen, so Pseudo-Calixt, der simonistischen Häresie[241] und machen sich durch den Verkauf von Ämtern oder auch von anderen kirchlichen Leistungen schuldig. Geschenke dürften zwar angenommen, aber nicht gefordert werden[242], lautet die Empfehlung unseres Autors. Die große Liste aller möglichen Vergehen faßt Pseudo-Calixt mit dem Gedicht eines (unbekannten) Poeten zusammen:

Verum est quod quidam metro canorus de simoniacis ait:

> *Recessit omnis ęquitas,*
> *Nusquam comparet bonitas,*
> *Totum replet iniquitas,*
> *Et vanitatum vanitas,*
> *Nummorum desiderio*
> *Missarum celebratio*
> *Et omnis consecratio*
> *Redigitur sub pretio,*

---

[238] Ab No. 8 der Nummerierung:

8. Thomas: *Simili modo predicatores abyssus debent esse, id est*[a] *altitudinem ministiorum*[b] *Dei scipturarumque divinarum profunditatem agnoscere, ut possint comprehendere cum omnibus sanctis, quę sit latitudo, longitudo et sublimitas et profundum.* a) Kürzel: *,idē*ᶜ = *idem*, aber wohl *id est* gemeint b) *misteriorum* zu emendieren? (fol. 14ᵛ, WHITEHILL, S. 28).

9. Jakobus der Jüngere: *Alpheus, Iacobi pater, doctus interpretatur, quod hisdem predicatoribus conguit, qui docti non solum utriusque testamenti, verum etiam divinitatis et humanitatis Dei firmiter esse debent* (fol. 15ʳ, WHITEHILL, S. 28).

10. Judas Thaddäus: *. . ., que etiam desideria predicatores simili modo ore ammonendo colere, et opere implere debent* (fol. 15ʳ, WHITEHILL, S. 29).

11. Simon Cananäus: *Simili modo predicatores mandatis dominicis debent obedire et spirituali emulacione suos auditores inflammare, . . .* (fol. 15ʳ, WHITEHILL, S. 29).

[239] So bereits vor der Behandlung der einzelnen Apostel angedeutet: *. . . sacerdotes significant, quibus ipse verbum predicacionis et potestatem curandi infirmitates animarum per absolucionis officium et eiciendi demonia per baptismi misterium commisit*[a]. a) ,co' auf Rasur, jedoch von gl. Hd. (fol. 13ᵛ, WHITEHILL, S. 26).

[240] Fol. 15ᵛ, WHITEHILL, S. 30. Der Autor erörtert allerdings auch noch die Bedeutung von Judas im „positiven" Sinne: auch hier geht es um das Bekenntnis des Gotteswortes, die Predigt (fol. 15ᵛ, WHITEHILL, S. 30). Ebenso wird noch der Nachfolger von Judas, Matthias, behandelt: *Matthias ebraice, latine donatus interpretatur, quia ordini apostolatus pro Iuda a Deo donatus est* (fol. 15ᵛ, WHITEHILL, S. 29). Sein Name bedeutet die Auswahl der Priester durch Gott (fol. 15ᵛ, WHITEHILL, S. 30).

[241] *. . . sic sacerdotes mali*[a] *et monachi simoniacam heresim sectantes, ęcclesiastica officia vendentes, . . . Alii enim ex his mercatoribus vocantur Iudaite, alii Simonaici, alii Giezite.* a) *mali* nachträgl. von frd. Hd. übergeschrieben (fol. 15ᵛ, WHITEHILL, S. 30).

[242] Fol. 16ʳ, WHITEHILL, S. 31.

Sed omnis hec destructio
Et hec coinquinacio
Processit ab initio
De sacerdotum vicio.
Multi iam pene clerici
Sunt amatores seculi;
Nec Christi iam discipuli
Sed mamone sunt famuli.[243]

Pseudo-Calixt führt im Anschluß noch weitere Beispiele kirchlicher Mißstände auf: So verdammt er die Priester, die Vergehen wie den Bruch einer *treuga* nicht mit kirchlichen Bußstrafen ahnden, sondern durch Geldzahlungen ablösen lassen[244] oder diejenigen, welche die zur Beichte kommenden Frauen durch Lüsternheit getrieben zur Unzucht verleiten.[245]

Weniger die entschiedene Position, die Pseudo-Calixt in diesen Passagen vertritt, macht den Text so interessant, sondern die detaillierte Schilderung kirchlicher Mißstände, die das Angriffsziel anderer erhaltener theoretischer Traktate erst plastisch hervortreten lassen.[246] Diese Vorgehensweise wirft auch ein Licht auf den Charakter der

---

[243] Ibid., auch abgedruckt bei HÄMEL, S. 50, der obwohl angeblich von WHITEHILL unabhängig, hier dessen Texte einschließlich der Lesefehler übernimmt. Bisher konnte ich dieses Gedicht noch nicht unter den Schriften des Investiturstreites identifizieren (auch ohne Erfolg: MORALEJO, S. 43, Anm. 16).

[244] Fol. 16^{r–v}, WHITEHILL, S. 31f.: *Nec minus dampnabuntur prelati mali, qui ab illis qui trebam frangunt vel maiora peccata comittunt, fraudulenter pecuniam, scilicet aut quinque solidos aut viginti, aut unam marcam argenti, aut plus aut minus accipiunt. Sic enim acusator prelatus reo stanti coram se dicit: Va! qui trebam fregisti, vel tanta mala fecisti, fac mihi rectum; emenda trebam da mihi fideiussores pro recto. Non dicit, ut satisfaciat Deo cui peccavit, sed dicit, ut sibi rectum faciat, quem non offendit. At ipse acusatus, datis fideiussoribus, prelato aut peccuniam mutuo, iusta illius additum ei dabit, aut districti iudicii sentencia, aut excommunicatione illum prelatus dampnabit.*

[245] Fol. 17^r, WHITEHILL, S. 33: *Nec minus presbiter libidinosus, qui mulierem penitencie causa ad se venientem provocat ad peccandum secum libidinosis suggescionibus suis vel derisoriis dictis, dampnatur.*

[246] Ein weiteres Beispiel berichtet über eine organisierte Form, auf den Wallfahrtswegen Pilgern falsche Bußstrafen aufzuerlegen und sich auf geschickte Weise ihrer in Geldform realisierten Buße habhaft zu machen. Das Beispiel taucht fast wörtlich in Kapitel 17 von Buch I wieder auf, ich gebe deshalb hier den Text von I, 2 (fol. 16^v–17^r, WHITEHILL, S. 32f.) wieder, sämtliche Abweichungen von I, 17 (fol. 86^v–87^r, WHITEHILL, S. 164) sind durch anderen Schrifttyp (Petitdruck) gekennzeichnet (Die Frage der Abhängigkeit ist für die Kompilation hier noch nicht beantwortbar): Surrexerunt *quidam falsi ypocrite demoni*aci, *sive clerici sive laici, religioso abitu induti qui in itinere Uiziliacensi, vel Iacobensi, vel Egidiano,* vel Romano *peregrinantibus sive aliis, quos incautos^d inveniunt, in remotis falsas tribuunt penitencias. Pergentes enim aliquando cum illis proferunt in primis obtima verba, enarrantes cunctis per ordinem omnia vicia, dehinc, unicuique illorum separatim loquentes, in secretis interrogant singulos de conscientiis et peccatis perpetratis. Quibus illi mox ut confessi fuerint, uni triginta missas, alteri tredecim^b pro quolibet peccato imponunt. Fac, inquiunt, triginta missas de triginta nummis celebrare talibus presbiteris qui* nunquam *stuprum facerent, nec carnem* commederent; *nec proprium haberent. Sed ille qui nescit, quo invenire tales possit, triginta nummos,* vel precium illorum, *illi qui dicit se in centurum illos*

Kompilation, bzw. zumindestens dieser Teile; Kampf gegen Simonie bedeutet hier: durch eine an das Gefühl der Entrüstung appellierende Darstellung Bundesgenossen zu gewinnen, sich mit den konkreten Mißständen vor Ort auseinanderzusetzen, weniger, die Probleme theologisch-dogmatisch anzugehen.

A. HÄMEL hat in seiner kurzen Interpretation von Buch I des LSJ betont, neben dem Kampf gegen die Simonie trete der liturgische Teil der Kompilation auch massiv für den römischen Ritus ein.[247] Verfolgt man diesen Gedanken in einzelnen Punkten, so ist zunächst festzustellen, daß die zusammengestellten Meßtexte des LSJ vom Formular her wohl alle dem römischen Ritus entsprechen. Ein Vergleich der Meßproprien, Stundengebete und Antiphonen im LSJ mit erhaltenen liturgischen Büchern der altspanischen Liturgie[248] ließ weder im Formular noch in den Texten Anklänge erkennen.[249] Bedauerlicherweise weist die lokale Compostelaner Tradition kein unmittelbar geographisch und zeitlich naheliegendes Vergleichsmaterial auf.[250]

---

tribuit. Non curat acceptor de peccatoris' salute, sed peccuniam in marsupio mittit et luxuriose expendit, et animam suam anathematizatam in inferno recludit. a) in I, 2, fol. 16ᵛ ist das ,t' zum vorhergehenden ,u' herübergezogen, dazwischen Lücke von 1 Buchstaben, b) in I, 17, Foliowechsel: fol. 87ʳ. c) in I, 2 fol. 17ʳ: Das Abschluß-,s' nachträglich von frd. Hd. übergeschrieben (andere, braune Tinte).

[247] HÄMEL, S. 45–51, S. 47 und 50. HÄMEL stellt als weiteren Punkt, der das I. Buch charakterisiere, die umfangreiche Schilderung der Wallfahrtsgefahren (bes. in I, 17) heraus. Hierauf soll an späterer Stelle (Kap. 6) eingegangen werden.

[248] Vgl. zur altspanischen Liturgie allgemein: Estudios sobre la liturgía mozárabe, Toledo 1965 (mit vielen Einzelbeiträgen) und den vorzüglichen Lexikonartikel von J. M. PINELL, Liturgía Hispánica (Diccionario de historia eclesiastica de España, Bd. II, Madrid 1972, S. 1302–1320). Nach dem Stande der heutigen Forschung bestand die altspanische Liturgie wohl in zwei Hauptausprägungen, deren unterschiedlicher Ursprung noch nicht bis ins letzte geklärt ist (vgl. PINELL, S. 1302–1306 mit Auflistung der wichtigsten Unterschiede). An Quellen zum Vergleich wurden herangezogen: Liber commicus, hg. v. Fr. J. PEREZ DE URBEL und A. GONZALES Y RUIZ ZORILLA, 2 Bde, Madrid 1940–1955; Antifonario visigotico mozárabe de la catedral de León, hg. v. L. BROU und J. VIVES, 2 Bde, Barcelona – Madrid 1953–1959; ferner: Missale Mixtum secundum regulam beati Isidori dictum mozarabes, hg. v. A. LESLEY, Rom 1755, ND Toledo 1875 (= MPL 85, Paris 1862, Sp. 211ff.). Das zuletzt zitierte Werk entstand zwar erst im 15. Jh., geht jedoch lt. PINELL (S. 1306) auf den zweiten Traditionsstrang der span. Liturgie zurück und ist deshalb ebenfalls zu berücksichtigen. – Eine Sichtung allen – auch des noch ungedruckten – liturgiegeschichtlichen Primärmaterials muß indessen an die Liturgiegeschichte verwiesen werden.

[249] Lediglich das „Missale Mixtum" (s. Anm. 248) enthält ein Meßformular zum Jakobusfest (30. Dez.) (A. A. KING, Liturgies of the Primatial Sees, London 1957, S. 566 spricht von einer weiteren Quelle mit Meßformular zum Jakobusfest, jedoch ohne Beleg). Das Antiphonarium enthält nur als Zusatz (12. Jh.?) einige Verse zum Fest vom 25. Juli (Antifonario, wie Anm. 248, S. 509f.), der Liber commicus, wie Anm, 248, hält sogar überhaupt keine Texte zum Jakobusfest bereit, sondern lediglich im Anhang eine Notiz über die Bestattungsorte der Apostel (Bd. II, S. 709). Diese recht spärliche Ausbeute weist auch auf die untergeordnete Bedeutung des Jakobuskultes bis ins 10./11. Jh. in Spanien hin (vgl. oben Kap. 1). Die Meßformulare des LSJ verglich ich mit dem mozarab. Meßschema, das PINELL, wie Anm. 263, S. 1312f., zusammengestellt hat.

[250] Die Fragmente aus Compostela (PINELL, wie Anm. 263, S. 1310) sind noch ungedruckt und waren mir nicht zugänglich.

Die Tatsache jedoch, daß die „Passio Jacobi" in Buch I des LSJ auftaucht, um im liturgischen Kult verlesen zu werden, könnte auf Einflüsse der altspanischen Liturgie hinweisen, eignet doch dieser Brauch dem mozarabischen, teils auch dem gallikanischen Ritus.[251]

Römische und mozarabische Liturgie unterschieden sich ferner durch ihre jeweils eigenen Festkalender. Im römischen Ritus wird das Fest des hl. Jakobus Zebedäus am 25. Juli gefeiert[252], im mozarabischen hingegen am 30. Dezember[253].

Der LSJ enthält in seinem liturgischen Teil Texte für beide Festtage, es fällt jedoch auf, daß liturgisch gesehen der 25. Juli aufwendiger gefeiert werden soll: Im Homiliarium werden Vigil, Festtag und die gesamte Oktav mit Lesungen und Predigten bedacht; der Festkreis des 30. Dezembers verzeichnet hingegen nur für Fest- und Oktavtag eigene Lesungen und Predigten. Diese ungleiche Gewichtung läßt ebenso das Missale, ansatzweise auch das Breviarium erkennen.[254]

Darüberhinaus bedurfte es einer Erklärung, warum das Jakobusfest überhaupt an zwei verschiedenen Daten gefeiert werden sollte. Mehrere Stellen des LSJ erläutern, der 25. Juli bedeute das Fest der Passion, der 30. Dezember hingegen das der Berufung und

---

[251] Passio minor: LSJ I, 4, fol. 18ʳ–20ʳ, WHITEHILL, S. 36–38, Passio maior: LSJ I, 9, fol. 48ʳ–53ʳ, WHITEHILL, S. 94–103. Zum Verlesen der Passio im Gottesdienst vgl.: B. DE GAIFFIER, La lecture des actes des martyrs dans la prière liturgique en Occident (AB 72/1954, S. 134–166) bes. S. 153ff. Die Passio maior sieht DAVID als nachträgliche Ergänzung, welche die Compostelaner Tradition aufgreife (s. oben Anm. 24). Alte liturgische Gebräuche konnten somit hier manifest werden, wenngleich nicht sicher ist, ob nicht auch der in Compostela geläufige Inhalt der Passio zur Einfügung führte. Der Text der altspanischen Passio Jacobi: Pasionario Hispanico (siglos (VII–XI), hg. von A. FABREGA GRAU, 2 Bde, Madrid – Barcelona 1953–1955, Bd. 2, S. 111–116 entspricht weitgehend der Passio maior des LSJ, die allerdings ihrerseits noch weiter ausgestaltet ist. Ferner erwähnen die im I, 23 (fol. 113ᵛ–114ʳ, WHITEHILL, S. 214) aufgenommenen liturgischen Anweisungen Pseudo-Calixts die Weihe des Taufwassers und die Taufe am Vigilfest des hl. Jakobus (24. Juli). Auch dies ist ein Brauch der altspanischen Liturgie (vgl. DAVID, II/1947, S. 148, s. auch oben Anm. 22).

[252] Vgl.: Vie des Saints, hg. von den Bénédictins de Paris, Bd. VII, Paris 1949, S. 608ff.; Bd. XII, Paris 1956 erwähnt zum 30. Dezember kein Fest des hl. Jakobus. Vgl. auch: Fr. J. PEREZ DE URBEL, El antifonario de León y el culto de Santiago el Mayor en la liturgia mozárabe (Revista de la Universidad de Madrid 3/1954, S. 5–24) S. 23.

[253] Vgl. H. LECLERCQ, Espagne (Dictionnaire d'archéologie chrétienne et de liturgie, Bd. V/1, Paris 1922, Sp. 407–523), Sp. 416 mit kurzer Sichtung aller einschlägigen Quellen und zusammenfassend: J. VIVES, Liturgia. C. Calendarios liturgicos (Diccionario de historia eclesiastica de España, II, Madrid 1972, S. 1324–1326). Vgl. ferner: DAVID, II/1947, S. 130 und GAMS, wie Anm. 193, Bd. II, 2, S. 194 und 196. PEREZ DE URBEL, wie Anm. 252, sieht die Zusammenhänge zwischen beiden Festtagen folgendermaßen: Der Festtag des 25. Juli wurde im 7./8. Jh. von Mitteleuropa her verbreitet und setzte sich erst in Katalonien, im 9. Jh. sogar in Südspanien durch. Der Festtag des 30. Dezember sei hingegen asturischen Ursprunges (8. Jh.) und im 9./10. Jh. von Toledo aufgegriffen worden (zusammenfassend S. 23). Dieser Zusammenhang stützt die oben (Kap. 1) skizzierte Theorie zur Kultentstehung: kein besonderer Kult in Spanien bis ins 8. Jh., Eindringen best. Elemente des Kultes von Mitteleuropa her, eigene asturische Tradition ab dem 8. Jh.

[254] Vgl. das nach liturgischen Gesichtspunkten geordnete Inhaltsverzeichnis des I. Buches bei HÄMEL, S. 63–65.

der Translation.[255] In zwei einschlägigen Kapiteln (I, 5 und III, 3) wird wohl das Fest des 25. Juli favorisiert, Pseudo-Calixt betont das Martyrium des hl. Jakobus (d. h. seine Passion) und leitet daraus einen Anspruch auf den geistigen Primat unter den Aposteln ab.[256] In Kapitel 3 des III. Buches wird zudem jedes Fest auf eine Autorität zurückgeführt, bezeichnenderweise das Fest des 25. Juli auf einen Papst[257], das Fest des 30. Dezember auf einen spanischen Herrscher, Alfons (?)[258].

---

[255] So I, 5, fol. 20ʳ, WHITEHILL, S. 39; I, 17, fol. 75ᵛ, WHITEHILL, S. 143f.; III, 3, fol. 160ᵛ–161ʳ, WHITEHILL, S. 297f. und entsprechend in den jeweiligen Kapitelüberschriften so bezeichnet (vgl. das Inahltsverzeichnis bei HÄMEL, wie Anm. 254). Diese Aufteilung des Gesamtfestes orientiert sich lt. DAVID am Festgebrauch von St-Martin de Tours (DAVID, II/1947, S. 130f.).

[256] I, 5, fol. 20ʳ, Whitehill, S. 39 und III, 3, fol. 160ʳ–161ʳ, Whitehill, S. 296f.

[257] Evtl. ist hiermit Alexander II. gemeint, der ja als erster Papst Bestrebungen unternahm, die römische Liturgie in Spanien einzuführen: *Sed beatusᵃ Iheronimus eius passionemᵇ octavo k(a)l(endas) Avgvsti celebrandamᶜ prius in martirologio suo quem ad sanctos episcopos Cromatium et Eliodo(rum) scripsit, deinde beatus Alexander papa eodem die celebrare illam precepit,* ... a) *Sed beatus* auf Rasur, v. frd. Hd. b) „pᶜ auf Rasur, von frd. Hd. c) „ndamᶜ auf Rasur, von frd. Hd. (fol. 161ʳ, WHITEHILL, S. 297). Pseudo-Calixt argumentiert dann weiter, der hl. Jakobus habe am 25. März sein Martyrium erlitten und sei am 25. Juli von Iria nach Compostela gebracht worden. Dann habe man ihn am 30. Dezember beigesetzt, weil die Errichtung des Grabes so lange gedauert habe (ibid.). Glaubt man, damit die im Titel des Kapitels angesprochenen drei Festtage des hl. Jakobus kennengelernt zu haben, so wird man enttäuscht, denn kurz darauf heißt es, der 25. März werde häufig wegen anderer konkurrierender Feste nicht begangen. Es folgt dann die bereits an anderer Stelle besprochene, sicherlich nachträglich zugefügte Randnotiz zum Mirakelfest am 3. Oktober (vgl. zu allen diesen Randnotizen und zum nachträglichen ergänzten fol. 128ʳ⁻ᵛ: Kap. 2.3., S. 27 mit Anm. 92). Ob also nun 25. 3./25. 7. und 30. 12. oder 25. 7./3. 10. und 30. 12 in der Überschrift gemeint sind, bleibt unklar. Beide Passagen sind wohl Zufügungen, denn der 25. März als Festtag taucht sonst nirgendwo im LSJ auf, die Randnotizen zum 3. Oktober sind bereits materiell als Zusätze erkennbar (vgl. DAVID, II/1947, S. 154 und oben Kap. 2.3, S. 27, ferner die Tabelle im Anhang, Kap. 8.3.).

[258] Diese Passage verrät die Autorschaft eines Parteigängers für die Interessen Compostelas. *Fertur quod translacionis et electionis beati Iacobi celebritatem IIIᵒ die kalendaru(m) Ian(uari)i inclitus imperator Hyspan(us) Aldefonsus, bona memoria dignus, celebrare inter Gallecianos, priusquam nostra autoritateᵃ corroboraretur. Non minus translacionis sollempnitatem quam passionis credebat esse celebrem, quia in ea alumpni domini corporale solacium plebs Galleciana gaudens suscepit.* a) über dem „uᶜ ein kl. „cᶜ interlin. von gl. (?) Hd. ergänzt (fol. 161ʳ, WHITEHILL, S. 297f.). Möglicherweise ist im Zitate Alfons VI. (1065–1109) gemeint, ein Bezug zu Alfons VII. (1126–1157), der auch einen abweichenden Titel verwendete, wird durch die Bemerkung *bona memoria dignus* unwahrscheinlich, weil so die Abfassung der Passage äußerst spät angesetzt werden müßte. Möglich, aber ebenso unwahrscheinlich ist ein Bezug zu Alfons III. (866–910), denn die Berichtform suggeriert, daß die Beschreibung der Zustände nicht allzuweit zurückliegt. Vgl. auch DAVID, II/1947, S. 153f. – Es wird im Text versucht, den Wert des Translationsfestes zu heben (*non minus . . . credebat . . .* !). Der Autor vermag aber an dieser Stelle die Bedeutung des 30. Dezembers nur auf Galizien zu beziehen, weil er der einmal vorgegebenen Richtung (Trennung der Festtage) folgen wollte. Anschließend an diese Passage wird die Festbegehung (vgl. oben Kap. 4.3., S. 85f.) geschildert, auch die Analyse dieser folgenden Teile ließ ja die Arbeit eines Parteigängers für das Bistum Compostela vermuten (s. o. S. 96). Auf völlig anderer Ebene wird in I, 17 das Elektions- und Translationsfest als Symbol für das künftige, das Passionsfest als Zeichen für das jetzige Leben interpretiert (fol. 75ᵛ, WHITEHILL, S. 144).

Kapitel 5 des I. Buches liefert den Schlüssel, um die Position des Kompilators zur Ritusfrage abschließend zu klären. Die Argumentation entspricht hier dem oben festgestellten Verhältnis beider Festtage zueinander. Das Fest am 25. Juli, so Pseudo-Calixt, sei mit großem liturgischen Aufwand zu begehen und zwar überall, nicht nur in Galizien. Diese letzte, für den Standort des Kompilators aufschlußreiche Bemerkung fehlt bei der Charakterisierung des Berufungs- und Translationsfestes.[259] Daraus läßt sich folgern, daß das Translationsfest als Nebenfest behandelt wird, das der galizischen Tradition zugestanden wird. Dieses Ergebnis legt auch das quantitative Verhältnis der Meßformulare für beide Feste nahe. Die Wahl des Festtagsnamens verrät, daß der Kompilator den ursprünglich mozarabischen Festtag der wichtigsten Compostelaner Legende, der Translation, zuordnete.[260]

Der Kompilator griff also das päpstliche Kirchenreformprogramm auf, predigte gegen Simonie und Priesterehe und forderte positiv gesehen eine verstärkte Seelsorge in Rückbesinnung auf die apostolischen Vorbilder. In der Frage der liturgischen Uniformierung trat er für die römische Liturgie ein, ohne jedoch vollständig mit der Compostelaner Tradition zu brechen.

4.5. Zusammenfassung

Die Erörterungen dieses Kapitels haben zunächst einen Einblick in die Werkstatt des Kompilators gewährt. Eine Interpretation des Einleitungsbriefes von Pseudo-Calixt erwies sich als besonders aufschlußreich und machte Zweck und Art der Zusammenstellung des LSJ deutlich.[261]

Der Zweck des Buches, nämlich eine Auswahl von mündlicher und schriftlicher Tradition mit Neuem zu einem für die Jakobusverehrung verbindlichen Werk

---

[259] I, 5, fol. 20[r], WHITEHILL, S. 39: *Cuius passionis sollempnia sacrosancta die octavo kalendaru(m) Aug(us)ti cum vigilia et ieiunio et octavis celebrare omnibus ęcclesiis non solum Gallecie verum etiam tocius orbis longe lateque generaliter precipimus: eiusdemque electionem ac translationem tercio die kalenda(rum) Ianuarii, qualiter electus est a domino super mare Galilee, et a Hierosolimis translatus in Gallecia(m)* ... Wie in II, 3 folgt auch hier eine Randnotiz zum Mirakelfest am 3. Oktober (s. Anm. 257 und Kap. 2.3., S. 27 mit Anm. 92). Festzuhalten ist, daß Pseudo-Calixt an dieser Stelle, wie in der Abschlußbulle zum PT verfügt, Vorsteher und Priester sollten dies verkünden: *presulibusque cunctis in sinodis suis et prebiteris in ęcclesiis viva voce[a] adnunciare.* a) folgt: „*hec*', klein von frd. Hd. übergeschrieben. (fol. 20[r], WHITEHILL, S. 39). Vgl. die Verfügungen von JL † 7111 am Ende des PT: oben Kap. 4.1., S. 65, Anm. 41).

[260] Dieser Tag brachte seit langem viele Pilger nach Compostela, der Kompilator konnte dieses wesentliche Argument für die Beibehaltung dieses Festtages nicht einfach beiseite schieben (vgl. DAVID, I/1946, S. 13 und II/1947, S. 15). Trotzdem ist bedeutsam, daß im LSJ durchgehend die Doppelbezeichnung „Elektions- und Translationsfest" auftaucht, dies kennzeichnet zumindest eine gewisse Reserve der Compostelaner Tradition gegenüber. HÄMEL, S. 47–48 weist auf Stellen des LSJ hin, die durch die Bezeichnung *regula Isidori* einen Zusammenhang mit der mozarabischen Liturgie nahelegten. Zu diesen Stellen, vgl. unten Kapitel 5.3.

[261] S. o. S. 59f. So empfiehlt auch B. DE GAIFFIER, L'hagiographe et son public au XIe siècle (Miscellanea in honorem L. VAN DER ESSEN, 1, Brüssel 1947, S. 135–166), S. 161 (ND in: ders., Etudes d'hagiographie et d'iconologie, Brüssel 1967, S. 475–508) eine besonders genaue Analyse der Prologe, um das Milieu eines jeweiligen hagiographischen Textes ermitteln zu können.

zusammenzufügen, ließ den Kompilator auf päpstliche Legitimationshilfe zurückgreifen, die im ganzen Werk, wenn auch besonders stark in Buch I und Buch II, zu verfolgen ist. Sie wird auf unterschiedliche Weise dokumentiert: durch argumentative Passagen, welche die Entstehung des Buches nachvollziehbar machen sollen, durch Wunderbeweise im Zusammenhang mit dem Kodex, ferner auch durch verbindliche Anordnungen. Für diese letzteren wählte der Kompilator die einzig angemessene, nämlich die urkundliche Form.[262]

Der Zweckbereich der Kompilation machte weiterhin deutlich, warum auf eine zeitgenössischen Papst zurückgegriffen wurde; die Wahl Calixts II. ließ jedoch noch nicht letztlich zwingend erkennen, welchem geistigen Milieu der Kompilator entstammte.[263]

Die u. a. aus diesem Grund unternommene inhaltliche Analyse des LSJ fragte nach Gesichtspunkten wie der Bewertung des apostolischen Ranges Compostelas, des Verhältnisses zur innerspanischen Hierarchie und der Stellung zur Kirchenreform. Hierbei mußte aus sachlichen, der Struktur der Kompilation inhärenten Gründen vornehmlich auf Kapitel von Buch I zurückgegriffen werden.

Den Schlüssel zur Erklärung scheinen mir die Ausführungen Pseudo-Calixts zur Kirchenreform zu bieten. Dieses Thema wird an verschiedenen, im Rahmen einer Predigt geeigneten Stellen aufgegriffen und läßt den Standort des Kompilators klar hervortreten: Das Priestertum soll sich an der *vita apostolica* neu orientieren und sich auf die apostolischen Tugenden der Armut, Keuschheit und Predigt (Seelsorge) zurückbesinnen.[264] Diese Forderungen rücken den Kompilator in die geistige Nähe der Kanonikerreformbewegung des 12. Jahrhunderts, die apostolische Nachfolge und vor allem Seelsorge und Predigt als priesterliche Aufgaben neu entdeckte und propagierte.[265] Somit darf die Beziehung des LSJ zu der Kanonikerbewegung, die andere

---

[262] S. o. S. 60, 63 und S. 68 (zusammenfassend).

[263] Eine Analyse der Petenten der Urkunden Calixts rückte zwar bestimmte Gemeinschaften ins Blickfeld, die der päpstlichen Rechtshilfe besonderes Gewicht beimaßen, eine schlüssige Zuordnung des Kompilators zu einem dieser Zentren gelang jedoch nicht (s. oben, S. 69f. und Anhang, S. 199ff.). In den folgenden Zeilen ist immer vom geistigen Milieu des Kompilators (nicht der Autoren) die Rede, wenn 1. einschlägige Passagen nicht sicher als nachträgliche Zusätze erkannt werden konnten und wenn 2. für die behandelten Passagen keine direkten Vorlagen ermittelt werden konnten. Selbst wenn sich die zweite Bedingung für einzelne Textstellen in Zukunft erweisen sollte, so bedeutet deren Übernahme durch den Kompilator noch immerhin auch ein Charakteristikum des Zusammenstellers.

[264] Die Zentralpassage hierzu in I, 2 (s. o. S. 99–102) kann meines Erachtens mit Sicherheit nicht als nachträglicher Zusatz gelten. Stilistisch gesehen ist diese Passage aus einem Guß, inhaltlich weist das Kapitel Beziehungen zu I, 17 auf (s. o. Anm. 246), dieses Kapitel hat seinerseits wieder engsten Bezug sowohl zum Einleitungsbrief (fol. 1ᵛ, WHITEHILL, S. 2) als auch zu Buch V (vgl. unten, Kap. 6).

[265] Vgl. F. J. SCHMALE, Kanonie, Seelsorge, Eigenkirche (Historisches Jahrbuch 78/1959, S. 38–63), der zusammenfassend als Ziele der Kanonikerbewegung die Heiligung des Klerus und die Verbesserung der Seelsorge nennt (S. 63). Ob die „cura animarum" einen wesentlichen Bestandteil des „Kanonikerprogramms" darstellte, ist bislang noch umstritten, von SCHMALE jedoch als sehr wahrscheinlich erwiesen worden. – Vgl. zur grundlegenden Orientierung: Ch. DEREINE, Chanoines (Dictionnaire d'Histoire et Géographie Ecclésiastique 12/1953, Sp. 353–405)

Stellen der Kompilation nahelegen (so im PT), nunmehr auch zumindest für Teile des I. Buches als gesichert gelten.[266]

Diese Stellung des Kompilators erklärt auch, warum der Apostel Jakobus samt der ihm zugeschriebenen *sedes* fortwährend hervorgehoben wird. Ein Verfechter der *vita apostolica* hatte auch der Grabstätte eines jeden Apostels die höchste Reverenz zu erweisen. Den Vorrang des Aposteltrios Petrus, Jakobus und Johannes legt der Kompilator durch Auswahl von Lesungen und durch seine Predigten dar; die Überspitzungen jedoch, die nur diese drei *sedes* als höchste Instanzen der gesamten Christenheit darlegen und teilweise sogar gegen den römischen Primat Stellung bezogen, müssen als Zufügungen eines Autors, möglicherweise des Kompilators, erscheinen, der sich in besonderer Weise den Interessen des Bistums Compostela verpflichtet fühlte.[267] Ähnliches trifft wohl auch für die Passagen zu, die Compostelas Rang innerhalb der spanischen Hierarchie und die enge Verschränkung Compostelas mit den spanischen Herrschern ungewöhnlich stark herausheben.[268] .Diese letzteren Zusätze sind jedoch aus anderer Sicht besonders wertvoll: Sie ergänzen die Berichte der Hist. Comp. und spiegeln wohl teilweise Ambitionen von Diego Gelmírez und seinem Kapitel besonders prägnant wider. Den Hauptgegner Compostelas innerhalb Spaniens verdeutlicht darüberhinaus die liturgische Gestaltung des I. Buches im LSJ: Die römische Liturgie stand gegen den altspanischen Ritus, der in der westgotischen Metropole Toledo sein Hauptzentrum besaß.

(zur Seelsorge anders als Schmale: Sp. 391–395) und den Sammelband: La vita comune del clero nei secoli XI e XII (Atti della Settimana di studio, Mendola 1959, 2 Bde, Mailand 1962 = Miscellanea del Centro di studi medioevali III); ferner: St. Weinfurter, Neue Forschungen zu den Regularkanonikern im Deutschen Reich des 11. und 12. Jahrhunderts (HZ 224/1977, S. 379–297), S. 393 für die These Schmales mit gewissen Vorbehalten für Frankreich. Vgl. zur Sache unten Kap. 5.3. (mit weiterer Literatur).

[266] PT, 13, Hämel – de Mandach, S. 57: *Quos habitu candico vides, kanonici regulares dicuntur, qui meliorum sanctorum sectam tenent.* . . . Auf Kanonikergemeinschaften (teils von Karl angeblich gegründet) wird in Buch IV und V fortwährend hingewiesen. Zu dieser, vor allem von Lambert betonten Bedeutung der Kanoniker bei Abfassung des LSJ vgl. oben, Kap. 2.4., S. 36f. und Anm. 136f.

[267] Es handelt sich um I, 2, I,15 und IV, 19, vgl. oben, S.77–79. Es sei daran erinnert, daß bei I, 2 sicherlich bei I, 15 eventuell nur die jeweilige Passage als Zusatz anzusehen ist.

[268] Neben IV, 19 (s. Anm. 267) geht es hier um III, 3. Teile von III, 3 sind sicher Zusätze (siehe die liturgischen Bestimmungen, oben, S.104, Anm. 257 und 258).

5. DER JAKOBUSKULT IM LIBER SANCTI JACOBI UND SEIN BEZUG ZUM RITTERTUM

Eine schichtenspezifische Zuordnung des im LSJ erkennbaren Jakobuskultes kann grundsätzlich auf mehrere Art angegangen werden. Ausschalten müssen wir von vornherein die Frage: Welche sozialen Gruppen lesen bzw. hören den LSJ? Sie könnte nur im Rahmen einer Verbreitungs- und Rezeptionsgeschichte des LSJ angemessen erörtert werden[1], hier steht jedoch ausschließlich der LSJ in der Form des CC zur Diskussion.[2]

Auszugehen ist von der Frage, inwieweit der im LSJ erkennbare Kultvollzug mit seinen ihm eigenen Formen einer bestimmten sozialen Gruppe zugeordnet werden kann (Kapitel 5.1.), um dann weiter zu erörtern, ob und wie diese Gruppe vom Kompilator besonders angesprochen wird (Kapitel 5.2.). Beide Punkte dürften weitere Gesichtspunkte beitragen, um den gesellschaftlichen Standort des Kompilators zu präzisieren (Kapitel 5.3.). Als Einstieg eignet sich Buch II, die Mirakelsammlung, deshalb besonders gut, weil sich hier die Jakobusverehrung durch konkret bezeichnete Personen vollzieht.

5.1. Die Formen ritterlicher Religiosität in den Mirakelberichten

Bevor die in den LSJ integrierten Mirakelgeschichten genauer untersucht werden, ist es nötig, einige methodische Bemerkungen voranzuschicken. Die Geschichtswissenschaft steht den sogenannten hagiographischen Quellen seit jeher außerordentlich zwiespältig gegenüber.[3] Während zumeist protestantische Kreise seit der Reformation und über die Aufklärung hinaus hagiographische Texte grundsätzlich ablehnten, versuchte die historisch-kritische Schule der Geschichtswissenschaft seit dem 19. Jahrhundert, den „geschichtlichen Kern" aus der hagiographischen Überlieferung herauszuschälen.[4]

---

[1] Selbst in einem solchen Rahmen ist jedoch fraglich, ob eine schichtenmäßige Zuordnung gelänge. Man vgl. die Ausführungen von A. DE MANDACH zur Verbreitung des PT (Naissance et développement de la Chanson de Geste en Europe, 2 Bde, Genf 1961–1963), die auf den ersten Blick zwar viel über Zentren und Wege der PT-Rezeption aussagen, jedoch noch recht wenig zu den „direkten" Konsumenten dieser Literatur.

[2] Vgl. oben, Kap. 2.3., S. 29.

[3] Vgl. zur Forschungsgeschichte aus geschichtswissenschaftlicher Sicht: F. GRAUS, Volk, Herrscher und Heiliger im Reich der Merowinger. Studien zur Hagiographie der Merowingerzeit, Prag 1965, S. 25–39 und die ausführliche Rez. hierzu von F. LOTTER, Legenden als Geschichtsquellen (DA 27/1971, S. 195–202); ferner: F. LOTTER, Methodisches zur Gewinnung historischer Erkenntnisse aus hagiographischen Quellen (HZ 229/1979, S. 298–356), S. 299–306. Grundlegend: R. AIGRAIN, L'hagiographie. Ses sources. Ses méthodes. Son histoire, Paris 1953, S. 291–389.

[4] Vgl. GRAUS, wie Anm. 3, S. 27–29; LOTTER, Methodisches, wie Anm. 3, S. 299–302.

Die katholischen Apologeten, vorwiegend durch die Bollandisten vertreten, denen die Aufarbeitung des immensen Materials größtenteils zu verdanken ist[5], vertraten demgegenüber Rückzugspositionen und „opferten" schließlich die Legenden als unwesentliches Beiwerk, um sich verstärkt der Kulterforschung zuzuwenden.[6] Ansätze der Folkloristen, teilweise auch diejenigen religionspsychologischer Forscher litten vor allem unter dem Mangel, chronologisch nicht exakt zu differenzieren.[7] Die Geschichtswissenschaft hat sich erst wieder in den sechziger Jahren den hagiographischen Quellen mit neuem methodischen Verständnis genähert: Die Arbeiten von GRAUS, PRINZ und BOSL – alle zur „quellenarmen" (aber hagiographisch reichen) Merowingerzeit – seien hier als Marksteine der Forschung genannt.[8] Ähnlich wie die bereits erwähnte Mentalitätsgeschichtsschreibung[9] fragten sie nicht mehr, ob etwas wahr oder falsch ist, sondern interessierten sich für die hagiographische Quelle als Zeugnis einer realen

---

[5] J. BOLLAND und Nachfolger (Hg.), Acta Sanctorum quotquot toto orbe coluntur ..., Bd. 1–67 (fol.), Antwerpen-Brüssel 1643–1940 (nach Festtagen bis zum 10. November reichend) (mehrere NDD); J. MABILLON, Acta Sanctorum ordinis Sancti Benedicti, 9 Bde. (fol.), Paris 1668–1701. Vgl. ferner die wertvolle Erschließungsmöglichkeit hagiographischer Texte mittels der BHL. Vgl. zur Orientierung über die Bollandisten und ihr Werk: H. DELEHAYE, L'œuvre des Bollandistes a travers trois siècles. 1615–1915, Brüssel 1920, seconde édition avec un guide bibliographique mis à jour, Brüssel 1959 (= Subsidia hagiographica, 13ª). Der bibliographische Anhang gewährt einen eindrucksvollen Einblick in das bisher Geleistete.

[6] So vor allem am Werk von H. DELEHAYE zu verfolgen: Les légendes hagiographiques, Brüssel 1905, ⁴1955, ND 1968 (= Subsidia hagiographica, 18); ders., Sanctus. Essai sur le culte des Saints dans l'Antiquité, Brüssel 1927, ND 1954 (= Subsidia hagiographica, 17); und ders., Cinq leçons sur la méthode hagiographique, Brüssel 1934 (= Subsidia hagiographica, 21). Sowohl die bereits vielzitierten Abhandlungen des heute führenden Bollandisten B. DE GAIFFIER als auch die neueren Bände der AB verraten hingegen wieder eine neue Öffnung in bezug auf die Legendenforschung (vgl. die Titel im Literaturverzeichnis).

[7] Hierher gehören u. a. auch die Abhandlungen von H. GÜNTER: Psychologie der Legende. Studien zu einer wissenschaftlichen Heiligengeschichte, Freiburg 1949; und: Hagiographie und Wissenschaft (Historisches Jahrbuch 62–69/1949, S. 43–88). Die Monographie von GÜNTER zeichnet sich allerdings durch die Berücksichtigung einer ungeheuren Materialfülle aus, so daß eine Benutzung trotz der methodischen Vorbehalte zu empfehlen ist. Vgl. allgemein zur Kritik an dieser Forschungsrichtung (mit weiterer Literatur): GRAUS, wie Anm. 3, S. 33f.

[8] GRAUS, wie Anm. 3; F. PRINZ, Heiligenkult und Adelsherrschaft im Spiegel merowingischer Hagiographie (HZ 204/1967, S. 529–544); ders., Frühes Mönchtum im Frankenreich, München-Wien 1965 und K. BOSL, Der „Adelsheilige", Idealtypus und Wirklichkeit, Gesellschaft und Kultur im merowingerzeitlichen Bayern des 7. und 8. Jahrhunderts (Speculum Historiale, Festschrift f. J. SPÖRL, Freiburg/München 1965, S. 167–187, jetzt auch in: F. PRINZ (Hg.), Mönchtum und Gesellschaft im Frühmittelalter, Darmstadt 1976, S. 172–180, = Wege der Forschung 312) (Vollständigkeit ist mit diesen Hinweisen nicht erstrebt). Vorzüglich hat aus der neueren Sicht der Bollandisten B. DE GAIFFIER in einem Vortrag zum Verhältnis von Hagiographie und Historiographie Stellung genommen: Hagiographie et Historiographie (La Storiografia altomedievale, I, Settimane di Studio del Centro italiano di studi sull' alto medioevo 17, Spoleto 1970, S. 139–166).

[9] Vgl. oben Kap. 3, S. 52f.

Lebenswirklichkeit.[10] Innerhalb der hagiographischen Quellen harren insbesondere die Wundererzählungen noch einer intensiveren Aufarbeitung.[11] Wunderberichte basieren grundsätzlich auf mündlicher Überlieferung (sind also eine vorzügliche Quelle zur „religion populaire"), die im allgemeinen auch nach schriftlicher Fixierung weiterlebt und fortentwickelt wird. Dieser Gattung eignet teils noch stärker als anderen hagiographischen Quellen eine recht starke Stilisierung, so daß grundsätzlich nach einer – soweit möglich – quellenkritischen Aufbereitung für die Sammlung Typisches von Gemeinplätzen geschieden werden sollte, wenngleich auch noch die Verwendung bestimmter Topoi Weltsicht, Mentalität und Zielvorstellungen des Redaktors wider-spiegeln.[12]

Die in den LSJ als eigenes Buch aufgenommenen 22 Wundergeschichten werden in einer Vorbemerkung Pseudo-Calixts als eine Auswahl, nämlich als die „wahrsten" charakteristiert.[13] Laut diesem Vorwort hat Pseudo-Calixt Geschriebenes, Gehörtes und Erlebtes aufgezeichnet, eine orale Erzähltradition darf sicherlich für einen Großteil

---

[10] Vgl. LOTTER, Methodisches, wie Anm. 3, S. 303. Methodisch auch äußerst anregend: J.-C. POULIN, L'idéal de sainteté dans l'Aquitaine carolingienne d'après les sources hagiographiques (750–950), Quebec 1975, S. 1–30, wenngleich in dieser Arbeit über einen Heiligenkult nur manches aufgegriffen werden kann.

[11] LOTTER, Methodisches, wie Anm. 3, S. 338: „. . . stellt doch die Wunderepisode ein in ihrer Bedeutung als historische Quelle kaum zu überschätzendes, bisher aber noch weithin unausgewer-tetes Material dar." LOTTER kann dementsprechend zu den „Wundern" (S. 328–340) vergleichs-weise wenig neuere Arbeiten gegenüber denen zu den „Viten" (S. 320–328) anführen. Ein ähnliches Defizit vermerkt P. A. SIGAL, Maladie, pèlerinage et guérison au XIIe siècle – Les miracles de saint Gibrien à Reims (A.E.S.C. 24/1969, S. 1522–1539), S. 1522f. Das ebenfalls von LOTTER bezeichnete Forschungsdesiderat eines Motiv-Index (l.c., S. 333) kann zumindest teilweise als erfüllt gelten durch das Werk von F. C. TUBACH, Index Exemplorum. A Handbook of Medieval religious tales, Helsinki 1969 (= FF Communications, 204). Die Art der Auswahl und die fehlende Definition der aufgenommenen Materialien bemängelt: H. D. OPPEL, Zur neueren Exempla-Forschung (DA 28/1972, S. 240–43), wenngleich er das Gesamtunternehmen als gelungen bewertet.

[12] In der Literaturwissenschaft werden in letzter Zeit teilweise ähnliche Überlegungen zur Interpretation der volkssprachlichen Mirakel angestellt: U. EBEL, Das altromanische Mirakel. Ursprung und Geschichte einer literarischen Gattung, Heidelberg 1965 (= Studia Romanica, H. 8); P. M. SPANGENBERG, Das altfranzösische Mirakel. Ein Modus der Wirklichkeitserfahrung im späten Mittelalter (Lendemains 4, H. 16/1979, S. 43–55, unter dem Gesichtspunkt des sozialen Wissens der Heilserfahrenden); P. ASSION, Die mittelalterliche Mirakelliteratur als Forschungsge-genstand (Archiv für Kulturgeschichte 50/1968, S. 172–180); ders., Die Mirakel der hl. Katharina von Alexandrien, phil. Diss. Heidelberg 1969. Als Beispiel für neuere Forschungsansätze in England: R. C. FINUCANE, The use and abuse of medieval miracles (History 60/1975, S. 1–10) und ders., Miracles and Pilgrims. Popular beliefs in medieval England, London u. a. 1977. Neueste Einführung in die Quellenproblematik: G. PHILIPPART, Les légendiers latins et autres manuscrits hagiographiques, Brepols 1977 (= Typologie des sources du Moyen âge occidental, fasc. 24/25), vgl. hierzu die Besprechung von B. DE GAIFFIER, A propos des légendiers latins (AB 97/1979, S. 57–68).

[13] Fol. 140[r], WHITEHILL, S. 259, vgl. oben Kap. 4.1., S. 61 mit Anm. 20 (dort auch Wiedergabe des Wortlautes).

der im LSJ festgehaltenen Mirakel angenommen werden. Aus schriftlichen Vorlagen übernahm der Kompilator sicher Mirakel 16–18, wahrscheinlich bei einem Aufenthalt in Cluny[14], fraglich ist dies bei einigen anderen Wunderberichten, da oft auch nur in anderen Sammlungen Wunder mit ähnlichem Motiv erscheinen.[15] So taucht das Mirakel 17 des LSJ in ähnlicher Form bereits in der zweiten Hälfte des 11. Jahrhunderts auf[16]; trotzdem schöpft die Fassung des CC sicherlich direkt aus den erwähnten „Dicta Anselmi".[17] Fraglich ist ferner, ob Mirakel 19, das ebenfalls die frühere „Historia Silense" (von ca. 1115) verzeichnet[18], in den LSJ aus dieser Vorlage übernommen ist; die Abweichungen im Text legen eher nahe, daß eine gemeinsame (orale) Tradition für beide Fassungen als Grundlage diente.[19] Die Mirakelsammlung des LSJ ist sicherlich in sukzessiven Schüben zusammengestellt worden, wie sich aus Inhalt und Form schließen läßt.[20] Sie stellt nur eine — wenn auch wohl die wichtigste — Station in der Geschichte der Wunder des hl. Jakobus dar.

---

[14] Fol. 149^r–153^v, WHITEHILL, S. 276–283, vgl. oben Kap. 2.4., S. 40f., Anm. 168; man kann beim Vergleichen beider Texte nur geringfügige Abweichungen erkennen, so daß eine Übernahme mit Sicherheit angenommen werden kann. Die Vorlage, die „Dicta Anselmi", haben ca. 1116 ihre endgültige Form erhalten (R. W. SOUTHERN/F. S. SCHMITT (Hgg.), Memorials of St. Anselm, London 1969, S. 26). Die von einem Begleiter Anselms (Alexander von Canterbury) aufgezeichneten Mirakel wurden diesem wohl 1099–1100 oder 1104–05 bei einem Besuch in Cluny von Abt Hugo erzählt, wie die Vorbemerkung zu diesen Wundern in den „Dicta Anselmi" nahelegt: *Ubi cum duobus mensibus moraremur in die antistes videlicet et abbas collequabantur . . . de bonorum virorum sancta et admirabili operatione. Quibus cum saepe interfuissem, de beato Jacobo apostolo . . . et alia nonnulla que eodem abbate narrante cognovi memoriae ne posteris laterent commendare curavi* (R. W. SOUTHERN, The English Origins of the Miracles of the Virgin, in: Medieval and Renaissance Studies 4/1958, S. 178–216, S. 188f.). Diesen Bezug nimmt Mirakel 17 auf: *Hunc hominem et omnia signa mortis eius reverentissimus Hugo sanctus abbas Cluniacensis cum multis aliis vidit, et pro admiracione hoc, ut relatum est, sepius solitum se vidisse asseruit, et nos apostoli amore, ne memorie deleretur, litteris commendavimus* (fol. 152^v, WHITEHILL, S. 282).

[15] DAVID glaubte z. B. lange Zeit, das II. Buch des LSJ sei nachhaltig durch die Mirakelsammlung von St-Gilles beeinflußt worden (II/1947, S. 160 und 182), er mußte diese These aber u. a. revidieren, weil bestimmte Motivgruppen in den verschiedensten Sammlungen und nicht in derjenigen von St-Gilles auftauchen (IV/1949, S. 53–57).

[16] A. MORALEJO, Tres versiones del Milagro XVII del Libro II del Calixtino (CEG 20/1950, S. 337–352). Die verschiedenen Fassungen erscheinen zum einen in einem Gedicht von Guaferius (Benevent oder Salerno, 2. Hälfte des 11. Jhs.), zum anderen in der Autobiographie Guiberts von Nogent (Anfang 12. Jh.); MORALEJO gibt S. 344–352 den lat. Text beider Passagen mit Übersetzungen (Text nach MPL).

[17] MORALEJOS Annahme einer gemeinsamen Quelle für die in Anm. 16 genannten Versionen (S. 342) müßte demnach in bezug auf die „Dicta Anselmi" (s. Anm. 14) erweitert oder ganz aufgegeben werden.

[18] Historia Silense, hg. von J. PEREZ DE URBEL und A. G. RUIZ-ZORRILLA, Madrid 1959 (= Escuela de Estudios medievales, 30), S. 191–193. Ebenso erscheint dieser Wunderbericht in: Crónica Najerense, hg. von A. UBIETO ARTETA, Valencia 1966 (= Textos medievales, 15), Buch III, Abs. 22, S. 99f. (von ca. 1143–1157, fast wörtlich aus der Historia Silense übernommen).

[19] In den in Anm. 18 genannten Quellen herrscht eine völlig andere Sprache, das Gerüst der Handlung ist jedoch in wesentlichen Punkten gleich.

[20] So DAVID, IV/1949, S. 58–60. Vgl. hierzu weiter unten S. 114.

Nicht nur in der Komplexität der Vorgeschichte, sondern auch im Nachleben steht dieser Teil des LSJ dem PT kaum nach.[21] Teilweise wurden auch in den angefertigten Abschriften noch fünf in das erste und drei in das fünfte Buch integrierte Wundererzählungen mit aufgenommen.[22] Die fünf Wunder in Buch I berichten sämtlich von Leuten, die sich am Festtag des hl. Jakobus nicht der Arbeit enthielten und dafür durch göttliche Vergeltung gezüchtigt wurden[23], diejenigen am Schluß des Pilgerführers künden von der Bestrafung derer, die keine Pilger aufnehmen[24]; beide Passagen orientieren sich also am Inhalt des jeweiligen Buches. Im Anhang finden sich noch sechs weitere Wundergeschichten, ein auf 1139 datiertes von Alberich aus Vézelay berichtetes Mirakel[25], zwei weitere (auf einem Folio verzeichnete), von denen eins auf 1164 datiert wird[26], eines über die Hilfe des hl. Jakobus bei der Befreiung Portugals (auf 1190 datiert)[27], schließlich zwei weitere Berichte auf dem vorletzten und letzten Folio.[28] Die

---

[21] Vgl. DAVID, II/1947, S. 159. Es sei hier ferner auf die zahlreichen Übersetzungen in die Volkssprache hingewiesen, vgl. z. B. (ohne Anspruch auf Vollständigkeit): A. LOPEZ, Los miragres de Santiago (Nuevos estudios crítico – históricos acerca de Galicia, hg. von L. GOMEZ CANEDO, Bd. I, Madrid 1947, S. 224–251); J. L. PENSADO, Miragres de Santiago, Madrid 1958 (Revista de Filología Española, Anejo LXVIII). Eine Untersuchung der Veränderungen und Adaptationen unserer Mirakelgeschichten ist ein Forschungsdesiderat. Das Nachleben einiger besonders beliebter Wunder ist aufgearbeitet worden, so dasjenige von Wunder 5: B. DE GAIFFIER, Un thème hagiographique: le pendu miraculeusement sauvé (Revue belge d'archéologie et d'histoire de l'Art 13/1943, S. 125–148, ND in: ders., Etudes critiques d'hagiographie et d'iconologie, Brüssel 1967, S. 194–227), mit weiterführender Bibliographie, S. 211–215; ders., Liberatus a suspendio (Mélanges M. ROQUES, 2, 1953, S. 93–98, ND in: ders., Etudes crit., l.c., S. 227–232); ferner: P. M. GUTIERREZ ERASO, Una version portuguesa del peregrino ahorcado (Ruta Jacobea 3, no. 30/1965, S. 5 und 4, no. 31/1961, S. 2–6).

[22] Vgl. DAVID, II/1947, S. 175f. und HÄMEL, S. 66.

[23] Fol. 10v–11r, WHITEHILL, S. 20f. (Kapitel 2). DAVID (II/1947, S. 137) vermutet, dieser Absatz sei möglicherweise nachträglich eingefügt; vgl. unten S. 113.

[24] Buch V, 11, VIELLIARD, S. 122–124; laut DAVID (III/1948, S. 217) möglicherweise ebenfalls ein nachträglicher Zusatz.

[25] Fol. 221v (olim 192v), WHITEHILL, S. 400ff. (wohl noch von HA geschrieben, vgl. oben Kap. 2.3., S. 26, Anm. 86).

[26] Fol. 223r (olim 194r), WHITEHILL, S. 404–406 (beide von gl. Hd.).

[27] Fol. 223v (olim 194v), WHITEHILL, S. 406f. (von anderer Hand als die in Anm. 26 notierten Wunder). Es berichtet zu den Ereignissen von 1184ff., vgl. hierzu: A. MORALEJO LASO, Milagro de Santiago de la liberación de los christianos y huída de los sarracenos de Portugal (Compostela 24/Jan. 1953, S. 5–8) und ders., Versos de Códice Calixtíno de Santiago relativos a hechos de la historia medieval de Portugal (Actas do Congresso Historico de Portugal, Medioevo, Bd. II, 1964, S. 185–194 = Bracara Augusta 16–17/1964); beide Abhandlungen setzen den Mirakelbericht zu Ereignissen in Bezug, die von DOZY, DAVID und HUICI MIRANDA erschlossen wurden.

[28] Fol. 224v (olim 195v), WHITEHILL, S. 413 und fol. 225r (olim 196r), WHITEHILL, S. 414 f. DAVID (II/1947, S. 175) bemerkt, die Eingangsepistola des LSJ gestatte ausdrücklich, weitere Mirakel zuzufügen, falls diese gut bezeugt seien. Dies ist jedoch nicht aus dem Einleitungsbrief, sondern aus einer Passage von Kapitel 17 des I. Buches ersichtlich: *Miracula tamen, que ipse adhuc facturus est, que sub duobus aut tribus testibus testificata fuerint, concedimus ut ad fidelium edificationem scribantur* (fol. 76r, WHITEHILL, S. 145). Es ließe sich noch ein weiterer Wunderbericht im PT (HÄMEL – DE MANDACH, S. 94–96) hinzufügen. Dieses Wunder steht im Zusammen-

Gesamtheit der Wunderberichte erreicht somit eine Anzahl von 36, trotzdem nehmen die in Buch II zusammengestellten 22 Mirakel einen eigenen Platz ein, wie eine kurze Erläuterung der formalen Struktur zeigen wird.[29]

Bis auf wenige Ausnahmen[30] beginnt jede Geschichte mit einer Zeitangabe, die zumeist sogar ein exaktes Jahr aufweist.[31] Anschließend werden im allgemeinen die beteiligten Personen vorgestellt und ggfs. deren Herkunftsgebiet. Nach der eigentlichen Geschichte folgt dann immer die aus Psalm 117, 23 übernommene Formel: *A Domino factum est istud et est mirabile in occulis nostris,* außer in den Mirakeln 16–18, deren Text auf den „Dicta Anselmi" basiert.[32] Eine gebetsähnliche Schlußformel, vor die nur in einigen Mirakeln eine Moral oder sonstige Schlußbemerkung eingefügt ist[33], schließt jede Geschichte ab.

Allein diese Grundstruktur der im II. Buch zusammengestellten Wunder macht deutlich, warum die eben zitierten, auf andere Teile des LSJ verteilten Wunderberichte nicht in diesen Zusammenhang gehören: Die fünf Berichte in Buch I, Kapitel 2 schließen zwar mit der Psalm 117 entlehnten Formel, lassen jedoch Zeitangabe[34] und gebetsähnliche Schlußform vermissen. Gleiches gilt für die drei im Pilgerführer eingeschlossenen Mirakel, die sogar der Formel *A Domino factum . . .* entbehren.

Ferner sind alle die in Buch I und V verzeichneten Wunderepisoden nur etwa höchstens halb so lang wie das kürzeste Kapitel in Buch II. Nimmt man hinzu – hier ist inhaltlich vorzugreifen –, daß jene nur von den Strafen Gottes berichten, also gleichsam „Strafwunder" im Gegensatz zu den sonst üblichen „Hilfswundern" darstellen[35] und allesamt nichts von einer Interzession oder gar Intervention des hl. Jakobus berichten, so ist der andersgeartete Charakter vollends deutlich. Deshalb sollen diese Wunderberichte im weiteren grundsätzlich gar nicht, im Einzelfall höchstens ergänzend herangezogen werden. Ebensowenig helfen die im Anhang aufgenommenen Mirakel für die hier gestellte Frage weiter. Bis auf das erste sind alle diese Geschichten in Versen verfaßt und später als die Fertigstellung der übrigen Kompilation anzusetzen. Das erste auf 1139 datierte Mirakel wurde ggfs. noch vom Kompilator in das Gesamtwerk

---

hang mit Roland und wird nicht durch Intervention oder Interzession des hl. Jakobus bewirkt, u. a. deshalb muß es hier ausgeschaltet werden. Vgl. jedoch unten, Kap. 5.2.

[29] Ich zitiere im folgenden jeweils nur die Nr. des Mirrakelberichtes (= Kapitel) und verweise für die Nachweise der Folia und der Seiten bei WHITEHILL auf Tabelle 1 (S. 116).

[30] So nicht in Mirakel 16–19. Mirakel 1 weist zuvor eine Art zweite Einleitung auf, Mirakel 4 einen Vorspann, der die Moral der Geschichte vorwegnimmt, in Mirakel 20 wird lediglich von „zu unseren Zeiten" gesprochen. Nicht möglich ist eine Klassifizierung der Mirakelgeschichten nach der unterschiedlichen Verwendung von *miraculum* und *exemplum,* beide Begriffe scheinen im II. Buch des LSJ synonym gebraucht zu werden, obwohl Pseudo-Calixt beide Arten im Prolog gesondert erwähnt (vgl. das Zitat oben Kap. 4.1., Anm. 20).

[31] Vgl. Tabelle 1. Ohne Jahresangabe: Mirakel 1, 2, 16–21.

[32] Vgl. oben, Anm. 14, in der Vulgata steht statt *et: hoc.*

[33] So in Mirakel 2–6, 8, 9, 22.

[34] Außer der globalen Bemerkung vor allen fünf Wundern: *mirabilia memoranda que olim . . . evenerunt* (fol. 11ʳ, WHITEHILL, S. 20).

[35] Zur Scheidung in Hilfs- und Strafwunder vgl. LOTTER, wie Anm. 3, S. 333.

miteinbezogen, dies legt auch die den 22 Mirakeln von Buch II vollständig entsprechende äußere Form nahe.[36]

Die innere Einteilung der 22 Mirakel in Buch II läßt sich noch genauer erläutern: DAVID stellte in seinen Forschungen[37] einen Ursprungskern fest, ordnete Mirakel 4, 16/17 und 18 je einem anderen Autor zu, Wunder 1, 2 und 19 einer aus Compostela eingebrachten Tradition und Mirakel 13 einem letzten Fortsetzer. Diese Einteilung ist weitgehend zu akzeptieren; für Mirakel 16–18 ist jedoch nur eine Vorlage anzunehmen[38], Mirakel 20 auch einer Compostelaner Tradition zuzuordnen[39], und die Datierung von 1135 für Mirakel 13 sagt grundsätzlich noch nichts über einen Fortsetzer der Mirakelsammlung aus.[40]

Wie bereits erwähnt, weisen die Mirakelberichte in Buch II des LSJ fast durchgängig Angaben zu Ort, Zeit, Personen, im allgemeinen auch zu den näheren Umständen des Wunders auf. Hierauf sollen sich die Fragen der nun folgenden Analyse beziehen:

1. Wo und wann ereignet sich das Wunder?
2. Wer erfährt die Wunderkraft des Heiligen? Handelt es sich um Männer, Frauen oder Kinder? Haben wir es mit Gruppen oder Einzelpersonen zu tun? Läßt sich ihre soziale Zugehörigkeit bestimmen?
3. Wie offenbart der Heilige seine Wunderkraft? Bewirkt er Rettung oder Heilung, gewährt er Schutz oder Belohnung, offenbart er sich durch Visionen oder das Wirken übernatürlicher Kräfte? Wodurch wird das Wunder vom Heilsuchenden erreicht?[41]
4. Welche innere Struktur eignet den Mirakelgeschichten? Werden der Heilige, die Gefahren und die Heilserfahrenden in spezifischer, typischer Weise dargestellt?[42]

zu 1): In bezug auf den Raum ist zu unterscheiden zwischen dem Herkunftsgebiet derjenigen, die Wunder erfahren und dem Ort, wo sich das Wunder ereignet. Die

---

[36] Fol. 221ᵛ (olim 192ᵛ), WHITEHILL, S. 400f. (s. o. Anm. 25), vgl. DAVID, I/1946, S. 26.

[37] DAVID, IV/1948, S. 58–60.   [38] S. o. Anm. 14.

[39] Dies legt der Schluß der Geschichte nahe: *... ut iste miles ... amore beati Iacobi accensus, ad eius corpus et ecclesiam in die translacionis ipsius pervenit, ut supra diximus, ordine enarraret* (fol. 154ᵛ, WHITEHILL, S. 285f.).

[40] Formal entspricht dieses Mirakel dem vorhergehenden, es ist durchaus möglich, daß auch der „ursprüngliche Kern" erst nach 1135 niedergeschrieben wurde. Als Hypothese bleibt allerdings DAVIDS Beobachtung durchaus weiterhin möglich.

[41] Da es sich im LSJ, Buch II, ausschließlich um Hilfswunder handelt (s. o. Anm. 35), lasse ich hier grundsätzlich mögliche Fragen zu Strafwunderberichten weg.

[42] Teilweise ähnlich fragen: P. SIGAL, wie Anm. 11, S. 1522f., und J. P. V. PATIN/J. LE GOFF, A propos de la typologie des miracles dans le liber de miraculis de Pierre le Venerable (Pierre Abélard, Pierre le Venerable. Les courants philosophiques, littéraires et artistiques en Occident au milieu du XIIᵉ siècle, Paris 1975, S. 181–189 = Colloque du Centre national de la Recherche scientifique, no. 546), S. 183–185. A. BAUCH, Ein bayrisches Mirakelbuch aus der Karolingerzeit. Die Monheimer Walpurgiswunder des Priesters Wolfhard, Regensburg 1979 vermittelt interessante Anregungen zu den im LSJ allerdings nicht vorkommenden Heilungswundern (S. 74–90). – Die Fragen sind natürlich immer von der Struktur des jeweiligen Quellencorpus stark bestimmt. Der hier beschrittene methodische Weg ist ein Versuch; durch den Vergleich mit anderen Sammlungen könnten sicher noch viele weiterführende Ergebnisse erzielt werden.

Heimat der Beglückten liegt fast ausschließlich in Deutschland[43], Italien[44] oder Frankreich[45] (besonders Südfrankreich). Ansonsten sind nur ein Grieche[46] und zwei Katalanen[47] zu verzeichnen. Diese Schwerpunktbildung entsprach wohl der tatsächlichen Pilgerbewegung; zumindest werden auch im liturgischen Teil des LSJ die *Theutonici, Franci* und *Itali* gesondert in einer Predigt erwähnt, demnach bilden sie bei der liturgischen Feier in der Kathedrale zu Compostela drei Hauptblöcke.[48]

Das Wunderereignis ist in fünf Fällen[49] am jeweiligen Herkunftsort anzusiedeln, ansonsten findet es in Santiago de Compostela (fünfmal[50]) oder auf dem Weg dorthin (sechsmal[51]) bzw. auf einer Schiffsreise (viermal[52]) statt. Nur drei Wunder[53] weisen keine Verbindung zum Heimatort oder zum Pilgerzentrum Compostela auf, von diesen berichten allerdings zwei über eine vorherige Bitt-[54] oder nachträgliche Dankwallfahrt.[55] Grundsätzlich ist also die Wunderkraft des hl. Jakobus überall wirksam, die größte Anzahl der Beispiele (insgesamt 16) hat jedoch eine Beziehung zur Jakobuswallfahrt.

In bezug auf die Zeit (vgl. Tabelle 1) ist zu bemerken, daß fast alle Wunder mit dem Anfangswort *anno* eine konkrete Jahresangabe liefern. Daraus ergibt sich eine Datierung der meisten Mirakel auf den Zeitraum 1090–1110 (Ereignis-, nicht Abfassungsdatum), sechs Mirakel sollen sich vor 1090 ereignet haben und Mirakel 13 wird auf 1135 datiert. Die Mirakel 7–12 bilden eine Jahresreihe von 1101–1106, die durch Mirakel 13 unterbrochen und dann noch um ein weiteres Jahr fortgeführt wird.[56] Die Anordnungsform, jedem fortlaufenden Jahr ein Wunder zuzuschreiben, deutet auf eine Stilisierung des Kompilators hin. Trotzdem kann aus dem ermittelten Kernzeitraum von 1090–1110 geschlossen werden, daß die Sammlung wohl vor allem die Wunder umfassen sollte, die etwa während eines Menschenalters vor der Abfassung im Umlauf waren, um sie vor dem Vergessen zu retten. Früher als 1090 oder gar nicht datierte Episoden greifen hingegen auf ältere Traditionen zurück.[57] Bezeichnenderweise sind

---

[43] Mirakel 5, 7 (evtl. noch Lothringer, Mirakel 4). [44] Mirakel 11, 12, 15.

[45] Mirakel 3, 6, 9, 13, 16, 17, 18, 20, 21. [46] Mirakel 19.

[47] Mirakel 1 und 22 (es sei daran erinnert, daß Katalonien im Früh- und Hochmittelalter vor allem in kirchlicher Hinsicht Südfrankreich zugerechnet werden darf. Erst 1091 kam beispielsweise das Bistum Barcelona zur neuen Metropole Tarragona). Mirakel 14 ist nicht lokalisierbar. Die fünf zusätzlichen „Strafwunder" in Buch I, Kap. 2 „ereigneten" sich in Navarra/Baskenland (2), im Bistum Besançon (2) und in der Provinz Montpellier (fol. 11ʳ, WHITEHILL, S. 20f.); die drei Wunder im Pilgerführer in Nantua, Villeneuve (?) (*Villanoua*) und in Poitiers (VIELLIARD, S. 122–124); das erste Wunder im Anhang in Vézelay (fol. 221ᵛ, olim 192ᵛ, WHITEHILL, S. 400f.).

[48] I, 17, fol. 78ʳ⁻ᵛ, WHITEHILL, S. 149. Vgl. die Textstelle, unten Kap. 6.2., Anm. 77.

[49] Mirakel 3, 11, 12, 13, 20. [50] Mirakel 2, 15, 16, 18, 21.

[51] Mirakel 4, 5, 6, 15, 17; Mirakelbericht 3 ist hier erneut zu nennen, da er eine zweite Wunderepisode verzeichnet.

[52] Mirakel 7–10. [53] Mirakel 1, 14, 22. [54] Mirakel 22.

[55] Mirakel 1.

[56] Vgl. zur zeitlichen Einordnung generell Tabelle 1. Eine Sonderstellung von Mirakel 13 vermutete deshalb DAVID, II/1947, S. 178 und IV/1948, S. 60, vgl. bereits oben Anm. 37 und 40.

[57] Mirakel 1, 2, 4, 19 (und 16–18 aus den „Dicta Anselmi"), hingegen gehört Mirakel 21 (*nostro itaque tempore*, fol. 154ᵛ, WHITEHILL, S. 286) in den Zusammenhang der „miterlebten" Wunder.

Tabelle 1: Tabelle zum Vergleich der geographischen und sozialen Zusammensetzung der Pilgerbewegung aufgrund der Mirakel des LSJ:

Mira-kel-Nr. = Kapit.	fol.	WHITE-HILL Seite	(angebl.) Autor bzw. Aufzeichner	Datum	Herkunftsgebiet	soziale Zugehörigkeit
1	141ʳ⁻ᵛ	261–62	Papst Calixt (II.)	(1065–1109)	Urgel, Katalonien	*comes + 20 viri*
2	141ᵛ–142ᵛ	262–63	Beda (Venerabilis)	(8./9. Jh.)	Italien	*vir*
3	142ᵛ–143ʳ	263–64	Papst Calixt (II.)	1108	Frankreich (*in Gallie boris*)	*tringinta heroes*
4	143ʳ–144ʳ	265–66	Magister Hubert v. Besançon	1080	Lothringen	
5	144ʳ–145ʳ	267–68	Papst Calixt (II.)	1090	Deutschland	*heros + uxor + 2 pueruli*
6	145ʳ–146ʳ	268–69	Papst Calixt (II.)	1100	Grafschaft Poitou	*nauta (+ Jerusalempilger)*
7	146ʳ⁻ᵛ	269–70	Papst Calixt (II.)	1101	(Friesland)	*antistes*
8	146ᵛ–147ʳ	270–71	Papst Calixt (II.)	1102	Frankreich	*inclitus genere Francorum miles nobilissimus*
9	147ʳ⁻ᵛ	271–72	Papst Calixt (II.)	1103		
10	147ᵛ	272–73	Papst Calixt (II.)	1104	Diözese Modena	*miles*
11	147ᵛ–148ʳ	273	Papst Calixt (II.)	1105	Apulien	*rusticus*
12	148ʳ	273–74	Papst Calixt (II.)	1106	Chavannes (Dauphiné)	*negociator*
13	148ʳ⁻ᵛ	274	Papst Calixt (II.)	1135		
14	148ᵛ	274–75	Papst Calixt (II.)	1107		*milites „ex duabus civitatibus"*
15	148–149ʳ	275–76	Papst Calixt (II.)	1110	Italien	
16	149ʳ–150ᵛ	276–78	Anselm v. Canterbury	1090	Donzy (Bist. Lyon)	*tres milites*
17	150ᵛ–152ᵛ	278–82	Anselm v. Canterbury	(11. Jh.)	bei Lyon	*iuvenis, gelernter Kürschner*
18	152ᵛ–153ᵛ	282–83	Papst Calixt (II.)	(1037–1060/1)	Poncius v. St-Gilles, Graf v. Toulouse	*comes*
19	153ᵛ–154ʳ	283–85	Papst Calixt (II.)	(vor 1064)	Griechenland	*vir (episcopus)*
20	154ʳ⁻ᵛ	285–86	Papst Calixt (II.)	(1100–1110)	Provence	*miles, Vasall d. Grafen v. Forcalquier*
21	156ᵛ	286	Papst Calixt (II.)	(*nostro itaque tempore*)	Burgund	*vir inclitus*
22	154ᵛ–155ᵛ	286–287	Papst Calixt (II.)	1100	Barcelona	*civis*

auch alle nicht Papst Calixt zugeschriebenen Mirakel vom Datum her dieser zweiten Gruppe zuzuordnen.[58] Weitere zeitliche Angaben über die Jahreszahl hinaus erfahren wir nur zweimal, genannt werden jeweils die Besuchstage der Stadt Compostela: der 25. Juli und der 30. Dezember, die Festtage des hl. Jakobus.[59]

zu 2): Eine personelle Aufschlüsselung der Mirakelsammlung nach Geschlecht und Alter liefert eindeutige Schwerpunkte. Fast ausschließlich erfahren Männer die Wunderkraft des hl. Jakobus. Gelegentlich ist die eigene Frau an einer Wallfahrt mitbeteiligt, z. B. wenn vom hl. Jakobus die bislang ausgebliebene Nachkommenschaft erbeten wird[60], wenn die ganze Familie wallfahrtet, um der Pest zu entgehen[61] oder wenn Frau und Mägde zur Begleitung eines Kranken erforderlich sind.[62] Als einziger *iuvenis* begegnet ein Kürschner.[63]

Die soziale bzw. ständische Zusammensetzung der durch Wunder Beglückten gliedert sich folgendermaßen[64]: Aus dem ländlichen Bereich wird lediglich ein *rusticus*[65] genannt, ansonsten erleben fast ausschließlich Angehörige des niederen Adels die Wunderkraft des hl. Jakobus. Neben zwei Grafen[66] handelt es sich in sieben Wundern um Ritter (*milites, heroes*)[67], zu denen wohl noch ein *vir inclitus*[68], ferner eventuell ein *vir*[69] gezählt werden können. Kirchliche Würdenträger werden zweimal erwähnt[70], ebenso ein Seemann, der ein Pilgerschiff führt.[71] Aus dem städtischen Bereich lassen sich ein Handwerker[72], ein Bürger[73] und ein Händler[74] verzeichnen. Die Ritter stellen also mit Abstand die bedeutendste Gruppe dar, und der hl. Jakobus scheint für ihre Probleme und Belange als der geeignete Beschützer. Er wird in den Mirakeln gleichsam zum Standespatron der Ritter, insofern als vor allem Ritter über Schutz, Heilung, Rettung usw. ihrer Standesangehörigen[75] berichten, verbreiten und aufzeichnen lassen.

---

[58] Mirakel 2, 3, 16, 17 (vgl. Tabelle 1).

[59] Mirakel 1 und 2. Vgl. zu den Festtagen oben Kap. 4.4. Einzelnachrichten – in diesem Zusammenhang ohne größeren interpretatorischen Wert – sind: Ankunft bei Nacht, Öffnen der Türen durch den hl. Jakobus (Mirakel 18), Krankenheilung nach drei Tagen (Mirakel 21).

[60] Mirakel 3.   [61] Mirakel 6.   [62] Mirakel 21.   [63] Mirakel 17.

[64] Vgl. Tabelle 1.   [65] Mirakel 13.   [66] Mirakel 1 und 18.

[67] Mirakel 4, 6, 9, 12, 15, 16, 20.   [68] Mirakel 21.   [69] Mirakel 3.

[70] Mirakel 8. In Mirakel 19 wird zwar zunächst von einem *vir* gesprochen, kurz darauf heißt es jedoch: *Illum vero, . . . nec quasi episcopum, sed ut pauperem peregrinum sese habentem. . .* (fol. 153ᵛ, WHITEHILL, S. 283).

[71] Mirakel 7.   [72] Mirakel 17.   [73] Mirakel 22.

[74] Mirakel 14, der Bürger (*civis*) aus Mirakel 22 (s. vorige Anm.) ist wohl ebenfalls einer kaufmännischen Tätigkeit nachgegangen: *negotii causa Siciliam perrectus . . .* (fol. 155ʳ, WHITEHILL, S. 286).

[75] Ich verwende hier den problematischen Ausdruck „Stand" mit der Konnotation von „Geburtsstand", d. h. ich gehe von einem weitgehenden Abschluß des Rittertums aus, das nur noch durch Geburt erlangt werden konnte und „Berufsstand" im Sinne des allen Mitgliedern gemeinsamen Kriegshandwerkes darstellt. Vgl. A. BORST, Das Rittertum im Hochmittelalter (Saeculum 10/1959, S. 213–231), S. 221 (ND in: ders., Das Rittertum im Mittelalter, Darmstadt 1976, S. 212–246 = Wege der Forschung, 349), S. 227. Der „Abschluß" des Ritterstandes dürfte zu Beginn des 12. Jhs. in Frankreich vollzogen gewesen sein, wie BORST aufgrund französischer und eigener Forschungen dargelegt hat (vgl. auch zur allgemeinen Orientierung über dieses Problem die weiteren Beiträge des zitierten instruktiven Sammelbandes samt der zugehörigen

Der Kompilator entsprach diesem Bedürfnis, stand also wohl dem ritterlichen Milieu, wenn auch nicht unbedingt durch verwandtschaftliche Beziehungen, so doch zumindest geistig nahe. Warum Jakobusverehrung, Jakobuswallfahrt und Rittertum im LSJ in enge Verbindung traten, mögen zwei Hypothesen zumindest veranschaulichen:

– Angesichts der Reconquistakämpfe an der Wende vom 11. zum 12. Jahrhundert könnten Ritter Kampfeszüge und Wallfahrten miteinander vereint haben.[76]
– Rittern fiel es leichter, die Jakobusverehrung in Form einer Wallfahrt zu vollziehen, durch den üblichen Besitz eines Pferdes ließen sich die Strapazen der Reise erheblich mildern.

Diese beiden Punkte können auch z. T. die männliche Dominanz in den Wunderberichten erklären, denn Kriegshandwerk und Reisen war im Hochmittelalter vornehmlich erwachsenen laikalen Männern vorbehalten. P. A. SIGAL hat bei der Analyse anderer Mirakel des 12. Jahrhunderts von „Nahwallfahrtszentren" eine erheblich höhere Beteiligung von Frauen und Kindern festgestellt und darauf hingewiesen, daß diese Zentren wohl hauptsächlich von einfachen Leuten aufgesucht wurden.[77] Ein solcher Kontrast macht zumindest die besondere Stellung des Jakobuskultes im 12. Jahrhundert[78] im Verhältnis zu anderen Devotionsstätten deutlich.

Es bleibt festzuhalten, daß der hl. Jakobus in der Mirakelsammlung vornehmlich als Ritterpatron fungiert. Ob die einzelnen Mirakel auch inhaltlich die Rolle des hl. Jakobus als „kriegerischer Ritterpatron" im Sinne von C. ERDMANN[79] rechtfertigen, mag der nächste Schritt erweisen.

zu 3): Thema der Mirakelberichte ist im weitesten Sinne der Widerstreit zwischen Gut und Böse. In den meisten Fällen ist das jeweilige Wunder als Reaktion auf die drohenden Gefahren, die den Menschen umgeben, anzusehen. Diese Gefahren treten in

---

vorzüglichen Bibliographie). Zur Entwicklung in Deutschland und zum „Abschluß" des Ritterstandes hat außerdem noch J. FLECKENSTEIN, Die Entstehung des niederen Adels und das Rittertum (ders. (Hg.), Herrschaft und Stand. Untersuchungen zur Sozialgeschichte im 13. Jahrhundert, Göttingen 1977 = Veröffentlichungen des Max-Planck-Instituts für Geschichte, 51, S. 17–39) Stellung genommen.

Die fünf Mirakel in Buch I, Kapitel 2 weisen entsprechend der Thematik (Übertretung des Arbeitsverbots am Feiertag des hl. Jakobus) fast ausschließlich Bauern (*rusticus, plebs, rustica*), einmal einen Ritter und eine mit *B(er)nardus de Maiorra* bezeichnete Person auf. Auch die letztgenannten beiden Personen führen jedoch „widerrechtlich" landwirtschaftliche Arbeiten aus. (fol. 11ʳ, WHITEHILL, S. 20f.). Die drei Mirakel in Buch V, Kap. 11 berichten von Pilgern, die einmal als *heroes* bezeichnet werden. (VIELLIARD, S. 122–124). Das Mirakel des Anhanges redet von einem *vir* (fol. 221ᵛ, olim 192ᵛ, WHITEHILL, S. 400). Hier ist also kein direkter ritterlicher Bezug erkennbar.

[76] Vgl. M. VILLEY, L'idée de croisade chez les juristes du Moyen âge (Relazioni del X Congresso internazionale di scienze storici 3/1955, S. 565–594), S. 578.

[77] SIGAL, wie Anm. 11, für die Mirakel von St-Foy, St-Vulfran und St-Gibrien (bes. S. 1535 und 1538). PATIN/LE GOFF, wie Anm. 42, konnten die Mirakel des Petrus Venerabilis vorwiegend auf das monastische Milieu beziehen (S. 185).

[78] Die zeitliche Beschränkung ist zu betonen, da die hier getroffenen Zuordnungen für das späte Mittelalter sicherlich anders ausfallen würden.

[79] C. ERDMANN, Die Entstehung des Kreuzzugsgedankens, Stuttgart 1935, ND Darmstadt 1974, S. 255.

den Mirakeln nicht allzu häufig als (Sünden-) Strafen für die eigenen Vergehen auf, wie andere mittelalterliche Wundergeschichten oft berichten.[80] In sechs Fällen wird an bestimmte Sünden der jeweiligen Hauptperson[81] erinnert, in zwei davon wird deren Vergebung explizit verzeichnet; ansonsten erfahren wir keinen Grund für das Erleiden von körperlichen Gebrechen (7 Fälle), von Naturbedrohungen (5 Fälle) oder für die Gefahren durch persönliche Gegner (13 Fälle).[82] Zuweilen wird der schlechte Charakter (= Sündhaftigkeit) dieser Gegner besonders hervorgehoben.[83] Somit geben die *miracula* in knapp der Hälfte der Fälle eine Begründung für das Böse und lassen so nur ansatzweise die Einbeziehung in ein größeres theologisches Argumentationssystem erkennen.

Tabelle 2

Art des Wunders	Mirakel-Nr.	Anzahl
1. Rettung von körperlichen Gebrechen		
a) Tod	3, 5, 17	3
b) Krankheit	9, 12, 21	3
c) Unfruchtbarkeit	3	1
2. Bewahrung vor Naturgewalten (Gefahren d. Weges; Land und Wasser)	4, 5, 6, 8, 18	5
3. Rettung vor persönlichen Gegnern		
a) kriegerisch		
1. in der Schlacht	9, 15, 19	3 ⎫
2. auf der See	7, 9, 10	3 ⎬ 11
3. Gefangenenbefreiung	1, 11, 14, 20, 22	5 ⎭
b) hierarchisch	13, 16	2
4. Rettung vor der eigenen Sündhaftigkeit. Explizite Sündenvergebung	2, 22	2
Total		27

---

[80] So ordnet z. B. P. GALLAIS, Remarques sur la structure des „Miracles de Notre Dame" (Cahiers d'Etudes Médiévales, I, Epopées, légendes, miracles, Monréal – Paris 1974, S. 117–134) mehr als die Hälfte seiner Mirakelsammlung (im 2. Viertel des 13. Jhs. zusammengestellt) dieser Kategorie zu (S. 118).

[81] Mirakel 2, 3, 4, 9, 17, 22.   [82] Vgl. Tabelle 2.

[83] Mirakel 5, 6, 13, 14, 16.

In Tabelle 2[84] rangiert die Rettung vor kriegerischen Gegnern an erster Stelle, allerdings weniger in der Schlacht, sondern hauptsächlich als Gefangenenbefreiung. Die Liquidierung von Tod, Krankheit und Unfruchtbarkeit muß etwas geringer als in der Tabelle angegeben einzustufen sein, weil teilweise Tod und Krankheit als Folgen des Weges eintraten (so Mirakel 3 und 5) und deshalb ebensogut dem 2. Punkt zugeordnet werden könnten.[85] Als Patron für medizinische Heilungen erscheint der hl. Jakobus in Buch II des LSJ kaum[86], vielmehr forderte eine Wallfahrt den „ganzen, gesunden Mann" (= Ritter); Kranke und Gebrechliche werden eher bzw. zunächst lokale Wunderstätten aufgesucht haben.[87]

Aus der Tabelle läßt sich ferner ein Großteil der drohendsten und für das ritterliche bzw. das Pilger-Milieu schlimmsten Gefahren ablesen:

1. Gefahr durch den kriegerischen Gegner und eventuelle Folgeerscheinungen wie Gefangenschaft oder Verschleppung auf einen Sklavenmarkt.

---

[84] Es ist schwer, die Wunderbeweise des LSJ zu klassifizieren; einerseits, weil sie nicht immer einer der gewählten Kategorien eindeutig zugeordnet werden können, andererseits weil manche Mirakel mehrere Ereignisse zu einer Geschichte zusammenfassen. Die in der Tabelle gewählte Methode versucht, entweder Wunder doppelt aufzuführen (deshalb die Zahl von 27) oder das Mirakel in Zweifelsfällen eher dem im eigenen Begründungszusammenhang dargestellten Hauptereignis zuzuordnen. Die knappe Einteilung, die DAVID bietet (II/1947, S. 177), entspricht nicht ganz meiner, vor allem deshalb, weil DAVID Geschichten, die mehrere Mirakel zusammenfassen, immer unter dem „Hauptwunder" einordnet.

[85] Ebenso sind einige Weggefahren durch Personen exemplarisch dargestellt (Überschneidung von Punkt 2–3, so z. B. in Mirakel 5 und 6).

[86] An anderer Stelle werden solche Heilungen allerdings pauschal erwähnt: *Sacra enim virtus apostoli[a] translata a partibus Hierosolimitanis in Gallecie patria refulget divinis miraculis. Ad eius namque basilicam creberrime divina fiunt a Domino per eum miracula. Egri veniunt et sanantur, ceci illuminantur, claudi eriguntur, muti locuntur, demoniaci liberantur, mestis consolacio datur.* a) von *sacra* bis *apostoli* von frd. Hd. unterstrichen (I, 17, fol. 78[r], WHITEHILL, S. 148, ähnlich: V, 9, VIELLIARD, S. 118). Wie auch in den Mirakelschlußformeln wird auch hier – dogmatisch gelehrt – die Mittlerfunktion des hl. Jakobus betont. Über die Heilungen durch den hl. Jakobus berichtet auch die Hist. Comp., II, 50 (ES XX, S. 351): *Tantam, inquit, a Domino nostro Jesu Christo meritis et intercessionibus suis consequitur gratiam, quod per Dei misericordiam caecis visum, claudis gressum, laeprosis aliisque diversorum morborum generibus compeditis, salutem largitur. Subvenit atque opitulatur omnibus se devote deposcentibus, et transpyrenem et citra innumeris miraculis pollet. Hos enim compeditos, et carceri mancipatos liberavit, alios diuturno languore detentos sanavit: illis in difficilimis opem praestitit: ubique terrarum Omnipotens Deus meritis et intercessionibus B. Jacobi miracula sua ostendit. Ob hoc corpus ejus tanta frequentat multitudo, ob hoc innumeri opem ejus indubitanter exposcunt.* Ob aus dieser Stelle der Hist. Comp. bereits auf eine dem II. Buch des LSJ ähnliche, vor diesem existierende Mirakelsammlung in Compostela geschlossen werden darf (so M. C. DIAZ Y DIAZ, Problemas de la cultura en los siglos XI–XII. La Escuela Episcopal de Santiago, in: Comp. 16, 1–4/1971, S. 187–200, S. 200 mit Anm. 34) ist fraglich und bedürfte, wie angekündigt (ibid., Anm. 35) weiterer Belege.

[87] Vgl. SIGAL, wie Anm. 11, S. 1526–1531, der für seine Wundersammlungen sogar nach Krankheiten einteilen kann. Eventuell beziehen sich die Quellenstellen der vorigen Anm. auch auf Pilger und Verehrer aus der Umgegend, weniger auf Fernwallfahrer, die in der Mirakelsammlung des LSJ im Vordergrund stehen.

2. Gefahren des Meeres, die in Mirakel 7–10 und 22 berichtet werden. Die Piratenge-
fahr und die Angriffe der Sarazenen scheinen gerade für Pilgerschiffe, die von
Jerusalem kamen, eine besonders starke Bedrohung bedeutet zu haben.

3. Gefahren des Pilgerweges (Betrug der Gastgeber, physische Beanspruchung usw.).[88]
Das Wunder wird im allgemeinen durch Gebet herbeigeführt[89], das manchmal als
besonders laute Anrufung bezeichnet[90] oder in seiner Länge erläutert wird.[91] Zum
Gebet kann u. U. noch die Buße[92] oder z. B. die Berührung eines hl. Gegenstandes[93]
hinzutreten. Ansonsten ergibt sich die Hilfe des hl. Jakobus aus der Gefahr selbst, ohne
Vermittlungsschritt. Als Helfer fungiert immer der hl. Jakobus, in Mirakel 17
zusammen mit der hl. Maria.[94] In den Erzählungen wird er und seine Hilfe fast stets
allein genannt, nur die durchgängige Schlußformel (*A Domino factum est istud et est
mirabile in oculis nostris*) stellt die Mittlerrolle des Heiligen entsprechend dem
dogmatischen christlichen Lehrgebäude heraus.[95]

zu 4): Mit Hilfe der soeben gewonnenen Ergebnisse kann versucht werden, die
innere Struktur und den Inhalt der Mirakel zu erfassen. In vielen Punkten lassen sich
die Wundergeschichten mit den Zaubermärchen vergleichen. Deren Struktur und die
dazugehörigen Funktionen hat V. PROPP[96] eingehend beschrieben. Die Struktur der
Mirakel ist grundsätzlich ähnlich, im allgemeinen jedoch ärmer an verschiedenen
Funktionen. Die Grundstruktur der vorliegenden Mirakel läßt sich folgendermaßen
schematisieren: (O) Ordnung – (G) Störung der Ordnung durch einen Gegner – (H)
Hilfe – (WO) Wiederherstellung der Ordnung. Eine Variante beginnt unmittelbar mit
Beschreibung der gestörten Ordnung: (M) Mangel – (H) Hilfe – (LM) Liquidierung des
Mangels.[97]

---

[88] Vgl. zu diesem 3. Punkt, unten Kap. 6.

[89] Ausnahmen: Mirakel 2, 5, 6, 16, 17.   [90] Mirakel 9, 15, 20.

[91] *die noctuque*, Mirakel 11; 3 Tage und Nächte, Mirakel 21. In Mirakel 4 wird eine
Gebetsnacht in Compostela als übliches Maß vom hl. Jakobus vorgeschrieben: *pernoctans in
oracione solita more* (vgl. unten, Kap. 6.2.).

[92] So Mirakel 4; in Mirakel 2 könnte die Bußwallfahrt als besonders starkes Gebet gewertet
werden.

[93] Mirakel 12.

[94] Dieses Wunder taucht in der von GALLAIS, wie Anm. 80, untersuchten Sammlung wieder
auf, hier nimmt die hl. Maria allein die ursprünglich gemeinsame Hilfsfunktion wahr, sie hat den
hl. Jakobus vollständig „enteignet" (ibid., S. 118).

[95] An einer Stelle wird ein sarazenischer Gegner in dieser Richtung (= dogmatisch exakt)
belehrt: *Non ego sum Deus maris, sed famulus Dei maris* (Mirakel 7, fol. 146ʳ, WHITEHILL, S. 270),
trotzdem bleibt die „heidnische", „populäre" Vorstellung eines „Meeresgottes" bestehen.

[96] V. PROPP, Morphologie des Märchens, hg. von K. EIMERMACHER, München 1972 (=
Literatur als Kunst, hg. von W. HÖLLERER). Die Anregung, dieses Werk teilweise für eine Analyse
der Mirakel fruchtbar zu machen, verdanke ich der Lektüre von P. GALLAIS, wie Anm. 80, der
allerdings durchgehend literaturwissenschaftlich orientiert ist.

[97] Vgl. Tabelle 3. Es handelt sich hier wohlgemerkt nur um eine Variante, die entweder eine
Verkürzung der Grundstruktur in der Erzähltechnik bedeutet (der berichtete Mangel beruht dann
auf einer durch einen Gegner zuvor zerstörten Ordnung) oder die eine andere inhaltliche Funktion
bedeuten kann. So spiegeln beide Strukturen auch unterschiedliche religiöse Mentalitäten wider,
denn z. B. Struktur B: Krankheit (M) – Hilfe durch den hl. Jakobus (H) – Gesundung (LM) etwas

Tabelle 3: Struktur der miracula Sancti Jacobi

Grundstruktur A: (O) - Ordnung, (G) - Gegner, (H) - Hilfe, (WO) - Wiederherstellung der Ordnung
Grundstruktur B: (M) - Mangel, (H) - Hilfe, (LM) - Liquidierung des Mangels
(G) Gegner: (KG) Kriegerischer Gegner, (KR) Krankheit, (TO) Tod, (Ga) Gastgeber, (Hie) hierarchisch Übergeordnete, (Na) Naturgewalten.
(M) Mangel: (Ki) Kinderlosigkeit, (Kra) Krankheit.
(H) Hilfe: (W) Wegvermittlung, -hilfe? Raumvermittlung, (D) evtl. anschließend: Dank.

Mirakel Nr.	Struktur					
1	A	O	G(KG)	H(W)	WO	-D
2	A	O	G(Sü)	H (sichtbare Sündenvergebung)	WO	
3	B	M(Ki)		H	LM┐	
	A	O	G(To)	H	WO	
4	A	O⟶G(Sü)-----M-----H			LM	
	(B)	⟶H(W)			⟶WO	
5		O	G(Ga)	H₁ (Strafe)		
			(To)	H₂	WO	
6	A	O	G₁(To)	⟶H₁(W)		
	(+B)	(+M,Pest) G₂(Ga)		⟶H₂(Strafe Ga)		
7	A	O	G(KG)	H	WO	
8	A	O	G(Na)	H	WO	-D
9	A(3 mal)	O	G₁(KG)	H₁	WO	-Gelöbnis
			G₂(Sü/Kra)	H₂	WO	
			G₃(Na)	H₃	WO	
10	A	O	G(Na)	H	WO	
11	A	O	G(KG)	H	WO	-D
12	B	M(Kra)		H	LM	-D
13	A	O	G₁(Hie)	H (Strafe)		
	B	M=G₁		H	WO/LM	
14	A	O	G(Hie)	H	WO	
15	A	O	G₁(KG)	H	WO	-D
			G₂(kein Einlaß)	H	WO	
16	?	O⟶ 2 gute Werke				
		Vision G(Hie)		H(To,Hie)	WO	
17	A	O⟶G₁(Sü)				
		G₂/als		H₁(Teufel)		
		G₃(To,Hölle)		H₂ Jakobus / H₃ Maria	WO	
18	A	O⟶G((kein Einlaß)⟶H			⟶WO	
19	?	Pilger - schilt unw. Bauern			Vision	
		Wunderbeweis				
	B	M (G, KG) ⟶		H ⟶	LM	
20	A	O	G(KG)	H	WO	
21	B	M(Kra)		H	LM	
22	A	O	G	H	WO	-D

In einigen Wundern wird der Helfer, Jakobus, besonders beschrieben, wobei sich seine Bedeutung als Ritterpatron bestätigt. Vor allem Bezeichnungen wie *Iacobus quasi miles insidens equo* und *Dei miles*[98] oder *miles invictissimi imperatoris*[99] unterstreichen diese ritterliche Funktion, aktive Waffenhilfe macht sie noch konkreter.[100] Zweifelnden Hörern der Wunder wird versichert, nicht die Qualität des Pferdes, sondern die Wunderkraft des hl. Jakobus habe den Sieg in einem Kampf herbeigeführt.[101] Mirakel 19 vermittelt die ritterliche Funktion des hl. Jakobus besonders anschaulich: Ein aus griechischen Landen kommender Bischof namens Stephan pilgerte nach Santiago und ließ sich im Oratorium der Kathedrale einen Platz zum Gebet zuweisen. Als eines Tages eine Schar Bauern (*turba rusticorum*) den Apostel Jakobus im Gebet mit *miles* anredete, tadelte und belehrte er sie, der hl. Jakobus müsse aufgrund seines Berufes Fischer (*piscator*) genannt werden. Daraufhin erschein ihm der hl. Jakobus in der folgenden Nacht mit ritterlichen Waffen (*militaria arma*), wie ein Ritter ausgestattet (*quasi miles effectus*) und teilte Stephan mit, er verdiene den Namen *miles*, denn er kämpfe für Gott (*Deo militare*) und sei dessen Streiter (*athleta*), er werde in der Schlacht gegen die Sarazenen den Christen vorausgehen und die Stadt Coïmbra als Beweis seiner Wunderkraft vom Sarazenenjoch befreien. Diese Prophezeiung erfüllte sich am nächsten Morgen.[102]

Zwei Interpretationen der Funktionen des hl. Jakobus stehen hier einander gegenüber, von denen die „kriegerische Version" sich schließlich als erfolgreich erweist. Diese recht eindrucksvolle Selbstdarstellung des Helfers Jakobus als Ritter läßt über die Anschauungswelt der Kompilation hinausblicken, schöpft doch dieses Mirakel mit Sicherheit aus lokaler Erzähltradition in Compostela: neben der weitgehenden inhaltlichen Übereinstimmung mit dem Bericht der „Historia Silense" (von ca. 1115)[103] weist auch die Einleitung der Geschichte hierauf hin: *Notum est omnibus tam clericis quam laicis Co(m)postelle commorantibus . . .*[104]

Entsprechend sind die Gegner oft kriegerische Widersacher, vor allem Sarazenen, teils auch betrügerische Wirte und hierarchisch Übergeordnete oder auch die unpersön-

---

anderes als: (O) – Wallfahrt zum Lob des Heiligen – Bedrohung durch Gefahren des Weges (G) – Hilfe des hl. Jakobus (H) – Wiederherstellung der Ordnung (WO). Geschichten mit Struktur A sind stärker vom Aspekt der „Vorsorge" für das Seelenheil bestimmt.

[98] Mirakel 4, fol. 143^v–144^r, WHITEHILL, S. 266.

[99] Mirakel 18, fol. 153^r, WHITEHILL, S. 283. Wegen der Abfassungszeit (1037–1060) kann hier nicht Alfons VII. gemeint sein.

[100] Mirakel 15, fol. 149^r, WHITEHILL, S. 276.

[101] Ibid.: *et ne viribus equi hoc pocius miraculum, quam beati Iacobi laudi, ut solet ab invidis bonorum atque ęcclesię impugnatoribus fieri, adscriberetur, ut omnis invidorum questio removeatur, patens fuit, equum illum viginti solidos mediatatis monete non valuisse.*

[102] Mirakel 19, fol. 154^r, WHITEHILL, S. 284, in der Handschrift irrig *ahtletam*. Es geht um die Eroberung von Coïmbra (1064).

[103] S. o. Anm. 18 und 19. Die Selbstdarstellung des hl. Jakobus als Ritter ist in der „Historia Silense" ebenso zu verzeichnen.

[104] Fol. 153, WHITEHILL, S. 283. Alle zur ritterlichen Funktion des hl. Jakobus zitierten Mirakel weisen außerdem einen Bezug zur Wallfahrt auf; ritterlicher Kampf und Jakobuswallfahrt scheinen zusammen zu gehören. Vgl. auch Kap. 5.2.

lichen Gefahren der Natur (Krankheit, Tod). Ist der jeweilige Gegner personalisiert, so ist die kausale Verknüpfung zwischen (G) und (H) im allgemeinen: Belohnung der Guten (jeweiliger Held) und Bestrafung der Bösen. Eines der zwei Grundschemata ist immer anzutreffen mit Ausnahme von Mirakel 16, wo der hl. Jakobus diejenigen, die Gutes tun, mit einer Vision belohnt, ihre (bisher unausgesprochenen) Sorgen artikuliert und dann die Bösen bestraft.[105]

Die vierteilige Grundstruktur (= A) herrscht in den Mirakeln vor. Dies deutet eine gewisse Bewußtseinsstufe in bezug auf die Konzeption der göttlichen Vorsehung an, es wird „vorgesorgt" und der Heilige wird nicht erst nach Eintreten der Gefahr angefleht (so Stuktur B). Komplexere Strukturen weisen die Mirakel 6, 9, 13, 15 und 17 auf, hier sind mehrere Mängel (Gegner) und Hilfeleistungen in eine Geschichte integriert. Mirakel 4 verschachtelt Struktur A und B durch Teilung der Personengruppe ineinander. Die einfache oder komplexere Struktur spiegelt im allgemeinen den Inhalt des Wunders wider.

Die Inhalte der Wunder, die betroffenen Personen, die Gefahren und die gewährte Hilfe entsprechen in den meisten Fällen dem ritterlichen Milieu. Die Angehörigen dieser Personengruppe empfanden besonders den kriegerischen Gegner als Gefahr; in einsetzenden Krisensituationen (Schlacht, Gefangennahme) offenbart sich ihre Religiosität, die in unseren Fällen an einen festen Patron gebunden ist. C. ERDMANN hat hervorgehoben, daß sich eine besondere Ritterethik durch Verbindung populärer und kirchlich hierarchischer Kreuzzugsvorstellungen verstärkt seit Mitte des 11. Jahrhunderts entwickelt habe.[106] Kern dieser Ethik sei die Konzeption eines christlichen Ritters, der sein Kriegshandwerk von einem christlichen Zweck bestimmen lasse.[107] Diese Anschauung gipfelt in der theologischen Literatur[108] in der Vorstellung, der Tod in der Schlacht sei geradezu zu suchen, weil der Ritter so zum Märtyrer werde. Nichts von alledem in den Mirakeln; die erwähnten Ritter empfinden die gegnerische Gefahr als Bedrohung, weniger als Chance, der hl. Jakobus als Schlachtenhelfer und Gefangenenbefreier greift eher in „normales" Kriegsgeschehen ein. Somit könnte die in den Mirakeln repräsentierte Mentalität am ehesten als Element einer „Kriegerreligion" gekennzeichnet werden, die einer besonderen „Ritterethik" im Sinne ERDMANNS entbehrt. Daraus kann an dieser Stelle die Vermutung abgeleitet werden, daß „Ritterethik" eher in theologischen oder dichterischen Werken charakterisiert wurde, weniger jedoch in den der „Alltags-Realität" und der Volksreligion wohl näherstehenden Mirakeln anzutreffen ist.[109] Neben der Funktion als Kriegshelfer tritt der hl. Jakobus noch als Pilgerschützer auf, oder er verbindet beide Arten von Hilfeleistungen.

---

[105] So auch Mirakel 19 in ähnlicher Weise.

[106] ERDMANN, wie Anm. 77, bes. S. 282f.   [107] Ibid., S. 310f.

[108] Ibid. S. 23f. und 109–114 (besonders in bezug auf Ablaßvorstellungen), vgl. auch unten, Kap. 5.2.3.

[109] Grundsätzlich liegt der hier skizzierte Unterschied natürlich auch in der literarischen Gattung „Mirakel" begründet. Ein Ritter, der den Tod freiwillig sucht, braucht, ja will keinen Wunderhelfer. Trotzdem dürften m. E. die Mirakel der Alltagsrealität näher verbunden sein, die „Ritterethik" ist wohl hingegen in großen Teilen Programm geblieben.

5.2. Kreuzzugsgedanke und Ritterethik im Pseudo-Turpin

Lenkt man den Blick von den Wunderberichten auf den PT, so erweist sich dieses Buch als besonders geeignet, die soeben erwähnte „Ritterethik" bzw. das Ritterideal im LSJ näher zu beleuchten. Der PT in der im LSJ inkorporierten Form – als einziges Buch angeblich von Erzbischof Turpin und nicht von Papst Calixt verfaßt – besteht, wie bereits erwähnt[110], aus mehreren voneinander zu scheidenden Bestandteilen:

1. Kapitel 1–5 handeln von der Eroberung Spaniens durch Karl den Großen, um den Weg zum Grab des hl. Jakobus zu begründen und zu sichern[111],

2. ein weiterer Komplex berichtet über erneute Auseinandersetzungen Karls in Südfrankreich und Nordspanien mit dem afrikanischen König Aigoland (Kapitel 6–18)[112],

3. schließlich schildert eine dritte Episode den aus vielen Überlieferungen bekannten Tod Rolands in Roncesvalles (Kapitel 21–29).[113]

Eingeschaltet sind nach dem zweiten Themenkreis ein Statut Karls für die Kirche von Santiago[114], eine Beschreibung Karls[115], und nach der dritten Episode noch verschiedene einzelne Kapitel, so ein „Erlaß" Karls für St-Denis, ein Bericht über Karls Tod und ein Wunder um Roland.[116] Drei von Pseudo-Calixt verfaßte Kapitel schließen den PT ab.[117]

In allen drei Teilen geht es um den Kampf gegen den islamischen Gegner, der vor allem im zweiten und dritten Zyklus konkret geschildert wird. Diese beiden Teile weisen auch einen Bezug zum Aigoland- und zum Rolandslied auf.[118] So wie die Karlsepik in enger Verbindung mit dem Kreuzzugsgedanken steht[119], darf auch für den

---

[110] S. oben, Kap. 2.2., S. 19f.

[111] HÄMEL – DE MANDACH, S. 41–46. Vorgeschaltet ist ein Brief Turpins an Dekan Leoprand von Aachen, der den PT als Werk im Auftrag eben dieses Leoprand hinstellt (ibid., S. 37f.).

[112] HÄMEL – DE MANDACH, S. 46–49.

[113] Ibid. S. 74–88. Die Kapitelzählung folgt hier der Edition, nicht der Handschrift. Vgl. 2.2, S. 20, Anm. 51.

[114] Kapitel 19, ibid., S. 69–71.   [115] Kapitel 20, ibid., S. 72f.

[116] Kapitel 30, ibid., S. 88f., Kapitel 32, ibid., S. 92–94, Kapitel 33, ibid., S. 94–96. Kapitel 31 (ibid., S. 90–92) handelt über die sieben *artes*, die Karl in seinem Palast malen ließ.

[117] HÄMEL – DE MANDACH, S. 97–102 (dort als Anhang A, B und D bezeichnet). Die drei Kapitel beinhalten die Auffindung des Turpingrabes, die Invasion Al-Mansūrs in Compostela und den Aufruf zum Kampf gegen die Heiden (Anhang D = JL † 7111). Zur Einteilung des PT in drei Hauptblöcke vgl. z. B. DAVID, III/1948, S. 86f.

[118] Die romanistische Forschung hat oft im PT eine Vorstufe für die „Chanson de Roland" bzw. für die in einem Fragment des 13. Jhs. erhaltene „Chanson d'Agolant" gesehen. Genauere Abhängigkeiten sind allerdings im Einzelfall oft nur recht schwer nachzuweisen, im allgemeinen wird der PT heute für jünger als das Rolandslied angesehen. Vgl. K. KLOOCKE, J. Bédiers Theorie über den Ursprung der Chansons de geste und die daran anschließende Diskussion zwischen 1908 und 1968 , Göppingen 1972 (= Göppinger akademische Beiträge, 33/4), S. 409f. Zur „Chanson d'Agolant": P. MEYER, Fragments de manuscrits français. I. – Fragment d'une chanson de geste relative à la guerre d'Espagne (Romania 35/1906, S. 22–31), Text S. 22–26; ferner: DAVID, III/1948, S. 177.

[119] S. vor allem: H. W. KLEIN, Der Kreuzzugsgedanke im Rolandslied und die neuere Rolandforschung (Die Neueren Sprachen, NF 5/1956, S. 265–85) bes. S. 266 (ND in: Altfranz.

PT die Kreuzzugsidee als leitendes Thema angesehen werden. Zwei Wurzeln lassen sich laut ERDMANN für die Kreuzzugsbewegung ausmachen: „Der Gedanke der Wallfahrt zu den Stätten des ursprünglichen Christentums und die Idee des heiligen Krieges, des Ritterkampfes im Dienste der Kirche".[120] Zwar lagen in Spanien keine hl. Stätten des Urchristentums, da jedoch im gesamten übrigen LSJ die Jakobusverehrung und auch die Wallfahrten zum Apostelgrab behandelt werden, ist im folgenden nach dem Zusammenhang vom Karlsthema mit dem Jakobuskult einerseits und mit dem „heiligen Krieg" andererseits zu fragen, aus dem sich die Konzeption der im PT propagierten Ritterethik erschließen läßt.

Der Bezug zum Jakobusthema eröffnet sich vor allem in der Einleitungsepisode (Kapitel 1–5), Kapitel 19 und in den von Pseudo-Calixt berichteten Abschlußkapiteln.[121] Im ersten Kapitel erfahren wir, wie Karl der Große vom hl. Jakobus, der ihm im Traum als Kämpfer erschien[122], den Auftrag erhielt, das spanische Land von den Sarazenen zu befreien und so den Weg zum Grab des hl. Jakobus zu „öffnen": *quod tu cum magno exercitu ad expugnandam gentem paganorum perfidam et liberandum iter meum et tellurem . . .*[123] Für seine Mühen soll Karl des himmlischen Lohnes gewiß sein: *et propter labores tuos impetrabo tibi coronam a Domino in celestibus*[124] und getrost auf die Hilfe des hl. Jakobus vertrauen:*ego ero auxiliator tuus in omnibus.*[125] Die Expedition gegen die Moslems erscheint hier als Mittel zum eigentlichen Zweck, nämlich das Kultzentrum des hl. Jakobus und den Weg dorthin zu sichern. So sah BÉDIER im PT das Bindeglied zwischen dem Translationsbericht (Buch III) und dem Pilgerführer (Buch V), der den chronologischen Zusammenhalt gewährleistete; aus diesem Grunde erachtete er den PT als konstitutives Element des LSJ.[126] DAVID präzisierte demgegenüber, daß nur die ersten fünf Kapitel diese Verbindung erkennen ließen, alle übrigen – auch die von BÉDIER zitierten – „Nahtstellen" seien jeweils von einem Endredaktor eingeführt worden.[127] DAVID vermutete weiter, eine ursprünglich unabhängige Schrift, die Kapitel 1–5 des heutigen PT umfaßte, sei mit der Aigoland- und Rolandsgeschichte vereinigt worden. Ein weiterer Überarbeiter habe die Bedeutung von St-Denis hervorgehoben, der Schlußredaktor daraufhin den pseudo-calixtinischen Rahmen hergestellt.[128] Die Bemerkungen DAVIDS weisen sicher den richtigen

---

Epik, hg. von H. KRAUSS, Darmstadt 1978, S. 195–224), der das Rolandslied mit Hilfe der Ausführungen von ERDMANN, wie Anm. 79, untersucht.

[120] ERDMANN, wie Anm. 79, S. VII (Hervorhebungen von ERDMANN).

[121] HÄMEL – DE MANDACH, S. 41–46, S. 69–71 und S. 94–102. Die wenigen weiteren Hinweise sollen unten (Kapitel 5.2.1.) näher erörtert werden.

[122] *heros* im lat. Text, HÄMEL – DE MANDACH, S. 41.

[123] Ibid. S. 42.   [124] Ibid.   [125] Ibid.

[126] J. BÉDIER, Les légendes épiques. Recherches sur la formation des chansons de Geste, Bd. III, Paris 1912, ³1929, ND 1966, S. 105–111.

[127] DAVID, III/1948, S. 174–185; zu weiteren PT-Theorien und -Forschungen sei auf Kap. 2.4, S. 34 und S. 41–42 verwiesen. Der ältere Forschungsstand ist ebenso resümiert bei DAVID, ibid., S. 164–172.

[128] Ibid., S. 180–182. DAVID scheint mir in dieser Passage nicht ganz klar in seiner Terminologie, er nennt einen „compilateur", „rédacteur" und „remanieurs", verwendet diese Ausdrücke jedoch nicht konsequent: so spricht er von einem „rédacteur", der unter dem Einfluß von St-

Weg, jedoch erliegt seine Erklärung zum Teil der Gefahr, für fast jedes Einzelphänomen einen Autor, Überarbeiter usw. zu suchen, beispielsweise können die von ihm zitierten „moralisierenden Zusätze" im PT ebensogut dem Schlußkompilator zugeschrieben werden und bedürfen nicht der Annahme eines wieder anderen Autors.[129] Trägt man auch den unterschiedlichen Schichten innerhalb des PT Rechnung, so zeichnet doch sicher der Schlußkompilator für die Gesamtheit dieser Elemente verantwortlich.

Das zweite wesentliche Element des PT besteht in der Darstellung eines hl. Krieges Karls. Dieser Gesichtspunkt hängt eng mit der sogenannten „Reconquista"[130], der Wiedergewinnung der durch Moslems besetzten Gebiete Spaniens zusammen. Recht schnell nach der islamischen Eroberung der iberischen Halbinsel formierten sich im Norden Spaniens Widerstandszentren, von denen sich Asturien – wohl vornehmlich aufgrund der strategisch günstigen Lage – als besonders bedeutsam erwies.[131] Das im

---

Denis in die Kompilation eingriff (S. 181), ordnet dann jedoch den Einfluß von St-Denis dem Kompilator zu (S. 184), kurz zuvor sogar (S. 183) dem „premier compilateur" und den „remanieurs".

[129] Ibid., S. 182. Bezeichnenderweise hebt ja DAVID seine starke Differenzieruung teilweise selbst wieder auf (s. vorige Anm.). Vgl. unten Kap. 5.2.2. und 5.3.

[130] Es kann hier nur auf einige Werke verwiesen werden, die den Zugang zur neueren Reconquista- und Wiederbesiedlungsforschung ermöglichen: Besonders hilfreich sind die Literaturberichte von Ch. E. DUFOURCQ/J. GAUTIER-DALCHÉ, Les royaumes chrétiens d'Espagne au temps de la „Reconquista" d'après les recherches récentes (1948–1969) (Revue historique 248/1972, S. 367–402) und dies., L'Espagne, de la conquête au siècle d'Or (travaux parus de 1969 à 1979) (Revue historique 263/1980, S. 425–461). Vgl. auch die beiden weiteren im Literaturverzeichnis genannnten Literaturberichte der Autoren. – Neuere Gesamtdarstellungen: Ch. J. BISHKO, The Spanish and Portuguese Reconquest 1095–1492, in: K. M. SETTON (Hg.), A History of the Crusades, Bd. III, Madison 1975, S. 396–456; D. W. LOMAX, The Reconquest of Spain, London – New York 1978 (mit weiterführender Bibliographie), auch dt.: Die Reconquista. Die Wiedereroberung Spaniens durch das Christentum, München 1980 (= Heyne Tb 39); BISHKO und LOMAX vertreten die beiden aktuellen Hauptinterpretationsstränge; zur Wiederbesiedlung: D. CLAUDE, Die Anfänge der Wiederbesiedlung Innerspaniens, in: W. SCHLESINGER (Hg.), Die deutsche Ostsiedlung des Mittelalters als Problem der europäischen Geschichte, Sigmaringen 1975, S. 607–622 (= Vorträge und Forschungen, 18); J. GONZÁLEZ, Repoblación de Castilla la Nueva, 2 Bde, Madrid 1975; S. DE MOXÓ, Repoblación y sociedad en la España cristiana medieval, Madrid 1979. Vgl. auch als knappe Einführung: O. ENGELS, Reconquista (Sacramentum Mundi, IV, Freiburg 1969, Sp. 67–71). Für eine Beschreibung des Rückeroberungs- und Wiederbesiedlungsprozesses sind grundsätzlich mehrere Etappen und vor allem Landschaften zu unterscheiden, so daß vielfach lokalhistorische Untersuchungen heranzuziehen sind.

[131] Vgl. C. SANCHEZ ALBORNOZ, Asturias resiste, Alfonso el Casto salva a la España cristiana (Logos 5/1946, S. 9–33), S. 9. Vgl. zur Frühgeschichte: A. DE LA TORRE Y DEL CERRO, Las etapas de la Reconquista hasta Alfonso II (Estudios sobre la monarquía asturiana, Oviedo 1969, ²1971, S. 133–174); zusammenfassend: LOMAX, wie Anm. 130, S. 25–30. – Zur Geschichte Asturiens in der Frühzeit liegt jetzt das umfangreiche und detaillierte dreibändige Werk von C. SANCHEZ ALBORNOZ vor: Orígenes de la nación española. Estudios criticos sobre la historia del reino de Asturias, 3 Bde, Oviedo 1972–1975. Die recht verdienstvollen und soliden Forschungen von SANCHEZ ALBORNOZ sind nicht ganz frei von der Tendenz, Asturien als Keimzelle der spanischen Nation zu glorifizieren, wie auch bereits die Titel seiner Abhandlungen zeigen.

Westgotenreich durch eine Sonderstellung charakterisierte Asturien[132] entwickelte sich vor allem seit der Zeit Alfons' des Keuschen (791–842), zum wichtigsten Träger der hispanischen Tradition. Der hieraus folgende Anspruch, das Erbe der alten Metropole Toledo angetreten zu haben und diesem Bischofssitz ebenbürtig zu sein, führte zu Spannungen, die vor allem im Streit um den Adoptianismus zwischen Erzbischof Elipandus von Toledo (gest. nach 800) und dem asturischen Abt Beatus von Liébana (gest. 798) ausgetragen wurden.[133]

In die Regierungszeit Alfons' des Keuschen fiel auch die „Entdeckung" des Jakobusgrabes. Hiermit konnte sich das neuerstarkte Reich eine wirksame Identifizierungs- und Legitimationshilfe schaffen.[134] Karl der Große bzw. sein Berater Alkuin, haben bei diesem ersten Selbstfindungsprozeß Asturiens sicherlich Einfluß genommen.[135] Die Beziehungen Karls zu Asturien, sein Feldzug nach Spanien mit der anschließenden Niederlage in Roncesvalles (778) unterstreichen bereits die Verbindung dieses fränkischen Herrschers zur spanischen Reconquista. Möglicherweise wurde bereits zu dieser Zeit der Grundstein für die epische Überlieferung um Karl den Großen gelegt, allerdings betreten wir hier ein Feld erbitterter Auseinandersetzung innerhalb der Romanistik: Während eine Forschungsrichtung glaubt, epische Traditionen hätten sich seit der Karolingerzeit erhalten[136], datierte vor allem J. BÉDIER den

---

[132] Vgl. zu dieser Sonderstellung die jetzt erneut unter dem Titel: „Sobre los orígenes sociales de la Reconquista" herausgegebene Aufsätze von A. BARBERO und M. VIGIL (Barcelona 1974). Gegen ihre Schlußfolgerungen sind allerdings Bedenken anzumelden, vgl. CLAUDE, wie Anm. 130, S. 622, Anm. 111; und Ch. E. DUFOURCQ/J. GAUTIER-DALCHÉ, Histoire de l'Espagne. Publications des années 1948–1969 (Revue historique 245/1971, S. 127–168 und S. 443–482), S. 449.

[133] Vgl. J. M. LACARRA, unter Mitwirkung von O. ENGELS, Mauren und Christen in Spanien (711–1035) (Handbuch der europäischen Geschichte, Bd. 1, hg. von Th. SCHIEFFER, Stuttgart 1976, S. 997–1033), S. 1008.

[134] Vgl. oben, Kap. 1, bes. S. 12.

[135] Vgl. z. B. M. DEFOURNEAUX, Charlemagne et la monarchie asturienne (Mélanges d'histoire du moyen âge, dédiés à la mémoire de L. HALPHEN, Paris 1951, S. 177–184); F. ANSPRENGER, Untersuchungen zum adoptianischen Streit im 8. Jahrhundert, (Diss. masch.) Berlin 1952, W. HEIL, Der Adoptianismus, Alkuin und Spanien, in: W. BRAUNFELS (Hg.), Karl der Große, Lebenswerk und Nachleben, Bd. 2, Düsseldorf 1965, S. 95–155; hauptsächlich die theologischen und innerspanischen Aspekte berücksichtigt K. SCHÄFERDIECK, Der adoptianische Streit im Rahmen der spanischen Kirchengeschichte (Zs. für Kirchengeschichte 80/1969, S. 291–311 und 81/1970, S. 1–16). – Es liegt nahe, zwischen dem entstehenden Jakobuskult und dem karolingischen Einfluß einen Zusammenhang herzustellen. Leider ist nicht endgültig zu entscheiden, ob dies nicht nur in der später entstandenen Chronistik, u. a. auch im LSJ, seinen Niederschlag gefunden hat. Sicher sind jedoch die literarischen Zeugnisse Indikatoren für die Propaganda und das geistige Klima, wie im folgenden zu zeigen sein wird.

[136] So G. PARIS und L. GAUTHIER im vorigen Jahrhundert, neuere Arbeiten von: F. LOT, Etudes sur les légendes épiques françaises, Paris 1958 (Aufsatzsammlung früherer erschienener Artikel); R. MENÉNDEZ PIDAL, La Chanson de Roland et la tradition épique des Francs (frz. Übers.) Paris ²1960; R. LOUIS, L'épopée française est carolingienne (Coloquios de Roncesvalles 1955, Zaragoza 1956, S. 327–460). Ähnlich auch: B. SHOLOD, Charlemagne in Spain. The cultural Legacy of Roncesvalles, Genève 1966, Kap. 1. Die Nuancen dieser Richtung können hier nicht referiert werden.

Ursprung der Chansons de Geste ins 11. Jahrhundert und vertrat die Meinung, Pilger, „Jongleurs" und Mönche seien für deren Entstehung verantwortlich.[137] Diese letztere, lange Zeit herrschende Theorie wird neuerdings ebenfalls zunehmend kritisiert[138] und die Frage nach den Anfängen wird vielfach als im Grunde unlösbar erachtet.[139]

Wichtig bleibt in unserem Zusammenhang, daß im 11. Jahrhundert das Karlsthema aufgegriffen und literarisch verarbeitet wurde. Dies läßt sich wohl u. a. auf eine neue Qualität der Reconquista im 11. Jahrhundert zurückführen, die sich an zwei Punkten festmachen läßt:

1. Seit der zweiten Hälfte des 11. Jahrhunderts lassen sich die Reconquistakämpfe in die Nähe eines Kreuzzugs rücken. Zwar ist je nach Definition eines Kreuzzuges unterschiedlich festzulegen, seit wann man bei den Glaubenskämpfen auf der Iberischen Halbinsel von „Kreuzzügen" reden kann, jedoch hat GOÑI GAZTAMBIDE die verschiedenen Ansätze referiert[140] und selbst klargelegt, daß
– die Anerkennung eines hl. Krieges durch die amtliche Kirche (Papst),
– das Versprechen eines Ablasses
für die Bezeichnung eines hl. Krieges als „Kreuzzug" konstitutiv seien.[141]

Aufgrund einer solchen Definition könnte bereits die Expedition gegen Barbastro (1064) je nach Auslegung der päpstlichen „Mitwirkung", die umstritten ist, als erster

---

[137] BÉDIER, wie Anm. 126. Zum Verhältnis der Theorie von BÉDIER zu der hier interessierenden Thematik vgl. : M. DEFOURNEAUX, Saint Jacques et Charlemagne. Le pèlerinage et les légendes épiques françaises (Bulletin de l'Institut français en Espagne, no. 46/1950, S. 214–217, ND in: R. DE LA COSTE-MESSELIÈRE (Hg.), Pèlerins et chemins de Saint-Jacques en France et en Europe du Xᵉ siècle à nos jours, Paris 1965, S. 105–109).

[138] Vgl. KLOOCKE, wie Anm. 118, bes. S. 487–504.

[139] So z. B. I. SICILIANO, Les chansons de geste et l'épopée. Mythes – histoire – poèmes, Torino 1968 (= Biblioteca di Studi francesi, 3) und V. SAXER, Légende épique et légende hagiographique. Problèmes d'origine et d'évolution des chansons de geste (Revue des sciences réligieuses 33/1959, S. 372–395) zu den Arbeiten von BÉDIER und LOUIS (s. Anm. 136 und 137). Vgl. auch zusammenfassend: KLOOCKE, wie Anm. 118, S. 287–409.

[140] J. GOÑI GAZTAMBIDE, Historia de la bula de la cruzada en España, Vitoria 1958 (= Victoriensia, 4), S. 44–46. Neben der im folgenden nach GOÑI GAZTAMBIDE gegebenen Definition verzeichnet die allgemeine Literatur zu den Kreuzzügen vor allen Dingen noch die Jerusalemeschatologie und den Wallfahrtsgedanken als konstitutive Faktoren (vgl. H. E. MAYER, Geschichte der Kreuzzüge, Stuttgart u. a. 1965, ⁴1976, S. 263f.). Die Literatur zu den Kreuzzügen läßt sich dank: H. E. MAYER, Bibliographie zur Geschichte der Kreuzzüge, Hannover 1965 und: ders., Literaturbericht über die Geschichte der Kreuzzüge. Veröffentlichungen 1958–1967 (HZ Sonderheft 3, 1969, S. 641–731) recht gut überblicken. Zur hier interessierenden Vorgeschichte der Kreuzzüge wurde vor allem herangezogen: ERDMANN, wie Anm. 79 (noch immer grundlegend zur Entstehung des hl. Krieges); P. ROUSSET, Les origines et les caractères de la première croisade, Genève 1945; P. ALPHANDÉRY, La Chrétienté et l'idée de croisade, hg. von A. DUPRONT, 2 Bde, Paris 1954–1959; E. DELARUELLE, Essai sur la formation de l'idée de croisade (Bulletin de la littérature écclesiastique 42/1941, S. 24–45 und 86–103; 45/1944, S. 13–46, und 73–90; 54/1953, S. 226–239 und 55/1954, S. 50–63); VILLEY, wie Anm. 76, und die weiteren Abhandlungen im dort zitierten Kongreßbericht. Recht gut faßt zusammen: E. O. BLAKE, The Formation of the Crusade Idea (Journal of Ecclesiastical History 21/1970, S. 11–31).

[141] GOÑI GAZTAMBIDE, wie Anm. 140, S. 46.

Kreuzzug gelten.[142] Selbst wenn dieses Datum als zu früh bewertet wird, so wurde auf jeden Fall spätestens gegen Ende des 11. Jahrhunderts die spanische Reconquista den Jerusalemwallfahrten bzw. den Orientkreuzzügen von höchster kirchlicher Seite gleichgesetzt. Bereits im Jahre 1089 gewährte Papst Urban II. allen, die einen Beitrag zur Restituierung des Erzbistums Tarragona leisteten, den gleichen Nachlaß der Kirchenbuße, der mit der Wallfahrt nach Jerusalem verbunden war.[143]

Paschalis II. und Gelasius II. erließen ähnliche Urkunden[144], ebenso Papst Calixt II.[145] Päpstliche Förderung, vor allem mit den Versprechungen himmlischen Lohnes, dürfte wesentlich zum neuen Schwung der Reconquista zu Ende des 11. Jahrhunderts beigetragen bzw. die neuen Ansätze unterstützt haben.

2. Zum zweiten hat die verstärkte Teilnahme ausländischer Adeliger und Ritter Intensität, Form und Konzeption der Reconquista maßgeblich beeinflußt.[146] Die zunehmende Präsenz vor allem südfranzösischer Reconquistateilnehmer mag auch u. a. verdeutlichen, warum für die literarische Bearbeitung des Karlsstoffes gerade im 11. Jahrhundert besonders günstige Voraussetzungen herrschten. Die zumeist in speziellen Stadtvierteln („barrios francos") siedelnden südfranzösischen Eroberer –

---

[142] Ibid., S. 51, vgl. ERDMANN, wie Anm. 79, S. 124f. Bei H. E. MAYER, Geschichte, wie Anm. 140, wird der Barbastrozug als „normaler heiliger Krieg" (S. 26) bezeichnet, der noch nicht den Namen eines Kreuzzuges verdiene, denn die päpstl. Bulle (JL 4530) sei kein „aktiver" Aufruf. Ähnlich: A. NOTH, Heiliger Krieg und Heiliger Kampf in Islam und Christentum. Beiträge zur Vorgeschichte und Geschichte der Kreuzzüge, Bonn 1966 (= Bonner historische Forschungen, 28), S. 109–120. Viel weiter in seiner Definition: E. BENITO RUANO, España y las cruzadas (Anales de historia antiqua y medieval, 2/1951/52, S. 92–120), S. 100ff.

[143] JL 5401, vgl. zur Echtheit: P. KEHR, Das Papsttum und der katalanische Prinzipat bis zur Vereinigung mit Aragón (Abh. der preuß. Akad. der Wissenschaften, phil.-hist. Kl., 1926), S. 44; vgl. ferner: ERDMANN, wie Anm. 79, S. 293; A. BECKER, Papst Urban II., Stuttgart 1964 (= Schriften der MGH 19/1), S. 228; MAYER wie Anm. 140, S. 35f. Der Rechtsinhalt dieser Urkunde weist deutlich auf die beiden allgemein angenommenen ideellen Wurzeln der Kreuzzugsbewegung hin: 1) Wallfahrt und 2) hl. Krieg (vgl. ERDMANN, wie Anm. 79, S. VII–IX), vgl. die Definition des Kreuzzuges als „bewaffnete Wallfahrt", MAYER, wie Anm. 140, S. 21.

[144] JL 5840, JL 6665, vgl. GOÑI GAZTAMBIDE, wie Anm. 140, S. 64 und 71 zu den einzelnen Interventionen der Päpste.

[145] JL 7116 = D. MANSILLA (Hg.), La documentación pontificia hasta Innocencio III (965–1216), Rom 1955, no. 62, S. 79.

[146] Grundlegend: M. DEFOURNEAUX, wie Anm. 142, der den französischen Einfluß tendenziell überbewertet. Vor allem haben wohl Franzosen an der aragonesischen Reconquista mitgewirkt; vgl. an neueren Abhandlungen, die das Bild von DEFOURNEAUX korrigieren: J. M. LACARRA, Los franceses en la Reconquista y Repoblación del Valle del Ebro en tiempos de Alfonso el Batallador (Relaciones Hispano-Francesas a traves del tiempo. Cuadernos de Historia, Anejos de la Revista Historia 2/1968, S. 65–80); L. H. NELSON, Routrou of Perche and the Aragonese Reconquest (Traditio 26/1970, S. 113–133); E. MIRANDA MARTINEZ, Repoblaciones en Navarra en el siglo XII (Homenaje a D.J.M. LACARRA DE MIGUEL en su jubilación del Profesorado, II, Zaragoza 1977, S. 115–122). Oft wird auch die Bedeutung Clunys für die Organisation der Reconquista unterstrichen, vgl. zur Orientierung über den Forschungsstand: P. SEGL, Königtum und Klosterreform in Spanien, Kallmünz 1974, S. 8–10, der im Anschluß an neuere Forschungen den Einfluß Clunys eher geringer einschätzt.

teilweise in Städten an der Pilgerstraße[147] – dürften nicht gering zu diesem literarischen Gärungsprozeß beigetragen haben. BÉDIERS Theorie, die den Ursprung der Karlsepik in den Zentren an den Pilgerstraßen suchte[148], kann, wenn auch nicht für den Ursprung, so doch für die Verdichtung und Niederschrift der epischen Stoffe herangezogen werden. Viele Episoden im PT weisen zumindest auf orale Traditionen hin, die in Orten an der Pilgerstraße nach Compostela bekannt gewesen sein müssen.[149] Mit SHOLOD könnte der PT treffend als die Verbindung von epischer und lokaler Tradition bezeichnet werden.[150]

Die wirkliche Bedeutung Karls und auch die Vorstellung von seinem Einfluß im 11./ 12. Jahrhundert ist jedoch nicht exakt zu ermitteln. Lediglich fränkische Geschichtswerke berichten von den spanischen Aktionen Karls[151], spanische Quellen leugnen eher den Einfluß, so z. B. die „Historia Silense" (von ca. 1115): *nemo exterarum gentium Ispaniam sublevasse cognoscitur. Sed neque Carolus, quem infra Pireneos montes quasdam civitates a manibus paganorum eripuisse Franci falso asserunt.*[152] Ebenso negativ berichtet Jimenez de Rada im 13. Jahrhundert in seiner „Historia de rebus Hispaniae".[153] Spanische Chronisten, die die Intervention Karls des Großen erwähnen, wie Lucas von Tuy (Mitte 13. Jahrhundert)[154], haben wahrscheinlich epische Stoffe aufgegriffen.[155]

---

[147] Vgl. hierzu unten, Kap. 6.3., bes. Anm. 142. Unter „franco" sind hier neben französischen alle ausländischen Siedler zu fassen.

[148] Vgl. oben, S. 128f.

[149] So z. B. die Episode über die Auseinandersetzung zwischen Roland und Ferracut (PT, 17, HÄMEL – DE MANDACH, S. 61–67), vgl. hierzu: J. M. LACARRA, El combate de Roldán y Ferragut y su representación gráfica en el siglo XII (Anuario del Cuerpo Facultativo de Archiveros, Bibliotecarios y Arqueólogos 2/1934, S. 321–338). Zu weiterer vermutlich oraler Tradition: SHOLOD, wie Anm. 136, S. 117–120 und L. VAZQUEZ DE PARGA/J. M. LACARRA/J. URÍA RÍU, Las peregrinaciones a Santiago de Compostela, 3 Bde, Madrid 1948–49, Bd. I, S. 503 und 506f. Der Strang mündlicher Traditionen wird von DAVID zwar an Einzelstellen beachtet, (DAVID, III/1948, S. 124ff.), fehlt jedoch in seiner „Gesamttheorie" (ibid., S. 174–185).

[150] SHOLOD, wie Anm. 136, Kapitel 3. Hinzutreten muß für den PT im LSJ die Verbindung zum Jakobuskult. Zu weitgehend wohl jedoch: A. DE MANDACH, vgl. oben, Kap. 2.4., S. 44.

[151] Vgl. A. FLICHE, Alphonse II le Chaste et les origines de la Reconquête chrétienne (Estudios sobre la monarquía asturiana, Oviedo 1949, ²1971, S. 117–134), S. 122; ferner: M. DEFOURNEAUX, Carlomagno y el reino asturiano (Estudios sobre la monarquía asturiana, Oviedo 1949, ²1971, S. 89–114), S. 92–95.

[152] Historia Silense, wie Anm. 18, S. 129.

[153] Rodericus Ximenius de Rada, Opera. Reimpresión facsímil de la edición de 1793, ed. LORENZANA, Valencia 1968, S. 83f. (= Textos medievales, 22). Vgl. auch diesen Streit in der Literatur: FLICHE, wie Anm. 151, bes. 127 und bereits R. MENÉNDEZ PIDAL, La España del Cid, Madrid 1929, ⁶1967, dt.: Das Spanien des Cid, 2 Bde, München 1935, der Bd. 2, S. 284f. gegen einen der stärksten Verfechter des französisch-cluniazensischen Einflusses bei der Reconquista (P. BOISSONADE) Stellung bezieht.

[154] Chronicon Mundi (Hispaniae Illustratae seu urbium rerumque Hispanarum . . . scriptorum auctores varii . . ., hg. von A. SCHOTT, Frankfurt 1608, S. 1–116), S. 77–81.

[155] Vgl. die kritische Revision der einschlägigen Stellen des Chronicon Mundi bei DEFOURNEAUX, Carlomagno, wie Anm. 151, S. 112f., Anm. 39 und 40. Aus diesem Blickpunkt der

Für die folgende Analyse des PT ist zu beachten, daß die literarische Gestaltung des Karlsthemas im PT dem fränkischen Herrscher zwar die Initiative für den Heidenkampf beimißt, die tragende Rolle jedoch weitgehend den Karl begleitenden Rittern, besonders Roland, zufällt. Diese Verlagerung des Schwergewichtes ist für Entwicklungsstufe des hl. Krieges bzw. des Kreuzzugsgedankens bezeichnend[156], sie ermöglicht, anhand der Punkte Wallfahrt, hl. Krieg und himmlischer Lohn die Konzeption des christlichen Ritters im PT zu erschließen.

5.2.1. Wallfahrt und Jakobuskult

In dem bereits erwähnten Einleitungskapitel des PT, das über die Vision Karl des Großen berichtet[157], erscheint Karl als Entdecker und Befreier des Jakobusweges: *Statimque intuitus est in celo quendam caminum stellarum incipientem a mari Frisiae et tendentem inter Theutonicam et Ytaliam, inter Galliam et Aquitaniam, rectissime transeuntem per Gasconiam, Basclamque, Navarram et Yspaniam usque ad Galleciam, qua beati Iacobi corpus tunc temporis latebat incognitum.*[158] Kurz darauf beauftragte der hl. Jakobus Karl im Traum damit,
– den Weg zum Apostelgrab zu „befreien" und zu sichern und
– die Heiden zu bekämpfen.[159]
Jakobus versprach weiter, hierbei wolle er Helfer sein und himmlischen Lohn für Karl erbitten.

Es ist bezeichnend, daß alle wesentlichen Elemente des Kreuzzugsgedankens in dieser kurzen Einleitung ihren Niederschlag gefunden haben, nämlich diejenigen Elemente, die gleichermaßen den Kreuzzugsaufruf Urbans II. in Clermont (1095) charakterisieren. Auch hier verknüpfte sich die Vorstellung eines heiligen Krieges mit derjenigen einer bewaffneten Wallfahrt, um die Pilgerwege sicherzustellen.[160]

Wenn wir ERDMANNS Unterscheidung folgen und das „Wallfahrtsargument", das Urban II. sich der Werbewirksamkeit halber zunutze machte, eher dem populären als

---

„Chronistik" kann also auch der französische Ursprung des PT angenommen werden (vgl. auch hierzu oben, Kap. 2.4., S. 37, Anm. 146).

[156] Hierzu ERDMANN, wie Anm. 79, S. 51ff. und 85, der die Wende für die Ablösung des Königtums durch das Rittertum als Träger des Kreuzzugsgedankens auf das Ende des 10. Jhs. ansetzt.

[157] S. o., S. 126 mit Anm. 122–125.

[158] HÄMEL – DE MANDACH, S. 41. Wie DAVID (III/1948, S. 175) richtig bemerkt, widerspricht diese Version voll und ganz der Compostelaner Tradition über die Grabentdeckung (vgl. oben Kapitel 1).

[159] Textauszüge siehe oben, S. 204.

[160] Vgl. ERDMANN, wie Anm. 79, S. 306f. und MAYER, wie Anm. 140, S. 20 und 37ff. Es ist nicht möglich, hier zur Kontroverse beider Autoren Stellung zu nehmen, welches der beiden Elemente Ausgangspunkt für die Argumentation Urbans war. Ein drittes übereinstimmendes Element ist das Lohnversprechen Urbans, vgl. hierzu unten Kap. 5.2.3. Zur Rekonstruktion der Rede Urbans, oben Kap. 4.1., Anm. 51; ferner: H. E. J. COWDREY, Pope Urban II's Preaching of the First Crusade (History 55/1970, S. 177–188), der jedoch das Jerusalemmotiv etwas zu stark hervorhebt (bes. S. 181 und 188).

dem hierarchisch geprägten Kreuzzugsgedanken zurechnen[161], so darf auch dem Einleitungskapitel des PT eine Werbeabsicht für den hl. Kampf in Spanien unterstellt werden.[162] Urban II. hatte Ähnliches bereits bei seinem Aufruf für die Befreiung Tarragonas (1089) versucht; dort handelte es sich jedoch nur „um ein Als-ob"[163]; in der Verknüpfung der Themen der Jakobuswallfahrt und des Heidenkampfes im 1. Kapitel des PT erhält dieser Aspekt eine neue, tragfähigere Basis. Das Ritterpatronat des hl. Jakobus (*ego ero auxiliator tuus in omnibus*) fügt dieser Verbindung ein weiteres Element des populären Kreuzzugsgedankens hinzu.[164] Entsprechend diesem Programm im Eingangskapitel wird auch in den weiteren vier Abschnitten beschrieben, wie Karl Spanien unterwarf und den Pilgerweg „öffnete".[165] Zweimal half der hl. Jakobus bei der Eroberung von Städten.[166] Karl der Große besuchte den Grabesort des hl. Jakobus[167], ließ das aus den Kriegszügen und Tributen gewonnene Gold der Kathedrale des hl. Jakobus in Galizien und einigen Kirchen in Frankreich zugute kommen und begründete Bischofsamt und Kathedralkapitel in Galizien.[168]

Est am Ende des PT – sehen wir von dem eingeschobenen Kapitel 19 ab[169] – ist die Verbindung zum Jakobuskult wieder erkennbar: Der Bau zahlreicher Jakobuskirchen

---

[161] ERDMANN, ibid. Den werkbewirksamen Aspekt bestreitet auch MAYER (ibid.) nicht, nur glaubt er, der Wallfahrtsgedanke habe als Ausgangspunkt für Urbans Argumentation gedient und nicht umgekehrt. Die Unterscheidung zwischen populärem und hierarchischem Kreuzzugsgedanken geht auf RANKE zurück (s. ERDMANN, ibid., S. 250, Anm. 1).

[162] So spricht Jakobus zu Karl dem Großen: *caminus stellarum quem in celo vidisti, hoc significat quod tu cum magno exercitu ad expugnandam gentem paganorum perfidam, et liberandum iter meum et tellurem, et ad visitandam basilicam et sarcofagum meum, ab his horis usque ad Galleciam iturus es, et post te omnes populi a mari usque ad mare peregrinantes, veniam delictorum suorum a Domino impetrantes. . .* (HÄMEL – DE MANDACH, S. 42).

[163] ERDMANN, wie Anm. 79, S. 306, vgl. oben S. 130.

[164] Ibid., S. 253–60, bes. S. 254f.

[165] HÄMEL – DE MANDACH, S. 42–46. Kapitel 4 (S. 45f.) handelt nur von den Götzenbildern der Moslems, die Karl zerstören ließ.

[166] Kapitel 2 und 3, HÄMEL – DE MANDACH, S. 43: *Tunc Deo donante et beato Iacobo orante muri confracti funditus ceciderunt* und S. 44: . . . *facta prece Deo et Sancto Iacobo, ceciderunt muri eius.* . . Vgl. zu diesem häufigen Motiv (nach dem Vorbild vom Fallen der Mauern Jerichos): F. GRAUS, Der Heilige als Schlachtenhelfer. Zur Nationalisierung einer Wundererzählung in der mittelalterlichen Chronistik (Festschrift H. BEUMANN, Sigmaringen 1977, S. 330–349), S. 333 mit Anm. 19.

[167] Kapitel 2, HÄMEL – DE MANDACH, S. 43: *Inde visitato sacrofago beati Iacobi, venit ad Petronum sine contrario, et infixit in mari lanceam, agens Deo et sancto Iacobo grates, qui eum usque illuc introduxit.*

[168] Kapitel 5, ibid., S. 46: *Ex auro quem Karolo reges et principes Yspaniae dedere, beati Iacobi basilicam tunc per tres annos in illis horis commorans augmentavit, antistitem et canonicos secundum beati Ysidori episcopi et confessoris regulam in ea instituit, eamque tintinnabulis palleisque, libris ceterisque ornatibus decenter ornavit.* Zur „Isidorregel" s. u. Kap. 5.3. Man beachte die unterschiedlichen Aktionen Karls in Compostela im Bericht dieses Kapitels und im Bericht über seinen zweiten Zug (Kapitel 19, hierzu oben, Kapitel 4.3.).

[169] Vgl. hierzu oben Kapitel 4.3.

zu Lebzeiten half Karl nach seinem Tode, die himmlische Herrlichkeit zu erlangen.[170] Der Abschlußbrief des PT, Pseudo-Calixts Aufruf zum Heidenkampf in Spanien, fügt dem in sonstigen Papsturkunden üblichen Segen des Petrus und Paulus auch noch denjenigen des hl. Jakobus hinzu.[171] Die wichtigste Verbindung zu der oben erwähnten Kreuzzugskonzeption[172] stellt jedoch der im Anhang aufgenommene Bericht über die Belagerung und Verwüstung Compostelas durch Al-Mansūr (997) her.[173] Die von Karl zunächst gebannte Gefahr, d. h. die Bedrängung von Pilgerweg und Pilgerzentrum, wurde am Ende des 10. Jahrhunderts wieder aktuell. Auch hier half der hl. Jakobus, Al-Mansūr ließ von Compostela ab. Seit dieser Zeit – so berichtet Pseudo-Calixt – habe zwar niemand mehr die *patria* des hl. Jakobus angegriffen[174], trotzdem bedürfe es jedoch, um diesen Zustand zu erhalten, der aktiven, schützenden Hilfe aller.[175] Mit diesem Kapitel rückt der Kompilator die heidnische Gefahr für Wege und Pilgerzentrum an die Abfassungszeit heran. In Navarra dürfte zudem sogar noch im gesamten 11. Jahrhundert eine Behinderung der Pilgerwege bestanden haben.[176]

Auch die wohl vom Schlußredaktor zugefügten Bemerkungen über die *via iacobitana*[177] verbinden den Wallfahrtsgedanken mit der Idee des heiligen Krieges. In Kapitel 12 des PT trennt der Weg die feindlichen Heere: *Via iacobitana dividebat utrumque exercitum*[178] und auch alle anderen kriegerischen Kämpfe des Aigolandteiles spielen sich an Orten ab, die an oder in der Nähe der Pilgerstraße liegen. Das Anliegen des Kompilators, Wallfahrt und hl. Krieg gedanklich zu verknüpfen, findet sich somit andeutungsweise auch hier. Wenn die Bedrängung des Pilgerweges und des Apostelgrabes in schillernden Farben ausgemalt wird, so soll dies vornehmlich zur Teilnahme am hl. Krieg gegen die Moslems motivieren.

---

[170] Kapitel 32, HÄMEL – DE MANDACH, S. 93. Vgl. DAVID, III/1948, S. 153, der diese Passage zu Recht als Zusatz ansieht.

[171] HÄMEL – DE MANDACH, S. 101 (= JL † 7111), vgl. oben Kap. 4.1.

[172] S. o., S. 126.

[173] HÄMEL – DE MANDACH, S. 98–100. Laut DAVID, III/1948, S. 159f. handelt es sich um das Jahr 997. Die Züge Al-Mansūrs sind auch in der Historia Silense und der Hist. Comp. belegt, vgl. die Nachweise bei DAVID, III/1948, S. 190, vgl. ferner oben Kap. 2.1., Anm. 6.

[174] HÄMEL – DE MANDACH, S. 100: *Nec fuit postea per multum tempus qui beati Iacobi patriam debellare auderet. Sciant igitur se dampnandos in aevum qui eius tellurem amplius inquietaverint.* Hier erscheint das Landespatronat des hl. Jakobus. Es ist wohl lediglich auf Galizien bezogen, wie vor allem der Kapitelanfang nahelegt (*Quid patriae Galleciae post Karoli necem accidet...*, S. 98). Auch das Einleitungskapitel erwähnt das Landespatronat. Zur Bedeutung solcher Patronate: ERDMANN, wie Anm. 79, S. 254 und A. WAAS, Geschichte der Kreuzzüge, 2 Bde, Freiburg 1956, Bd. 1, S. 47ff.

[175] *Qui vero a postestate Sarracenorum illam custodierint, celesti munere remunerabuntur.* (ibid.) (Man beachte die Form der „sanctio positiva").

[176] Vgl. die Quellenstellen der Historia Silense und anderer späterer Quellen, die bei VAZQUEZ DE PARGA u. a., wie Anm. 149, Bd. II, S. 12 zusammengestellt sind. Vgl. ferner: C. SANCHEZ ALBORNOZ, El Islam de España y el Occidente, Madrid 1974, S. 171 (= überarbeiteter ND der gleichnamigen Abh. in: Settimane di Studio del Centro italiano di studi sull'alto medioevo, XII, Spoleto 1965, S. 149–389).

[177] Kapitel 11, 12, 14 (HÄMEL – DE MANDACH, S. 55 und S. 60). Vgl. DAVID, III/1948, S. 177f.

[178] HÄMEL-DE MANDACH, S. 55.

Die Verbindung dieser zwei Elemente, die sich vorzüglich zum Anwerben von Rittern eignete, weist deutliche Parallelen zum Kreuzzugsaufruf Urbans II. auf und stellt wohl einen der markantesten Züge des PT im LSJ dar.[179]

5.2.2. Heiliger Krieg und Ritterethik

Seit Augustin verfestigte sich in der christlichen Kirche die Konzeption eines gerechten, heiligen Krieges, wenn auch zunächst nur als Defensivkrieg.[180] Dabei stießen die Idee eines allein aus der notwendigen Einheit der Kirche geforderten Ketzerkrieges (Augustin) und der Gedanke eines agressiven, offensiven Missionskrieges (Gregor I.) aufeinander.[181] Der Defensivkrieg blieb lange Zeit die einzig von kirchlicher Seite tolerierte Kriegsform (z. B. die Verteidigungskriege gegen Normannen und Ungarn im 9. und 10. Jahrhundert); ein allmählicher Übergang von der defensiven zur offensiven Kriegseinstellung ist seit dem Ende des 10. Jahrhunderts zu verzeichnen.[182] Teilweise wurde auch seit dieser Zeit Heidenkrieg und Heidenmission als zusammengehörig empfunden.[183] Weitere Ursachen für die Öffnung der Kirche zur „offensiven Kriegsform" liegen u. a. in verfassungsmäßigen Umgestaltungen begründet; so zwang besonders im westfränkischen Raum der Rückgang der königlichen Zentralgewalt kirchliche Kreise dazu, sich selbst gegen Übergriffe zu schützen oder bei Angehörigen des niederen Adels Schutz zu suchen.[184] Diese „Kriegshandwerker" übernahmen nach und nach bestimmte Aufgaben des Königtums, so z. B. auch die der Heidenmission. Der von der Kirche gebilligte und geförderte Heidenkrieg war als königliches Unternehmen seit der Karolingerzeit bekannt, als ritterliche Aufgabe erschien er frühestens Ende des 10. Jahrhunderts.[185]

Der PT spiegelt in gewisser Weise eine Übergangsstufe wider, Rittertum und Königtum sind hier gemeinsam am Heidenkrieg beteiligt. Trotzdem gilt wohl den

---

[179] Auf die Bedeutung der Verbindung der Wallfahrt nach Compostela mit den von Urban II. propagierten Kreuzzugsgedanken weist VILLEY, wie Anm. 76, S. 578 hin. VILLEYS Aussagen bleiben ohne Nachweis, meines Erachtens ist die Verbindung nur dem PT eigen, in anderen Quellen ist diese Tendenz für die erste Hälfte des 12. Jhs. wohl kaum nachweisbar.

[180] Vgl. zu dieser Entwicklung auf vielen Umwegen: ERDMANN, wie Anm. 79, S. 5ff.

[181] Ibid. S. 7f.   [182] Ibid. S. 87ff.   [183] Ibid. S. 95.

[184] A. WAAS, Der Heilige Krieg in Islam und Christentum (Die Welt als Geschichte 19/1959, S. 211–221), S. 216 und ders., Geschichte, wie Anm. 174, Bd. 1, S. 50. Eine wesentliche Begleiterscheinung dieser politischen und verfassungsmäßigen Umgestaltungen lag in der Gottesfriedensbewegung, hierzu: H. HOFFMANN, Gottesfriede und Treuga Dei, Stuttgart 1964 und B. TÖPFER, Volk und Kirche zur Zeit der beginnenden Gottesfriedensbewegung in Frankreich, Berlin-O. 1957. – Die Frage, ob der bereits seit dem 7./8. Jh. bestehende „Heilige Krieg" (ǧihād) des Islam größere Einflüsse auf die Ausbildung der christlichen Krieger- und Ritterethik ausgeübt hat, ist auch seit der Arbeit von A. NOTH, wie Anm. 142, noch nicht endgültig geklärt. Der Autor kann allerdings einige frappante Parallelen nachweisen (S. 138–146). Besonders der weniger organisierte „Heilige Kampf" (ribāt) hatte laut NOTH einen möglicherweise stärkeren Einfluß als bisher angenommen auf die christliche Kriegerethik (S. 67ff. und S. 148). Eher zögernd zu NOTHS Ergebnissen: MAYER, Literaturbericht, wie Anm. 140, S. 676. Vgl. ferner: E. SIVAN, L'Islam et la croisade. Idéologie et propagande dans le réactions musulmanes aux croisades, Paris 1968, der gut die verschiedenen Tendenzen innerhalb des Islam herausarbeitet.

[185] ERDMANN, wie Anm. 79, S. 86f.

Rittern ein besonders starkes Interesse, wenn auch die Rolle Karls als Veranstalter und Organisator des Kriegszuges gegen die Mauren unbestreitbar ebenso hervorgehoben wird. Zwar hätten sich laut dem PT auch andere Könige im Kampf um Spanien und gegen die heidnische Gefahr verdient gemacht; der entscheidende Einschnitt sei jedoch von Karl dem Großen vollzogen worden.[186] Wie in der Kaisersage zur Reise Karls nach Jerusalem besitzen die Aktivitäten Karls in Spanien einen gewissen „Vorbildcharakter".[187] Trotzdem konnte es nicht bei einer Schilderung herrschaftlicher Aktivitäten bleiben, wollte man an die kriegsfähigen Bevölkerungsteile des 11./12. Jahrhunderts appellieren. Hier galt es, das Bild des christlichen Ritters zu entwerfen.

Jeder Ritter streitet für ein höheres Ziel, die Sache Christi. Dieses Ziel der ritterlichen Kämpfe wird immer wieder betont; die Ritter werden als *Christi proceres christianam fidem in mundo propalantes*[188], *Christi pugnatorum sanctissima caterva*[189] oder *certantes Christi*[190] bezeichnet. Die Aufgaben des Ritters werden bei der Beschreibung von Rolands Arm aufgezählt: *destructor Sarracenorum, defensor Christianorum, murus clericorum, baculus orfanorum et viduarum cibus . . .*[191] Diese letzte Beschreibung entspricht den Aufgaben des Ritters, wie sie bereits Ende des 11. Jahrhunderts Bonizo von Sutri[192] skizziert. Nimmt man hinzu, daß in der Darstellung des PT der christliche Ritter nicht nach Beute streben soll, da ihn sonst die Strafe des Himmels ereile[193], so erscheint der Anklang an Bonizo von Sutri noch auffallender.[194]

Ebenso versucht auch der PT auf die sexuelle Enthaltsamkeit des christlichen Ritters zur Zeit eines heiligen Krieges in Form einer moralisierenden Episode hinzuweisen. Die Könige Marsirus und Belignandus, die in Zaragoza residierten, hätten Karl dem Großen, der Taufe oder Tribut gefordert hatte, tausend moslemische Freudenmädchen, Wein, Gold, Silber und anderes mehr geschickt.[195] Die *maiores* des Heeres hätten sich zwar des Weines bemächtigt, Unzucht mit den Freudenmädchen hätten jedoch nur die *minores* getrieben. Der Genuß des Weines habe zu weiteren sexuellen Ausschweifungen

---

[186] Kapitel 3, HÄMEL – DE MANDACH, S. 45.

[187] ERDMANN, wie Anm. 79, S. 276–280 und: ALPHANDÉRY, wie Anm. 140, S. 51 und 54. Vgl. zur zeitlichen Verschiebung zwischen der Vorstellung des Königs als *miles Christi* und derjenigen des ritterlichen *miles Christi*: WAAS, Geschichte wie Anm. 174, Bd. 1, S. 45ff.

[188] Kapitel 11, HÄMEL – DE MANDACH, S. 54.

[189] Kapitel 16, ibid., S. 61.   [190] Kapitel 18, ibid., S. 49.

[191] Kapitel 25, ibid., S. 83. Ähnlich bereits Kapitel 24, S. 82 in einem Gedicht von Venantius Fortunatus von Poitiers. Vgl. zu diesen Übernahmen: oben Kap. 2.4., Anm. 168 und Kap. 4.2., S. 77f. mit Anm. 116.

[192] Liber de vita christiana, hg. von E. PERELS, Berlin 1930. (=Texte zur Geschichte des römischen und kanonischen Rechts im Mittelalter, I) VII, 28, S. 248f.; vgl. dazu ERDMANN, wie Anm. 79, S. 235ff. und J. M. VAN WINTER, Rittertum. Ideal und Wirklichkeit, München 1969, S. 35ff.; dort auch jeweils dt. Übersetzung der Bonizostelle. Vgl. zur Einordnung des „Liber de vita christiana": W. BERSCHIN, Bonizo von Sutri. Leben und Werk, Berlin–New York 1972 (= Beiträge zur Geschichte und Quellenkunde des Mittelalters, 2), S. 57–75.

[193] Kapitel 15, HÄMEL-DE MANDACH, S. 60.

[194] Bemerkenswerterweise zieht der Kompilator auch an dieser Stelle wieder eine Moral aus der geschichtlichen Episode, die er u. a. auf die häufig mit weltlichen Geschäften beschäftigten Kleriker bezieht, vgl. unten S. 143.

[195] Sie schicken *mille Sarracenas formosas ad faciendum stuprum* (Kapitel 21, ibid., S. 74).

geführt, nicht nur mit den „heidnischen", sondern auch mit aus Frankreich mitgebrachten christlichen Frauen. Dieses (Ver-)Naschen der verbotenen Früchte sei der Grund
für die Niederlage der christlichen Nachhut in Roncesvalles: *quia ... cum mulieribus
paganis et christianis fornicati sunt, mortem incurrerunt*[196]. Der Autor sichert jedoch
allen Gefallenen von Roncesvalles himmlische Freuden zu; denn ihr Tod sei die Strafe
für die begangene Sünde, ansonsten seien sie für die Sache Christi gestorben und
könnten auf die himmlische Seligkeit hoffen.[197] Ein Hinweis auf den ebenfalls nötigen
Zölibat der Priester beschließt die Moral.[198] Die Episode verdeutlicht die hohen
Forderungen des PT an den christlichen Ritter; fast ähnelt das hier gezeichnete
Ritterbild bereits dem Ideal des Ordensritters.[199]

Neben den Rittern ist Erzbischof Turpin im PT als aktiver, kämpfender Kleriker
auszumachen[200], u. a. hierfür wird ihm von Pseudo-Calixt am Schluß des Buches die
Krone des Martyriums zuerkannt.[201]

Wichtiger scheinen dem PT allerdings die rein geistlichen Aufgaben zu sein, die dem
Klerus bei der Begleitung eines Heeres zukamen, wie zum Beispiel Beicht- und
Kommunionsmöglichkeiten sicherzustellen. *Erat enim mos ut omnes pugnatores
eucaristia et confessione per manus sacerdotum, episcoporum, et monachorum qui ibi
aderant, animas suas munirent, illo scilicet die, qua sciebant se ituros ad bellum,
antequam ad pugnam properarent.*[202] Ferner war ja gerade die Anwesenheit von

---

[196] Ibid., S. 75.   [197] Ibid., S. 76; vgl. unten Kap. 5.2.3.

[198] Ibid. Dieser Hinweis macht erneut deutlich, wie eng Kirchenreform und Kreuzzugsgedanke miteinander zusammenhängen. Laut DAVID, III/1948, S. 137, Anm. 2 ist diese Episode eine
Zufügung des Schlußredaktors. Betrachtet man die Moral der Episode, so fügt sie sich gut in die
moralisierenden Elemente des I. Buches des LSJ ein und spräche für eine geschickte Endredaktion
des Gesamtwerkes, vgl. oben Kap. 4.4. und unten S. 142f.

[199] Vgl. unten Kap. 5.3.

[200] Kapitel 11, HÄMEL – DE MANDACH, S. 53: *Ego ... et Sarracenos propriis armis saepe
expugnabam.*

[201] Anhang A, ibid., S. 97: *Et quamvis Karolus et Turpinus una cum Rotolando et Olivero
ceterisque martiribus in Runciavalle necem minime accepissent, tamen eb* (sic!) *eorum corona
perpetua non alienatur qui sensere quamdiu vixerunt ... dolores quos cum illis in agone acceperunt.*
Grundsätzlich war Klerikern das Führen von Waffen verboten (ERDMANN, wie Anm. 79, S. 68
und F. PRINZ, Klerus und Krieg im früheren Mittelalter. Untersuchungen zur Rolle der Kirche
beim Aufbau der Königsherrschaft, Stuttgart 1971, S. 1–37 zu den normativen Satzungen bis ins
11. Jh.). Besonders in Spanien sind Beispiele von Übertretungen kirchlicher Gebote durch
Kleriker zu verzeichnen. So mußten laut dem Bericht von Rodulfus Glaber Mönche die Waffen
gegen den Angriff von Al-Mansūr ergreifen (Historiarum libri quinque, hg. von M. PROU, Paris
1886, = Collection de textes pour servir à l'étude et l'enseignement de l'histoire, 1), II, 9, S. 44f.
Auch Erzbischof Diego Gelmírez (1100–1140) mußte seinen Priestern verbieten, in weltlichem
Aufzug wie Kämpfer gekleidet den Chorraum zu betreten (Hist. Comp., II, 3, ES XX, S, 256).
Vgl. zum kämpfenden Kleriker während der Kreuzzüge: WAAS, wie Anm. 174, Bd. 2, S. 332. Zur
Stellung der Kirche allgemein und insbesondere der Dekretisten zum Krieg vgl. jetzt: E. D. HEHL,
Kirche und Krieg im 12. Jahrhundert. Studien zu kanonischen Recht und politischer Wirklichkeit,
Stuttgart 1980 (= Monographien zur Geschichte des Mittelalters, 19).

[202] Kapitel 23, ibid., S. 80, vgl. ferner Kapitel 11, S. 53 und unten Kapitel 5.2.3.

Klerikern für einen Missionskrieg wichtig, um einerseits das Heer durch Predigten geistig zu stärken, andererseits um zu gegebenem Zeitpunkt taufen zu können.[203]

Die den Rittern gegenüberstehenden Gegner werden im PT meist als *pagani*[204], *gens pagana*[205], *perfidi*[206], *gens perfida*[207], *impii*[208] an einer Stelle gar als *inimici Christi*[209] bezeichnet. Der Text neigt dazu, die Sarazenen in Spanien gleichsam stellvertretend für die Mittel- und Westeuropa umgebende heidnische Gefahr zu sehen. In diesem Sinne erscheinen sogar sämtliche Kriege, die Karl der Große je führte, gegen die Sarazenen gerichtet zu sein: *Karolus ... Angliam scilicet, Galliam, Theutonicam, Baioariam, Lotharingiam, Burgundiam, Ytaliam, Brittaniam ceterasque regiones innumerasque urbes a mari usque ad mare, divinis subsidiis munitus, invincibili brachio potenciae suae adquisivit et a Sarracenorum manibus abstulit, christianoque imperio subiugavit ...*[210] Ziel der Unternehmung Karls ist es laut dem PT, dem christlichen Glauben zu seinem Recht zu verhelfen. Das christliche Volk sei erwählt, um die anderen Völker des Erdkreises zu beherrschen, ja es solle die Sarazenen zum christlichen Glauben bekehren.[211]

Entsprechend hart und konsequent wird eine Taufe der Heiden gefordert: *Sarracenos vero qui babtizari voluerunt ad vitam reservavit, et qui renuerunt illos gladio trucidavit.*[212] Allerdings führen auch einige andere Stellen nicht diese Alternative „Taufe oder Tod", sondern eine Variante „Taufe oder Tribut" auf: *Karolus per Ganalonum mandavit, ut babtismum subirent, aut tributum ei mitterent*[213] oder: *His auditis mirabilibus, Sarraceni Karolo ubique pergenti inclinabant, et mittebant obviam ei tributum et reddebant se ei urbes, et facta est tota illa terra sub tributo.*[214] Solche Worte erinnern an das „System der wirtschaftlichen Ausbeute der Islamreiche durch die finanziell schwachen und geldbedürftigen Nordstaaten"[215], wie es vor allem im Taifa-System des 11. Jahrhunderts vorherrschte. Ganz in der Tendenz der Gesamtkompilation bleibt der PT trotzdem, denn das Gold kommt natürlich dem Bau der Kathedrale von Compostela zugute.[216]

---

[203] Turpin tauft z. B. die in Galizien ins Heidentum zurückgefallenenen Bewohner, Kapitel 2, ibid., S. 43.

[204] HÄMEL – DE MANDACH, S. 52, 67, 68, 76, 100.

[205] Ibid., S. 42, 88, 95.   [206] Ibid., S. 78.   [207] Ibid., S. 43.

[208] Ibid., S. 68.   [209] Ibid., S. 78.   [210] Ibid., S. 41.

[211] *Ihesus Christus, ... gentem nostram, scilicet Christianam, prae omnibus gentibus elegit, et super omnes gentes totius mundi eam dominari instituit, tuam gentem sarracenicam legi nostra in quantum potui converti* (Rede Karls mit Aigoland, Kapitel 12, ibid., S. 56, zu diesen „Bekehrungs-gesprächen" weiter unten S. 140ff.).

[212] Kapitel 2, ibid. S. 43; auf der gl. Seite ähnlich zur „Wiederbekehrung" der erneut heidnisch gewordenen Galizier. Ebenso Kapitel 19, ibid., S. 69.

[213] Kapitel 21, ibid., S. 74.

[214] Kapitel 2, ibid., S. 43, als Folge der Anm. 212 zitierten „harten Praxis" Karls.

[215] R. KONETZKE, Probleme der Beziehungen zwischen Islam und Christentum im spanischen Mittelalter (Antike und Orient im Mittelalter, hg. von P. WILPERT = Miscellanea Medievalia 1, Berlin 1962, S. 219–238), S. 229.

[216] Kapitel 5, HÄMEL – DE MANDACH, S. 46. So allerdings nur im 1. Teil des PT, der den Bezug zum Jakobusthema herstellt.

Die Alternative „Tribut oder Taufe"neben derjenigen „Taufe oder Ausrottung" ist ebenso aus den Kämpfen im deutschen Osten bekannt, wo sich die zweite Form wohl erst zu Beginn des 11. Jahrhunderts endgültig durchsetzte.[217] Im PT werden beide Formen thematisiert, jedoch ist wohl Tribut entweder von den Gegnern vorsorglich erbracht oder von besonders wohlhabenden Widersachern gefordert worden. Diese Schlaglichter, zu denen auch die vom Kompilator getadelte Unzucht mit Frauen und das Streben der Ritter nach Beute gehören[218], beleuchten blitzartig einiges von der „Realität" des „Glaubenskrieges" auf der iberischen Halbinsel, dem das entworfene Bild des christlichen Ritters gegenübersteht.

Bemerkenswert ist die Praxis und Form des im PT geschilderten Heiden- und Missionskrieges. Oftmals kämpfen laut dem Bericht nach Absprache zwischen den Gegnern 20 gegen 20, 40 gegen 40, 100 gegen 100 usw.[219], zuweilen auch zwei Personen im Zweikampf aus jedem Lager, so in der Schlacht zwischen Roland und Ferracut.[220]

---

[217] Vgl. ERDMANN, wie Anm. 79, S. 96f. und jetzt: F. LOTTER, Die Konzeption des Wendenkreuzzuges. Ideengeschichtliche, kirchenrechtliche und historisch-politische Voraussetzungen der Missionierung von Elb- und Ostseeslawen um die Mitte des 12. Jhs., Sigmaringen 1978 (= Vorträge und Forschungen, Sonderbd. 23), S. 11–30. Die Devise Tod oder Taufe wurde vor allem Bernhard von Clairvaux zugeschrieben; LOTTER versucht, dessen Aussagen zu relativieren und sie in einen größeren Zusammenhang zu stellen. Gegen LOTTER nimmt U. MAYER, Die Grundlegung der Kreuzzugsidee Bernhards von Clairvaux in seiner Schrift „De laude novae militiae", Mag. arb. Gießen 1977, bes. S. I–VII Stellung. Für Überlassung des noch ungedruckten Manuskriptes möchte ich dem Verfasser danken. Vgl. auch die kritische Rezension von J. A. BRUNDAGE (Speculum 54/1979) zu den Ergebnissen LOTTERS. – Auch die Realität der Reconquista ist nicht eindeutig einer der beiden Alternativen zuzuordnen; je nach Zeit, Raum und Beteiligung an den Auseinandersetzungen hat blutige Unterwerfung mit Phasen großer Toleranz abgewechselt. Unter Alfons VI. muß in Toledo ein sehr friedliches Nebeneinander der Religionen existiert haben. Kämpfe mit Beteiligung französischer Ritter haben wohl häufiger zu starker Konfrontation geführt. – Zum Toleranzaspekt bei den Kreuzzügen ins hl. Land vgl. R. Ch. SCHWINGES, Kreuzzugsideologie und Toleranz. Studien zu Wilhelm von Tyrus, Stuttgart 1977 (= Monographien zur Geschichte des Mittelalters, 15). – Vgl. auch unten Kap. 5.3.

[218] Vgl. oben, Anm. 193 und 196.

[219] Kapitel 12, HÄMEL – DE MANDACH, S. 56: *Statim eliguntur viginti milites christiani contra XX^ti ex Sarracenis in campo belli, et tali pacto coeperunt debellari. Quid plura? Ilico interfecti sunt omnes Sarraceni. Inde mittuntur quadraginta contra XL, et perimuntur Sarraceni. Postea mittuntur centum contra C., et occiduntur omnes Mauri. Rursum mittuntur centum contra C.*; ähnlich Kapitel 8, ibid., S. 48: *Appropinquantibus vero Karoli exercitibus, mandavit Aigolandus Karolo bellum secundum velle suum, vel viginti contra XX^ti, vel quadraginta contra quadraginta, vel centum contra centum, vel mille contra mille, vel duos contra duos, vel unum contra unum. Interea missi sunt a Karolo centum milites contra centum Aigolandi, et interfecti sunt Sarraceni. Deinde mituntur* (sic!) *ab Aigolando alii centum contra centum, et interfecti sunt Sarraceni. Inde misit Aigolandus ducentos contra ducentos, et statim occisi sunt omnes Mauri. Demum Aigolandus misit duo milia contra duo milia, quorum pars quaedam occiditur parsque alia terga vertit.*

[220] Kapitel 17, ibid., S. 61: *Mox ut eius adventum Ferracutus agnovit, egressus ab urbe singulare certamen, scilicet unum militem contra alterum, peciit.* Diese Kampfformen sind wohl ureigenste Erfindung epischer Dichter, aus der Rechtspraxis des frühen und hohen Mittelalters sind ähnliche Fälle nicht bekannt. Vgl. F. PIETZCKER, Die Schlacht bei Fontenoy 841. Rechtsformen im Krieg des frühen und hohen Mittelalters (ZRG GA 81/1964, S. 318–340), der den Bericht Nithards zu

Diesen stilisierten Kampfformen entsprechen auch die häufig abgeschlossenen *treugae*[221], die einen geordneten Ablauf des heiligen Krieges ermöglichen: *Nullus enim Christianorum illum tunc occidere audebat, nec ipse Rotolandus, quia talis erat inter illos institucio, quod si Christianus Sarraceno vel Sarracenus Christiano daret trebam, nullus ei iniuriam faceret. Et si aliquis trebam datam ante diffidenciam frangeret, statim interficeretur.*[222] Teilweise sind diese Waffenstillstände nötig, um einen Bekehrungsversuch zu ermöglichen.[223] Erst nach diesen Bemühungen mit Worten um den heidnischen Gegner findet eine im oben angeführten Sinne stilisierte Schlacht statt, die als „Gottesurteil" über die bessere Religion anzusehen ist: *Absit a me, inquit Aigolandus, ut babtismum accipiam et Mahummet Deum meum omnipotentem abnegem, sed pugnabo ego et gens mea contra te et gentem tuam, tali pacto, quod si lex nostra magis Deo est placita quam vestra, ut nos convincamus vos, et si lex vestra magis valeat quam nostra, ut vos convincatis nos.*[224] Diese „Gottesurteile", die stilisierten Kampfformen und die *treugae* eignen alle dem Mittelteil des PT (Aigolandgeschichte), hier finden sich auch die bereits erwähnten Bekehrungsgespräche. Es handelt sich um die Auseinandersetzung zwischen Karl und Aigoland einerseits[225] und zwischen Roland und einem „Riesen" Ferracut andererseits.[226] Beide Episoden sind nach dem gleichen Schema aufgebaut: die heidnischen Gegner bitten um eine Treuga, der christliche Protagonist erläutert den christlichen Glauben, dessen Überlegenheit in Form eines Gottesurteils anschließend bewiesen wird.

Im Gespräch zwischen Roland und Ferracut dokumentiert Roland eine fundierte theologische Bildung, er erörtert dogmatische Grundsätze des christlichen Glaubens wie Dreifaltigkeit, Jungfrauengeburt und Auferstehung theologisch genau und gleichzeitig anschaulich. Mit diesen Punkten zielt Roland auf die Kernpunkte des Unterschiedes zwischen Christentum und Islam, betrachteten doch die Christen – zumindest teilweise – den Islam als eine Häresie, deren hauptsächliche Irrlehren darin bestanden,

---

841 als stark propagandistisch einschätzt (S. 332), aber nichts dem PT Ähnliches vermerkt. Vgl. ferner: K. G. CRAM, Iudicium belli. Zum Rechtscharakter des Krieges im deutschen Mittelalter, Münster – Köln 1955 (Beih. zum Archiv für Kulturgeschichte, 5), bei CRAM allerdings reiche Hinweise zum Zweikampf (S. 87–102), der lt. CRAM besonders unter Rittern (wie im PT) verabredet wurde.

[221] In einem technischen Sinn ist das Wort *trewa* bereit seit dem 8. Jh. belegt; vgl. J. F. NIERMEYER, Mediae latinitatis lexicon minus, Leiden 1976 s. v. trewa. Vgl. ferner: H. HOFFMANN, wie Anm. 184. Alle *treugae* im PT finden sich im Aigolandteil: HÄMEL – DE MANDACH, S. 55, 57, 62, 63 (S. 55 mit *induciae* synonym verwendet).

[222] Kapitel 17, ibid., S. 63.

[223] Solche Bekehrungsversuche verzeichnen auch die Chansons de Geste häufig innerhalb von Schlachtschilderungen, vgl. P. ERFURTH, Die Schlachtschilderungen der älteren Chansons de geste, Diss. Halle 1911, S. 32–34. Vor einem Bekehrungsgespräch werden im PT jeweils *treugae* abgeschlossen (HÄMEL –DE MANDACH, S. 56f. und S. 62f.).

[224] HÄMEL – DE MANDACH, S. 56, ähnlich S. 59 und 66f. Vgl. Ch. LEITMAIER, Die Kirche und die Gottesurteile. Eine rechtshistorische Studie, Wien 1951 (= Wiener rechtsgeschichtl. Arbeiten, 2), bes. S. 25–28 und S. 104–111, und ferner: H. NOTTARP, Gottesurteilsstudien, München 1956 (Bamberger Abhandlungen und Forschungen, 2), S. 112 mit einem ähnlichen Fall.

[225] Kapitel 12 und 13, HÄMEL – DE MANDACH, S. 55–59.

[226] Kapitel 17, ibid., S. 61–67.

Trinität und Kreuzestod Christi mit Auferstehung nicht anzuerkennen.[227] Der Bekehrungsversuch hatte insofern Erfolg, als Ferracut durch ein Gottesurteil die Überlegenheit der christlichen Religion entschieden haben wollte. Der Tod des „Heiden" erbrachte einen klaren „Beweis"; dieser Ausgang des Bekehrungsversuches zeigt, daß weniger die erfolgreiche Mission als vielmehr die Qualität der christlichen Religion den Kompilator interessiert. Der flüssige, dramatisch gestaltete Stil des Mittelteils, in dem Roland dogmatische Lehrsätze anschaulich vorträgt, läßt vermuten, daß diese Passagen vor allem der Instruktion des eigenen Publikums dienen sollten. Der Kompilator war in dieser Hinsicht mehr als erfolgreich, dies belegt die ungeheuer starke Verbreitung dieser Episode.[228]

Ähnliches läßt sich auch beim Bekehrungsgespräch Aigoland-Karl beobachten.[229] Hier schließt sich an eine kurze mündliche Auseinandersetzung ein stilisierter Kampf (20 gegen 20, 40 gegen 40 usw.) an, um die bessere Religion durch ein Gottesurteil zu ermitteln. Nach mehreren Niederlagen der Sarazenen versprach Aigoland, sein Volk und er wollten sich am nächsten Tag taufen lassen.[230] Als er jedoch am nächsten Tag sah, daß es zwar den Klerikern und dem Heer Karls gut ging, es einigen beim Heer befindlichen Armen hingegen sogar am Nötigsten fehlte, versagte er sich erneut der Taufe und gab damit Karl dem Großen einen neuen Denkanstoß: *Tunc intelligens Karolus quod propter pauperes, quos male vidit tractari renuit Aigolandus babtizari.*[231]

---

[227] J. GAUSS, Toleranz und Intoleranz zwischen Christen und Muslimen in der Zeit vor den Kreuzzügen (Saeculum 19/1968, S. 362–89), S. 378 und dies., Die Auseinandersetzung mit Judentum und Islam bei Anselm (Analecta Anselmiana, hg. von H. KOHLENBERGER, 4, 2, Frankfurt/M. 1975, S. 101–109). Ferner: M. T. D'ALVERNY, La connaissance de l'Islam en Occident du IXe au milieu due XIIe siècle (Settimane di Studio del Centro italiano di studi sull'alto medioevo, XII, 2 Bde, Spoleto 1965, S. 577–603), S. 579ff. R. W. SOUTHERN, Western views of Islam in the Middle Ages, Cambridge (Mass.) 1962 (dt.: Das Islambild des Mittelalters, Stuttgart 1981) sieht in dieser Diskussion ein bemerkenswert frühes Zeugnis – selbst wenn diese erst recht spät dem übrigen PT zugefügt wurde – für eine gute Kenntnis der islamischen Lehre (S. 36, dt. S. 29f.). Die Moslems betrachteten umgekehrt das Christentum wegen dieses Trinitätsglaubens oft als polytheistische Religon, so z.B. Ibn Hazm, vgl. G. ANAWATI, Théologie musulmane au Moyen âge, in: P. Wilpert (Hg.), Antike und Orient im Mittelalter, = Miscellanea Medievalia 1, Berlin 1962, S. 196–218, S. 213. – Das im PT gezeichnete Bild der Sarazenen und der islamischen Religion läßt sich teilweise in die Nähe der Beschreibungen anderer epischer Werke rücken: vgl.: W. COMFORT, The literary Role of the Saracens in the French Epic (Publications of the Modern Language Association of America 55/1940, S. 628–659) und: C. MEREDITH-JONES, The conventional Saracen of the Songs of Geste (Speculum 17/1942, S. 201–225).
[228] Vgl. DAVID, III/1948, S. 125f., Anm. 2 und: HÄMEL – DE MANDACH, S. 64, Anm. 1. Es wurde bereits erwähnt, daß diese Episode wohl auf oraler navarresischer Tradition basiert, vgl. LACARRA, wie Anm. 149.
[229] Kapitel 12–14, HÄMEL – DE MANDACH, S. 55–60.
[230] Kapitel 12, ibid., S. 55–57.
[231] Kapitel 13, ibid., S. 58. Ein Vorläufer zu dieser Episode findet sich bei Petrus Damiani, De eleemosyna (MPL, 145, Paris 1853, Sp. 207–222) Sp. 220f., vgl. DAVID, III/1948, S. 123. Soweit ich sehe, wird dieses Werk in der Literatur zu Petrus Damiani höchstens gestreift; vgl. zur Orientierung über Petrus Damiani den Sammelband: San Pier Damiani nel IX Centenario della Morte (1072–1972), 3 Bde, Cesena 1972–73 und den Literaturbericht: G. FORNASARI, S. Pier

Aus diesem Vorgang zieht dann PT eine allgemeine Moral, die jeder um sein Seelenheil besorgte Christ beherzigen sollte. Trotzdem bewies ein neuer Kampf am nächsten Tag durch den Tod Aigolands den Vorrang der christlichen Religion.[232] Wie in dem soeben besprochenen Religionsgespräch steht auch hier ausschließlich die christliche Religion zur Diskussion.[233] Der religiöse Gegner scheint besonders geeignet, auf Mißstände der eigenen Glaubenspraxis hinzuweisen. So könnte man weiter vermuten, daß der PT das ihm eigene Anliegen der Kirchenreform[234] durch die Kritik des religiösen Gegners besonders wirksam vortragen lassen will.

Das kirchenreformerische Thema des Kompilators, das somit wohl auch im PT seinen Platz hat, gewinnt an Kontur, wenn man die vielen moralisierenden Einschübe und Schlußformeln, die im gesamten PT anzutreffen sind, in die Betrachtung miteinbezieht. Bereits in der soeben besprochenen Aigoland-Karl Auseinandersetzung sind drei derartige moralisierende Bemerkungen eingeschaltet: In der ersten kriegerischen Auseinandersetzung wurden einmal 100 christliche Kämpfer getötet, weil sie zurückwichen. Entsprechend soll auch jeder Christ gegen die Laster angehen und nicht weichen, weil er sonst in der Sünde untergeht: *Et sicut illi ideo occiduntur quia retro fugerunt, si Christi fideles qui debent fortiter contra vicia pugnare, si retro reversi fuerint, in viciis turpiter moriuntur.*[235] Auch die Sorge um die Armen empfiehlt der PT jedem Gläubigen: *Si Karolus regem babtizandum et gentem suam perdidit, eo quod pauperes male tractavit, quid erit de illis in extremi examinis die, qui male pauperes hic tractavere?...*[236], denn ohne Werke bleibt der christliche Glaube tot: *Sicut corpus mortuum est sine anima, ita fides sine operibus bonis mortua est in semetipsa.*[237] Der endgültige Sieg über Aigoland ist Symbol für die Qualität der christlichen Religion, die durch Glauben und gute Werke mit Leben erfüllt werden muß.[238] Der Kampf gegen den heidnischen Gegner entspricht dem Kampf gegen die Laster und die eigene Sündhaftigkeit, so wird der Leser an früherer Stelle bereits belehrt.[239] Somit zieht der christliche Ritter also nicht nur gegen Ungläubige und Heiden zu Felde, sondern auch gegen seine eigenen Laster.

Damiani e la storiografia contemporanea: osservazioni in margine a recenti studi damianei (Bulletino del Istituto Storico Italiano per il Medio Evo 88/1979, S. 165–200). Vgl. auch Anm. 234.

[232] Kapitel 14, ibid., S. 59f.

[233] Von einem Hineinversetzen in die gedanklichen Schemata einer anderen Religion ist der PT noch weit entfernt (dies konnte V. RITTNER, Kulturkontake und soziales Lernern im Mittelalter. Kreuzzüge im Licht einer mittelalterlichen Biographie, Köln–Wien 1973 = Kollektive Einstellungen und sozialer Wandel im Mittelalter, 1, S. 178–197, für das Geschichtswerk Joinvilles aus dem 13. Jh. nachweisen), obwohl auch schon im 11. und 12. Jh. die Kenntnis der islamischen Religion weiter verbreitet war (vgl. D'ALVERNY, wie Anm. 227, bes. S. 585ff. und 595ff.), so beispielsweise Anfang des 12. Jhs. bei Petrus Alphonsi (Dialogi, in: MPL, 157, Paris 1854, Sp. 535–672), bes. Sp. 597ff. Zu diesen Kreisen scheint der Kompilator keine nähere Beziehung gehabt zu haben.

[234] Die zitierte Episode taucht ja bereits bei Petrus Damiani, einem energischen Kirchenreformer, in ähnlicher Form auf. S. o., Anm. 231. Zu Petrus Damiani als Reformer des Klerus': G. MICCOLI, S. Pier Damiani e la vita comune del clero (La vita comune del clero nei secoli XI e XII. Atti della settimana di studi Mendola 1959, Mailand 1962, Bd. I, S. 186–211).

[235] Kapitel 12, HÄMEL – DE MANDACH, S. 57.

[236] Kapitel 13, ibid., S. 58.   [237] Ibid.   [238] Kapitel 14, ibid., S. 59f.

[239] Kapitel 8, ibid., S. 49f. nach der ersten Schlacht gegen Aigoland.

Auffallend ist in diesem Zusammenhang, daß der PT mehrfach ritterliche und priesterliche Aufgaben in einem Atemzug nennt. Wie der Ritter in der Schlacht, hat auch der Kleriker keusch zu leben: *Quapropter nulli licet mulierem in exercitu ducere, quia impedimentum animae et corporis est. Illi qui ebriati et fornicati sunt, significant sacerdotes et religiosos viros contra vicia pugnantes, quibus non licet inebriari et nullatenus mulieribus coinquinari*[240], und ebenso wie der Ritter nicht nach Beute streben soll, muß auch der Priester weltliche Geschäfte meiden: *Et sicut illi, qui ad aliena spolia revertentes praesentem vitam perdiderunt et necem turpe acceperunt, sic religiosi quique qui seculum dimiserunt et ad terrena negocia postea inflectuntur, vitam celestem perdunt et mortem perpetuam amplectuntur.*[241] Die ritterlichen Begleiter Karls sind sogar den zwölf Aposteln vergleichbar, deren Missionsauftrag Karl und seine Ritter nachvollziehen: *Isti praefati sunt viri famosi, heroes bellatores, potentum cosmi potentiores, forciorum forciores, Christi proceres christianam fidem in mundo propalantes. Ut enim Dominus noster Ihesus Christus una cum duodecim apostolis et discipulis suis mundum adquisivit, sic Karolus rex Galliorum et imperator Romanorum cum his pugnatoribus Yspaniam adquisivit ad decus nominis Dei.*[242]

Dieser Einklang von ritterlichen und priesterlichen Funktionen ist wohl für die Gesamtkompilation bedeutend, an diesen Stellen wird er im PT besonders gut greifbar.[243]

Auch die Form einzelner moralisierender Passagen macht deutlich, welch markante Verbindungsglieder der PT zu den übrigen Büchern an einzelnen Stellen aufweist; oft dienen die Schlachtberichte der theologischen Instruktion, das Wort *exemplum* – häufig auch im II. Buch neben *miraculum* anzutreffen – veranschaulicht den Zweckbereich einzelner Berichte an mehreren Stellen.[244] Diese Passagen sind wohl vom Endkompilator zugefügt oder redigiert worden[245], wenn auch das Jakobusthema weitgehend fehlt, so wird hier die Verbindung zu den Büchern I und II manifest; der ritterliche Kampf gegen die Heiden ist eine Form des Kampfes gegen die eigene Sündhaftigkeit. Das Kriegshandwerk des Ritters stellt so auch eine Art Gottesdienst dar, ist doch der Kampf für den rechten Glauben das eigentliche Motiv seines Streitens.

5.2.3. Ablaß und himmlischer Lohn

Neben der historisch bedeutsamen Verbindung von Wallfahrtsidee und hl. Krieg, die den Kreuzzug zu einer bewaffneten Wallfahrt erhob, dürften die Lohnversprechungen die Werbekraft für die Teilnahme am hl. Krieg zusätzlich erhöht haben.

---

[240] Kapitel 21, ibid., S. 76, vgl. oben Anm. 198 und Kap. 4.4. Zur Gesamteinschätzung der folgenden Bezugspunkte: unten Kap. 5.3.

[241] Kapitel 15, ibid., S. 60, vgl. oben Anm. 193f.   [242] Kapitel 11, ibid., S. 54.

[243] Dieser Verbindung ist noch in Kapitel 5.3. weiter nachzugehen.

[244] Kapitel 7, HÄMEL – DE MANDACH, S. 47, Kapitel 32, ibid., S. 94, Kapitel 33, ibid., S. 94f. Kapitel 33 ist ein Mirakelbericht über Roland, der mit der Schlußformel der Mirakel in Buch II schließt (s. S. 112f.). Stilistisch unterscheidet sich dieser Bericht jedoch in verschiedenen Passagen von den Mirakeln in Buch II.

[245] S. oben, S. 126f.

Um den Standort des PT auch in diesem Punkt kennenzulernen, ist es geboten, zunächst den Ablaßbegriff genauer zu klären.[246] Für die Frühzeit des Kreuzablasses läßt sich eine theologisch gebildete von einer populär-propagandistischen Konzeption scheiden. Das seit dem 11. Jahrhundert in Südfrankreich und Nordspanien entstandene Ablaßwesen (zunächst meist Almosenablässe) sah grundsätzlich den Erlaß bestimmter kanonisch verhängter Bußstrafen vor, darüberhinaus sicherte die Kirche dem Gläubigen ihre „amtliche" Fürbitte zu.[247] Voraussetzung für die Wirkung des Ablasses war Reue, Beichte und Absolution, der „Ablaß besteht … darin, daß die kanonischen Bußstrafen, aufgrund einer generellen von der oberen kirchlichen Instanz erlassenen Verfügung, allen denen, die gebeichtet haben und eine gewisse der Kirche nützliche Leistung übernehmen, erlassen werden."[248]

Diese theologisch exakte Definition kann in klarer Form jedoch erst bei Theoretikern der Ablaßlehre seit dem ausgehenden 12. Jahrhundert angetroffen werden; trotz der mangelnden begrifflichen Schärfe zur Frühzeit des Ablaßwesens läßt sich jedoch zum zweiten auch die Vorstellung ausmachen, ein Ablaß ziehe die Vergebung der dies- und jenseitigen Sündenstrafen oder gar der Sünden selbst nach sich.[249] Man hat in dieser „vergröberten" Sichtweise vor allem das Werk einer der kirchlichen Aufsicht entgleitenden Kreuzpredigt sehen wollen, die auch im Falle des von Urban II. in Clermont (1095) gewährten Ablasses eingetreten sei und sicherlich in wesentlichem Maße zu einer immensen Kreuzzugsbegeisterung beigetragen habe. GOTTLOB hat diese zweite Interpretation als „Transzendenz der Ablaßlehre" bezeichnet.[250] Die Übertragung von den diesseitigen Buß- auf die jenseitigen Sündenstrafen (= Transzendenz) glaubt GOTTLOB seit dem Konzil von Clermont (1095) feststellen zu können.[251]

In der mangelnden kirchlichen Lehre liegt u. a. begründet, daß sich in der Praxis ein Ablaß oft nur schwer einer der beiden Formen eindeutig zuordnen läßt. Grundsätzlich

---

[246] Immer noch grundlegend zum Ablaß: N. PAULUS, Geschichte des Ablasses im Mittelalter, 3 Bde, Paderborn 1922–1923; B. POSCHMANN, Der Ablaß im Lichte der Bußgeschichte, Bonn 1948 (= Beiträge zur Religions- und Kirchengeschichte des Altertums, 4).

[247] Vgl. K. RAHNER, Ablaß (Lexikon für Theologie und Kirche, Freiburg ²1957, Sp. 46–53) Sp. 48f. Zusammenfassend auch: H. VORGRIMLER, Buße und Krankensalbung (Handbuch der Dogmengeschichte, Bd. IV, fasc. 3, Freiburg–Basel–Wien ²1978), Kapitel 7: Der Ablaß, S. 203–215, hier bes. S. 204f.; ferner, wenn auch eher zur späteren Zeit (13. Jh.): L. HÖDL, Ablaß (Lexikon des Mittelalters, I, München, 1977, Sp. 43–57). – Frühzeit und Entstehung des Ablasses sind nach wie vor umstritten: PAULUS sah vor allem in den individuellen Bußerlassen für einzelne Pilger die wichtigste Vorstufe (wie Anm. 246, bes. Bd. I, S. 22ff. und 132ff.). A. GOTTLOB, Kreuzablaß und Almosenablaß. Eine Studie über die Frühzeit des Ablaßwesens, Stuttgart 1906, ND Amsterdam 1965 (= Kirchenrechtliche Abhandlungen, hg. von U. STUTZ, 30/31) vermutete den Ursprung vor allem im Almosenablaß (S. 195ff.). GOTTLOB nimmt auch in seiner Aufsatzsammlung: Ablaßentwicklung und Ablaßinhalt im 11. Jahrhundert. Drei Aufsätze, Stuttgart 1907, zur Position von PAULUS kritisch Stellung (S. 1–13). Die von PAULUS zitierten frühesten Zeugnisse aus dem 9. Jh. (l.c., S. 22f.) hat auch POSCHMANN, wie Anm. 246, S. 59ff. kritisiert.

[248] R. SEEBERG, Lehrbuch der Dogmengeschichte, 3. Bd., Darmstadt, ND der 4. Aufl., 1959, S. 107.

[249] Vgl. MAYER, Geschichte, wie Anm. 140, S. 40ff.; ERDMANN, wie Anm. 79, S. 293 und 316f.

[250] GOTTLOB, Kreuzablaß, wie Anm. 247, S. 91–115.

[251] Ibid., S. 92ff.

weist bereits jeder Ablaß, der die von der Kirche im Namen Gottes auferlegten Bußstrafen erläßt, bereits über die irdische Sphäre hinaus.[252] Überdies bedeutet die im allgemeinen zugesagte Fürsprache der Kirche bei Gott auch bereits einen Schritt in Richtung auf die Vergebung jenseitiger Sündenstrafen. Eben deshalb ist es oft unmöglich, die Formulierungen päpstlicher Ablaßschreiben jeweils klar auf Schuld- oder Straferlaß zu beziehen.[253] Zuweilen dürfte auch eine saubere urkundliche Formulierung bedenkenlos von propagandistischer Seite überschritten worden sein. Dieser Entwicklung erlag auch der Kreuzzugsaufruf Urbans II., der ursprünglich sicher nur den Erlaß von Bußstrafen vorsah.[254]

Welche Position der PT, der ja offensichtlich für den „Kreuzzug" gegen die Moslems in Spanien warb, in dieser Frage einnahm, läßt am ehesten der Calixt-Brief am Ende dieses Buches erkennen.[255] Dieser Aufruf knüpft zunächst an einen Plenarablaß an, den Erzbischof Turpin bei einem Konzil in Reims erlassen haben soll.[256] Alle Päpste, fährt die Urkunde fort, hätten dies bestätigt, besonders jedoch Urban II., als er zum Kreuzzug in Clermont aufgerufen habe. Pseudo-Calixt verfügt deshalb weiter, daß alle, die im Hl. Land oder in Spanien die Heiden bekämpfen, durch Gottes Kraft wie durch die der Apostel Petrus, Paulus und Jakobus und den päpstlichen Segen von allen

---

[252] Vgl. SEEBERG, wie Anm. 248, S. 106f.

[253] Vgl. MAYER, Geschichte, wie Anm. 140, S. 42. POSCHMANN, wie Anm. 246, glaubt sogar, bereits seit Urban II. beide Formen gleichsetzen zu können (S. 55f.) (wenn auch mit Einschrän- kungen). Die Ansicht von POSCHMANN scheint mir zu weitgehend, für Urban II. hat MAYER, l.c., die Unterschiede besser herausgearbeitet. Vgl. auch die chronologische Durchsicht der einschlägi- gen Papsturkunden bei GOTTLOB, Kreuzablaß, wie Anm. 247, S. 95ff. und ders., Ablaßentwick- lung, wie Anm. 247, S. 57–68.

[254] Vgl. MAYER, ibid. und C. VOGEL, Le pèlerinage pénitentiel (Pellegrinaggi e culto dei Santi in Europa fino alle 1ª crociata = Convegni del Centro di Studi sulla spiritualità medievale, IV, 1961, Todi 1963, S. 39–94), S. 85. MAYER, Literaturbericht, wie Anm. 140, betont seine Übereinstim- mung mit VOGEL (S. 674f.). – Die Kurie machte sich nach und nach die „populäre" Interpretation zu eigen, dies ist erstmals bei Eugen III. (1145–1153) erkennbar, endgültig im Kreuzzugsdekret des 4. Laterankonzils (ALBERIGO/JOANNOU/LEONARDI/PRODI (Hgg.), Conciliorum oecumenicorum decreta, Freiburg ³1973, Const. 71, S. 246f.). Es wäre darüberhinaus denkbar, daß viele der Kreuzzugsurkunden Reskripte waren, deren Formulierung die Petenten maßgeblich mitbeeinfluß- ten. Vgl. zur späteren Zeit: E. PITZ, Papstreskript und Kaiserreskript im Mittelalter, Tübingen 1971 (= Bibliothek des Deutschen Historischen Instituts in Rom, 36). Eine Analyse auch der frühen Kreuzzugsurkunden in dieser Hinsicht wäre ein Forschungsdesiderat.

[255] JL † 7111 = HÄMEL – DE MANDACH, S. 100–102, vgl. bereits oben, Kap. 4.1., S. 65 und 67f.

[256] ... et beatus Turpinus archiepiscopus Remensis consocius eius, coadunato tocius Galliae et Lotharingiae omnium episcoporum concilio apud Remis, urbem Galliorum a vinculis omnium peccatorum suorum, cunctos qui in Yspania ad expugnandum gentem perfidam, et ad augmentum christianitatem, captivosque christianos ad liberandum, et ad accipiendum ibi pro divino amore martirium, tunc ierunt et post ituri erant, ut in gestis eius scribitur, divina auctoritate corroboratus relaxavit (HÄMEL – DE MANDACH, S. 101, Hervorhebungen von mir). Das Konzil in Reims wird an keiner anderen Stelle des PT erwähnt. Wenige Zeilen zuvor wird bereits von der Heidengefahr gesprochen und himmlischer Lohn prophezeit: Idcirco dilectio vestra, filioli mei, quaeso intelligat quanta auctoritas sit ire ad Yspanias causa expugnandi Sarracenos, quantaque mercede qui illuc libenter perrexerint, remunerabuntur (ibid.).

Sünden entbunden sein sollen, die sie bei einem Priester gebeichtet und für die sie Buße abgelegt hätten. Als Lohn für ihre Mühen sei ihnen gewiß, den hl. Märtyrern gleichgestellt zu sein.[257]

Die Urkunde verspricht deutlich den Nachlaß der Sünden(-strafen) – von Bußstrafen ist nicht die Rede – sie steht also in der Tradition der populär-propagandistischen Kreuzzugswerbung.[258] Die Annahme einer propagandistischen Absicht im PT wird dadurch verstärkt, daß gerade die Verbreitung der Urkunde dem Kompilator besonders angelegen ist und selbst hierfür himmlischer Lohn versprochen wird.[259] Die Auflage, den päpstlichen Kreuzzugsaufruf durch Verlesen und Erläuterung in allen Kirchen weiter zu verbreiten, stellt für diese Zeit (ca. 1140–1150) ein Unikum dar. In echten Papsturkunden läßt sich eine ähnliche Aufforderung erstmals bei Alexander III. 1181 verzeichnen.[260] Dort ist allerdings die Verbreitung selbst mit keinen weiteren Lohnver-

---

[257] *Hoc idem omnes apostolici qui postea usque ad nostrum tempus fuere, corroboraverunt, testante beato Urbano papa, illus- [fol. 29ᵛ] tri viro, qui in concilio Claromontis, regionis Galliae, adstantibus circiter C. episcopis, hoc, idem asseruit, quando ytinera iherosolimitana disposuit, ut codex iherosolimitanae ystoriae refert. Hoc idem et nos corroboramus et affirmamus ut omnes qui aut in Yspania, aut in iherosolimitanis horis ad expugnandum gentem perfidam, ut superius diximus, elevato signo dominicae crucis in humeris perrexerint, ex parte Dei et sanctorum apostolorum Petri et Pauli et Iacobi, omniumque sanctorum, et nostra benedictione apostolica omnibus peccatis de quibus sacerdotibus suis confessi et poenitentes fuerint, absolvantur et benedicantur, et in coelestibus regnis una cum sanctis martiribus qui ab inicio christianitatis usque ad finem saeculi martirii palmam ibi acceperunt vel accepturi sunt, coronari mereantur* (ibid., Hervorhebungen von mir).*

[258] Als Vergleichsmaterial kommt unter den echten Calixt-Urkunden nur JL 7116 (= MANSILLA, wie Anm. 145) in Frage: dort ist jedoch nur knapp vom „gleichen Sündennachlaß wie für die Kämpfer im Orient" die Rede. Die Urkunden der Vorgänger Calixts zum Maurenkampf in Spanien (JL 5863 und JL 6485 von Paschalis II. und JL 6665 von Gelasius II.) vermitteln ebensowenig ein einheitliches Bild; JL 6485 spricht vom Sündennachlaß, der ebenso wie die in JL † 7111 mit Beichte und Buße gekoppelt ist. JL 6665 gewährt bei Tod durch die Fürsprache der Kirche und ihrer Heiligen Sündennachlaß. Vgl. zu diesen Urkunden: PAULUS, wie Anm. 246, Bd. I, S. 197f. DAVID, III/1948, S. 162 vertritt die Ansicht, JL † 7111 bleibe in der Linie dieser hier zitierten Vorurkunden, diesen Eindruck bestätigen die Texte allerdings nur sehr bedingt. Vgl. ferner zu den Urkunden: GOTTLOB, Kreuzablaß, wie Anm. 247, S. 95–97, ferner S. 97–115 zu späteren Papsturkunden, die sämtlich keine Übereinstimmungen mit JL † 7111 aufweisen.

[259] *Quapropter rogantes universaliter praecepimus, ut omnes episcopi et praelati in sinodis et conciliis suis et ecclesiarum dedicacionibus hoc super caetera apostolica mandata praecipue annunciare non desinant, presbiteris suis etiam exortantes, ut in ecclesiis suis gentibus laicis renuncient. Quod si libenter fecerint, mercede pari pergencium illuc remunerentur in coelis. Et quicumque hanc epistolam transcriptam de loco ad locum vel de ecclesia ad ecclesiam perlataverit, omnibusque palam praedicaverit, perhenni gloria remuneretur* (HÄMEL – DE MANDACH, S. 101f.). Der Brief schließt mit einer Anordnung, den Aufruf von Ostern bis zum Fest Johannes' des Täufers (24. Juni) zu verkünden: *A Pascha usque ad festum sancti Iohannis Babtistae ista epistola per unumquemque diem domincum omnibus ecclesiis, audientibus laicis, post Evangelium saltim legatur et exponatur* (ibid., S. 102).

[260] JL 14361 (16. Jan. 1181) (= MANSI, XXI, Venedig 1776, ND Graz 1960, Sp. 917): *Litteras autem, quas propter hoc generaliter mittimus, universis faciatis ecclesiis publice legi, et exponatis earum tenorem, et remissionem peccatorum, quam facimus illis qui tam pium et necessarium opus*

sprechungen verbunden. Die Fassung der Calixt-Urkunde im PT dokumentiert sicherlich die in der ersten Hälfte des 12. Jahrhunderts häufig bestehende, zumindest die vom Kompilator gewollte Praxis, wie auch gewisse Übereinstimmungen mit einer Bischofsurkunde von Diego Gelmírez nahelegen. Nicht nur werden hier Formen des „populären Kreuzzugsgedankens" mit weitgehenden Lohnversprechungen für die Teilnahme am Kampf aufgegriffen, sondern darüberhinaus sollten weitere Anreize für eine wirksame Verbreitung und Propaganda sorgen.

Zwei Punkte des Papst Calixt zugeschriebenen Briefes bedürfen noch genauerer Erläuterung, die geforderte Beichte als Bedingung für den Ablaß einerseits, das Versprechen der himmlischen Freuden eines Märtyrers andererseits.

zu 1): Die von Pseudo-Calixt vorausgesetzte Beichte weist auf eine fundierte theologische Bildung des Kompilators hin, forderte doch die theologische Kritik am entstehenden Ablaßwesen in der Mitte des 12. Jahrhunderts nachdrücklich diese Verbindung.[261] Ablaß und Beichte stehen im Abschlußbrief des PT als zusammengehörig da, einige andere Textstellen des PT verstärken diesen Eindruck. So berichtet Kapitel 11, daß Erzbischof Turpin allen, die Karl zum Zug nach Spanien zuließ, ihre Sünden vergab[262], wenige Zeilen später werden Turpins Aufgaben umrissen: spirituelle Fürsorge für die Kämpfer durch Predigt und Sündenvergebung, ggfs. auch aktive Beteiligung am Kampfgeschehen.[263] Eine noch deutlichere Sprache verlautet in der Passage zu Rolands Konfession: hier wird berichtet, alle Kämpfer bereiteten sich vor jeder Schlacht mit Beichte und Kommunion auf einen möglichen Tod vor.[264]

zu 2): Wesentlich bedeutsamer und im gesamten PT vielfach belegt ist die Vorstellung, man werde durch die Teilnahme am „Kreuzzug" mit dem Martyrium ausgezeichnet. Die Aussicht auf das Martyrium stellt den Kampfesanreiz der Christen generell dar. Im abschließenden Calixt-Brief werden der Ablaß Turpins und Calixts in einem Atemzug

---

assumpserint, nuncietis. . . vgl.: V. Cramer, Kreuzpredigt und Kreuzzugsgedanke. Textvergleiche und Predigtgedanken von Urban II. (1095) bis Humbert von Romans (1266) I (Das hl. Land 81/ 1937, S. 142–154), S. 144. 1123 bzw. 1125 rief Diego Gelmírez zur Verbreitung einer Bischofsurkunde auf, vgl. zu den frappanten Ähnlichkeiten zwischen dieser Urkunde und JL † 7111: Kap. 4.1., S. 67f.

[261] Vgl. Poschmann, wie Anm. 246, S. 63ff., teilweise ist die Verbindung von Beichte und Ablaß seit Urban II. erkennbar, vgl. die urkundlichen Beispiele bei Seeberg, wie Anm. 248, S. 107, Anm. 2.

[262] *Et quos rex sibi sociabat ad expugnandam gentem perfidam, ego Turpinus, dominica auctoritate et nostra benedictione et absolutione, hos a peccatis cunctis relaxabam* (Kapitel 11, Hämel – de Mandach, S. 53; es ist auch möglich, daß diese Stelle den Ablaß, nicht die Beichte meint).

[263] *Ego Turpinus archiepiscopus Remensis, qui dignis monitis Christi fidelem populum ad debellandum fortem et animatum, et a peccatis absolutum reddebam et Sarracenos propriis armis saepe expugnabam* (ibid., vgl. oben Anm. 200).

[264] *Acceperat ipse ROTOLANDUS die eodem eucaristiam et delictorum suorum confessionem a quibusdam sacerdotibus antequam ad bellum properaret. Erat enim mos ut omnes pugnatores eucaristia et confessione per manus sacerdotum, episcoporum, et monachorum qui ibi aderant, animas suas munirent, illo scilicet die, qua sciebant se ituros ad bellum, antequam ad pugnam properarent* (Kapitel 23, ibid., S. 80, s. oben, Anm. 202).

mit dem Martyrium erwähnt.[265] Die im hl. Kampf Gefallenen oder diejenigen, die noch sterben werden, bezeichnet der PT als Märtyrer.[266] Aber nicht nur diese, sondern auch die für den Tod bestimmten Ritter[267] oder die an den Folgen des hl. Krieges Sterbenden wie Karl und Turpin zählen hierzu, allein die Teilnahme und die Gefahr des Todes durch den Glaubensfeind reichen als Voraussetzung aus.[268]

Zeichen und Wunder machen dem Leser die zu erwartende Erlösung gewiß, der PT widmet diesem Aspekt ein eigenes Kapitel, um den Leser von der Bestimmtheit des himmlischen Lohnes zu überzeugen. *De bello Sancti Facundi ubi astae floruerunt* heißt der Titel des 8. Kapitels im PT.[269] Einige christliche Kämpfer, die sich auf die Schlacht des nächsten Tages vorbereiteten und ihre Lanzen in den Boden steckten, fanden diese am nächsten Tag mit Laub bewachsen wieder als Zeichen dafür, daß sie in der kommenden Schlacht die „Palme des Martyriums" erlangen würden.[270] Als in einem anderen Kapitel Karl der Große Gott bat, ihm diejenigen zu bezeichnen, die in der Schlacht den Tod finden würden, erschien am nächsten Tag ein rotes Kreuzzeichen auf den Schultern der Todgeweihten.[271]

Die Fürsprache von Heiligen hilft besonders, die *palma* oder die *corona* des Martyriums zu erwerben, so sichert Jakobus im Einleitungskapitel Karl seine Interzes-

---

[265] Vgl. oben Anm. 256f.

[266] Vgl. Kapitel 8, 10, 23, 29, 30, 32, Anh. A (HÄMEL – DE MANDACH, S. 49, 52, 80f., 87, 93, 97). Besonders zahlreich ist im dritten Teil des PT (Rolandlegende) hiervon die Rede, weil dort am häufigtsten über Niederlagen der Christen berichtet wird.

[267] Kapitel 16: Karl bat Gott, die zum Tod bestimmten Ritter durch ein Symbol zu bezeichnen. Die kurz darauf mit einem Kreuz auf den Schultern versehenen Krieger hielt Karl dann vom Kampf zurück. Trotzdem starben sie und der PT schließt: *O Christi pugnatorum sanctissima caterva! etsi gladius persecutoris non abstulit, palmam tamen martirii non amisit* (ibid., S. 61).

[268] Kapitel 32: Seit der Schlacht von Roncesvalles soll Karl der Große krank gewesen sein und unzählige gute Werke vollbracht haben, außerdem habe er alle Gefahren der anderen Kämpfer geteilt, deshalb gebühre ihm die Krone des Martyriums: *Nunc igitur illum esse participem in corona martirum praefatorum credimus, quorum labores illum cum eis sustulisse scimus* (ibid., S. 94). Ähnliches gilt für Turpin: *Beatus namque Turpinus Remensis archiepiscopus, Christi martir, post Karoli regis necem modico tempore vivens apud Viennam, doloribus vulnerum et laborum suorum angustiatus, digna nece ad Dominum migravit...* kurz darauf zu Karl und Turpin: *Et quamvis Karolus et Turpinus una cum Rotolando et Olivero ceterisque martiribus in Runciavalle necem minime accepissent tamen eb* (sic) *eorum corona perpetua non alieantur* (Anhang A, ibid. S. 97, vgl. oben, Anm. 201). Vgl. hierzu auch HÄMEL, S. 55f. Andererseits bietet auch der Tod sündigen Kämpfern, so denjenigen, die vor der Schlacht von Roncesvalles Unzucht trieben, die Gelegenheit, göttliche Versöhnung zu erlangen. Ein persönliches Schuldbekenntnis kann hier für den Ritter auch ohne Beichte die Voraussetzung für seinen Lohn schaffen (vgl. oben S. 136f.).

[269] HÄMEL – DE MANDACH, S. 48.

[270] Ibid., S. 48f. Der Ausdruck *palma martirii* wird im PT z. B. auch in der Bulle Pseudo-Calixts (JL † 7111, ibid., S. 101) verwandt (ebenso S. 61 und an vielen anderen Stellen). Parallel wird *corona martirii* verwandt.

[271] Kapitel 16, ibid., S. 61. Das Kreuz auf den Schultern ist wohl wichtigstes Zeichen der Kreuzfahrer, vgl. den ausdrücklichen Hinweis in der Bulle Calixts (JL † 7111, = ibid., S. 101). In der zum PT gehörigen Miniatur sind die Helme der mit Karl ausziehenden Ritter durch ein Kreuz gezeichnet (fol. 162ᵛ, vgl. Tafel 5). Zum Ausgang der Episode s. o. Anm. 267.

sion zu[272], in Kapitel 30, dem „Statut für St-Denis", übernimmt der hl. Dionysius eine ähnliche Funktion.[273]

Das Versprechen, im hl. Krieg Märtyrer werden zu können, durchzieht den gesamten PT. Dieser Aspekt dürfte deshalb so wichtig gewesen sein, weil laut Apk. 20, 4–6 nur Märtyrer unmittelbar nach der Trennung von Seele und Körper Zugang zum Himmel haben, während die sonstigen Erlösten an einem anderen Ort bis zum Tage des Jüngsten Gerichtes warten müssen.[274] Dieser für die Zeitgenossen wohl sehr wichtige Unterschied verdeutlicht, warum im PT die Vorzüge des Martyriums fortwährend hervorgehoben werden. Zwar gibt es Vorläufer dieser Konzeption, so kündet z. B. Rodulfus Glaber bei der Schilderung einer Vision von den himmlischen Freuden der im Sarazenenkrieg Gefallenen[275], aber erst bei Bruno von Segni (gest. 1123) begegnet die Vorstellung, der Tod im heiligen Kampf mache die Gefallenen Märtyrern gleich.[276] Alle anderen früheren Nachweise, auch päpstliche Versprechungen, reden zwar vereinzelt von Sündennachlaß oder verheißen ewiges Leben, vermeiden jedoch, die im Kampf Gefallenen als Märtyrer zu bezeichnen.[277] Erst seit der Zeit des ersten Kreuzzuges nimmt dieser Gedanke zunehmend Gestalt an, vor allem in propagandistischen Quellen.[278] Im PT werden somit vor allem Formen des „populären Kreuzzugsgedan-

---

[272] Kapitel 1: . . .*et propter labores tuos impetrabo tibi coronam a Domino in celestibus. . .* (ibid., S. 42).

[273] Kapitel 30, allerdings ist nur in Karls Anfrage von Martyrium die Rede, der hl. Dionysius spricht von Sündennachlaß: *Tunc beatum Dionisium, iuxta eius corpus stans, imploravit ut pro salute illorum qui libenter illos nummos dabant, Domino precem funderet, et pro Christianis similiter qui propria sua pro divino amore dimiserant et in Hyspania in bellis Sarracenorum martirii coronam acceperant. Iccirco nocte proxima regi dormienti beatus Dionisius apparuit, eumque excitavit, dicens ei: ,Illis qui tua ammonitione et exemplo tuae probitatis animati in bellis Sarracenorum in Hyspania mortui et morituri sunt, delictorum omnium suorum veniam, et illis qui nummos ad haedificandam ecclesiam meam dant et daturi sunt, gravioris sui vulneris medicinam a Deo impetravi* (ibid., S. 89). Im Zusammenhang des Kapitels liegt der größere Aspekt auf den geforderten Abgaben, die das Volk seit dieser Vision williger gab: *His a rege relatis, populi nummos saluberimae promissionis suae libenter ex more dabant,. . .* (ibid.). In dieser Vision wird auf einmalige Weise Kreuz- und Almosenablaß verbunden. Eine solche Verbindung ist in keinen anderen Quellen anzutreffen.

[274] Vgl. auch DAVID, III/1948, S. 155.

[275] Rodulfus Glaber, wie Anm. 201, II, 9, S. 46f., vgl. GOÑI GAZTAMBIDE, wie Anm. 140, S. 38; E. DELARUELLE, L'idée de croisade dans la littérature clunisienne du XIe siècle et l'abbaye de Moissac (Annales du Midi 75/1963, S. 419–39) wird wohl den Aussagen von Rodulfus Glaber nicht ganz gerecht (S. 433) (vgl. auch die Kritik von D. HOURLIER, ibid., S. 439), wenn auch die grundsätzliche Zielrichtung seines Aufsatzes richtig ist.

[276] Brunonis episcopi Singnini libellus de symoniacis, cap. 5f., hg. v. E. SACKUR (MGH, LdL, II, 1892, S. 543–565), S. 550f. Vgl. ERDMANN, wie Anm. 79, S. 109ff., dort auch die Nachweise zu einigen anderen zeitgenössischen Autoren (bes. S. 111, Anm. 16).

[277] So z. B. Johannes VIII., der den im Kampf gegen die Normannen gefallenen Kriegern ewiges Leben versprach (MGH, Epp. VII, S. 126). Zu sonstigen Vorläufern vgl. ERDMANN, wie Anm. 79, S. 23 und 248, der aber nicht klar genug zwischen dem Versprechen ewigen Lebens und der Anerkennung des Martyriums unterscheidet. Vgl. ferner NOTH, wie Anm. 142, S. 95–109.

[278] Vgl. ERDMANN, wie Anm. 79, S. 317, hier scheidet er zumindest ansatzweise klarer zwischen Martyrium und Eintritt ins Paradies.

kens" aufgegriffen; dies zeigt sich auch daran, daß in vergleichbaren echten Papsturkunden an Versprechungen, die Teilnahme an einem hl. Krieg verschaffe die ewigen
Freuden eines Märtyrers, nichts zu verzeichnen ist.[279]

Dem PT – so darf zusammenfassend gefolgert werden – eignen auch in bezug auf den
Lohngedanken starke propagandistische Aspekte. Nicht nur in der Frage des Sünden-
statt des Bußstrafenerlasses griff er über die kanonisch exakte Ablaßform hinaus,
sondern vor allem durch das Versprechen des Martyriums im hl. Krieg. Zwar steht der
PT hier im Einklang mit anderen Werken der Kreuzzugszeit; einen anderweitig jedoch
nicht nachweisbaren Vorstoß bedeutet es, wenn auch für die Mitziehenden, nicht nur
für die Gefallenen das Privileg des Märtyrertums in Aussicht gestellt wird.[280] Als letzter
Punkt unterstreicht die Sorge um die Verbreitung des Kreuzzugsaufrufes die propagandistische Absicht des Kompilators.

5.3. Das Verhältnis des Kompilators zum ritterlichen Milieu

In den vorhergehenden Abschnitten konnte die Verbindung der Bücher II und IV
zum ritterlichen Milieu gezeigt werden. Hierbei ließ sich im PT ein theologisch-
politisches Programm erkennen, das im Zusammenhang mit der Darstellung der
islamischen Gefahr in Spanien Aufgaben und Funktion des christlichen Ritters umreißt
und zum Kampf gegen den Glaubensfeind aufruft. Buch II berichtet demgegenüber
vornehmlich über die an einzelnen Personen durch Hilfe des hl. Jakobus vollbrachten
Wunder, die weitgehend dem ritterlich-kriegerischen Milieu zuzuordnen sind. Ansatzweise wurde auch bereits oben versucht, diesen Aspekt von Buch II und Buch IV auf
die übrigen Teile der Kompilation zu beziehen.[281]

Nunmehr soll noch einiges weitere zusammengetragen werden, um die Analyse auf
die Gesamtheit des LSJ auszudehnen. Nichts beitragen kann hierzu der Inhalt von
Buch III, vor allem wegen seiner fest umrissenen Thematik zur Translation des
Jakobusleichnams.[282] Buch V ist grundsätzlich als Ratgeber für jeden Pilger und

---

[279] Vgl. z. B. JL (4530) von Alexander II. (= Neues Archiv 5/1880, S. 338, no. 58); JL 5401
von Urban II. (= MPL, 151, Paris 1881, Sp. 302); JL 5840 von Paschalis II. (= MPL, 163, Paris
1854, Sp. 45); JL 6665 von Gelasius II. (= J. M. LACARRA (Hg.), Documentos para el Estudio de
la Reconquista y la repoblación del Valle del Ebro = Escuela de Estudios Medievales de la Coróna
de Aragón 2, Zaragoza 1946, S. 483f.); JL 7116 von Calixt II. (= MANSILLA, wie Anm. 145). Vgl.
zur Echtheit von JL 5401: P. KEHR, Das Papsttum und der katalanische Prinzipat bis zur
Vereinigung mit Aragón (Abhandl. der preuß. Akad. der Wiss., phil.-hist. Klasse, Berlin 1926,1),
S. 44, Anm. 2. Der Gedanke, durch den Heidenkrieg in den Kreis der Märtyrer aufgenommen zu
werden, hat in spanischen Quellen nur teilweise Niederschlag gefunden, vgl. die negativen
Beispiele bei C. SANCHEZ ALBORNOZ, España, un enigma historico, 2 Bde, Buenos Aires, 1950,
Bd. 1, S. 301ff., positiver: M. COCHERIL, Essai sur l'origine des ordres militaires dans la péninsule
ibérique (Collectanea ordinis Cisterciensium Reformatorum, Bd. 20/1958, S. 346–361; Bd. 21/
1959, S. 228–50 und S. 302–329), S. 312–314.

[280] Vgl. oben Anm. 267 und 268. Auch der Text von JL † 7111 läßt offen, ob man für die
Erlangung des Martyriums den Tod finden muß, vgl. den Text oben, Anm. 257.

[281] Vgl. besonders oben, Kap. 5.2.2., S. 142f.

[282] Die im 3. Kapitel erwähnten Ritter, die an einem der Jakobustage (30. 12.) ihre Entlohnung
vom König zu erhalten pflegen (vgl. oben, Kap. 4.3., S. 85), gestatten keine weiteren Rückschlüsse
im Rahmen der hier anstehenden Thematik.

Verehrer des hl. Jakobus gedacht und erlaubt ebensowenig schichtenspezifische Rückschlüsse. Eine Ausnahme bildet lediglich das recht umfangreiche Kapitel 8, das über die am Pilgerweg liegenden Grabes- und Kultstätten, insbesondere von Märtyrern, berichtet. Hierzu zählen bezeichnenderweise auch die Bestattungsorte der Helden von Roncesvalles.[283]

Vornehmlich ist jedoch Buch I heranzuziehen. Direkte Hinweise auf die islamische Gefahr in Spanien sind hier selten, fehlen jedoch nicht völlig. Allerdings empfiehlt der Kompilator nicht den Kampf, sondern Ausdauer und Treue zum christlichen Glauben, um dafür im Himmel belohnt zu werden.[284]

Als Vorbild für ein nachahmenswertes Leben fungiert der hl. Jakobus, der an vielen Stellen von Buch I als *miles Christi* oder *athletha Christi* bezeichnet wird.[285] Besonders häufig führt der hl. Jakobus diesen Titel, wenn auch gelegentlich die anderen Apostel in dieses Wortfeld einbezogen werden und etwa *barones* oder *milites celi* heißen.[286] Angesprochen ist mit diesen Bezeichnungen jeweils der Kampf für Gott bzw. den christlichen Glauben, der ausschließlich geistigen Charakter trägt und dessen Ziel vornehmlich darin besteht, den christlichen Glauben zu verbreiten. Der *miles Christi* ist

---

[283] VIELLIARD, S. 34–82; zu den Kämpfern und „Märtyrern" von Roncesvalles: S. 36, S. 46–48, S. 78–80. An diesen Stellen ist u. a. der größte Bezug des V. Buches zum PT erkennbar. Vgl. hierzu DAVID, III/1948, S. 203 und S. 209f., der evtl. nachträgliche Zusätze annimmt, weil nur Teile der PT-Tradition wieder auszumachen sind. Ähnlich ist von PT-Forschern oftmals die Darstellung von Roncesvalles im PT und Pilgerführer verglichen worden, vgl. hierzu oben, Kap. 2.4., Anm. 136 und 138.

[284] Buch I, 19, fol. 97ᵛ, WHITEHILL, S. 183: *Quapropter videat Yspanus sive quislibet Christianus, ut si forte inter Mauros fuerit captus, fidelis sit usque ad* ͣ *leti debitum in omnibus, quatinus illam remuneracionem accipiat quam repromisit Deus, dicens fidelibus: Qui autem perseveraverit usque in finem, hic salvus erit* ᵇ. a) nach ‚ad' ein Buchstabe durch Rasur gelöscht. b) Mt. 10, 22. Ähnlich in Buch V, 8, VIELLIARD, S. 64, in der Eutropius-Passion, die laut DAVID (III/1948, S. 207f.) nachträglich zugefügt ist und in ihrer Einleitung Ähnlichkeiten mit Buch I, 9 und dem Einleitungsbrief (JL † 7111) aufweise. Vgl. ferner: B. DE GAIFFIER, Les sources de la passion de S. Eutrope dans le „Liber Sancti Jacobi" (AB 69/1951, S. 57–66), der den Bezug zur „Passio" des hl. Dionysius herausstellt (vgl. oben Kap. 2.4., S. 42).

[285] I, 2, fol. 7ʳ, WHITEHILL, S. 12: *miles regis eterne* (mehrmals); I, 6, fol. 27ʳ, WHITEHILL, S. 56: *Christi athletha*; I, 7, fol. 31ᵛ, WHITEHILL, S. 61: *Christi athletha*; ibid., fol. 32ʳ, WHITEHILL, S. 62: *Christi miles*; ibid., fol. 42ᵛ, WHITEHILL, S. 83: *vir Christi*; I, 17, fol. 92ᵛ, WHITEHILL, S. 174: *miles regis* (in einem Gedicht von Venantius Fortunatus); I, 22, fol. 105ʳ, WHITEHILL, S. 200: *militis victoria* (in einer Hymne, die Guillermus von Jerusalem zugeschrieben wird); I, 23, fol. 111ᵛ, WHITEHILL, S. 209: *eterni regis miles*; I, 31, fol. 133ʳ, WHITEHILL, S. 248: *Christi miles emeritus* (in einem Fulbert von Chartres zugeschriebenen Meßformular). Zu vernachlässigen sind in bezug auf unsere Frage kleinere Hinweise im I. Buch auf Ritter oder andere sozial bzw. ständisch zu differenzierende Gruppen, da diese auch zusammengenommen keinen interpretatorischen Wert besitzen; in Kapitel 17 des I. Buches wird generell auf die Vielfalt der zum Apostelgrab wallfahrenden Pilger hingewiesen (vgl. unten Kap. 6). Die in Buch I, 2 integrierten „Strafwunder" berichten zweimal von Rittern (vgl. oben S. 117f., Anm. 75). Aus diesen einzelnen Angaben lassen sich jedoch keine weiteren Schlüsse ziehen.

[286] I, 2, fol. 12ʳ, WHITEHILL, S. 23: *heroes* und *barones*; ibid., fol. 13ʳ, WHITEHILL, S. 25: *barones* und *milites celi*; I, 16, fol. 73ʳ, WHITEHILL, S. 139: *Christi athletha* für den Apostel Johannes.

Kämpfer des Gesetzes, geschützt mit dem Schild des Glaubens, gekleidet mit dem Panzer der Gerechtigkeit und umgürtet mit dem Schwert des göttlichen Wortes.[287] Die Mittel, um dieses Ziel durchzusetzen, bestehen im Zeugnis für den Glauben, das vor allem durch Predigt, Märtyrertod, aber auch über den Tod hinaus durch die Verbreitung der Kunde von den vollbrachten Wundern gekennzeichnet ist.[288] Es wurde bereits darauf hingewiesen, welche herausragende Stellung Predigt und Martyrium in verschiedenen Teilen des LSJ einnehmen.[289] Der Apostel Jakobus ist für beides Vorbild, zusammengefaßt werden beide Funktionen in der Bezeichnung *miles Christi* o. ä. Dieses Attribut findet sich vornehmlich in Passagen von Buch I, welche die Position des hl. Jakobus als die des ersten Märtyrers unter den Aposteln herausstellen[290] oder aber sein Vorbild als Missionar und Verkündiger vor allem für die Priester betonen.[291]

Ein unmittelbar kriegerischer Aspekt fehlt jedoch in Buch I; der *militia saecularis*, wie im PT thematisiert, steht hier die friedliche Version des geistigen Kampfes gegenüber, die *militia spiritualis* oder *militia Dei (Christi)*.[292] Die seit der Urzeit des Christentums geläufige Vorstellung von der *militia Christi* als einem rein geistigen Kampf gegen Laster und Sünde – als Exponenten für diese Lebensform galten zumeist

---

[287] Der vollständige lateinische Text lautet (I, 6, fol. 26ʳ, WHITEHILL, S. 50): *Quoniam rex regum Christus hunc elegerat militem, quem quasi agnum mansuetissimum contra immanissimas bestiarum direxerat legiones. Ecce, inquit, ego mitto vos sicut agnos inter lupos. Sicque vir Dei in Spiritu Sancto strenuus, bellator fortissimus, miles legitimus, signifer egregius, scuto fidei protectus, lorica iusticie indutus, gladio verbi Dei fortiter accinctus, galea salutis coopertus, in preparacione evangelii pacis calciatus, in prelium publicum contra hostem antiquum processit, omnia tela eius nequissima contrivit, aeriasque potestates debellavit, et homines a Deo creatos Christi virtute de manu mortis eripuit, et spolia multa victo hoste in Christi ecclesia reportavit.* Der zweite Satz des Zitates gibt Lk. 10,3 wieder; im weiteren sind Anklänge an Eph. 6, 10–17 feststellbar, allerdings sind die Bezeichnungen des ritterlichen Lebenskreises *bellator, miles, signifer* dem LSJ selbst eigen. Dieses Kapitel ist eventuell dem Schlußkompilator zuzuschreiben, vgl. DAVID, II/1947, S. 131f. und 140. Einen von DAVID nicht beachteten Bezugspunkt zum PT aus stilistischer Sicht liefert die kurz vor dieser Passage stehende Formulierung: *Quid plura* (fol. 25ᵛ, ibid.), die sonst nur im PT sehr häufig anzutreffen ist, vgl. auch oben, Kap. 4.3., Anm. 222.

[288] So heißt es kurz darauf (ibid., fol. 26ʳ, WHITEHILL, S. 51): *Hic est enim verus Dei cultor, qui Christi ęcclesiam sanguine suo plantavit, magna humilitate ornavit, vera caritate excoluit, verbi predicatione ampliavit, superno perpetue salutis rore irrigavit. Inde divina clemencia per eius irrigacionem in populis plurima fidei dedit incrementa. Hic vero non solum in Iherosolimitanis partibus per predicationis lumina vel pietatis opera clarus effulsit, verum etiam ut lucifer equoreos oceani campos transiliens preco diuturni luminis, nocturnas suo exortu discutit umbras, sic eius fama exteras naciones et regiones illuminabat gratia miraculorum huc illucque percurrente, ita ut toto orbe eius gloria usque in hodiernum diem militaret* (Man beachte die Verwendung des Verbum *militare*).

[289] Vgl. zur Predigt: oben Kap. 4.4., S. 99–101; zum Martyrium: Kap. 4.2., S. 75 und 5.2.3., S. 147–150.

[290] S. o. Kap. 4.2., S. 75 mit Nachweisen in Anm. 103–105, ferner: Buch I, 16, fol. 73ʳ, WHITEHILL, S. 139, zum Martyrium des Johannes, der als *Christi athletha* bezeichnet wird.

[291] Vgl. oben Anm. 287f. An einer Stelle wählt der Kompilator dem Geist der Zeit entsprechend einen Ausdruck aus dem lehnsrechtlichen Vokabular: *cliens a magno imperatore* (I, 6, fol. 28ʳ, WHITEHILL, S. 55).

[292] Vgl. hierzu ERDMANN, wie Anm. 79, S.10f., S. 185–187 und öfter.

Apostel, Missionare und Märtyrer[293] – wurde erst nach und nach auf das Kriegshandwerk übertragen, die „erste Vermischung dieser Begriffswelt mit dem eigentlich kriegerischen Gedanken" findet sich zur Zeit Gregors VII., bei Petrus Damiani.[294] Bis jedoch endgültig unter die *militia Dei* auch die Aufgaben der *militia saecularis* gefaßt wurden, dürfte es noch recht lange gedauert haben. Der Gebrauch schwankt von Autor zu Autor; im LSJ wird dieses Übergangsstadium recht gut greifbar.

Die Wahl der für die *milites Christi* verwendeten Begriffe (*miles, bellator, signifer*) unterstreicht die gedankliche Verbindung von *militia Dei* und *militia saecularis*; auch Substantive aus dem semantischen Feld „Krieg" wie *scutum fidei* oder *gladium verbi Dei* veranschaulichen diese Beziehung.[295] Trotzdem dominiert im I. Buch des LSJ noch weitgehend die rein geistige Bedeutung der *militia Christi*, im PT findet sich hingegen fast ausschließlich die Schilderung kriegerischer, „säkularer" Aktivitäten. Und doch heißen die im PT beschriebenen Ritter *certantes Christi* oder ähnlich.[296] Ihr Waffenhandwerk bedeutet also ebenso Dienst im Sinne Christi. Die Brücke zur *militia Christi* schlägt der Kompilator durch die bereits erwähnten „moralisierenden Passagen", die den Kampf der Ritter als Symbol für den Kampf gegen die eigene Sündhaftigkeit erscheinen lassen. Wie der Ritter nicht im Anschluß an die Schlacht nach Beute streben solle, müsse auch der Priester weltliche Geschäfte meiden, schließt der PT anschaulich[297]; in ähnlicher Absicht geht das I. Buch vom apostolischen Vorbild aus und fordert von jedem Streiter Christi, sich weltlicher Dinge zu enthalten.[298] In den Mirakeln, die wohl am stärksten im LSJ populäre Anschauungen widerspiegeln, wird sogar dem Apostel Jakobus die kriegerische Funktion als Teil der *militia Dei* zugeschrieben.[299] Dies veranschaulicht gut das bereits besprochene Mirakel 19.[300] Jakobus belehrt in seiner Erscheinung den Griechen Stephan, daß sich sein Kampf für Gott in seiner Schlachthilfe bei der Schlacht um Coïmbra erweisen werde.[301] Bezeichnend ist allerdings, daß Stephan diesen kriegerischen Kampf als Teil des Kampfes für die Wahrheit interpretiert, wie der Schluß der Geschichte offenbart.[302]

---

[293] Ibid., S. 10, ferner: H. BEUMANN, Kreuzzugsgedanke und Ostpolitik im hohen Mittelalter (Hist. Jahrbuch 72/1953, S. 112–132, ND in: ders. (Hg.), Heidenmission und Kreuzzugsgedanke in der deutschen Ostpolitik des Mittelalters, Darmstadt ²1973, = Wege der Forschung, 7, S. 121–145), S. 124. Im Mittelalter wurden meist die Mönche als *milites Christi* bezeichnet (ERDMANN, ibid. und B. SCHUMACHER, Die Idee der geistlichen Ritterorden im Mittelalter, in: Altpreußische Forschungen, 1/1924, S. 5–24; ND: Heidenmission, l.c., S. 364–385, S. 375f.). Ähnliches gilt aber auch für die Kanoniker, vgl. unten, Anm. 329.

[294] ERDMANN, wie Anm. 79, S. 185.

[295] Vgl. diese Begriffe im Zitat von Anm. 287.

[296] S. o. Kap. 5.2.2., S. 136 mit Anm. 188–190.

[297] S. o. S. 141–143, bes. S. 143 mit dem zugehörigen Zitat.

[298] I, 17, fol. 75ʳ, WHITEHILL, S. 143: *Nemo enim militans Deo, ut apostolus ait, implicat se negociis secularibus. . .*(Tim. II, 2,4).

[299] S. o. Kap. 5.1., S. 123 mit Anm. 98–100.   [300] S. o. S. 123.

[301] II, 19, fol. 154ʳ, WHITEHILL, S. 284: *St(e)ph(an)e, . . . taliter tibi appareo, ut me Deo militare eiusque ahtletam* (sic!) *esse, meque in pugna contra Sarracenos Christianos anteire . . . non dubites.*

[302] Ibid., WHITEHILL, S. 284f.: *Steph(anu)s, Dei servus, beatum Iacobu(m) omnibus, in milicia se invocantibus, prevalere asseruit, et pro veritate certantibus illum invocandum esse predicavit. . .* – Auch J. M. LACARRA, Espiritualidad del culto y de la peregrinación a Santiago antes de la

Das Verhältnis des LSJ zum ritterlichen Milieu liegt demnach im Spannungsfeld von *militia saecularis* und *militia Dei*; die zunächst rein geistige *militia Dei* des ersten Buches umfaßt in Buch II und IV auch die weltlich kriegerische Auseinandersetzung, letztlich wird aber auch hier die *militia Dei* als Kampf gegen Laster und Sündhaftigkeit – so zumindest der Tenor der Gesamtkompilation[303] – angesehen.

Es wäre nunmehr zu behandeln, ob diese Konzeption weitere Schlüsse auf den Standort des Kompilators zuläßt. Die Verschmelzung von *militia saecularis* und *militia Christi* eignet ebenfalls einer im Zuge der Kreuzzugsbewegung entstandenen Institution, den Ritterorden. Der weiter oben zitierte fortwährende Bezug zwischen Ritter- und Priesterideal faßt diese Verbindung aus einem anderen Blickwinkel.[304] Auch die Verknüpfung von Wallfahrtsgedanken und Kreuzzugsidee berührt die hauptsächlichen Aktionsfelder der Ritterorden.[305]

A. HÄMEL hat auf die geistige Verwandtschaft des LSJ, insbesondere des PT, mit den Ritterorden nachdrücklich hingewiesen.[306] Er stützte diese These vor allem mit folgenden Beobachtungen:
– der Einfluß der Templer in Portugal könne wegen der geographischen Nähe Santiagos zu diesen Gebieten Spuren im LSJ hinterlassen haben,
– St-Gilles sei der verbindende Ort für Jeruslam- und Santiagowallfahrer, dort hätten die Ritterorden vor allem die Beherbergung der Pilger organisiert, St-Gilles werde auch im Pilgerführer (Buch V) eingehendst beschrieben[307],
– ein eigenes Kapitel von Buch V erwähne drei von den französischen Ritterorden eingerichtete Hospize als die berühmtesten der Welt: das Hospiz zu Jerusalem, das

---

primera cruzada (Pellegrinaggi e culto dei santi in Europa fino alla 1ª crociata = Convegni del Centro di studi sulla spiritualità medievale IV, 1961, Todi 1963, S. 113–145) führt dieses Mirakel zum Beleg dafür an, daß der Jakobuskult gegen Ende des 11. Jhs. allmählich seine kriegerische Dimension gewann (S. 141f.).

[303] Dies heißt, daß die moralisierenden Passagen im PT wohl vom Schlußredaktor eingeführt wurden (vgl. oben, S. 126f.), trotzdem prägen sie das Gesamtbild und die Intention des vom Kompilator gewollten und geschaffenen Ganzen.

[304] S. o. Kap. 5.2.2., S. 142f.

[305] S. o. Kap. 5.2.1. Laut WAAS, Geschichte, wie Anm. 174, Bd. I, S. 77, entsprach die Wallfahrt vornehmlich einer Mönchs-, das Kreuzzugsideal der Ritterfrömmigkeit. Es ist zu fragen, ob nicht in die Mönchsfrömmigkeit evtl. die Gesamtheit der Kleriker einzubeziehen sei; im folgenden (S. 77ff.) versucht WAAS, die Entwicklung der mönchischen Frömmigkeit zur populären Frömmigkeit durch die Armutsbewegung nachzuweisen. Gegen eine Unterscheidung von ritterlicher und populärer Frömmigkeit hat allerdings H. E. MAYER, Probleme moderner Kreuzzugsforschung (Vierteljahresschrift für Sozial- und Wirtschaftsgeschichte 50/1963, S. 505–513), S. 507f. Bedenken angemeldet. Teils geht MAYERS Kritik in die falsche Richtung, weil die ursprüngliche Dichotomie bei WAAS ritterliche und mönchische Frömmigkeit heißt, es ist jedoch in der Tat zu fragen, ob ritterliche Frömmigkeit nicht nur ein Teil der „populären" Frömmigkeit ist (vgl. oben Kap. 3). – Zu den Ritterorden grundlegend: H. PRUTZ, Die geistlichen Ritterorden. Ihre Stellung zur kirchlichen, politischen, gesellschaftlichen und wirtschaftlichen Entwicklung des Mittelalters, Berlin 1908, ND 1958, zu den Anfängen S. 7–36; ferner: D. SEWARD, The Monks of War. The Military Religious Orders, London 1972, und: Die geistlichen Ritterorden Europas, hg. von J. FLECKENSTEIN und M. HELLMANN, Sigmaringen 1980 (= Vorträge und Forschungen, 26).

[306] HÄMEL, S. 56–60.   [307] V, 8, VIELLIARD, S. 36–46.

auf dem großen St. Bernhard und letztlich das Hospiz auf dem Somportpaß in den Pyrenäen[308],

– die Vorliebe des Pilgerführers für Alfons „el Batallador"[309], der in seinem Testament drei Ritterorden mit seinem Reich bedachte, falle besonders auf,

– schließlich müsse die Rolle von Innozenz II. erwähnt werden, der in einem abschließenden Brief die Echtheit des LSJ bezeugen soll und als großer Förderer der Ritterorden bekannt sei.

Die spanischen Ritterorden haben für HÄMEL im Zusammenhang mit dem LSJ geringere Bedeutung, allenfalls könne die Kompilation nach seiner Meinung ihre Gründung beschleunigt haben.

Die Argumentation HÄMELS zielt zwar auf einige richtige Punkte, allerdings sind bei seinen „konkreten" Zuordnungen Vorbehalte anzumelden, da hier leicht die Gefahr besteht, Ungleichzeitiges in zu engen Kontakt zu bringen[310], zumal der erste bedeutende Ritterorden, die Templer, erst gegen Ende der zwanziger Jahre des 12. Jahrhunderts in Südfrankreich und auf der iberischen Halbinsel Fuß faßte.[311] Nicht von ungefähr sind die von HÄMEL erwähnten Bezugspunkte ausschließlich dem Pilgerführer entnommen, der wohl erst recht spät vor der Inkorporation in die

---

[308] V, 4, ibid., S. 10: *De Tribus Hospitalibus Cosmi.*

[309] V, 9, ibid., S. 114–116.

[310] Das erste gesicherte Datum für den Templerorden ist 1118, als sich Hugo von Payns (gest. 1136) mit acht Genossen einer Regel unterstellte. Vgl. M. L. BULST-THIELE, Sacrae domus militiae templi Hierosolymitani magistri. Untersuchungen zur Geschichte des Templerordens 1118/19–1314, Göttingen 1974 (= Abh. der Akad. der Wiss. Göttingen, phil.-hist. Kl. 3, Folge 86), S. 19ff. und MAYER, Geschichte, wie Anm. 140, S. 87f.; WAAS, Geschichte, wie Anm. 174, Bd. II, S. 4ff. – Auch in Einzelpunkten sind die Hinweise HÄMELS nicht immer ganz exakt, so sind die drei bedeutendsten Hospize der Welt nicht alle von den Ritterorden eingerichtet worden, allenfalls ließe sich eine Förderung dieser Hospize durch die Ritterorden nachweisen.

[311] Vgl. BULST-THIELE, wie Anm. 310, S. 26. In Spanien begegnet der Templerorden erstmals in Katalonien und Aragon (1129), vgl. P. SCHICKL, Die Entstehung und Entwicklung des Templerordens in Katalonien und Aragon (Gesammelte Aufsätze zur Kulturgeschichte Spaniens 28/1975, S. 91–229) S. 105, ferner: A. J. FOREY, The Templars in the Corona de Aragon, London 1973, S. 15ff. In Navarra/Aragon hatte zuvor Alfons I. „el Batallador" (1102–1134) mit der Gründung eines eigenen Ritterordens, der Miliz von Monreal (1128?) (Gründungsurkunde bei: LACARRA, wie Anm. 279, no. 151) keine anhaltenden Erfolge erzielt (vgl. auch: SCHICKL, l.c., S. 116ff.). Das von HÄMEL zitierte Testament dieses Herrschers (S. A. GARCIA LARRAGUETA (Hg.), El priorado de Navarra de la orden de San Juan de Jerusalem, 2 Bde, Pamplona 1957, Bd. II: Colección diplomatica, no. 10, S. 15–18) verfolgte nach neuerer Forschung wohl ausschließlich politische Ziele und darf nur teilweise für die Förderung der Ritterorden von Alfons I. herangezogen werden, so: E. LOURIE, The Will of Alfonso I. „El Batallador", King of Aragón and Navarre: a Reassessment (Speculum 50/1975, S. 635–651). Laut LOURIE war das Hauptziel des Testamentes, eine eventuelle Einmischung Roms zu neutralisieren und eine Kandidatur Alfons' VII. von Kastilien zu blockieren, um Ramiro die Nachfolge zu ermöglichen (bes. S. 645). Allerdings erklärt die Autorin nicht, warum gerade die Ritterorden als gewollte Erben eingesetzt wurden. Vgl. ferner grundlegend zum Testament: P. KEHR, Das Papsttum und die Königreiche Navarra und Aragon bis zur Mitte des 12. Jhs. (Abh. der preuß. Akad. der Wiss., phil.-hist. Kl., 1928, Nr. 4) S. 45ff. und SCHICKL, l.c., S. 115–135.

Kompilation Gestalt angenommen hat.[312] Auch HÄMELS Vermutung, daß der LSJ die Entwicklung und Verbreitung spanischer Ritterorden möglicherweise vorangetrieben habe, ließ sich bisher nicht konkretisieren; weder Ordensregeln noch Gründungsurkunden lassen einen unmittelbaren Bezug zum LSJ erkennen.[313]

Trotzdem weisen seine Hypothesen den richtigen Weg. Allerdings ist hier eher von der theoretischen Konzeption des Ordensritters und von dem im LSJ erkennbaren Ritterideal auszugehen, zum zweiten sind die Funktionen der Ordensritter in bezug auf das Pilgerwesen herauszustellen. Die Templer leisteten neben ihrem ursprünglichen Gelübde, gehorsam, arm und keusch zu leben, auch noch das Versprechen, die Pilger

---

[312] Dies darf wohl auf die Zeit um 1130 angesetzt werden, s. o. Kap. 2.4., S. 39.

[313] Diese Überprüfung erfolgte anhand der nunmehr recht zahlreichen Spezialliteratur. Gegenüber den Ritterorden, die im Hl. Land entstanden, eignet den spanischen Ritterorden eine starke Bindung zum Königtum. Die drei wichtigsten spanischen Ritterorden sind der Orden von Alcantara, der von Calatrava und der von Santiago. Vgl. zu den spanischen Ritterorden allgemein: E. BENITO RUANO, Santiago, Calatrava y Antioquía (Anuario de Estudios Medievales 1/1964, S. 549–560); COCHERIL, wie Anm. 279; ders., Les ordres militaires cisterciens au Portugal (Bulletin des Etudes portugaises, n. s. 28–29/1967–1968, S. 11–71); D. W. LOMAX, Las milicias cistercienses en el reino de León (Hispania 23/1963, S. 29–43); M. de USSÍA URRUTICOECHEA, El Obispo-Prior de las órdenes militares españolas, Vitoria 1966; B. SCHWENK, Aus der Frühzeit der geistlichen Ritterorden Spaniens (Die geistlichen Ritterorden, wie Anm. 305, S. 109–140). Zum Orden von Alcantara: F. GUTTON, L'Ordre d'Alcantara, Paris 1975. Zum Orden von Calatrava: F. GUTTON, L'ordre de Calatrava, Paris 1955 (= La chevalerie militaire en Espagne, 1); J. F. O'CALLAGHAN, The Spanish Military Order of Calatrava and its Affilates. Collected Studies, London 1975 (Sammelband zahlreicher verstreut ersch. Aufsätze, teils über den Calatrava-Orden hinausgreifend zu den anderen Ritterorden); S. MONTERO DIAZ u. a., La orden de Calatrava, Cinco conferencias, Ciudad Real 1959; D. YÁÑEZ NEIRA, Orígenes de la orden de Calatrava (Cistercium 10/1958, S. 275–288). Zum Orden von Santiago: E. BENITO RUANO, Estudios santiaguistas, León 1978 (= Unidad de Investigación, Publicaciones 8) (Sammelband zahlreicher Einzelstudien); E. GALLEGO BLANCO (Hg.), The rule of the spanish military order of St. James, latin and spanish texts, Leiden 1971; F. GUTTON, L'ordre de Santiago, Paris 1972 (La chevalerie militaire en Espagne, 2); A. JAVIERRE MUR, Documentos para el estudio de la orden de Santiago en Portugal en la edad media (Bracara Augusta 16–17/1964, S. 409–428); J. LECLERCQ, La vie et la prière des chevaliers de Santiago d'après leur règle primitive (Liturgica, 2, Scripta et Documenta, Bd. 10, Montserrat 1958, S. 347–357); D. W. LOMAX, La Orden de Santiago (1170–1275), Madrid 1965 (= Consejo superior de Investigaciones científicas. Escuela Estudios medievales, Estudios XXXIII); ders., The order of Santiago and the kings of León (Hispania 18/1959, S. 3–37); J. L. MARTÍN, Fernando II y la Orden de Santiago (Anuario de Estudios Medievales 1/1964, S. 168–195); ders., La monarquía portuguesa y la orden de Santiago (1170–1195) (Anuario de Estudios Medievales 8/1972/73, ersch. 1974, S. 463–466); ders., Orígenes de la Orden Militar de Santiago (1170–1195), Barcelona 1974. Die in den vorstehenden Werken zu Portugal handelnden Passagen gehen auch teils auf die Templer in Portugal ein, hier läßt sich aber ebensowenig ein direkter Bezug zum LSJ ermitteln. – HÄMELS Vermutungen können jedoch evtl. dadurch unterstützt werden, daß auch der LSJ Zeugnis über ein „geistiges Klima" ablegt, das die Entstehung der spanischen Ritterorden einsichtig erscheinen läßt. Vielleicht war jedoch auch der LSJ noch zu „neu" oder zu wenig verbreitet; so wird die legendäre Gründung des Santiago-Ritterordens auf 844, das Datum der Clavijo-Schlacht, zurückgeführt (MARTÍN, Orígenes, l.c., S. 13–15).

auf ihrem Weg ins hl. Land zu schützen.[314] Der Schutz der Wege nach Compostela beunruhigte auch den Kompilator des LSJ, denkt man an die Schilderung des Pilgerweges und seiner Gefahren an verschiedenen Stellen des I. Buches[315], an die Mirakelgeschichten über Ausplünderung und Behinderung einzelner Pilger[316] oder an den Pilgerführer (Buch V), der auf die Gefahren des Pilgerweges nur allzu häufig hinweist.[317] In bezug auf die theoretische Konzeption des Ordensritters werden wir auf andere propagandistische Schriften verwiesen.[318] Bernhard von Clairvaux verfaßte auf mehrfache Bitten hin einen Traktat *Liber ad Milites Templi, de laude novae militiae*, der Sinn und Aufgaben des Templers umreißt und als ethische Grundlegung für den Ordensritter angesehen werden kann.[319] Auch in diesem Werk nimmt der Gedanke des Märtyrertodes einen großen Raum ein, laut Bernhard ist das Martyrium geradezu zu suchen, weil es Erfüllung des irdischen Lebens verspricht. Nur so kann er zu dem Ausruf *Quam beati moriuntur martyres in proelio*[320] gelangen. Wie im PT bietet auch hier das Martyrium die Gelegenheit, himmlischen Lohn zu erwerben.[321] Der Parallelismus läßt sich noch weiter verfolgen: ebenso wie im LSJ erscheint auch bei Bernhard von Clairvaux das Martyrium nur als Möglichkeit, die eigene Sündhaftigkeit zu überwinden.[322] Diese Konzeption lehnt sich eng an die oben gezeigte Verbindung von

---

[314] BULST-THIELE, wie Anm. 310, S. 18; MAYER, Geschichte, wie Anm. 140, S. 87; A. OLLIVIER, Les templiers, (Paris 1974) (= Le temps qui court), S. 14–16.

[315] Vor allem I, 2 und I, 17, vgl. unten Kap. 6.

[316] S. o. Kap. 5.1., S. 119 mit Tabelle 2.   [317] Vgl. unten Kap. 6.

[318] Zur Ritterethik geben die Ordensregeln und Urkunden wenig her.

[319] Sancti Bernardi Opera, ad fidem codicum rec. J. LECLERCQ/C. H. TALBOT/H. M. ROCHAIS, 7 Bde, Rom 1957–1974, Bd. 3: Tractatus et opuscula, hg. von J. LECLERCQ und H. M. ROCHAIS, Rom 1963, S. 213–239. Der Traktat ist zwischen 1130 und 1136 entstanden, vgl. P. COUSIN, Les débuts de l'ordre des templiers et St-Bernard (Mélanges St-Bernard, XXIVe congrès de l'Association des sociétés savantes, Dijon 1953, Dijon 1954, S. 41–52) S. 47. In der Einleitung zur zitierten Edition wird die Entstehungzeit auf 1128–1136 festgelegt (l. c., S. 207). Zu diesem Traktat jetzt grundlegend: U. MAYER, wie Anm. 217 und: J. FLECKENSTEIN, Die Rechtfertigung der geistlichen Ritterorden nach der Schrift „De laude novae militiae" Bernhards von Clairvaux (Die geistl. Ritterorden, wie Anm. 305, S. 9–22). Vgl. auch HEHL, wie Anm. 201, S. 109–115.

[320] Sancti Bernardi Opera, l.c., S. 215, vgl. U. MAYER, wie Anm. 217, S. 25 und HEHL, wie Anm. 201, S. 112.

[321] Vgl. U. MAYER, wie Anm. 217, S. 59–68.

[322] Etwa Sancti Bernardi Opera, wie Anm. 318, S. 214: *Novum, inquam, militiae genus, et saeculis inexpertum . . . tum adversus carnem et sanguinem, tum contra nequitiae in caelestibus.* Vgl.: E. DELARUELLE, L'idée de croisade chez St-Bernard (Mélanges St-Bernard, XXIVe congrès, wie Anm. 319, S. 53–67), S. 62–64; P. DERUMAUX, St-Bernard et les infidèles (Mélanges . . . ibid., S. 68–79), S. 74–76, und B. FLOOD, St. Bernhard's Views of Crusade (Cistercian Studies 9/1974, S. 22–35), bes. S. 23–25 und S. 34f. und: L. SCHMUGGE, Zisterzienser, Kreuzzug und Heidenkrieg (Die Zisterzienser. Ordensleben zwischen Ideal und Wirklichkeit, Ausstellungskat. Bonn 1980, S. 57–68) bes. S. 58f. – Ist auch dieses Ziel Bernhards in der Forschung unbestritten, so ist man doch geteilter Meinung darüber, welche Stellung Bernhard generell zum Krieg, zur *militia saecularis* bezog. In Kapitel 5.2.2. wurde bereits in Anm. 217 auf die Kontroverse zwischen LOTTER und U. MAYER hingewiesen. Zusätzlich sei noch J. LECLERCQ, L'attitude spirituelle de S. Bernard devant la guerre (Collectanea ordinis Cisterciensium Reformatorum 36/1974,

militia Dei und *militia saecularis* im LSJ an. Beide Werke entwickeln so, wenn auch in verschiedener Form, ein Lob auf die neue Symbiose von Ritter- und Ordensleben.[323]

„Die Reform des Rittertums war ein Korrelat zur klerikalen und kirchenpolitischen Reform" bemerkt C. ERDMANN.[324] Dem Entwurf des kämpfenden Ritters Christi entsprach demnach auch die innere Reform der Kirche, besonders der Priester. Es wurde bereits erwähnt, wie eng zusammengehörig ritterliche und priesterliche Funktionen im LSJ dargestellt werden[325], als „kämpferische" Hauptaufgabe des Priesters erscheinen Mission, Predigt und Seelsorge.[326] Hierfür war an anderer Stelle die Reformbewegung der Kanoniker verantwortlich gemacht worden.[327] Diese Bewegung läßt sich ebenfalls in die Nähe der Ritterorden rücken, zumindest dürften Kanoniker für diese Institution den Boden bereitet haben. Dies läßt sich mit folgenden Hinweisen stützen:

– mehrere Ritterorden, auch die Templer, legten ursprünglich die Augustinerregel der Kanoniker ihrem gemeinsamen Leben zugrunde[328],

---

S. 195–225) genannt, der Bernhard als einen „Mann des Friedens" ansieht, der nur in akuten Notsituationen für den Krieg eintrat (bes. S. 195 und 223).

[323] Es sei hier erneut betont, daß der Gedanke des Martyriums als höchstes Ziel selbstverständlich nicht nur Bernhard von Clairvaux und dem LSJ eigen ist. Jedoch schließt sich in beiden Werken der Kreis von der *militia saecularis* zu ritterlichen und spirituellen Aufgaben, wie sie den Ordensritter charakterisieren, zur *militia Dei*, dem eigentlichen Ziel. – J. FLECKENSTEIN, wie Anm. 319, entwickelt gut die Gedankenführung von „De laude" und bewertet die Schrift als ein Zeugnis, das erstmals eine fundamental neue Lebensform rechtfertigte (S. 12 und 18f.). Die Eigenheit des Ordensritters entstand demnach aus Umgestaltungen des Rittertums und des Ordenslebens im 11./12. Jh. und tauchte bezeichnenderweise erstmals außerhalb Europas auf (S. 18–20). – Wenn wir die Entstehungszeit auf ca. 1136 ansetzen, so findet sich hier und im LSJ gleichzeitig ein erstes Lob des Ordensritters.

[324] ERDMANN, wie Anm. 79, S. 130. U. MAYER, wie Anm. 217, fragt noch pointierter, ob nicht innerkirchliche Konsolidierung mit der Aggression nach außen (Töten des heidn. Gegners) eng zusammenhänge (S. 10ff.).

[325] S. o. Kap. 5.2.2.   [326] Vgl. Kap. 4.4. und 4.5.   [327] Ibid.

[328] Vgl. G. DE VALOUS, Quelques observations sur la toute primitive observance des Templiers et la Regula pauperum commilitonum Christi Templi Salomonici rédigé par Saint Bernard au Concile des Troyes (1128) (Mélanges, wie Anm. 319, S. 32–40), S. 34; MAYER, Geschichte, wie Anm. 140, S. 87 (zu den Templern) und A. E. CARRIER DE BELLEUSE, Coutumier de l'ordre de Saint Ruf en usage à la cathédrale de Maguelone, Sherbroke 1950 (= Etudes et documents sur l'ordre de St-Ruf, 8), S. 35ff., der die „Consuetudines" der Kanoniker von St-Ruf als Grundlage der Regel der Kanoniker vom Hl. Grab und auch derjenigen der Templer ansieht. Vgl. zu St-Ruf und zum Werk von CARRIER DE BELLEUSE: unten, Anm. 336f. – Für alle Ritterordensregeln, deren Vorbild entweder die Zisterzienser- oder eine Kanonikerregel war, vgl. die Durchsicht bei M. COCHERIL, Essai, wie Anm. 279, Bd. 21/1959, S. 310. Demnach waren die ursprünglichen Regeln fast aller Ritterorden den Kanonikerregeln nachgebildet, erst später machte sich der Einfluß der Zisterzienser geltend. Zur Augustinerregel: Bislang ist noch nicht gesichert, was jeweils unter dieser Regel zu Beginn des 12. Jhs. zu verstehen ist, da Augustinus grundsätzlich mehrere einschlägige Schriften hinterlassen hat (vgl. Ch. DEREINE, Chanoines, in: Dictionnaire d'histoire et géographie ecclés., 12/1953, Sp. 353–405, Sp. 357f. und 387f.); ferner: L. VERHEIJEN, La règle de St-Augustin, 2 Bde, Paris 1967 (Bd. 1 zu den Handschriften und Editionen, Bd. 2: Forschungen). Der Name taucht erstmals 1067 auf, es ist jedoch fraglich, ob damit jeweils ein Text

– auch die Lebensform der Kanoniker, nicht nur die der Mönche, erscheint in den Quellen vielfach als *militia Dei*[329],

– die von den Ritterorden wahrgenommenen Aufgaben des Pilgerschutzes und der Pilgerversorgung führten ebenso Kanonikergemeinschaften aus[330],

– schließlich darf auch die maßgebliche Beteiligung der Kanoniker bei der Organisation der Reconquista als gesichert gelten.[331]

Noch einige Bemerkungen zum letzten Punkt. Der Einfluß der Kanoniker ist vor allem für die Wiederbesiedlung, weniger für die kämpferischen Auseinandersetzungen belegt. Die Besiedlung neuer Gebiete veränderte die kirchliche Landschaft Spaniens grundlegend. Vor allem wurden in den rückeroberten Städten regulierte Kanonikergemeinschaften wiedererrichtet oder neu eingeführt. So übernahm beispielsweise das Kathedralkapitel von Pamplona 1086 die Kanonikerregel des hl. Augustinus[332], kurz zuvor war bereits in der Kathedrale von Jaca dieselbe Regel verbindlich gemacht worden.[333]

---

gemeint ist, oder ob *regula* nur die Lebensform allgemein umschreibt (Ch. DEREINE, Vie commune, règle de St-Augustin et chanoines réguliers au XIe siècle, in: Revue d'histoire ecclésiastique 41/1946, S. 365–406, S. 392ff.). Es ist deshalb, wenn möglich, eher auf die „Consuetudines" der einzelnen Gemeinschaften zurückzugreifen. Für die Zeit bis 1951 sind die Forschungen hierzu bei Ch. DEREINE, Coutumiers et ordinaires des chanoines réguliers (Scriptorium 5/1951, S. 107–113) zusammengestellt, vgl. die Ergänzungen bei St. WEINFURTER, Neuere Forschung zu den Regularkanonikern im dt. Reich des 11. und 12. Jahrhunderts (HZ 224/ 1977, S. 379–397), S. 383f.; S. 382 zur Augustinerregel. Zur Augustinerregel in Spanien: F. CAMPO DEL POZO, El monacato de San Augustín en España hasta la gran unión en el año 1256 (Secundum regulam vivere, Festschrift für N. BACKMUND, hg. von G. MELVILLE, Windberg 1978, S. 5–30). – Die Forschungen zu den Kanonikergemeinschaften und zur Kanonikerreform haben in letzter Zeit einen stetigen Aufschwung genommen, hier kann lediglich auf einige Punkte und die wichtigste Literatur hingewiesen werden.

[329] So z. B. für die auch in Spanien sicher sehr wichtige Gemeinschaft von St-Ruf belegt (vgl. unten, Anm. 337). Codex diplomaticus ordinis Sancti Rufi Valentiae, hg. v. U. CHEVALIER, Valence 1891, no. 8: ... *in quibus canonicus ordo observatur et soli Deo clerici militare cupiunt,* ... (Urk. von vor 1110); no. 15: ... *sanctam Beati Ruffi ecclesiam, in qua sub canonici ordinis observantia omnipotenti Domino militatis*... (Urk. Calixts II., von 1123); no. 17: ... *ut canonici ibi degerent et Deo militarent.* (Urk. von 1127); Vita Theotonii canonici regularis (Acta Sanctorum, 6, Feb., S. 111–120), S. 115: *undecim Christi milites, Apostolorum proposito communiter vivere sub habitu et Regula B. Augustini confessoris professi sunt* (Zur Gründung von Hl. Kreuz in Coïmbra, 1135). Dies ergänzt das Bild von ERDMANN (s. o. Anm. 293).

[330] Vgl. DEREINE, Chanoines, wie Anm. 328, Sp. 386 und die in Kapitel 2.4. zitierten Abhandlungen von LAMBERT über die Hospize der Kanoniker an der Pilgerstraße (oben, Kap. 2.4., S. 35 mit Anm. 136).

[331] Seit dem 11. Jh. ist dies hauptsächlich für Aragon belegt, wenn auch bald (ca. Mitte des 12. Jhs.) Adel und Ritterorden vorrangig diese Aufgaben wahrnahmen, vgl. als Überblick: A. LINAGE CONDE, Vida canonial en la „Repoblación" de la Península Ibérica? (Secundum regulam, wie Anm. 328, S. 73–85), S. 76ff.

[332] Evtl. kann auch ein früheres Datum angesetzt werden, vgl. J. GOÑI GAZTAMBIDE, Los obispos de Pamplona del siglo XII (Anthologica Annua 13/1965, S. 135–358), S. 149f.

[333] A. DURAN GUDIOL, La iglesia de Aragón durante los reinados de Sancho Ramirez y Pedro I (1062(?)–1104) (Anthologica Annua 9/1961, S. 85–279) S. 250–53. Ferner: J. M. LACARRA, Historia política del Reino de Navarra hasta su incorporación a Castilla, Bd. I, Pamplona 1972, S. 357ff.

Auch in Roda, Vich, Toledo, Tortosa, Tarragona und Zaragoza führte man eine *vita communis* im Sinne der Kanonikerreform ein.[334] Die Kanonikergemeinschaften blieben nicht auf die Kathedralkirchen beschränkt, sondern sind auch an größeren (Kollegiat-) Kirchen zu verzeichnen.[335] Selbst auf dem Land tauchten Kanonikergemeinschaften auf, die vielfach nur schwer von den bestehenden Mönchsorden abzugrenzen sind. Meist handelte es sich hier um Priorate einzelner Kongregationen, die jeweils einer besonderen, eigenen Regel folgten, wie die Prämonstratenser oder die Kanoniker von St-Ruf.[336] Vor allem die letzteren haben in Spanien eine größere Rolle gespielt.[337] Wenn

---

[334] Vgl. Ch. DEREINE, Chanoines, wie Anm. 328, Sp. 379f.

[335] Vgl. z. B. J. F. RIVERA (RECIO), Cabildos regulares en la provincia de Toledo durante el siglo XII (La vita comune di clero nei secoli XI e XII. Atti della Settimana di Studio, Mendola, settembro 1958, 2 Bde, Milano 1962 = Miscellanea del Centro di Studi medioevali III, Bd. I, S. 220–238), der im Erzbistum Toledo zehn Gemeinschaften verzeichnet. – Die bekanntesten Burgen, an denen Kanonikergemeinschaften nachweisbar sind, liegen in Aragón: Loarre, Alquezar und Montearagón, vgl. hierzu: A. DURAN GUDIOL, La Iglesia de Aragón durante los reinados de Sancho Ramirez y Pedro I (1062? – 1104), Rom 1962, S. 142–144 und S. 150–152 mit kritischer Aufarbeitung des Quellenmaterials zur Entstehung. Mit Recht weist G. DUBY, Les Chanoines réguliers et la vie économique des XIe et XIIe siècles (La vita, l.c., Bd. I, S. 72–82) bes. S. 74f. darauf hin, daß Reform und Verbreitung der Kanoniker im 12. Jh. wohl in engem Zusammenhang mit der entstehenden Stadtgesellschaft und deren neuen spirituellen Bedürfnissen zu sehen sei. (ND der Abh. in: ders., Hommes et structures du Moyen âge. Recueil d'articles, Paris 1973, S. 203–217, S. 204f.). Ähnlich, wenn auch in Details nicht immer ganz exakt: K. BOSL, Regularkanoniker (Augustinerchorherren) und Seelsorge in Kirche und Gesellschaft des europäischen 12. Jhs. (Abh. der bayr. Akad. der Wiss., phil.-hist. Kl. NF 86, München 1979), bes. S. 9ff. und 85ff.

[336] Vgl. zur Abgrenzung der selbständigen Kongregationen von den Augustinerchorherren: A. VAN ETTE, Les Chanoines réguliers de St-Augustin. Aperçu historique, Cholet 1953, S. 28–32. Die Gewohnheiten von St-Ruf (allerdings nicht des Mutterhauses) hat A. E. CARRIER DE BELLEUSE, wie Anm. 328, S. 53ff. zugänglich gemacht. Dieses höchst seltene, in dt. Bibliotheken nicht vorhandene Werk hat mir dankenswerterweise Frau U. VONES-LIEBENSTEIN (Köln), die eine Dissertation zu den Regularkanonikern von St-Ruf vorbereitet, zur Verfügung gestellt. Um die Erschließung der Ursprungsregel hat sich G. MISSONE, La législation de St-Ruf d'Avignon à ses origines (Annales du Midi 75/1963, S. 471–489) verdient gemacht, für die er ein neues Manuskript entdeckte (Text des Ordo: S. 479–86). Vgl. ferner zu St-Ruf: Ch. DEREINE, St-Ruf et ses coutumes (Revue bénédictine 59/1949, S. 161–182), der bereits vor MISSONE St-Ruf als Kongregation mit gemäßigter Reformausprägung (ordo antiquus) charakterisiert hatte. Zur geschichtlichen Entwicklung von St-Ruf: A. H. DUPARC, Un joyau de l'Eglise d'Avignon (La vita, wie Anm. 335, Bd. II, S. 115–128).

[337] Laut Q. ALDEA, Canonigos regulares (Diccionario de historia eclesiastica de España, 4 Bde, Madrid 1972–75, Bd. I, Sp. 334f.) sollen gemäß den Forschungen von CARRIER DE BELLEUSE in Spanien im 12. Jh. ca. 350 Priorate mit dem Ordo von St-Ruf bestanden haben. Bei A. E. CARRIER DE BELLEUSE, Liste des abbayes, chapitres, prieurés et églises de l'ordre de St-Ruf de Valence en Dauphiné (Bulletin de la Société d' archéologie et de statistique de la Drôme, Bd. 64/1933–34, S. 260–274, S. 306–323, S. 372–381, S. 402–423, und Bd. 65/1935–36, S. 29–44, S. 99–114, S. 167–190, S. 215–229, auch separat) sind in Bd. 65, S. 168–73 allerdings wesentlich weniger Priorate zu verzeichnen. Die Zusammenstellung basiert im wesentlichen auf JL 9874, einer Urkunde von Anastasius IV. (1154–IV–24), die nur bei CARRIER, ibid., Bd. 65, S. 218–221 vollständig gedruckt ist. Insgesamt sind die Angaben von CARRIER lt. Auskunft von Frau VONES-

ihr Einfluß auch wegen fehlender Vorarbeiten nur unzureichend bestimmt werden kann, so dürfen wir jedoch vermuten, daß sie sich bei Siedlung und Landesausbau aktiv beteiligt haben.[338]

Der Bezug des LSJ zu den Kanonikern und zur Kanonikerreformbewegung kann nicht nur aufgrund der Verknüpfung von *militia saecularis* und der *militia Dei* hergestellt werden, sondern außerdem aus einigen weiteren konkreten Punkten im LSJ. Im I.–III. Buch werden zwar nur vereinzelt Kanoniker und die Kanonikerinstitutionen erwähnt[339], PT und Pilgerführer weisen jedoch auf diverse Orte mit Kanonikergemeinschaften hin, so auf St-Roman von Blaye[340] und auf St-Sernin von Toulouse.[341] Bei St-Sernin wird sogar die von der Gemeinschaft befolgte Augustinerregel eigens hervorgehoben.[342] Ist auch das, was „Augustinerregel" im Einzelfall meint, nicht immer ganz klar[343], so kann doch die hiermit umschriebene Lebensweise im Regelfall erschlossen werden. Problematischer ist der mehrfache Hinweis in Buch IV und V, die Kanoniker von Compostela befolgten die Regel des hl. Isidor.[344] Diese Passagen harren bislang einer stichhaltigen Erklärung, LOPEZ FERREIRO und VIELLIARD begnügten sich mit dem Hinweis, von Isidor sei keine Kanonikerregel überliefert.[345] HÄMEL interpretiert, *regula Isidori* meine den altspanischen Ritus, wie auch noch der Titel des sogenannten „Missale Mixtum" suggeriere.[346] Diese Deutung scheint mir zu weit vom Text abzuweichen, zumal man davon ausgehen darf, daß die mozarabische Liturgie zur Abfassungszeit des LSJ auch in Compostela weitgehend beseitigt war.[347] Warum ist jedoch auszuschließen, daß Isidor auch eine – heute nicht mehr erhaltene – Regel für

---

LIEBENSTEIN nur mit Vorsicht zu genießen, da CARRIER DE BELLEUSE „dazu tendiert, jede einfache Dorfkirche als Priorat zu bezeichnen". Frau VONES-LIEBENSTEIN teilte mir ebenfalls mit, daß außer den hier in Anm. 328 und 337 zitierten Werken von CARRIER keine weiteren Untersuchungen des Autors in der Reihe „Etudes et Documents sur l'Ordre de St-Ruf", wenngleich oft angekündigt und zitiert, erschienen seien.

[338] Vgl. z. B. LACARRA, Documentos, wie Anm. 279, no. 300 als Beleg für einen – wenn auch gescheiterten – Landnahmeversuch.

[339] So in der Einleitungsepistola (JL † 7108), fol. 2^r, WHITEHILL, S. 3; Buch I, 23, fol. 113^v–114^r, WHITEHILL, S. 214; Buch II, 4, fol. 144^r, WHITEHILL, S. 266, und in Buch III, 3, fol. 161^v–162^r, WHITEHILL, S. 298 (vgl. hierzu oben, Kap. 4.3., S. 95).

[340] IV, 29, HÄMEL – DE MANDACH, S. 86f. (die Kanoniker sind angeblich von Karl dem Großen eingeführt worden).

[341] V, 8, VIELLIARD, S. 48.   [342] Ibid.   [343] Vgl. oben, Anm. 328.

[344] IV, 5 HÄMEL – DE MANDACH, S. 46: *(Karolus) antistem et canconicos secundum beati Ysidori episcopi et confessoris regulam in ea instituit . . .;* V, 10, VIELLIARD, S. 120: *Huic insuper ecclesie, ut fertur, pretitulati sunt juxta numerum septuaginta duorum discipulorum Xpisti, canonici septuaginta duo, beati Isidori Yspaniensis doctoris regulam tenentes.*

[345] Vgl. VIELLIARD, S. 121, Anm. 2 mit Verweis auf LÓPEZ FERREIRO; ähnlich DAVID, III/1948, S. 103 mit Anm. 2 DAVIDS Verweis auf Kapitel 19 des PT geht fehl (dort wird keine Isidor-Regel erwähnt!). Auch sein Hinweis auf Lucas von Tuy (Chronicon Mundi, wie Anm. 154, S. 101) führt nicht weiter, denn dort heißt es: *Sacerdotes statuerunt, ut secundum regulam beati Isidori Hispalensis Archiepiscopi ecclesiastica officia in Hispania regerentur.* Dies spielt wohl eher auf die allgemeinen Hinweise Isidors in „De ecclesiasticis officiis" an (MPL 83, Paris 1862, SP. 737–826).

[346] HÄMEL, S. 47f. Zum Missale Mixtum, oben Kap. 4.4., S. 102 mit Anm. 248f.

[347] Vgl. oben, ibid.

Kanoniker verfaßte bzw. ihm eine bestimmte Regel zu dieser Zeit zugeschrieben wurde?[348] Wahrscheinlicher dürfte allerdings sein, daß der Autor dieser Passagen die Gewohnheiten der Compostelaner Kanoniker als fremd empfand und dies wie viele andere kirchliche Eigenarten in Spanien dem hl. Isidor zuschrieb.[349] Diese Interpretation legt auch die Passage des Pilgerführers über León nahe: dort wird über das Grab des hl. Isidor gehandelt und verfügt: *Inde apud urbem Legionem visitandum est corpus venerandum beati Ysidori episcopi et confessoris sive doctoris, qui regulam püssimam clericis ecclesiasticis instituit, et gentem yspanicam suis doctrinis imbuit, totamque sanctam ecclesiam codicibus suis florigeris decoravit.*[350] Für den Kompilator ist also Isidor derjenige, der dem ganzen spanischen Volk seine Stempel aufdrückte.

So gesehen, beobachtete der Kompilator exakt die jeweiligen Unterschiede zu den ihm vertrauten „Consuetudines", dies bedeutet, daß er zumindest die Interna der „vita canonica" weitgehend kannte. Diese Rollte des „Insiders" ist – so scheint es – im PT anläßlich der Auseinandersetzung zwischen Karl und Aigoland[351] in eine offene Wertung umgeschlagen: Neben den Bischöfen, Priestern und Mönchen stellen nämlich die Kanoniker die höchste Stufe der kirchlichen Hierarchie dar.[352]

Es kann abschließend gefolgert werden: der im LSJ erkennbare Bezug zum Rittertum ist als die Konzeption einer *militia saecularis* zu beschreiben, deren

---

[348] Immerhin vermerkt ein alter Bibliothekskatalog: *Ysidori regula de secularibus celericis* (sic!) (G. BECKER, Catalogi Bibliothecarum Antiqui, Bonn 1885, ND 1973, S. 270), vgl. M. C. DIAZ Y DIAZ, Aspectos de la tradición de la „regula Isidori" (Studia Monastica 5/1963, S. 27–57), S. 54f. Ähnlich vermerkt A. GARCÍA CONDE, Antiguas dignidades de la catédral de Lugo (Boletín de la Comision provincial de Monumentos historicos y artisticos de Lugo 3/1949, S. 276–283), S. 276 zur Kanonikerregel in Lugo, es sei die alte „gotische" oder isidorianische" gewesen.

[349] Ähnlich: M. C. DIAZ Y DIAZ, Problemas de la cultura en los siglos XI–XII. La Escuela Episcopal de Santiago (Comp. 16/1971, S. 187–200), S. 191f. Der französische Autor empfand die Compostelaner Gebräuche als ungewohnt. Insofern liegt natürlich „indirekt" ein Bezugspunkt auch zum altspanischen Ritus vor (vgl. Anm. 346). Allerdings suggeriert die bereits erwähnte Vita Theotonii (wie Anm. 329), daß um 1135 bereits in Compostela die Augustinerregel befolgt worden sei: ... *miserit Fratres ad Compostellam et frequentius ad monasterium S. Ruffi, ut regulam S. Augustini exactius ediscerent, qua suos possit exactius in Domino dirigere* (S. 116).

[350] V, 8, VIELLIARD, S. 82.

[351] PT, Kapitel 13, HÄMEL – DE MANDACH, S. 57f.

[352] Ibid.: *Cui Karolus: Illi, inquit, quos vides birris unius coloris indutos, episcopi et sacerdotes nostrae legis sunt, qui nobis legis praecepta exponunt, et a peccatis absolvunt, et benedictionem dominicam nobis tribuunt. Quos habitu atro vides, monachi et abbates illis sanciores sunt, qui dominicam maiestatem semper pro nobis implorare non cessant. Quos habitu candido vides, kanonici regulares dicuntur, qui meliorum sanctorum sectam tenent, et pro nobis similiter, implorant, missasque matutinas et oras dominicas decantant* (Hervorhebungen von mir). Nicht wesentlich weiter für unsere Frage helfen die Versuche DAVIDS (II/1947, S. 155f.), die Liturgie von Buch I des LSJ als ursprünglich für eine Mönchsgemeinschaft bestimmte Liturgie zu charakterisieren. C. HOHLER, A note on Jacobus (Journal of the Warburg and Courtauld Institutes 35/1972, S. 31–80), konnte zeigen (S. 44), daß die Anordnung der liturgischen Teile durchaus dem Offizium für Kanonikergemeinschaften entsprochen habe. Der äußere Eindruck des CC spricht eher für HOHLERS These, wenngleich eine endgültige Lösung dieser Frage Liturgiehistorikern vorbehalten sein sollte.

eigentliches Ziel jedoch in der *militia Dei*, dem Kampf für Gott und den christlichen Glauben besteht. Entsprechend dieser Thematik rücken ritterliche und priesterliche Aufgaben eng zusammen; eine Verbindung, wie sie auch den Ritterorden eignet. Der Traktat Bernhards von Clairvaux *De laude novae militiae*, ein Lob auf die Templer und die Ritterorden schlechthin, ließ große Ähnlichkeit mit einigen Argumentationsmustern des LSJ erkennen. In der Frage nach dem gesellschaftlichen Standort unseres Kompilators war wiederum auf die Kanoniker, neben den Zisterziensern die wichtigsten Vorläufer der Ritterordensbewegung, hinzuweisen.

6. JAKOBUSDEVOTION UND JAKOBUSWALLFAHRT – SPIRITUALITÄT UND ÖKONOMIE

Mit den bisher unternommenen Überlegungen wurde zwar der Standort des Kompilators bereits weitgehend umrissen, zu präzisieren wäre jedoch noch, welche Rolle der hl. Jakobus im Gedankengang des Kompilators einnimmt. Der Heilige bedeutete zunächst Vorbild und Maßstab, sowohl für die *militia saecularis* als auch für die *militia Dei*. Diese *militia Dei* umfaßte neben dem Kampf gegen die eigene Sündhaftigkeit vor allem die Aufgaben der Predigt und Mission, die Erfüllung sieht der Kompilator darin – auch hier steht der Apostel Jakobus als Vorbild –, im Tod für den christlichen Glauben die Auszeichnung des Martyriums zu erlangen. Es konnte jedoch auch bereits bei der Analyse der kirchenpolitischen Ansprüche Compostelas und der Mirakelberichte festgestellt werden, daß oftmals die Wirkung dieses Vorbildes als Legitimator und Mittler an seine Grabstätte in Compostela geknüpft war.

Die Bedeutung des Jakobusgrabes in Compostela manifestierte sich vornehmlich in der Pilgerbewegung. Den Pilgern und dem Weg zum Apostelgrab gilt auch ein besonderes Interesse des LSJ, das gesamte V. Buch ist diesem Thema gewidmet, ferner geben Buch I und II an vielen Stellen Hinweise auf die Jakobuswallfahrt.[1]

Im folgenden soll deshalb das Pilger- und Wallfahrtsbild des LSJ im Hinblick auf drei Aspekte nachgezeichnet werden: auf Motivation und Ziel des Pilgers (Kapitel 6.1.), auf Praxis und Vollzug (Kapitel 6.2.), schließlich auf die ökonomische Bedeutung des Wallfahrtswesens (Kapitel 6.3.). Hierbei wird sich zeigen, daß der Kompilator häufig ein Idealbild der Wallfahrt entwirft, durch das jedoch an vielen Stellen die wohl geläufige Praxis hindurchscheint. Entsprechend den methodischen Vorüberlegungen sollen beide Formen jeweils kontrastiv als „populäre" und „gelehrte" Formen religiöser Vorstellungen charakterisiert werden.[2]

---

[1] Buch III und IV nehmen nur ansatzweise hierzu Stellung: Buch III in einem kurzen siebenzeiligen Kapitel zum Emblem der Pilger, der Jakobusmuschel (III, 4, fol. 162ʳ, WHITEHILL, S. 299, vgl. unten Kap. 6.2.); zu den Bemerkungen des PT vgl. oben, Kap. 5.2.1. Besonders das V. Buch ist in der Literatur – vor allem in Werken zur Pilgerfahrt (vgl. das Literaturverzeichnis) – als Steinbruch benutzt worden. Diese zahlreiche Literatur, die den Text nicht im Zusammenhang interpretiert, bleibt im folgenden weitgehend unberücksichtigt.

[2] Vgl. oben, Kap. 3, S. 50f. mit Anm. 8–11. Es empfiehlt sich hier nicht, die „populären" Vorstellungen weiter sozial bzw. ständisch zu differenzieren, die herangezogenen Quellenstellen erlauben keine weitere Aufschlüsselung. Es ist auch fraglich, ob sich dies durch Heranziehen umfangreicher weiterer Quellen in einer gesonderten Arbeit bewerkstelligen ließe. – Beabsichtigt ist mit den folgenden Bemerkungen keinesfalls ein Gesamtbild, das durch Zusammentragen der unterschiedlichsten Quellenbelege von E. R. LABANDE (Arbeitstitel: „Peregrini") vorbereitet wird.

6.1. Motivation und Ziel

Ursprünglich bedeutete das Wort *peregrinus* einfach „der Fremde", meinte denjenigen, der in der Fremde, weit von zu Hause entfernt, sein Heil suchte. Hierbei handelte es sich im allgemeinen um einen freiwilligen Aufbruch, und der erste Pilger in diesem Sinne, den die biblische Tradition verzeichnet, war Abraham.[3]

Die Heilssuche in der Fremde kann jedoch sehr unterschiedlich bestimmt sein und entsprechend lassen sich mehrere Wallfahrtstypen unterscheiden. Dies verdeutlicht u. a. das 17. Kapitel von Buch I des LSJ. Hier handelt ein Abschnitt über die Entwicklung der Pilgerschaft, jedoch wird Adam als erster Pilger dem Patriarchen Abraham vorgeschaltet. Adam mußte in die Fremde gehen, er verließ das Paradies auf göttlichen Befehl als Strafe für sein Vergehen.[4] Mit dem Typus Adams als ersten Pilgers wird gleichzeitig die Form der Straf- oder Bußwallfahrt vorgestellt: *Similiter peregrinus a proprio loco digressus in peregrinacione propter transgressiones suas a sacerdote suo quasi in exilio mittitur, et per gratiam Christi, si bene confessus fuerit et in penitencia sibi coniuncta propriam vitam finierit, salvatur.*[5] Strafwallfahrten, die zwar schon im Frühmittelalter praktiziert wurden, ihre eigentliche Verbreitung insbesondere in bezug auf Santiago de Compostela jedoch erst im Spätmittelalter seit dem 13. Jahrhundert erreichten, müssen demnach bereits zur Abfassungszeit des LSJ durchaus gebräuchlich oder zumindest bekannt gewesen sein.[6] Dieser Typus von Wallfahrt, den kirchliche

---

[3] Vgl. P. A. SIGAL, Les marcheurs de Dieu. Pèlerinages et pèlerins au Moyen Age, Paris (1974), S. 5. Dieses Buch bietet einen soliden, wenn auch gerafften Überblick über das Pilgerwesen, vornehmlich im Mittelalter. Vgl. ferner: B. KÖTTING, Peregrinatio religiosa. Wallfahrt und Pilgerwesen in Antike und alter Kirche, Münster 1950; R. ROUSSEL, Les pèlerinages a travers les siècles, Paris 1954; ders., Les pèlerinages, Paris 1955, ²1972 (= Que sais-je, 666); A. KENDALL, Medieval Pilgrims, London 1970; F. SUMPTION, Pilgrimage. An Image of Medieval Religion, London 1975; V. und E. TURNER, Image und Pilgrimage in Christian Culture, Anthropological Perspectives, New York 1978; knappe Einführung: R. NAZ, Pèlerinage (Dict. de droit canonique, 6/Paris 1957, Sp. 1313–1317). Zur Compostela-Wallfahrt unentbehrlich: L. VAZQUEZ DE PARGA/ J. M. LACARRA /J. URÍA RÍU, Las peregrinaciones a Santiago des Compostela, III Bde, Madrid 1948–49, Bd. I, S. 119–167. – Die in den weiteren Anmerkungen zitierte Spezialliteratur enthält vielfach auch allgemeine Bemerkungen zum Pilgerwesen des Mittelalters. – Es kann in dieser Arbeit nur auf den christlichen Entwicklungsstrang des Pilgerwesens eingegangen werden, gleichwohl berühren wir hier ein Feld, das weiterer allgemein vergleichender religionsgeschichtlicher Untersuchung bedürfte; vgl. zur Orientierung: M. SIMON (Hg.), Les pèlerinages. De l'antiquité biblique et classique à l'occident médiéval, Paris 1973 mit Beiträgen zur Wallfahrt im antiken Griechenland, zur Mekka-Wallfahrt und zur christlichen Tradition. Dort ebenfalls in der Einleitung ein Versuch soziologischer Begriffsbestimmung (F. RAPHAEL). Vgl. auch oben, Kap. 2.1., S. 14f.

[4] I, 17, fol. 81ᵛ, WHITEHILL S. 154: *Primus peregrinus Adam habetur, quia ob transgressionem precepti Dei a paradiso egressus in huius mundi exilio mittitur, et per Christi sanguinem et gratiam ipsius salvatur.*

[5] Ibid. Bemerkenswerterweise verzeichnet eine Randnotiz von späterer Hd. (14. Jh.?) zu dem oben, Anm. 4, wiedergegebenen Zitat: *Nota, quod primus peregrinus mulde* (sic!) *fuit Adam.*

[6] Vgl. zur Bußwallfahrt: L. Th. MAES, Les pèlerinages expiatoires et judiciaires des Pays Bas méridionaux à Saint Jacques de Compostelle (Boletín de la Universidad de Santiago, no. 51–52/ 1948, S. 13–22, auch in: Compostela 19/Mai 1951, S. 5–9); ders., Mittelalterliche Strafwallfahrten

Instanzen[7] zwangsweise als Bußstrafe verhängten, entsprang wohl weniger dem „populären" Frömmigkeitsempfinden als theologisch gelehrten Bußvorstellungen. Nicht zufällig wird wohl deshalb auch im LSJ die Rolle des Priesters betont, der die Buße auferlegt.

Wesentlich häufiger als diese fremdbestimmte Bußwallfahrt begegnet die, zwar ebenfalls grundsätzlich mit Bußgesinnung unternommene, ursprünglich jedoch freiwillige Devotionswallfahrt.[8] Sie offenbart die reinste Form der Pilgergesinnung und wird vom Kompilator des LSJ besonders hoch geschätzt. Devotionspilger folgten dem bekannten Ruf des Heiligen, für sie dürfte der Wunsch, dem Grab und Körper des Verehrten physisch nah zu sein, ein bedeutendes Motiv zum Antritt einer Wallfahrt dargestellt haben. Immer wieder heißt es im LSJ, der Ruf des Apostels und vor allem die Kunde der vom hl. Jakobus vollbrachten Wunder führten große Scharen von Pilgern an sein Grab nach Compostela.[9] Die im LSJ ebenfalls erkennbare „gelehrte" Version differenziert stärker und scheidet den Wunderglauben in zwei Kategorien. So

nach Santiago de Compostela und Unsere Liebe Frau von Finisterra (Festschrift G. Kisch, Stuttgart 1955, S. 99–118); L. Pfleger, Sühnewallfahrt und öffentliche Kirchenbuße im Elsaß im späten Mittelalter und in der Neuzeit (Archiv für Elsässische Kirchengeschichte 8/1933, S. 127–162); C. Vogel, Le pèlerinage pénitentiel (Pellegrinaggi e culto dei santi in Europa fino alla 1ª crociata, Convegni del Centro di Studi sulla Spiritualità medievale IV/1961, Todi 1963, S. 39–94; auch in: Revue des sciences religieuses 38/1964, S. 113–153). Der zuletzt zitierte Titel behandelt die Entwicklung der Bußwallfahrt im Zusammenhang mit der Kreuzzugsbewegung; von dem Erlaß bestimmter verhängter kirchlicher Bußstrafen bei Teilnahme an einem Kreuzzug war bereits oben gesprochen worden (Kap. 5.3.). – Konkrete Nachweise über einzelne Bußwallfahrer nach Santiago de Compostela gehören indessen erst in die Zeit ab ca. 1150, so ein erster Nachweis bei Pfleger, l.c., S. 134. Dort auch eine Auflistung der Vergehen, die häufig eine Strafwallfahrt nach sich zogen (passim). Eine solche Liste dürfte jedoch lokal und zeitlich recht unterschiedlich ausgesehen haben. Bußwallfahrten mit dem Ziel Rom sind wesentlich früher nachweisbar: R. A. Aronstam, Penitential Pilgrimages to Rome in the Early Middle Ages (Archivum historiae pontificiae 13/1975, S. 65–85).

[7] In den Niederlanden, wo der Typus Bußwallfahrt besonders verbreitet war, legten auch teils weltliche Instanzen Wallfahrten als Strafe auf: E. van Cauwenbergh, Les pèlerinages expiatoires et judiciaires dans le droit communal de la Belgique au moyen âge, Louvain 1922 (= Université de Louvain, recueil des travaux publiés par les membres des conférences d'histoire et de philologie, 48); J. van Herwaarden, Opgelegde Bedevaarten. Een studie over de praktijk van opleggen van bedevaarten (mit name in de stedelike rechtspraak) in de Nederlande gerunde de late middeleeuwen (ca. 1300–ca. 1550), Amsterdam 1978 mit interessanten Bemerkungen zur räumlichen und zeitlichen Verbreitung. Nicht zugänglich war mir: A. Viane, Vlamingen op Strafbedevaart naar Compostella (Biekorf, Westvlaams Archief voor Geschiedenis, Brügge 1974).

[8] Vgl. zur Scheidung in Devotions- und Bußwallfahrten: Sigal, wie Anm. 3, S. 5–25; F. Garrison, A propos des pèlerins et de leur condition juridique (Études d'histoire du droit canonique dediées à G. Le Bras, Bd. II, Paris 1965, S. 1165–1189), S. 1166 f. und A. Georges, Le pèlerinage à Compostelle en Belgique et le Nord de la France, suivi d'une étude sur l'iconographie de St-Jacques en Belgique, Brüssel 1971 (= Acad. royale de Belgique, classe des Beaux Arts, Mémoires, 2e serie, tome XIII), S. 15. Der von Georges beschriebene dritte Typus der „Delegationspilger", die stellvertretend für eine Gruppe reisen, gehört erst ins Spätmittelalter und ist eng mit der Entstehung von Jakobusbrüderschaften verknüpft.

[9] So z. B.: I, 17, fol. 78r, Whitehill, S. 148.

heißt es, Glaube, Gebet und Buße bewegten die Heiligen zur Fürsprache bei Gott und zum Wirken von Wundern. Die Bedeutung des Bestattungsortes läge jedoch darin, daß die Heiligen an ihrer Ruhestätte durch Wunder ihre Präsenz besonders häufig bezeugten; indessen sei der Glaube derjenigen höher zu bewerten, die auf die Fürsprache der Märtyrer vertrauten, auch ohne in der Nähe ihrer Leichname zu sein.[10]

Die in den LSJ aufgenommenen Mirakelgeschichten erläutern, daß der hl. Jakobus nicht nur Wunder an seinem Gnadenort, sondern ebenso woanders wirkte; durch Wunder beglückte Gläubige unternahmen oftmals Dankwallfahrten, entsprechend lassen sich Dankes- und Bittwallfahrten als die beiden häufigsten Formen der freiwilligen aus Devotion unternommenen Pilgerreisen unterscheiden.[11] Von Bittwallfahrten berichtet der LSJ im Zusammenhang mit fast allen Wundergeschichten, denen ein „Mangel" der Heilserfahrenden als Ausgangspunkt zugeschrieben werden konnte.[12] Hier manifestiert sich das Vertrauen auf die Wunderkraft des Heiligen an seiner Grabstätte; Dankwallfahrten trugen hingegen stärkeren Verehrungscharakter, oftmals basierten diese auf einem vom Pilger selbst getroffenen Gelübde.[13]

Die Motive für den Aufbruch zu einer Wallfahrt waren vielgestaltig, sicherlich kann häufig „außerreligiösen" Punkten wie Reiselust und Fernweh entscheidende Bedeutung

---

[10] I, 17, fol. 79ᵛ, WHITEHILL, S. 151: *Unde oritur questio, cur in locis quibus non iacet miracula facit, sicuti in Gallecia qua corporaliter iacet? Sed si discretionis sensus inspicitur, cicius videtur. Quia semper ubique presto est, sine ᵃ mora ad adiuvandum periclitantes ac tribulantes sibi clamantes tam in mari quam in terra. Sic enim de presencia sanctorum martirum legitur: Ubi in suis corporibus sancti martires iacent dubium non est, quod multa valent signa monstrare, sicut et faciunt, et pura mente querentibus vera ostendunt miracula. Sed quia ab infirmis mentibus potest dubitari, utrum ne ad exaudiendum ibi presentes sint, ubi constat, quia in suis corporibus non sunt, ibi eos necesse est maiora signa ostendere, ubi de eorum presencia potest mens infirma dubitare. Quorum vero mens in Deo fixa est, tanto magis habet fidei meritum, quanto ᵇ eos illic novit, et non iacere corpore, et tamen non deesse ab exaudicione.* a) *sine* interlinear von frd. (?) Hd. ergänzt b) ‚oᶜ' auf Rasur, von frd. (?) Hd. Vgl. J. M. LACARRA, Espiritualidad del culto y de la peregrinación antes de la primera cruzada (Pellegrinaggi, wie Anm. 6, S. 113–145), S. 124. In dieser Abhandlung, das wohl bisher Beste zur Spiritualität des Jakobuskultes in dieser Zeit, hat LACARRA auch einiges andere zur Unterscheidung der „populären" und „gelehrten" Jakobusverehrung – teils aus dem LSJ – zusammengetragen.

[11] E. R. LABANDE, Les pèlerinages chrétiens a travers les âges (Semaine religieuse du diocèse de Poitiers, Poitiers 1971, S. 101–105 und S. 118–123, ND = in: ders., Spiritualité et vie littéraire de l'Occident, Xᵉ–XIVᵉ siècle, London 1974, no. 11), S. 104 zur Einteilung in Buß-, Dank- und Bittwallfahrten.

[12] Angesprochen sind hier die Mirakel mit der Grundstruktur B, s. o., Kapitel 5.1, S. 121ff. mit Tabelle 3.

[13] So in Buch II, 9, fol. 147ʳ, WHITEHILL, S. 271: *quidam ... miles ..., si sibi apostolus Iacob(us) vim Turcos vincendi et destruendi in bello daret, ad eius limina ire vovit*; Buch II, 15, fol. 149ʳ, WHITEHILL, S. 275: *Beate, inquit, Iacobe, si ab imminenti periculo me liberare dignaberis, ad curiam tuam sine dilacione properabo et equum meum, nil enim preciosius habeo, tue presencie representabo,* und: Buch I, 17, fol. 78ʳ, WHITEHILL, S. 149: *... cuncte lingue tribus et naciones ad eum tendunt per catervas et phalanges, cum gratiarum actione vota sua Domino persolventes, premia laudum deferentes.* Im letzten Zitat kann allerdings *vota* ebensogut „Geschenke" (oder aber: „versprochene Geschenke") meinen, insbesondere bei Dankwallfahrten sind häufig Geschenke für die Pilgerkirche üblich, so auch im zitierten Mirakel 9.

beigemessen werden. Akute Nöte und Sorgen in der Heimat zählten auch hierzu, so berichtet eine Wundererzählung des LSJ über eine Familie, die wegen der wütenden Pest zu einer Jakobuswallfahrt aufbrach.[14] Der „religiöse" Hauptanstoß für den Aufschwung des Pilgerwesens darf jedoch in der Wundergläubigkeit des mittelalterlichen Menschen gesehen werden.[15] Die Wunder bewirkten im allgemeinen eine äußere Hilfe für Leib und Leben der Gläubigen, dies erwies die Behandlung der Mirakelgeschichten im LSJ.[16] An anderer Stelle wird jedoch deutlich, daß es dem Kompilator auf die innere Reinigung des Menschen ankommt, die Befreiung von Schuld und Sünde. Hier treffen „populäre" und „gelehrte" Anschauungen aufeinander, obwohl sowohl der Glaube an Wunder als auch an die Sündenvergebung ebenso wieder „populären" oder „gelehrten" Charakter annehmen kann. Eine solche doppelte Dimension ließ sich bereits bei der Analyse der Mirakelgeschichten feststellen; in jedem Kapitel wird am Schluß der Erzählung die Mittlerfunktion des hl. Jakobus betont, obgleich die Geschichten selbst fast ausnahmslos von der direkten, unmittelbaren Intervention des Heiligen berichten.[17] Eine ähnliche Zweiteilung legt ein Vergleich der Textstellen über die innere Reinigung der Pilger, d. h. die Anschauung über die Lösung von ihren Sünden, nahe. Bei der Beschreibung der Bußwallfahrt vermerkt der Kompilator theologisch exakt, Sündenbekenntnis bei einem Priester und Buße (in diesem Fall die vom Priester auferlegte Wallfahrt) seien Voraussetzung dafür, daß der Sünder gerettet werde.[18] An anderen Stellen scheinen „populäre" Auffassungen über den Sündennachlaß bei einer Wallfahrt durch den Text hindurch. So wird im 7. Kapitel des I. Buches nur die Reue und Buße des gläubigen Pilgers verlangt, um der göttlichen Erlösung gewiß zu sein, zudem vermerkt der Kompilator gebräuchliche Riten wie das Küssen der hl. Stätte bei Ankunft am Zielort.[19] In einer späteren Passage brandmarkt der Kompilator die

---

[14] II, 6, fol. 145ʳ, WHITEHILL, S. 268: *Anno incarnacionis dominice MᵒCᵒ .... pestis mortifera gentem Pictauo(rum) miserabiliter invasit, adeo quod pater familias cum tota gente sua quandoqueᵃ sepulture tradebatur. Tunc temporis heros quidam, huiusmodi clade perterritus, flagellum hocᵇ evitare desiderans, per Yspaniaru(m) partes ad sanctum Iacobu(m) ire proposuit.* a) Anfangs-„qʿ auf Rasur, von frd. Hd. b) „cʿ auf Rasur, von frd. Hd.

[15] Vgl. z. B. E. COHEN, In the name of God and of profit. The pilgrimage industry in Southern France in the late Middle Ages, Brown Univ. Phil. Diss., 1977, die S. 51f. erklärt, der Erfolg jedes Devotionsortes sei zwar individuell herzuleiten, in bezug auf die Propaganda mißt sie vor allem den angefertigten Mirakelsammlungen die größte Rolle zu (S. 81ff.). Vgl. auch die LSJ-Stelle, unten Anm. 19.

[16] Vgl. oben Kap. 5.1., S. 119f. mit Tabelle 2.

[17] Vgl. oben Kap. 5.1., S. 121 mit Anm. 95. Im I. Buch des LSJ wird mehrfach die Mittlerfunktion des Heiligen bei der Erwirkung von Wundern betont, vgl. z. B.: I, 17, fol. 78ʳ, WHITEHILL, S. 148: *Ad eius namque basilicam creberrime divina fiunt a Domino per eum miracula.*

[18] S. o. S. 165 mit Anm. 5, dort auch der Wortlaut der Stelle.

[19] I, 7, fol. 43ʳ, WHITEHILL, S. 84: *Et tot sunt fructus eius quot de longinquis cosmi climatibus usque ad Galleciam fessis corporibus nimiisque laboribus iter eius perficiunt, illius sacra basilice limina osculantes, ac ipsius beneficia postulantes. Fructus eius usque in ęternum permanebit, quoniam populorum diversa multitudo, que audita eius nominis cotidiana fama innumera illius miracula videt aut audit, ac amore ipsius, accepta delictorum penitencia, ad eius basilicam in Gallecia oracionum causa confluit, et puro corde et opere bono redemptori Deo convertit, cum eo in celestibus velut fructus odoriferus ęternaliter procul dubio permanebit.*

Vorstellung, der alleinige Besuch des Heiligtums reinige von Sünden, als gewaltigen Irrtum.[20] Kurz darauf heißt es, die Sünden könnten bei aufrichtiger Gesinnung und Buße durch die Wallfahrt zum Altar des hl. Jakobus und durch die Interzession des Heiligen bei Gott nachgelassen werden[21]; hier weist ein *creditur* darauf hin, daß es sich um eine geläufige Vorstellung handelt, ein Priester als Mittler für den Vergebungsakt wird nicht erwähnt.[22]

Das wichtigste Ziel, so faßt der Kompilator am Ende des bedeutenden Kapitel 17 von Buch I zusammen, liege darin, daß die Wallfahrt einen Weg der B u ß e darstelle, die durch die Hilfe des hl. Jakobus von allen Sünden reinige: *Tibi (Iacobe) Deus tamen prestitit donum, quod omnes populi barbari omnium climatum mundi, laudem Domini decantantes cum muneribus occurrunt, immo iter a Dacia et ab Ethiopia usque ad Galleciam vertitur in viam penitencie in salutem peccatorum per te.*[23] So symbolisiert der enge und mühsame Pilgerweg im Gegensatz zur breiten Straße des Verderbens den Weg zum Heil.[24] Gewiß zählen auch im Rahmen der Gesamtkompilation die vor allem

---

[20] I, 17, fol. 76ʳ, WHITEHILL, S. 144f.: *Alii vero aiunt, quod Dominus ei (Iacobo) apparens virgam quandam inter manus ipsius a scortice denudavit, promisitque ei ut velut virga illa a scortice mundaretur, sic oratores eius limina petentes a peccatis mundarentur. Quorum error ita concluditur. Si peccator ut virga mundatur, igitur non bene purificatur. Quia virga non interius, sed exterius potest purificari, cum peccatorem interius in corpore scilicet et anima oporteat mundari.*

[21] I, 17, fol. 79ʳ, WHITEHILL, S. 150: *Creditur vero quod qui digne et munde oracionis causa ad beati Iacobi altare venerandum in Gallecia ierit, si vere penitens fuerit, delictorum suorum absolucionem ab apostolo veniamque a Domino impetrabit. Quoniam illud donum illamque potestatem, quam ei Dominus ante passionem tribuit, post mortem ab eo non abstulit. Concessum est enim illi a Domino, ut quibus delicta remiserit, remittentur illis omnino. Ait enim illi ceterisque apostolis Dominus: Quorum remiseritis peccata, remittuntur eis. Constat ergo, quia quibus inclitus apostolus Iacob(us) delicta remiserit, remittuntur eis a Domino.* Ähnlich: ibid., fol. 93ʳ⁻ᵛ, WHITEHILL, S. 176.

[22] Vgl. E. R. LABANDE, Ad limina: le pèlerin médiéval au terme de sa démarche (Mélanges R. CROZET, Poitiers 1966, S. 283–291 = ND in: ders., Spiritualité, wie Anm. 11, no. XIV), S. 288. LABANDE betont, die private Beichte sei wohl bis 1200 wenig gebräuchlich gewesen. Theologisch gebildete Schreiber haben diese Form wohl dennoch gefordert, so auch in Kap. 2 von Buch I (fol. 9ᵛ, WHITEHILL, S. 18), wo vor dem Jakobusfest die private Beichte gefordert wird: *per cordis compunctionem et oris confessionem peccata plorare debemus.* Vgl. auch LACARRA, wie Anm. 10, S. 123f.

[23] I, 17, fol. 93ʳ⁻ᵛ, WHITEHILL, S. 176. Die Mittlerfunktion des hl. Jakobus zu Gott wird im gesamten vorhergehenden Absatz mehrfach betont.

[24] I, 17, fol. 80ʳ, WHITEHILL, S. 152: *Igitur via peregrinalis res est obtima, sed angusta. Angusta enim est via quę ducit hominem ad vitam, lata et spaciosa quę ducit ad mortem. Peregrinalis via rectis est, defectio viciorum, mortificatio corporum, relevacio virtutum, remissio peccatorum penitencia penitentum, iter ᵃ iustorum, dilectio sanctorum, fides resurrectionis et remuneracionis beatorum elongacio infernorum, propiciatio celorum. Cibaria pinguia extenuat, ventris ingluviem cohibet, libidinem domat, carnalia desideria, quę militant adversus animam, comprimit, spiritum purificat, hominem ad contemplacionem provocat, sublimes humiliat, humiles beatificat, paupertatem diligit, censum quem observat avaricia odit, sed quem dispergit egenis largitas diligit, abstinentes et bene operantes remunerat, peccantes et avaros in se non liberat. a) iter auf Rasur, von frd. Hd., davor 1 Spatium frei, ebenfalls Rasur.*

das Volk ansprechenden Wunderbeweise, jedoch bedeuten die inneren Werte Buße und Nachlaß der Sünden dem Kompilator weitaus mehr.[25]

6.2. Praxis und Vollzug

Auch die folgenden Bemerkungen zur Praxis der Pilgerfahrt stehen unter dem Vorzeichen, daß der Kompilator deren Art und Weise in bestimmte Bahnen lenken wollte; trotzdem läßt sich einiges über den allgemein üblichen Vollzug der Jakobusdevotion indirekt erschließen.[26] Nachdem zuvor die mögliche Motivation und das Ziel einer Wallfahrt erläutert wurden, seien nunmehr die einzelnen Abschnitte einer Pilgerfahrt anhand der Bemerkungen des LSJ rekonstruiert.[27]

Vor der Reise oblag es dem Pilger, seine persönlichen Angelegenheiten zu ordnen. Vor allem galt es, Vorsorge für sein seelisches Heil zu treffen, da der Tod als ständige Gefahr während einer Pilgerreise lauerte. So fordert der Kompilator, der zur Wallfahrt entschlossene Pilger solle von Frau, Priester oder sonstigen Personen, mit denen er rechtlich verbunden sei, eine Reiseerlaubnis einholen, unrechtmäßig Erworbenes zurückerstatten, in seinem Rechtsbereich Frieden schaffen und die Buße anderer annehmen, sein Haus in Ordnung bringen und schließlich die zum Almosen bestimmten Gaben als Todfallgabe gemäß dem Rat von Verwandten oder Priestern bezeichnen.[28] Die Ordnung der eigenen Angelegenheiten vor der Reise beanspruchte

---

[25] V, 9, VIELLIARD, S. 118.: *Que etiam ecclesia a tempore quo fuit incepta usque in hodiernum diem, fulgore miraculorum beati Jacobi vernatur, egis enim in ea salus prestatur, cecis visus refunditur, mutorum lingua solvitur, surdis auditus panditur, claudis sana ambulacio datur, demoniacis liberacio conceditur, et quod majus est populorum fidelium preces exaudiuntur, vota suscipiuntur, delictorum vincula resolvuntur, pulsantibus celum aperitur, mestis consolacio datur, omnesque barbare gentes omnium mundi climatum catervatim ibi occurrunt, munera laudis Domino deferentes* (Hervorhebungen von mir).

[26] In diesem Abschnitt bleiben die ökonomischen Implikationen der Pilgerfahrt grundsätzlich unberücksichtigt, da hierzu ein eigenes Kapitel (6.3.) vorgesehen ist.

[27] An Vorarbeiten sind hier vor allem die Arbeiten von E. R. LABANDE zu nennen. Vgl. neben den in Anm. 11 und 22 zitieren Abhandlungen: E. R. LABANDE, Las condiciones de vida del Peregrino a Santiago según el „Codex Calixtinus" (Boletín de la Asociación Europea de Profesores de Español 8/1976, no. 15, S. 45–53); ders., Eléments d'une enquête sur les conditions de déplacement du pèlerin aux Xe–XIe siècles (Pellegrinaggi, wie Anm. 6, S. 95–112, ND in: ders., Spiritualité, wie Anm. 11, no. XIII); ders., Recherches sur les pèlerins dans l'Europe des XIe et XIIe siècles (CCM 1/1958, S. 159–169 und S. 339–347, ND in: ders., Spiritualité, wie Anm. 11, no. XII).

[28] I, 17, fol. 83^r, WHITEHILL, S. 157: *Legitime vero ad beati Iacobi limina tendit ^{a} qui antequam ^{b} iter incipiat his qui iniuriam ei fecerunt dimittit, qui de omnibus preoccupacionibus de quibus aut ab aliis aut a propria conscientia acusatur, si fieri fas est placationem facit, qui a pastoribus suis aut a subiectis aut a coniuge aut a quibuscumque ligatur legitimam licenciam accipit, qui reddit si potest quod de iniusto habuit ^{c}, qui dissensiones sue potestatis in tranquillitate convertit, qui penitenciam de omnibus accipit, qui domum suam bene disponit, qui res suas dandas propinquorum sacerdotumque suorum consilio, ceu ad leti debitum elemosinis preordinat. . . .* a) ,it' von frd. Hd. auf Rasur. b) ,a' von frd. Hd. auf Rasur, danach ein Spatium frei, Rasur. c) ,u' von frd. Hd. auf Rasur. – Ergänzungen hierzu aus anderen Quellen bei GARRIGOS, wie Anm. 8, S. 1181–1185.

sicherlich eine geraume Zeit; angesichts der Gefahren des Weges, die im schlimmsten Fall den Tod nach sich zogen, dürften die Ratschläge des LSJ weitgehend befolgt worden sein. Aus anderen Quellen ist bekannt, daß viele Pilger vor dem Aufbruch ein Testament anfertigen ließen.[29] Die innere Vorbereitung und „Reinigung" bedeutete für den Kompilator das eigentliche Ziel der empfohlenen Akte. Dementsprechend solle der Pilger nach apostolischem Vorbild in völliger Armut seinen Weg antreten. Geld dürfe er allenfalls mitnehmen, um es unter die Armen auszuteilen.[30] Hier zeigt sich erneut der reformerische Eifer des Kompilators, auch für die Wallfahrer gilt das Vorbild der Apostel und der Urkirche, so wie die ersten Christen eines Geistes waren und alles miteinander teilten, so sollen auch die Pilger alles gemeinsam besitzen und Eintracht zeigen.[31] Wer mit Geld auf der Reise sterbe, dürfe nicht auf die himmlischen Freuden der wahren Pilger hoffen.[32] Das Wortpaar *pauper* und *peregrinus* taucht ebenfalls in zahlreichen anderen Texten aus der Zeit der „Kirchenreform" auf, so zeigt auch das Siegel der Templer einen Ritter, der einem *pauper et peregrinus* hilft.[33] Trotzdem blieb dieser Entwurf des „armen Pilgers" sicher weitgehend Programm, zu groß waren die Risiken, eine solch weite Reise mittellos anzutreten; so bemerkt auch der Pilgerführer – weitaus näher an der Praxis –, Orte und Etappen des Weges würden aufgeführt, um dem Pilger eine Kalkulation der voraussichtlichen Ausgaben zu erleichtern.[34]

Ebenfalls vor der Reise, spätestens beim Aufbruch, hatte der Pilger für eine sinnvolle Ausstattung zu sorgen. Recht wenig erwähnt der LSJ hierzu, lediglich die Hinweise auf das Gewerbe an den Pilgerstraßen und in Compostela[35] lassen darauf schließen, daß eben doch Geld mitgenommen wurde, nicht nur um Essen und Nächtigung zahlen zu können, sondern auch um Schuhe, Gürtel und Beutel zu ersetzen. Mit Sicherheit, soviel verrät der LSJ, gehörten Stab und Tasche zur Pilgerausstattung, denen auch eine symbolische Bedeutung zukommt, beides segnete in der Regel ein Priester vor dem

---

[29] Vgl. E. VALIÑA SAMPEDRO, El camino de Santiago. Estudio Histórico-Juridico, Madrid 1971 (= Monografías de historia eclesiastica, V), S. 58–66, bes. S. 61. Teils gab es Einrichtungen auf dem Weg, die darauf spezialisiert waren, ggfs. nachträglich ein solches Testament anzufertigen (S. 61f.).

[30] I, 17, fol. 82ʳ, WHITEHILL, S. 155: *Et apostoli inde peregrini fuere, quos sine peccunia et calciamento ª Dominus misit. Quapropter peccunia nullo modo peregrinantibus deferre conceditur, nisi cum egenis eandem peccuniam expendant.* a) Abschluß-„oʻRasur, wohl aus vorherigem „-aʻ (?). Dieser Gedanke wird im folgenden Absatz mehrfach wiederholt (auch vorher: ibid., fol. 80ʳ, WHITEHILL, S. 152). Diejenigen, die diesen Rat nicht befolgten, so der Autor, verdienten den Namen *peregrinus* nicht, sondern seien *fures et latrones Dei* (ibid., fol. 82ʳ, WHITEHILL, S. 156).

[31] I, 17, fol. 82ʳ⁻ᵛ, WHITEHILL S. 156: *Sicut multitudini credencium olim erat cor unum et anima una, et nemo dicebat proprium, sed erant illis omnia communia, sic cunctis peregrinantibus debent esse omnia communia, cor unum et anima una.*

[32] I, 17, fol. 83ʳ, WHITEHILL, S. 157: *Peregrinus qui cum peccunia in itinere sanctorum moritur, a regno verorum peregrinantium profecto alienatur.*

[33] Vgl. LABANDE, Recherches, wie Anm. 27, S. 169 und ders., wie Anm. 11, S. 119. Auf den Bezug des LSJ zu den Ritterorden war bereits oben (Kap. 5.3., S. 154ff.) hingewiesen worden.

[34] V, 3, VIELLIARD, S. 8: *Idcirco has villas et praefatas dietas perscriptione* (sic!) *restrinxi ut peregrini ad Sanctum Jacobum profiscentes expensas itineri suo necessarias sibi, hec audientes, premeditari studeant.*

[35] Vgl. hierzu die Bemerkungen in Kap. 6.3., unten S. 187ff.

Aufbruch der Pilger.[36] Die Tasche diente u. a. dazu, einen bescheidenen Vorrat mit sich zu führen.[37] Entsprechend dem Ziel der Pilgerfahrt, Buße zu leisten, darf auch die Büßerkleidung beim Pilger vermutet werden.[38] Ein Pferd, Esel oder Maultier scheint nur im Ausnahmefall zur Marschausstattung gehört zu haben, im zweiten Kapitel des Pilgerführes wird zu zwei der dreizehn Etappen vermerkt, sie seien mit dem Pferd zurückzulegen; dies läßt darauf schließen, daß man grundsätzlich zu Fuß pilgerte und für diese Etappen wohl ein Pferd auslieh.[39]

Hiermit ist bereits der Pilger auf seinem Weg ins Blickfeld gerückt. Zwar ist das gesamte Buch V des LSJ fast ausschließlich den „Pilgerstraßen" nach Compostela gewidmet, recht wenig erfahren wir jedoch über den einzelnen Pilger auf seinem Weg.

---

[36] I, 17, fol. 80ʳ⁻ᵛ, WHITEHILL, S. 152: *Non ᵃ absque re ad sanctorum limina tendentes, baculum et peram benedictam in ęcclesia accipiunt. Cum enim penitencie causa illos ad sanctorum presidia mitimus ᵇ peram benedictam illis more ecclesiastico damus dicentes: In nomine Domini nostri Ih(es)u Christi, accipe hanc peram habitum peregrinacionis tue, ut bene castigatus et emendatus pervenire merearis ad limina sancti Iacobi quo pergere cupis, et peracto itinere tuo ad nos incolumis cum gaudio revertaris, ipso prestante qui vivit et regnat Deus in secula seculorum. Amen. Item cum baculum ei damus, sic dicimus: Accipe hunc baculum sustentacionem itineris ac laboris ad viam peregrinacionis tuę, ut devincere valeas omnes catervas inimici, et pervenire securus ad limina sancti Iacobi, et peracto cursu tuo ad nos revertaris cum gaudio, ipso annuente qui vivit et regnat Deus per omnia secula seculorum. Amen.* a) nach *Non* ein Buchstabe durch Rasur gelöscht; b) nach dem ersten ‚i‘ ein zweites ‚t‘ (?) durch Rasur gelöscht. – Ob im Text *penitencie causa* ausschließlich auf eine Bußwallfahrt bezogen ist, bleibt unklar, grundsätzlich kann auch die für jede Wallfahrt geforderte Bußgesinnung gemeint sein. Vgl. zu den Segensformeln, die erstmals im Missale von Vich (1038) für Rompilger auftauchen: VALIÑA SAMPEDRO, wie Anm. 29, S. 28–30, L. VAZQUEZ DE PARGA u. a., wie Anm. 3, Bd. III, S. 147 und GARRISON, wie Anm. 8, S. 1170–1176. Laut GARRISON ist hier ein Pilgersegen angesprochen, der für die jeweils weihenden Priester auch eine beträchtliche Einnahmequelle bedeutete (S. 1172). Laut A. FRANZ, Die kirchlichen Benediktionen im Mittelalter, 2 Bde, Freiburg 1909, ND 1960, Bd. II, S. 271ff. und G. SCHREIBER, Strukturwandel der Wallfahrt (Wallfahrt und Volkstum in Geschichte und Leben, Düsseldorf 1934, S. 1–183), S. 2–7 verdankten diese erstmals im 11. Jh. auftauchenden Benediktionen ihre Verbreitung vor allem den Kreuzzügen. GARRISON versucht demgegenüber, deren Ursprung in der Karolingerzeit durch Auswertung von Kapitularien u. a. Quellen wahrscheinlich zu machen. – Die Annahme des Stabes und der Tasche aus priesterlicher Hand kann auch als Wallfahrtsgelübde gelten (so II, 9, fol. 147ʳ, WHITEHILL, S. 272).

[37] I, 17, fol. 80ᵛ, WHITEHILL, S. 152: *Quod pera angustulus saculus sit, significat quia parvam et modicam expensam peregrinus in Domino confisus debet secum deferre.*

[38] Dies belegt die Ikonographie. Der Pilgermantel (*capa*) wird im LSJ einmal en passant erwähnt (s. unten, Anm. 88).

[39] V, 2, VIELLIARD, S. 4. Die Reise zu Fuß war wohl generell üblich, gelegentlich dürfte eine Gruppe für die Lasten ein Maultier mitgenommen haben, vgl. LABANDE wie Anm. 11, S. 118f. und ders., Eléments, wie Anm. 27, S. 103f. Die Mirakel, obwohl sie vielfach über Wallfahrten von Rittern berichten, verzeichnen lediglich viermal „expressis verbis" eine Wallfahrt per Pferd (Mirakel 4, 6, 15, 16), einmal wird ein Esel erwähnt (Mirakel 17) und ein weiteres Mal ein Pferd zum Transport eines Kranken (Mirakel 21). Auch die Bemerkungen über geeignetes Trinkwasser für Mensch und Tier im Pilgerführer (V, 6, VIELLIARD, S. 16) sagen grundsätzlich nichts über die allgemein übliche Form zu pilgern aus.

Ob er allein oder in der Gruppe reiste, läßt der LSJ nicht klar erkennen.[40] Unterwegs galt es, die zum Marsch verfügbare Zeit bestens zu nutzen, für die ca. 600 km Wegstrecke in Spanien verzeichnet der Pilgerführer dreizehn Etappen[41], entsprechend heißt es in einem Mirakelbericht beiläufig, mit dem ersten Hahnenschrei pflegten die zu Fuß reisenden Pilger aufzubrechen.[42]

Die im Pilgerführer genannten Etappen verweisen allerdings auf ein generelles Problem dieses Buches. Der Nachweis vieler Hospize auch außerhalb der Etappenorte legt nahe, daß die Pilger in der Praxis wohl langsamer gereist sind.[43] Auch zur Wahl des jeweiligen Weges durch den Pilger vermerkt der Pilgerführer nichts, er scheint hier eher vorzuschreiben als zu beschreiben. Im 1. Kapitel des V. Buches werden vier Wege nach Compostela mit den Ausgangspunkten St-Gilles (*via Egidiana* oder *Tolosana*), Le Puy (*via Podiensis*), Vézelay (*via Lemovicensis*) und Tours (*via Turonensis*) genannt, die sich in Puente la Reina zu einem Weg vereinen.[44] Das Thema der Pilgerstraßen erfreut sich im Rahmen der Forschungen zur Jakobuswallfahrt großer Beliebtheit, neben allgemeinen Überblicken entstanden vor allem lokalhistorische Arbeiten zum Verlauf der Wege, zu neu bekannt gewordenen Hospizen usw.[45] Über die empirische Detailarbeit hinausgehend sah man die Bedeutung der Pilgerstraßen hauptsächlich in zwei Punkten.

---

[40] In den Wundergeschichten werden beide Formen gleichermaßen erwähnt, allerdings ist zu bedenken, daß in den Mirakeln oftmals sicher nur der „Wunderbeglückte" allein im Zentrum der Darstellung stand, ohne daß ein Wort über eventuelle Begleiter verloren wurde. LABANDE, wie Anm. 11, S. 109 und ders., Eléments, wie Anm. 27, S. 107f. betont, in der Regel sei der mittelalterliche Pilger wegen der allzu großen Gefahren in der Gruppe gereist.

[41] V, 2, VIELLIARD, S. 4: *De dietis ytineris Sancti Jacobi.*

[42] II, 16, fol. 149ᵛ, WHITEHILL, S. 276: . . . *primo gallorum cantu cum peregrini pedites proficisci solent* . . . Diese Stelle weist ebenfalls auf die jeweils unterschiedliche Ausstattung eines Pilgers mit oder ohne Pferd (s.o., S. 172) hin.

[43] Es genügt, hier auf den 2. Bd. des Werkes von VAZQUEZ DE PARGA u. a., wie Anm. 3, hinzuweisen, ohne auf die zahlreichen neueren Detailstudien zu einzelnen Abschnitten des Pilgerweges einzugehen. Y. BOTTINEAU, Les chemins de St-Jacques, Paris 1964, schreibt der Etappeneinteilung im Pilgerführer propagandistische Absichten zu, sie sollte die Reise kürzer als in Wirklichkeit erscheinen lassen (S. 131).

[44] V, 1, VIELLIARD, S. 2, vgl. die Karte im Anhang.

[45] Es ist hier nicht möglich, alle diese Arbeiten zu besprechen, verwiesen sei auf das Literaturverzeichnis. Als Überblickswerke empfehlen sich neben dem Standardwerk von VAZ-QUEZ DE PARGA u. a., wie Anm. 3: BOTTINEAU, wie Anm. 43; E. MULLINS, The pilgrimage to Santiago, London 1974; R. OURSEL, Les pèlerins du Moyen Age, les hommes, les chemins, les sanctuaires, Paris 1963; J. SALVADOR Y CONDE, El Libro de la peregrinación a Santiago de Compostela, Madrid 1971; J. SECRET, St-Jacques et les chemins de Compostelle, Paris 1955. Vor allem die „Société des Amis de St-Jacques" (Paris) mit ihrem Präsidenten R. DE LA COSTE-MESSELIÈRE macht sich nach wie vor mit zahlreicher Detailarbeit verdient. Aus diesem Kreis ist auch jüngst ein Buch hervorgegangen (P. BARRETT /J. N. GURGAND, Priez pour nous à Compostelle, Paris 1978), das Reisebericht und Historie geschickt verbindet. In Frankreich sind die Wallfahrten nach Compostela ein sehr stark popularisiertes historisches Thema; diese Verbreitungsformen verdienten eine eigene Untersuchung. – Vgl. neben der Karte im Anhang zu den Pilgerstraßen die Kartenbeigaben bei VAZQUEZ DE PARGA, wie Anm. 3, bes. Bd. II, und bei E. LAMBERT, Etudes médiévales, Bd. IV, Paris, 1957, Abb. 2.

Der Philologe BÉDIER erkannte in den Pilgerstraßen vornehmlich Kommunikationsachsen und Verbreitungskanäle für die „Chansons de Geste".[46] Auf der anderen Seite erregten die Pilgerstraßen kunsthistorisches Interesse, vor allem seit man entdeckte, daß viele romanische Kathedralen und Kirchen am Pilgerweg einen ähnlichen Typus repräsentierten und darüberhinaus in ikonographischer Hinsicht vielfach Themen der Karls- oder Jakobuslegende aufwiesen. Als erster hat der Kunsthistoriker E. MÂLE auf diesen Sachverhalt hingewiesen.[47]

Diese beiden kulturhistorischen Sichtweisen, sowohl die philologisch als auch die kunsthistorisch bestimmte, unterlagen bislang direkt oder indirekt fast allen Arbeiten, die über die Pilgerstraßen handelten. Wirtschaftshistoriker bestritten demgegenüber meist dieses Konzept und gingen grundsätzlich von der ökonomischen Funktion der Straßen aus. Pilgerstraßen habe es nicht gegeben, sondern Pilger folgten den vorhandenen wirtschaftlich genutzten Straßen. Dies gelte nicht nur für die dem Fernhandel dienenden Straßen, sondern in ländlichen Gegenden sogar teils für die Viehwege, welche die Pilger benutzten.[48] Bei beiden Interpretationen wird jedoch zu leicht vergessen, daß auch Wallfahrten selbst bedeutende ökonomische Faktoren darstellten.[49] Der Pilgerführer, der, wie bereits erwähnt, nur teilweise beschreibend ist, dürfte auch mit seinen programmatischen Passagen nicht nur auf die spirituelle, sondern auch auf die ökonomische Landschaft Einfluß genommen haben.

Dieses Buch des LSJ unterscheidet in seinen Hinweisen für den Santiagopilger merklich in der Beschreibung Spaniens und Frankreichs. Die Kapitel 2–7 des Pilgerführers[50] erläutern Etappen, Städte, Landschaften und Bewohner, Stellen mit trinkbarem Wasser u. a. mehr, das Buch bietet hier nützliche Ratschläge, die im Grunde für jeden Reisenden, nicht nur für Pilger gelten. Alle diese Kapitel handeln jedoch

---

[46] J. BÉDIER, Les légendes épiques, Bd. 3, Paris ³1929, ND 1966, S. 101–105, vgl. oben Kap. 2.4. und 5.2.

[47] E. MÂLE, L'art réligieux du XIIᵉ siècle en France, Paris 1922, ⁵1947, S. 281–314 und ders., St-Jacques le Majeur (Bulletin trimestriel du Centre international d'Etudes romanes, H. 1/2/1957, S. 4–26), bes. S. 18ff.

[48] Siehe z. B. J. HUBERT, Les routes du moyen âge (Les routes de France depuis les origines à nos jours, Paris 1949, S. 25–56), S. 44–49, der beide zuvor genannten Thesen als unhaltbar nachweist. Ferner: R. OURSEL, Chemins de transhumance, chemins de pèlerinage (Archeologia 14/1967, S. 71–77), bes. S. 76.

[49] Auf diesen Aspekt hat COHEN, wie Anm. 15, in ihrem ausgezeichneten Abschnitt über Straßen (S. 91–113) aufmerksam gemacht und dabei auch teilweise den Pilgerführer des LSJ in dieser Hinsicht analysiert (S. 96ff.), vgl. auch unten, Kap. 6.3. Auf eine weitere Funktion der Pilgerstraßen hat Y. DOSSAT, De singuliers pèlerins sur le chemin de St-Jacques en 1272 (Annales du Midi 82/1970, S. 209–220) hingewiesen: Die von Inquisitoren häufig auferlegten Bußwallfahrten (S. 210–213) führten dazu, daß verschiedene „Häretiker" Kontakt untereinander aufnahmen oder pflegen konnten (S. 220). – Die Bemerkung der Hist. Comp. zu 1121 (II,50, ES XX, S. 350), die Pilgerstraßen seien verstopft gewesen (*tanta est euntium ad eum et redeuntium multitudo, ut vix pateat nobis liber callis ad occidentem*), ist wohl weitgehend als Propaganda für das eigene Kultzentrum zu interpretieren.

[50] VIELLIARD, S. 4–32, Kapitel 1 zählt nur die unterschiedlichen Wege nach Compostela auf (s.o. Anm. 44).

vornehmlich von Spanien[51], das außergewöhnliche lange Kapitel 8[52] bespricht hingegen fast ausschließlich Kultzentren an den vor allem Südwestfrankreich durchlaufenden vier Pilgerwegen.[53] Hier geht es nicht um Reisetips, sondern um das empfohlene „spirituelle" Pflichtprogramm für den Pilger, das in seiner Konsequenz sicherlich auf die Praxis der Heiligenverehrung in Frankreich einwirkte. Es förderte nämlich durch die Auswahl bzw. das Fortlassen bestimmter Orte nur einige, dem Kompilator besonders angelegene Zentren. So fehlen z. B. in diesem Katalog alle Marienheiligtümer, die Gräber der wichtigsten Blutzeugen des christlichen Glaubens, der Märtyrer, sind hingegen, soweit in Frankreich gelegen, fast ausnahmslos erwähnt. Außerdem werden die einzelnen Wege recht unterschiedlich berücksichtigt. Vor allem die Straße von St-Gilles und diejenige von Tours stehen im Zentrum des Interesses; der Weg von Vézelay und besonders der von Le Puy werden hingegen recht knapp behandelt.[54] Auch die Art und Weise, wie die einzelnen Kultstätten vorgestellt werden, läßt unterschiedliche Gewichtung erkennen. Vier hl. Leichname, so der Autor, seien nie aus ihren Sarkophagen entfernt worden, der des hl. Jakobus, der des hl. Martin von Tours, der des hl. Leonard von Limoges und schließlich derjenige des hl. Ägidius (St-Gilles).[55] Die drei in Frankreich gelegenen Grabstätten dieser Heiligen werden entsprechend ausführlich beschrieben, die vom jeweiligen Heiligen gewirkten Wunder skizziert und gepriesen[56],

[51] Eine Ausnahme bildet hier Kapitel 7, das auch kurz zu den Landschaften und Bewohnern an der *via Tolosana* und der *via Turonensis* Stellung nimmt (VIELLIARD, S. 16ff.); diese beiden Wege in Frankreich waren dem Autor bzw. Kompilator sicher besonders vertraut. R. DE LA COSTE-MESSELIÈRE, Importance réelle des routes dites de Saint-Jacques dans les pays du sud de la France et en Espagne du Nord (Bulletin philologique et historique du Comité des Travaux historiques et scientifiques, Paris 1969, ersch. 1972, S. 452–470) vertritt die These, die im Pilgerführer beschriebene *via Turonensis* stelle die Umkehrung des seit dem Frühmittelalter bestehenden Weges von Spanien nach St-Martin de Tours dar (S. 466f.).

[52] VIELLIARD, S. 34–82. Dieses Kapitel nimmt etwa die Hälfte des gesamten Buches ein (wohl auch wegen der inserierten Eutropius-Passion, s. u. Anm. 54); Kapitel 9 beschreibt Compostela, Kapitel 10 die Einnahmen der Kanoniker daselbst, das letzte Kapitel (11) empfiehlt, Pilger angemessen zu empfangen.

[53] Lediglich in den letzten Zeilen werden außergewöhnlich kurz drei spanische Kultstätten erwähnt (VIELLIARD, S. 80–82). Vgl. auch zur unterschiedlichen Darstellung Frankreichs und Spaniens im Pilgerführer: E. LAMBERT, Le livre de St-Jacques et les routes du pèlerinage de Compostelle (Revue géographique des Pyrénées et du Sud-Ouest 14/1943, S. 5–33, ND in: ders., Etudes médiévales, 4 Bde, Paris 1956–57, Bd. 1, S. 145–159), S. 19–33.

[54] Hier die Seitenangaben nach der Ed. von VIELLIARD: Weg von St-Gilles: S. 34–48, Weg von Le Puy: S. 48–50, Weg von Vézelay: S. 50–58, Weg von Tours: S. 58–80. Der letzte Teil ist deshalb so umfangreich, weil hier die Passion des hl. Eutropius (S. 66–78) (wohl später als die Urfassung von Buch V) inseriert ist. Vgl. hierzu oben Kap. 2.4., Anm. 176.

[55] V, 8, VIELLIARD, S. 46: *Quatuor sunt sanctorum corpora que ab aliquo propriis sarcofagis nullo modo moveri, posse referuntur, ut a multis probatur: beati scilicet Jacobi Zebedei et beati Martini Turonensis et sancti Leonardi Lemovicensis, et beati Egidii, Christi confessoris.* Dies wird in diesem Zusammenhang mit der Beschreibung von St-Gilles bemerkt.

[56] So die Mirakel des hl. Ägidius, VIELLIARD, S. 39, die des hl. Leonard, ibid. S. 54, die des hl. Martin, ibid. S. 60. Zum hl. Eutropius werden innerhalb der Passio ebenfalls dessen Wunder erwähnt (ibid. S. 76), er wird jedoch nicht zuvor in der Aufstellung der vier heiligsten Leichname (vgl. Anm. 55) genannt, ein weiteres Indiz für die Zufügung dieses Teils.

schließlich eventuelle Ansprüche anderer Kirchen auf den Besitz des hl. Leichnams energisch zurückgewiesen.[57] Ähnlich wie die Jakobuswallfahrt durch Berichte und die Verbreitung von Wundern ihren Ruf erhielt und so auch im LSJ propagiert wird, hebt der Autor des Pilgerführers diese Zentren vornehmlich durch den Bericht der gewirkten Wunder hervor.

Das Devotionsprogramm, zumindest für Frankreich, trägt demnach recht stark den Stempel des Autors bzw. des Kompilators; die positive Einstellung zu diesen Kultstätten darf als gesichert gelten. Aufschwung oder Niedergang bestimmter Schreine konnte so beeinflußt werden; welche Früchte der Pilgerführer in der Praxis getragen hat, ist nicht abzusehen, weil wir für das 12., ja auch noch für das 13. Jahrhundert keine quantitativen Aussagen zur Wahl der Pilgerwege machen können.[58] Es ist jedoch anzunehmen, daß der Bericht über die Wunder dieser Heiligen vor allem Gläubige betraf, die auszogen, um z. B. von einer Krankheit befreit zu werden, die der betreffende Heilige bereits einmal geheilt hatte. Aus anderen Quellen als dem LSJ ist bekannt, daß es Pilger gab − darunter auch solche mit dem Endziel Santiago de Compostela −, die bis zum gewünschten Wunder von Gnadenort zu Gnadenort reisten.[59] Für diese bot das V. Buch des LSJ ein nützliches Kompendium, die erfolgversprechendste Route zusammenzustellen.[60]

Der Autor griff jedoch nicht nur in diesem Kapitel die „populäre" Dimension der Heiligen und ihrer Grabstätten, nämlich die Wunder, auf, sondern bezog auch ansonsten Formen materialisierter Religion wie symbolische und rituelle Akte in seine Darstellung des Weges bzw. in sein empfohlenes Programm mit ein. So pflegen die Pilger − berichtet der Pilgerführer − auf der Höhe der Pyrenäen, in Roncesvalles an der *Crux Karoli* entsprechend dem Vorbild Karls des Großen auf Knien, mit Blick nach Galizien, ein Gebet an Gott und den hl. Jakobus zu richten und ein kleines Kreuz aufzustellen.[61] In Triacastela, dort wo Galizien begann, empfingen die Pilger einen Stein, den sie bis „Castaniolla" transportieren mußten, dort wurde dann aus diesem Stein Kalk für den Bau der Kathedrale erzeugt.[62] Kurz vor Compostela pflegten sich die Pilger aus Frankreich aus Verehrung für den Apostel äußerlich vollständig durch ein Flußbad zu reinigen, möglicherweise eine Parallele zum Jordan-Bad der Jerusalempil-

---

[57] So beim hl. Ägidius, VIELLIARD, S. 46 und dem hl. Leonard, ibid. S. 52; ähnlich später zum hl. Jakobus, Kap. 9, VIELLIARD, S. 108.

[58] COHEN, wie Anm. 15, hat allerdings in ihrem Abschnitt über Straßen (S. 91–113) einige lesenswerte Hinweise und Vermutungen über die benutzten Pilgerstraßen in Frankreich gegeben.

[59] Vgl. ibid.

[60] Hiermit ist selbstverständlich auch die aufgrund der Niederschrift des LSJ verstärkt möglich werdende mündliche Weiterverbreitung des „Rufes" dieser Zentren miteingeschlossen.

[61] V, 7, VIELLIARD, S. 24: *Quapropter peregrini, genua sua ibi curvantes versus Sancti Jacobi patriam, ex more orant et singula vexilla dominice crucis infigunt.*

[62] V, 3, VIELLIARD, S. 8: ... *Triacastella, in pede scilicet ejusdem montis, in Gallecia, ubi pergrini accipiunt petram et secum deferunt usque ad Castinaiollam ad faciendam calcem ad hopus basilice apostolice.* Laut der Anmerkung von VIELLIARD dürfte Castañeda gemeint sein. Dort befanden sich Kalköfen, der gewonnene Kalk wurde von dort in kleinen Wagen nach Compostela weiter transportiert. Man sieht, welch unterschiedliche Arbeitskräfte am Entstehen mittelalterlicher Kathedralen mitgewirkt haben.

ger.[63] Zwei dieser Stellen weisen ein *solent* bzw. *ex more* auf, deuten also auf gebräuchliche Riten hin.

Am Zielort, in Santiago de Compostela, mischten sich innerliche und äußerliche rituelle Akte des Pilgers.[64] Der Pilgerführer gibt hierzu kaum Hinweise, die Beschreibung Compostelas ist zwar sehr umfangreich, sie geht aber vornehmlich auf die äußeren Merkmale der Stadt und ihrer Kathedrale ein.[65] Wie auch bei den sonstigen Abschnitten über Spanien tritt hier wiederum der Charakter eines allgemeinen Reiseführers hervor. Über das Verhalten des Pilgers am Zielort geben deshalb die Bücher I und II des LSJ weiterreichend Auskunft.

Als innerliche Akte des Pilgers sind vor allem Gebet und der Empfang des Bußsakramentes zu nennen.[66] Über eine institutionalisierte Form der Sündenvergebung am Gnadenort erfahren wir nichts, bereits oben wurde erwähnt, daß vornehmlich die reuige Einstellung des Pilgers zählte, die notwendige Mitwirkung eines Priesters nur ganz selten erwähnt wird.[67] Zum Inhalt der Gebete läßt sich nur auf ein allgemeines Gebet in Mirakel 8 verweisen, dessen Übernahme in das I. Buch des LSJ (als Responsorium mit Noten versehen) verweist jedoch auf den außergewöhnlichen wohl wenig repräsentativen Charakter.[68] Mehr ist über die Form und den rituellen Vollzug

---

[63] V, 6, VIELLIARD, S. 16: *fluvius quidam qui distat ab urbe Sancti Jacobi duobus milariis in nemoroso loco, qui Lavamentula dicitur, idcirco quia in eo gens Gallica peregrina ad Sanctum Jacobum tendens, non solum mentulas suas verum etiam tocius corporis sui sordes, apostoli amore lavari solet, vestimentis suis expoliata* (bei VIELLIARD irrig: *peregina*, der CC schreibt *peregrina*). Vgl. zu allen drei Stellen den kurzen Hinweis von LACARRA, wie Anm. 10, S. 136f. – Nicht erwähnt ist im LSJ die symbolische Bedeutung des „Mons Gaudii", von dem aus der erste Blick auf die hl. Stadt möglich war; der erste einer Pilgergruppe, der diesen Berg erreichte, wurde oft als „le roi" bezeichnet. Hierauf führen sich zahlreiche Familiennamen „Leroy" in Frankreich zurück, vgl. SALVADOR Y CONDE, wie Anm. 45, S. 349.

[64] Zum Pilger am Ende seiner Reise generell: LABANDE, wie Anm. 22.

[65] V, 9, VIELLIARD, S. 82–118. Dieses Kapitel erinnert teilweise an die Beschreibung Roms in mittelalterlichen Rompilgerführern, die ebenfalls, besonders die Werke des 12. Jhs., den Glanz und die Würde der Stadt Rom betonten: vgl. H. TAVIANI, Les voyageurs et la Rome légedaire au Moyen âge (Voyage, quête, pèlerinage dans la littérature et la civilisation médiévales, Aix 1976 = Senefiance 2, Cahiers du GUERMA, S. 7–23), S. 14ff. Zur Überlieferung und Edition der bekanntesten Rompilgerführer: A. WEISSTHANNER, Mittelalterliche Rompilgerführer. Zur Überlieferung der mirabilia und Indulgentiae urbis Romae (Archival. Zeitschrift 49/1954, S. 39–64) Edition beider Texte S. 44ff. Im LSJ, Buch V, Kap. 9 wird jedoch im Gegensatz zu den meisten Rompilgerführern nicht zum Besuch anderer Kultstätten der Stadt aufgefordert. Der Besuch anderer Orte ist im Pilgerführer vornehmlich, wie gezeigt wurde, auf den Weg verlagert.

[66] Vgl. LABANDE, wie Anm. 22, S. 288f.

[67] Vgl. oben S. 168f. mit Anm. 19–22.

[68] II, 8, fol. 146ᵛ–147ʳ, WHITEHILL, S. 271: *Postea vero venerandus ille antistes Domini, a marinis periculis beati Iacobi auxiliis ereptus, gloriosissimum apostolum in horis Gallecie adiit, et ad eius decus hunc responsorium edidit, et in primo artis musice tono sic illum intonuit gavisus dicens: O adiutor omnium seculorum, o decus apostolorum, o lux clara Galleciano(rum), o advocate peregrinorum, Iacobe, supplantator viciorum, solve nostrorum catenas delictorum, et duc nos ad salutis portum. Et versiculum sic edidit: Qui subvenis periclitantibus ad te clamantibus tam in mari quam in terra, succurre nobis nunc et in periculo mortis. Et rursum repetivit dicens: Duc nos ad salutis portum. Quod ipse prestare dignetur Ih(esu)s Christus Dominus noster, qui cum Patre et*

der Gebete erkennbar, so berichtet ein Mirakel über ein Gruppengebet vor den üblicherweise nachts geschlossenen Türen zum Oratorium, die sich anschließend öffneten, und den Pilgern die Nachtwache in physischer Nähe zum Heiligen ermöglichten.[69] Zumeist betete man allein, unter Tränen und mit Schluchzen.[70] Mehrfach wird die Länge des Gebets erläutert, richtungsweisend erlegt der hl. Jakobus in einer Wundergeschichte selbst einmal eine Gebetsnacht auf und bemerkt, dies sei die übliche Gepflogenheit.[71] Gebete konnten jedoch auch insbesondere bei Bittwallfahrten so lange währen, bis das erbetene Wunder eintrat[72] oder auch bei besonders frommen Seelen zu einer Form des ewigen Gebetes werden, wie im Fall des griechischen Bischofs Stephan.[73]

Die üblichste Form des Gebetes bzw. der allgemeinen Verehrung am Gnadenort dürfte die Nachtwache im Heiligtum nach der Ankunft gewesen sein[74], sicherlich erlagen viele Pilger hierbei nach den Strapazen der Reise dem Schlaf[75], entscheidend war wohl die leibliche Nähe zum Heiligen. Besonders vor den Hauptfesten, aber nicht nur zu diesem Zeitpunkt, feierte man die gesamte vorausgehende Nacht als Vigil in der Kathedrale. Im I. Buch berichtet der Kompilator über den Verlauf dieser Feierlichkeiten, die auch die anwesenden Pilger mitgestalteten.[76] Einige musizierten, andere beteten, lasen Psalmen oder entzündeten Kerzen. Laut dem Bericht schienen die Pilger nicht nur am Vigiltag, sondern ständig in der Kathedrale zu sein, deren Türen deshalb ununterbrochen geöffnet blieben.[77]

Spiritu Sancto vivit et regnat Deus per infinita secula seculorum. Amen und: I, 23, fol. 110ᵛ–111ʳ, WHITEHILL, S. 208, dort heißt es vor dem Gebet: *Quidam antistes a Iherosolimis rediens, ereptus per beatum Iacobvm a marinis periculis, in primo tono edidit hunc* . . . (rote Schrift). Der Hinweis von DAVID (II/1947, S. 165), die Zuordnung des Responsoriums sei wohl nachträglich entstanden, weil die Mirakelschlußformel vor dieser Passage stehe, ist nicht stichhaltig, da nach dem eigentlichen Wunder oft noch weitere Zusätze zu finden sind (s. o. Kap. 5.1., S. 113 mit Anm. 33).

[69] II, 18, fol. 153ʳ, WHITEHILL, S. 283f.: *Vespere itaque facto accensis luminaribus ecclesiam ingressi sunt viri numero ferme ducenti. Qui venientes ante beati apostoli oratorium, elevata voce precati sunt: Beatissime, inquiunt, apostole Dei Iacobe, si ᵃ tibi placet, quod nos venissemus ad te, aperi nobis oratorium tuum, ut nostras faciamus vigilias coram te. Mira res, necdum verba finierant, et ecce eiusdem oratorii ianue tanto strepitu insonuerunt, ut omnes qui aderant in minutas partes eas confractas fuisse putarent.*

[70] II, 3, fol. 142ᵛ, WHITEHILL, S. 263: *Ibique se ante eius presenciam sistens, flens, lacrimans eumque toto corde deprecans,* . . ., ähnlich: II,2 fol. 142ʳ, WHITEHILL, S. 262.

[71] II, 4, fol. 144ʳ, WHITEHILL, S. 266: . . . *pernoctans in oracione solita more* . . .

[72] So z. B. drei Tage und Nächte in Mirakel 21, fol. 155ʳ, WHITEHILL, S. 286.

[73] II, 19, s. oben Kap. 5.1., S. 123.

[74] Vgl. Anm. 69 und 71 und LABANDE, wie Anm. 22, S. 284f.

[75] LABANDE, ibid., mit Nachweisen aus anderen Quellen als dem LSJ.

[76] I, 17, fol. 78ʳ⁻ᵛ, WHITEHILL, S. 149. Ebenso wird in I,2 beschrieben, wie die Vigil des Festes vom 25. Juli zu begehen sei, hier geht es jedoch um die Vorbereitung des Festes, insbesondere die innere Reinigung der Gläubigen durch Beichte bei einem Priester (fol. 8ᵛff., WHITEHILL, S. 16ff.).

[77] I, 17, fol. 78ʳ⁻ᵛ, WHITEHILL, S. 149: *Nimio gaudio miratur, qui peregrinantum choros circa beati Iacobi altare venerandum vigilantes videt: Theutonici enim in alia parte, Franci in alia, Itali in alia catervatim commorantur, cereos ardentes manibus tenentes, unde tota ecclesia ut sol vel dies clarissima illuminatur. Unusquisque cum patriotis suis per se vigilias sapienter agit. Alii citharis psallant, alii liris, alii timphanis, alii tibiis, alii fistulis, alii tubis, alii sambucis, alii violis, alii rotis*

Einmal am Ziel angelangt, bedeutete es für den Pilger viel, so nahe wie möglich beim Heiligen zu sein. Dies mag zuweilen zu heftigen Disputen geführt haben, wer am nächsten bei der Kultstätte sitzen oder knien dürfe. Der Kompilator berichtet über eine solche handgreifliche Auseinandersetzung während einer Nacht im Heiligtum von St-Gilles zwischen Franken (Franzosen) und Vaskonen, die zwei Todesopfer forderte.[78] Gewiß werden solche Streitigkeiten im LSJ verdammt, sie zeigen jedoch, wie sehr die „populäre" Frömmigkeit nach physischer Nähe zum Heiligen verlangte.[79]

Zu den „populären" Riten am Ort gehörte auch das Berühren und Küssen der Basilika, des Altares und des Schreines[80] ebenso wie die Übergabe der dem Heiligen zugedachten Geschenke. Im LSJ ist meist generell von den *munera* oder *munera laudum* der Pilger die Rede[81]; es lassen sich die Pilgergeschenke (auch „ex voto"), die meist als Wachsspende (z. B. in Form eines geheilten Körperteils) dargebracht wurden, von den Oblationen scheiden, die Geldgaben oder im Einzelfall größere Schenkungen bezeichneten.[82] Die Oblationen kamen in Santiago de Compostela größtenteils den Kanonikern der Kathedrale zugute und wurden auf den Altar des hl. Jakobus gelegt.[83]

Brittannicis vel Gallicis, alii psalteriis, alii diversis generibus musicorum cantando vigilant, alii peccata plorant, alii psalmos legunt, alii elemosinas cecis tribuunt. Ibi audiuntur diversa genera linguarum, diversi clamores barbarorum loquele et cantilene Theutonico(rum), Anglo(rum), Greco(rum), ceterarumque tribuum et gentium diversarum omnium mundi climatum. Non sunt loquele neque sermones, quorum non resonent voces illorum. Huiusmodi vigilie ibi sedule habentur, alii enim vadunt, aliique recedunt et diversi diversa munera sacrificant. Si tristis accedit quis, letus recedit. Ibi semper sollempnitas assidua celebratur, festivitas sedule agitur, preclara celebritas die noctuque excolitur, laus et iubilacio, gaudium et exultacio iugiter decantatur. Omnes dies et noctes quasi sub una sollempnitate continuato gaudio ad domini et apostoli decus ibi excoluntur. Value eiusdem basilice minime clauduntur die noctuque, et nullatenus nox in ea fas est haberi atra, quia candelarum et cereorum splendida luce ut meridies fulget. Vgl. auch LABANDE, wie Anm. 22, S. 285.

[78] I, 17, fol. 83[r–v], WHITEHILL, S. 158: *Enim vero in beati Egidii püssimi confessoris[a] basilica veneranda, olim vidi quadam[b] nocte vigilantes quosdam pro eiusdem sancti cathedra litigantes: Franci in sede que est iusta arcam sedebant et Wasconi in ea sedere appetentes illos debellabant. Interea tanta fuit inter illos baculis, pugnis et lapidibus percussio et pugna, quod illorum unus vulnere gravi percussus, solo lapsus exanimatur. Alius quidam capite percussus, usque ad castellum novum via Petragorice(n)si[c], ivit* (sic!) *et ibi obiit* a) ,ioris' auf Rasur von gl. (?) Hd. b) nach ,qua-' ein Spatium frei (Rasur). c) *via Petragorice(n)si* von frd. Hd. auf Rasur.

[79] Dies schließt nicht aus, daß im Einzelfall auch ein Anlaß oder Vorwand zum Streit gesucht wurde.

[80] I, 7, fol. 43[r], WHITEHILL, S. 84: *Iter eius perficiunt, illius sacra basilice limina osculantes...* und I, 17, fol. 81[r], WHITEHILL, S. 154 (als Rat für den Pilger): *Cum manibus quibus eius altare venerandum tetigisti, noli malum operari.* Vgl. LABANDE, wie Anm. 22, S. 287. Noch heute küssen die Pilger bei der Ankunft die Füße der Apostelstatue am westlichen Mittelportal.

[81] I, 17, fol. 78[r–v], WHITEHILL, S. 149 (s. o. Anm. 77); ibid., fol. 92[r], WHITEHILL, S. 173; ibid., fol. 93[v], WHITEHILL, S. 176; I, 22, fol. 101[v], WHITEHILL S. 194; ibid., fol. 103[v], WHITEHILL, S. 198; I, 26, fol. 120[v], WHITEHILL, S. 223; V, 9, VIELLIARD, S. 118. Fol. 92[r], 103[v] und VIELLIARD, S. 118 weisen jeweils den gleichen Satz mit der Umstellung einiger Wörter auf.

[82] LABANDE, wie Anm. 22, S. 285f.

[83] V, 10, VIELLIARD, S. 120–122. Zur Bedeutung dieser Einnahmequelle vgl. Kapitel 6.3. Ebenso berichtet I, 17 über *oblaciones*, die sich die Altarwächter der Kathedrale von St-Gilles,

Ex voto-Gaben sind im LSJ nicht konkret belegt, will man nicht das zum Bau der Kathedrale gebrachte Eisen und Blei[84] oder die Darbringung der Ketten eines befreiten Gefangenen[85] hierzu zählen.

Schließlich kam für den Pilger der Augenblick des Aufbruchs und die Heimreise, den er grundsätzlich antrat, nachdem Gelübde, Bittgebet oder sonstige Vorsätze am Grab des Apostels erfüllt waren. So heißt es in einem Mirakel: wie es üblich ist, kehrte er nach seinem Gebet und nachdem er den Apostel Jakobus um Erlaubnis gebeten hatte, in seinem Heimat zurück.[86] Gewiß wollte auch manch einer länger oder überhaupt an der Kultstätte bleiben, um seinen Gnadenzustand zu erhalten oder um am Heiligtum begraben zu werden[87] – vielleicht aber auch nur, weil das Leben in der Fremde gefiel, zu Hause hingegen drückende Ängste und Sorgen auf ihn warteten.

Als wichtigstes äußeres Symbol zeichneten die nach Santiago de Compostela gepilgerten Gläubigen die Jakobsmuschel aus. Dieses Abzeichen – meist an den Pilgermantel oder den Hut geheftet – barg mehrere Funktionen: sie bot dem Pilger eine Erinnerung, darüberhinaus jedoch einen fast offiziellen Beweis der vollendeten Jakobuswallfahrt, sie gewährte ferner Schutz und verschaffte hohes Ansehen. Wurde mit der Muschel das Heiligtum in Santiago de Compotela berührt, erhöhte dies noch ihren reliquienähnlichen Charakter.[88] Die Jakobsmuschel ist im LSJ erstmals nachgewiesen. Im I. und III. Buch wird sie als Symbol für Reinheit und Stärke im Glauben als auch für die guten Werke bezeichnet, ferner als Schutz gegen die Versuchungen der Widersacher.[89] Ein solches Emblem war jedoch ein geeignetes Objekt, „populäre" religiöse Vorstellungen zu fördern, die Berührung mit einer dieser Muscheln führte laut einem Mirakelbericht zur Gesundung einer von keinem Arzt zu heilenden Krankheit.[90]

Limoges, Tours, Le Puy und Rom widerrechtlich aneigneten (fol. 86ʳ, WHITEHILL, S. 163). Zu Oblationen in St-Leonard de Limoges ferner: V, 8, VIELLIARD, S. 54.

[84] I, 17, fol. 78ᵛ, WHITEHILL, S. 149: „. . . *alii ferrum aut plumbum ad opus apostoli basilice manibus deferant.*"

[85] II, 14, fol. 148ᵛ, WHITEHILL, S. 275. Vorher versprach der Befreite seine ganze Habe dem hl. Jakobus (ibid.). Ähnlich auch in I, 17 (wie Anm. 84): *alii ferreos nectes et manicas e quibus per apostolum liberantur, . . . humeris portant.* Mirakel 22 berichtet ebenso von mitgebrachten Ketten, erwähnt jedoch nicht Santiago de Compostela (fol. 155ᵛ, WHITEHILL, S. 287).

[86] II, 3, fol. 142ᵛ, WHITEHILL, S. 263: *Solito igitur more, completa oracione, quesita a beato Iacobo licencia ad patriam remeavit.*

[87] So verzichtete der griechische Bischof Stephan auf eine Rückkehr, um ständig in der Nähe des hl. Jakobus zu beten, nach seinem Tod erhielt er ein Grab in der Apostelkirche (II, 19, fol. 153ᵛ, WHITEHILL, S. 283): *Ad propria ergo redire recusans* und (ibid. fol. 154ʳ, WHITEHILL, S. 285): *in beati apostoli basilica sepulturam honorifice accepit.*

[88] Vgl. SIGAL, wie Anm. 3, S. 85; COHEN, wie Anm. 15, S. 140ff. LSJ, I, 17, fol. 81ʳ, WHITEHILL, S. 153: . . .*Franci crusillas nominant quas peregrini a beati Iacobi liminibus redientes in capis suis consuunt et ad decus apostoli et memoriam eius in signum tanti itineris ad propria deferunt cum magna exultacione.*

[89] LSJ, ibid. und III, 4, fol. 162ʳ, WHITEHILL, S. 299. Daß der Ausdruck *tuba* im III. Buch des LSJ die Pilgermuscheln meint, haben L. VAZQUEZ DE PARGA, El Liber Sancti Jacobi y el Códice Calixtino (Revista de Archivos, Bibliotecas y Museos 53/1947, S. 35–45), S. 39 und David, II/1947, S. 155, betont.

[90] II, 12, fol. 148ʳ, WHITEHILL, S. 273f.

In Compostela haben die Pilger ihre Muscheln wohl kaum selbst am Strand gesucht, um sie dann weihen zu lassen, vielmehr erwarben sie diese käuflich auf dem Kirchvorhof von Compostela.[91]

6.3. Die ökonomischen Implikationen des Jakobuskultes

Mit den Hinweisen auf die Pilgergeschenke und auf den Verkauf von Jakobsmuscheln wurde bereits dem nunmehr abschließend zu behandelnden Aspekt vorgegriffen. Gerade die Pilgerfahrten können die Verflechtung von religiösen und ökonomischen Phänomenen gut veranschaulichen, eine Verbindung, die sich insbesondere für den Jakobuskult vor allem im Spätmittelalter weiter verdichten sollte. In ihren Anfängen ist sie jedoch auch mit Hinweisen aus dem LSJ und Ergänzungen aus anderen zeitgleichen Quellen, besonders der Hist. Comp., zu fassen.[92]

---

[91] V, 9, VIELLIARD, S. 96: *paradisus . . . in quo crusille piscium id est intersigna beati Jacobi venduntur peregrinis.* Der Ursprung des Brauches ist letztlich ungeklärt. Die Legende, die allerdings nicht weiter als ins 15. Jh. heraufreicht (vgl. VAZQUEZ DE PARGA u. a., wie Anm. 3, Bd. 1, S. 129ff. und C. HOHLER, The Badge of St. James, in: I. COX (Hg.), The Scallop: Studies of a Shell and its Influences on Human Kind, London 1957, S. 49–72, S. 59), berichtet von einem Ritter, der bei der Translation des Jakobusleichnams half, ins Meer fiel und mit Muscheln bedeckt wiederauftauchte. Vermutbar ist, daß mit den Muscheln ein früherer Brauch verknüpft war (so z. B. die Muschelfunde in paläo-christl. Gräbern, vgl. SIGAL, wie Anm. 3, S. 86 und VAZQUEZ DE PARGA u. a. S. 130, wahrscheinlich ist jedoch die Muschel als Pendant zur Palme der Jerusalempilger erst im 12. Jh. eingeführt worden. Der LSJ erwähnt beide Embleme im Zusammenhang mit der Anm. 88 zitierten Stelle. Möglicherweise wurden dabei die zur Nahrung herbeigebrachten Muscheln in zweiter Funktion als Embleme verkauft (s. HOHLER, l.c., S. 59). Vgl.: R. SÁNDEZ OTERO, Emblemas jacobeos (Compostela, no. 29/1954, S. 10f. und no. 30/1954, S. 6–7) bes. S. 11 zum oft geforderten und teils durchgesetzten alleinigen kirchlichen Verkaufsrecht der Muscheln. Zu den ökonomischen Aspekten des Abzeichenhandels hat nunmehr E. COHEN, „In haec signa". Pilgrim Badge Trade in Southern France (Journal of Medieval History 2/ 1976, S. 193–214) grundsätzlich Stellung genommen und vorzüglich den Abzeichenhandel von Le Puy und Compostela verglichen (S. 195–208).

[92] Die einzige Abhandlung mit dieser präzisen Fragestellung bietet: B. GONZÁLEZ SOLIGAIS- TÚA, Influencia económica de las peregrinaciones a Compostela (Economía Española, 13/1934, S. 77–93 und 14/1934, S. 39–57), leider ist sie sehr überblickshaft verfaßt und liefert keine Nachweise der zitierten Textstellen, wahrscheinlich stützt sie sich auf das Werk von A. LÓPEZ FERREIRO, Historia de la S.A.M. iglesia de Santiago de Compostela, 11 Bde, Santiago de Compostela 1898–1909. Ähnlich fragmentarisch: J. FUENTES NOYA, Las peregrinaciones a Santiago de Compostela. Estudio Historico, Santiago 1898, bes. S. 17–32. Zu einzelnen Punkten ist auch A. LÓPEZ FERREIRO, Fueros municipales de Santiago y de su tierra, 2 Bde, Santiago de Compostela 1895/96, ND 1975, bes. Bd. I, S. 105ff. heranzuziehen. – Oft ist es daher geboten, auf die verstreuten Bemerkungen in anderer Literatur zurückzugreifen. Hierzu gehören vor allem: J. M. LACARRA, Le pèlerinage de Saint-Jacques: Son influence sur le développement économique et urbain du Moyen Age (Bulletin de l'Institut français en Espagne no. 46/1950, S. 218–221 und das span. Résumé dieser Abhandlung in: Compostela 22, Mai 1952, S. 4–6); VAZQUEZ DE PARGA u. a., wie Anm. 3; zur Stadt Compostela hat, wenn auch ursprünglich vom kunsthistorischen Gesichtspunkt, M. STOKSTAD, Santiago de Compostela in the age of the great pilgrimages, Morman, Univ. of Oklahoma, 1978 eine Reihe ökonomischer Gesichtspunkte zusammengestellt (diese decken sich weitgehend mit den hier zitierten Daten zur Stadt Santiago).

Zunächst läßt sich einiges zur Stadt Santiago de Compostela und ihrem Pilgerzentrum zusammentragen. Der Reichtum und Glanz der Apostelkirche wird an mehreren Stellen des LSJ dokumentiert. So berichtet der Pilgerführer ausführlich über die teilweise beendete, neue Kathedrale, deren Größe enorm sei und deren Inneres reichhaltige Schätze, besonders aus Silber berge.[93] Von wertvollen mobilen Gütern zeugt die Beschreibung des Jakobusfestes vom 30. Dezember[94]: Der Bischof von Compostela trägt an diesem Tag eine weiße Mitra, goldene Sandalen, goldenen Ring, weiße Handschuhe und einen Elfenbeinstab. Die Seidengewänder der Kanoniker sind mit Edelsteinen, Silberbroschen, goldenen Blumen oder golden eingefaßten Fransen geschmückt; außerdem werden goldene, mit Edelsteinen geschmückte Kragen, Manipel mit Perlen und viele andere wertvolle Kleidungsstücke getragen. Auch das Mobiliar weist kostbare Schätze auf.[95] Die Hist. Comp. ergänzt dieses Bild, sie läßt gut den Reichtum der Apostelkirche erkennen, z. B. aus den häufigen und hohen Zahlungen des Compostelaner Bischofs und des Kapitels zur Erlangung bestimmter päpstlicher Privilegien.[96] Die Einnahmequellen der Compostelaner *sedes* waren vielfältig, neben Schenkungen vornehmlich lokaler Adeliger und Großer, die jedoch hauptsächlich Landbesitz betrafen, haben wohl die „votos de Santiago" und auch die Beutezüge der unter (Erz-)Bischof Diego Gelmírez aufgebauten Flotte Geld bzw. mobiles Vermögen an den Bischofssitz gebracht.[97]

---

[93] V, 9, VIELLIARD, S. 86–118, zum Datum der neuen Kathedrale, S. 116–118 und S. 104 (hierzu: W. M. WHITEHILL, The Date of the Beginning of the Cathedral of Santiago de Compostela, in: The Antiquaries Journal 15/1935, S. 336–342, der dort auf eine Rasur im LSJ, Buch V hinweist und den Baubeginn auf ca. 1075 datiert, S. 342), zur Größe: VIELLIARD, S. 86–92, zu den Kostbarkeiten im Innern: S. 110, 114, auch die Qualität der Materialien wird gepriesen: *Est etiam tota ex fortissimis lapidibus vivis, brunis scilicet et durissimis ut marmor facta, et deintus diversis speciebus depicta et deforis teolis et plumbo obtime cooperta. Sed ex his que diximus alia sunt jam omnino adimpleta, aliaque adimplenda* (VIELLIARD, S. 104).

[94] III, 3, fol. 161[r–v], WHITEHILL, S. 298f. Vgl. oben, Kap. 4.3, S. 85f.

[95] Vgl. GONZÁLEZ SOLOGAISTÚA, wie Anm. 92, 14, S. 41–43.

[96] Recht übersichtlich, wenn auch nicht ganz vollständig zusammengestellt bei: K. JORDAN, Zur päpstlichen Finanzgeschichte im 11. und 12. Jahrhundert (Quellen und Forschungen aus italienischen Archiven und Bibliotheken 25/1933–34, S. 61–107), S. 83–88.

[97] Zu den „votos" vgl. oben Kap. 4.3., S. 89,, Anm. 188. Zur Flotte von Diego Gelmírez ist zu bemerken, daß dem (Erz-)Bischof ein Fünftel der eroberten Schätze zustand (Hist. Comp. I, 75, ES XX, S. 133; I, 103, ibid., S. 197–199; II, 75, ibid., S. 424 und III, 28, ibid. S. 526–528); vgl. R. PASTOR DE TOGNERI, Diego Gelmírez, una mentalidad al día. Acerca del rol de ciertas élitas de poder (dies., Conflictos sociales y estancamiento económico en la España medieval, Barcelona 1973, S. 103–131 = ND von Mélanges R. CROZET, I, Poitiers, 1966, S. 597–608), S. 122. Zur Flotte, den Beutezügen und den durch Piraten drohenden Gefahren: M. MOLLAT, Notes sur la vie maritime en Galice au XIIe siècle d'après l'Historia Compostelana (Anuario de Estudios Medievales 1/1964, S. 531–540), bes. S. 535–539. Nicht nur Gold, Silber und Kleider (Hist. Comp. II, 21, ES XX, S. 301) sind so nach Compostela gekommen, sondern auch Gefangene, die als Träger der Steine für den Bau der Kathedrale in Compostela eingesetzt wurden. (*Dedere etiam B. Jacobo captivos qui ad aedificandam ejus Ecclesiam lapides et cetera comportarent*, Hist. Comp. I, 103, ES XX, S. 199). Trotz der schon beachtlichen Hilfsmittel im mittelalterlichen Bauhandwerk dürfte gerade für das Tragen von Material eine erhebliche Menge an Leuten nötig gewesen sein (vgl. G. BINDING/N. NUSSBAUM, Der mittelalterliche Baubetrieb nördlich der Alpen in

Zusätzlich zu diesen vielfältigen Einkünften, die teils mit dem Besitz des Jakobus-leichnams legitimiert wurden[98], dürften auch die Pilger bzw. der Pilgerbetrieb maßgeblich zu diesem Reichtum beigetragen haben. So wurden die Pilger durch den Transport von Kalkstein oder das Mitbringen von Eisen und Blei in das große Werk des Kathedralbaus miteinbezogen.[99] Auch an der Innenausstattung wirkten Pilger sicher-lich durch ihre Gaben mit, im V. Buch, dem Pilgerführer, taucht ein „Gabenwunsch-zettel" auf: wer eine Decke für den Altar des hl. Jakobus oder das Altarvorderteil zu schenken beabsichtige, dem werden die nötigen Mindestmaße angegeben[100]; so ließen sich unbrauchbare Geschenke vermeiden. Die im LSJ nicht erwähnten, aber gewiß erbrachten Wachsgeschenke waren für den laufenden Haushalt der Kathedrale bedeu-tend, so fürchtete man die Winterzeit, zu der wegen mangelnder Pilgergaben die Beleuchtung der Kathedrale in Frage stand.[101]

Entscheidender war jedoch das Bargeld, das der Basilika in Form von Oblationen zugute kam; hierüber berichtet eine Mirakelgeschichte: Bei einer Schiffsreise erhob sich ein Unwetter, einige Passagiere gelobten eine Wallfahrt nach Santiago de Compostela, andere versprachen eine Geldspende für den Bau der Kathedrale; dieses Geld nahm einer der Pilger, ein Ritter, mit und legte es in die Schatztruhe des hl. Jakobus zu Compostela.[102] Der Verteilung der (Geld-) Oblationen widmet der Pilgerführer ein eigenes Kapitel[103]: Jedem der 72 Kanoniker stünden im Wechsel die Gaben einer Woche, mit Ausnahme der sonntäglichen, zu. Die Sonntagsgaben – die vermutlich wesentlich höher lagen – sollten der Tradition gemäß in drei Teile geteilt werden, der erste hiervon gehe an den *ebdomadarius*[104], die restlichen zwei Teile würden erneut

zeitgenössischen Darstellungen, mit Beitrr. von P. DEUTSCH u. a., Darmstadt 1978, S. 62 = Beitrag v. P. DEUTSCH).

[98] So wurden die „votos de Santiago" auf die legendäre Hilfe des hl. Jakobus in der Schlacht von Clavijo (844) zurückgeführt, vgl. oben Kap. 1, Anm. 1.

[99] Vgl. oben, Anm. 62 und Anm. 84.   [100] V, 9, VIELLIARD, S. 110.

[101] Hist. Comp. III, 14 (ES XX, S. 499): ... *in tempore etenim hyemis pauci peregrini B. Jacobi Apostoli limina visitant, itineris difficultatem, et hiemis asperitatem pertimescentes; et cera, quam afferunt Ecclesiae illuminationi sufficere non potest.* Dies war die Begründung, um von Alfons (VII.) eine Schenkung des Gebietes bei Talavera (Toledo) zu erhalten, wo Öl zur Beleuchtung gewonnen werden konnte (ibid.).

[102] II, 9, fol. 147ʳ⁻ᵛ, WHITEHILL, S. 272. Im Lichte der Ablaßlehre trägt dieser Akt gewisse Ähnlichkeiten mit dem Almosenablaß (Bußstrafennachlaß für eine Spende zum Kirchenbau), vgl. hierzu: A. GOTTLOB, Kreuzablaß und Almosenablaß, Stuttgart 1906 (= Kirchenrechtliche Abh. hg. von U. STUTZ, XXX–XXXI), ND Amsterdam 1965, S. 207ff. Die Tendenz, bestimmte Werke durch Geldzahlungen abzulösen, sollte sich im Spätmittelalter noch weiter fortsetzen.

[103] V, 10, VIELLIARD, S. 120–122.

[104] Gemäß Ch. DU CANGE, Glossarium mediae et infimae latinitatis, Bd. 1–10, bearb. von L. FAVRE, Niort⁵ 1883–1887 (ND Graz 1954), Bd. 4, S. 178f. handelt es sich hierbei um Priester, die vornehmlich durch liturgische Funktionen aus der Masse der Kanoniker herausgehoben waren und bestimmte Wochendienste versahen; vgl. auch: A. G. BIGGS, Diego Gelmírez, first archbishop of Compostela, Washington 1949, S. 241. Laut der Hist. Comp. (II, 3, ES XX, S. 256) reformierte Diego Gelmírez 1118 das Kapitel und auch das Verteilungssystem: waren bis dahin fast alle Gaben an 7 oder 12 *hebdomadarii* gegangen, so wurden jetzt alle Kanoniker berücksichtigt. Die im LSJ berichtete Verteilungsform legt nahe, daß mit der oben diskutierten Formel „regula Isidori" (s.

dreigeteilt: einer sei für das Essen der Kanoniker bestimmt, ein zweiter für die Erhaltung (und Ausstattung?) der Kathedrale, ein dritter für den Erzbischof. Die Gaben der Karwoche sollten für die Beherbergung armer Pilger zur Verfügung stehen.[105] Die Kanoniker bestritten sicher zu einem Gutteil ihren Lebensunterhalt von diesen Oblationen, so berichtet die Hist. Comp. von den Befürchtungen eines unter ihnen, der den Rückgang der Pilgermassen und die daraus resultierende Abnahme von Oblationen beklagt.[106]

Der so an die Compostelaner Kathedrale durch Pilgergeschenke gekommene Reichtum wurde nicht nur als Schatz verwaltet, sondern auch wieder als Tauschmittel eingesetzt. Die Hist. Comp. erwähnt die Aufträge Diegos von Compostela: *vestimenta, atque ornamenta Ecclesiae lucrifecit, emit, vel fieri fecit.*[107] Die kirchenbaulichen Aktivitäten führten zu einer fortschreitenden Verbindung zwischen dem Kirchenfürsten und Handwerk und Handel. Neben der Angabe von verschiedenen am Kathedralbau beteiligten Baumeistern bietet im LSJ die Beschreibung des aus Silber gearbeiteten Altarvorderteils das beste Beispiel für die Förderung des lokalen Kunsthandwerks zu Zeiten von Diego Gelmírez. Der Autor lobt die handwerkliche Arbeit und zitiert die Inschrift, die Auftrag, Entstehungszeit und Kosten angibt.[108]

Pilger brachten aber nicht nur Geschenke, sondern kauften auch. Bestes Indiz ist hierfür der im LSJ erwähnte Markt. Der Markt von Santiago muß aufgrund der Vielzahl der von Pilgern benötigten Güter ein für das 12. Jahrhundert nicht unbedeutender Warenabschlagplatz gewesen sein, die Größe gibt der LSJ mit jeweils einem

---

oben, Kap. 5.3., S. 161f.) eine andere Lebensform der Kanoniker gemeint war, als die in vielen „reformierten" Gemeinschaften übliche. Vgl. grundlegend zur Güterteilung und zur Aufteilung des Vermögens an Domkirchen seit der Aachener Regel: R. SCHIEFFER, Die Entstehung von Domkapiteln in Deutschland, Bonn 1976, S. 261–288.

[105] VIELLIARD, S. 120. In einem Nachsatz wird gefordert, grundsätzlich müsse ein Zehntel der Einnahmen für die Pilgerbeherbergung zur Verfügung stehen, ferner seien die sonntäglichen Oblationen von der Prim bis zur Terz für die Leprakranken der Stadt bestimmt. Laut der Hist. Comp. (III, 53, ES XX, S. 592) kamen die Gaben der Pilger dem Erzbischof, den Kanonikern und den Armen zugute. Vgl. BIGGS, wie Anm. 103, S. 219, der den Pilgergaben allerdings ein grundsätzlich weniger bedeutendes Ausmaß zubilligt, ferner: VAZQUEZ DE PARGA u. a., wie Anm. 3, S. 147–150.

[106] Hist. Comp. III, 53 (ES XX , S. 591f.): *... interius (ut ab eo cognovimus) maxima caligo tristitiae animum ejus occupavit, tum quia B. Jacobi opus magnificum deficeret, tum quia turba Romanorum et peregrinorum B. Jacobi limina petentium hac de causa minime convenire, et diversis eleemosynis et muneribus unde ipsemet cum Canonicis, pariter cum egenis et viduis et pupilis affluenter degebat, et victum et vestitum ad commune commodum habebat, visitare denegarent.*

[107] Hist. Comp. II, 17 (ES XX, S. 379), vgl. ferner über das Kunstwerk am Jakobusaltar ibid. III, 44, S. 566.

[108] V, 9, VIELLIARD, S. 110: *Hanc tabulam Didacus presul jacobita secundus / Tempore quinquenni fecit episcopii. / Marcas argenti de thesauro jacobensis / Hic octoginta quinque minus numera.* Auch Handwerker der Feder konnten von den Pilgern profitieren. Im LSJ wird der käufliche Erwerb des Translationsberichtes mit einigen Mirakelgeschichten von einem nichtgeistl. Kopisten für *viginti rothomagenses* berichtet (III, Prolog, fol. 156ᵛ, WHITEHILL, S. 290).

Steinwurf in Länge und Breite an.[109] Gehandelt wurden vor allem Pilgermuscheln, Wein, Schuhe, Lederbeutel, Riemen, Gürtel und medizinische Kräuter.[110] Daß hiermit vor allem Gebrauchsgüter für den Pilger angesprochen sind, entspricht der Natur des LSJ, der dem Pilger Hilfe bieten will, sicherlich werden darüber hinaus noch viele Güter angeboten worden sein.

Die Transaktionen von verschiedenen Gütern mußten bei einer Beteiligung von Pilgern notgedrungen durch Geld geschehen. Der so durch das Pilgerwesen geförderte Geldverkehr übertrug Bankiers und Geldwechslern eine Schlüsselstellung. Diese scheinen ihre Position aufgrund der Unwissenheit und Abhängigkeit vieler Fremder recht bewußt ausgenutzt zu haben.[111] Direkte Hinweise auf einen besonderen Fernhandel gibt der LSJ nicht, will man nicht den in Mirakeln erwähnten Schutz des hl. Jakobus' für einen Fernhandelskaufmann[112] oder für die von Jerusalem zurückkehren-den Pilgerschiffe[113] so auslegen, daß mit diesen Leuten auch wahrscheinlich Fernhan-delsgüter in die Apostelstadt gelangt sind.

Diego Gelmírez organisierte als Stadtherr die Probleme der ständig wachsenden Pilgerströme, er verbesserte Häfen, Wege, ordnete Markt- und Verkaufsgewohnheiten. Indem er die Preise der häufigsten Konsumgüter festlegte, versuchte er in Handel und Warenumsatz einzugreifen – auch zum Schutz der Pilger vor dem schlimmsten Betrug. Diese Initiativen des Compostelaner Erzbischofs trafen sich mit den Interessen des lokalen Patriziates, waren doch kirchliche und bürgerliche Kräfte gleichermaßen an einem weiteren Aufschwung der Pilgerbewegung interessiert, um den erreichten Wohlstand und Reichtum weiter zu festigen und zu vergrößern.[114] Weltliche Herrscher, wie D. Ramón und Alfons VI., fertigten ebenfalls Privilegien für den Lokalhandel in Santiago aus.[115]

---

[109] V, 9, VIELLIARD, S. 96 (gemeint ist der südliche Vorhof der Kathedrale). GONZÁLEZ SOLOGAISTÚA, wie Anm. 92, bezeichnet den Markt von Compostela als einen der bedeutendsten Märkte vom 11.–13. Jh.

[110] Ibid. Zu den Pilgermuscheln vgl. oben Kap. 6.2., S. 180f., vgl. zu deren Vertrieb als auch zum Verkauf anderer Devotionszeichen: G. J. DE OSMA Y SCULL, Catálogo de azabaches compostela-nos, precedido de apuntes sobre los amuletos contra el aojo, las imágenes del apóstol romero y la cofradía de los azabacheros de Santiago, Madrid 1916, bes. S. 30 (zur Fertigung S. 66).

[111] Vor ihnen warnt der LSJ audrücklich: I, 17, fol. 86ᵛ, WHITEHILL, S. 163 und fol. 87ᵛ, WHITEHILL, S. 165f. Laut einer Notiz aus dem 14. Jh. soll eine Geldwechslerbruderschaft bereits seit 837 in Compostela bestehen, vgl. GONZÁLEZ SOLOGAISTÚA, wie Anm. 92, S. 85–87; zurückhaltender: LÓPEZ FERREIRO, Fueros, wie Anm. 92, S. 109f., der betont, im 12. Jh. habe die Bruderschaft sicherlich existiert.

[112] II, 14, fol. 148ᵛ, WHITEHILL, S. 274f.

[113] II, 8–10, fol. 146ᵛ–147ᵛ, WHITEHILL, S. 270–273.

[114] LÓPEZ FERREIRO, Fueros, wie Anm. 92, Bd. I, Kap. 6, S. 97–102; LÓPEZ FERREIRO, Historia, wie Anm. 92, Bd. IV, S. 189; vgl. PASTOR DE TOGNERI, wie Anm. 97, S. 115ff. und S. 121–123 mit weiteren Nachweisen und genauerer Analyse der Parteiungen in Kathedralklerus und Bürgertum, die sich im Einzelfall auch gegen Diego wandten.

[115] LÓPEZ FERREIRO, Historia, wie Anm. 92, Bd. III, Apéndices no. 7 und no.8, S. 36ff. (zu 1095).

Der Seehandel, für den zum Jahr 1130 ein erster Beleg über die Ankunft von Handelsgütern im Werte von ca. 22.000 Silbermark berichtet[116], scheint erst gegen Ende des 12. Jahrhunderts, vor allem durch den Einfluß der Hanse, größere Bedeutung erlangt zu haben.[117]

Das Ziel eines jeden Jakobspilgers hieß zwar Santiago de Compostela, aber zuvor war der Pilgerweg mit seinen Etappen zurückzulegen, auch hier hinterließen die Pilgerströme in der ökonomischen Landschaft ihre Spuren.

Für die Befriedigung der Pilgerbedürfnisse unterwegs zeichneten grundsätzlich kirchliche Einrichtungen verantwortlich. Zu den Pflichten und Aufgaben der Benediktiner bzw. Cluniazenser, Kanoniker, Zisterzienser, Ritter- und Bettelorden gehörte die von der Bibel vorgeschriebene Armen- und Pilgerpflege.[118] Aufgrund der ständig steigenden Pilgerströme richteten besonders neu entstehende Klöster gesonderte Räume für Pilger ein. Hierin wurden sie oftmals durch Bischöfe und Herrscher unterstützt.[119] Trotz der grundsätzlich bedingungslosen Gastungspflicht dieser Einrichtungen scheint man auch hier nach Möglichkeit Gaben oder Zahlungen der Pilgergäste herbeigeführt zu haben. Bereits G. SCHREIBER wies darauf hin, daß zumindest im französischen Raum oftmals eine besondere Häufigkeit von „Oblationen" bei den geistlichen Einrichtungen an Pilgerstraßen festzustellen sei[120], sicher wird dies bei den vom Pilgerführer zum Besuch empfohlenen Heiligtümern der Fall gewesen sein.[121] Zumindest wurde zuweilen versucht, die christlichen Liebesdienste gegen klingende Münze zu erweisen, nur so erscheint mir eine Urkunde Garcías von Navarra (1134–1150) für die Templer in Villa Vetula erklärbar: *Quod non hospitent peregrinos de nocte pro denariis, sed vendant panem et vinum in taberna . . .*[122], die Nächtigungsgeld untersagt, den Verkauf von Lebensmitteln erlaubt. Andere Nachweise zielen allerdings auch in die Richtung einer unentgeltlichen Verköstigung der Pilger.[123] Trotz der ständig

---

[116] Hist. Comp. III, 18 (ES XX, S. 505f.): *Mercatores enim Anglicos et Lotarienses, qui ad portum B. Jacobi Apostoli cum suis mercibus vendendis navigio venerant, in via quae Patrono viatores Compostellam ducit, armata multitudine invasit, eosque a jumentis et a mercibus quas Compostellam apportabant vendendas, omnino expoliavit . . ., quae fere pretium erat XXII. millium Marcarum. . .* vgl. L. GARCÍA DE VALDEAVELLANO, Orígenes de la Burguesía en la España medieval, Madrid 1969, S. 93f. und MOLLAT, wie Anm. 97, S. 535.

[117] Vgl. GONZÁLEZ SOLOGAISTÚA, wie Anm. 92, Bd. 14, S. 46ff. Zur Hanse und Santiago: B. HEYNE, Von den Hansestädten nach Santiago. Die große Wallfahrt des Mittelalters (Bremisches Jahrbuch 52/1972, S. 65–84).

[118] Vgl. L. VAZQUEZ DE PARGA u. a., wie Anm. 3, Bd. I, S. 281–312. Zu gewissen Ähnlichkeiten des Pilger- und Armenempfangs bei Benediktinern und Kanonikern s. den Vergleich der Benediktregel mit einem „Sermo" Augustins: A. BORIAS, Hospitalité augustinienne et bénédictine (Revue d'histoire de la spiritualité 50/1974, S. 3–16).

[119] VAZQUEZ DE PARGA u. a., wie Anm. 3, Bd. I, S. 295–300; vgl. auch die Auswahl an Dokumenten ibid., Bd. III, S. 44–59.

[120] G. SCHREIBER, Strukturwandel der Wallfahrt (ders. (Hg.), Wallfahrt und Volkstum in Geschichte und Leben, Düsseldorf 1934, S. 1–184), S. 4–7.

[121] So V, 8, VIELLIARD, S. 54.

[122] Cartulaire de l'Ordre du Temple (1119?–1150), hg. von Marquis D'ALBON, Paris 1913, no. XCII, S. 69.

[123] Ibid. S. 330f.

zunehmenden Zahl dieser kirchlichen Einrichtungen, auf die auch im LSJ hingewiesen wird[124], gab es noch genug Raum für ein Beherbergungs- und Verkaufsgewerbe an der Pilgerstraße.[125]

Aus dem LSJ erfahren wir hiervon hauptsächlich dadurch, daß der Kompilator die offensichtlich zahlreichen Mißstände geißelt; vor allem der Sermon *Veneranda dies*[126] kündet hiervon: Einige Wirte ließen von gutem Wein probieren, schenkten dann jedoch schlechten aus; andere verkauften Apfelwein als Wein oder maßen mit falschen Maßen. Ein schwerer Wein ließ den ohnehin müden Pilger gut schlafen und erleichterte einen Diebstahl des Wirtes.[127] Der Verkauf von Essen, Kerzen und Wachs ergab oft reichen Gewinn, vor allem wenn er in Absprache von Wirt und Bankier vor sich ging, der für einen ungünstigen Umtausch der heimatlichen Währung des Pilgers sorgte.[128] Ebenso versuchten Räuber, Verkäufer, Gewürzkrämer, Ärzte, Händler und Prostituierte zu einem Gutteil des von den Pilgern mitgeführten Vermögens zu kommen.[129] Mit dem Satz *Care vendit, vile emit* umschreibt der LSJ die Maxime der Bankiers[130] und indirekt damit auch diejenige der verschiedenen Händler, ein Hinweis auf die entstehende Kapitalfunktion des Geldes. Positives hört man von diesem offensichtlich florierenden Gewerbe und Handel im LSJ kaum, vielmehr werden die Mißstände als große Sünden angeprangert.[131] Der Pilger erscheint als Käufer von Nahrungsmitteln, Fleisch, Fisch, Wein, von Devotionswaren wie Wachs und Kerzen, von Gewürz- und Heilkräutern, die ihm im Krankheitsfall helfen können, schließlich von Tüchern, Lederriemen und -gürteln, Handschuhen, Beuteln und Bändern, kurzum: von Dingen, die zu einer nützlichen Pilger- und Marschausstattung gehören.[132]

Die Hist. Comp. berichtet über einige Maßnahmen, die gegen die allergrößten Mißbräuche dieser Gewerbe unternommen wurden, so die Preisfestsetzung für spezifische „Pilgergüter", und die Forderung „richtiger" Gewichte für Bankiers und

---

[124] So im Pilgerführer, Kapitel 4, VIELLIARD, S. 10.

[125] VAZQUEZ DE PARGA u. a., wie Anm. 3, S. 389–392. Über das spanische Hospizwesen hat M. GUAL CAMARENA eine kleine Studie verfaßt (El hospedaje hispano medieval. Aportaciones para su estudio, in: Anuario de Historia del Derecho español 32/1962, S. 527–541), die recht gut die ökonomischen und juristischen Aspekte des Hospizwesens herausarbeitet.

[126] I, 17, fol. 74ʳ–93ᵛ, WHITEHILL, S. 141–177. Den hier einschlägigen Teil des Kapitels hat auch A. HÄMEL, Aus dem Liber Sancti Jacobi des Kapitelarchivs von Santiago des Compostela (Revue hispanique 81/1933 S. 378–92) S. 384ff. ediert (nach dem CC). Vgl. zur Analyse dieser Predigt: LABANDE, Las condiciones, wie Anm. 27.

[127] Alle diese Beispiele ibid., fol. 84ᵛ–85ʳ, WHITEHILL, S. 160f. Man vgl. auch die Mirakel 5 und 6 (fol. 144ᵛ–146ʳ, ibid. S. 267–269).

[128] I, 17, fol. 85ᵛ–86ʳ, WHITEHILL S. 162f. und fol. 87ᵛ, WHITEHILL, S. 165f., teils auch zu Wirten und Bankiers der Stadt Compostela. Zum Begriff der *reva* als Übernachtungsgeld, das an der zuerst zitieren Stelle des LSJ auftaucht, vgl. GUAL CAMARENA, wie Anm. 125, S. 534f.

[129] I, 17 fol. 86ʳ–88ᵛ, WHITEHILL S. 163–167, zu den Räubern auch I, 2, fol. 16ᵛ–17ʳ, WHITEHILL, S. 32f.

[130] I, 17, fol. 87ᵛ, WHITEHILL, S. 166.

[131] Ibid., fol. 88ᵛ, WHITEHILL, S. 167 und I, 28, fol. 126ʳ⁻ᵛ, WHITEHILL, S. 235.

[132] Zusammenstellung nach I, 17, fol. 84ᵛ–88ᵛ, WHITEHILL, S. 160–167.

Geldwechsler.[133] Der Umfang des durch Pilger nach Spanien gelangten Geldes ist für den uns interessierenden Zeitraum nicht meßbar, BOUZA BREY konnte allerdings auf eine verstärkte Verbreitung des Tourenser Pfennigs in Gegenden nahe der Pilgerstraße, besonders in Galizien, hinweisen, die sicherlich bei genaueren Detailstudien auch für andere Geldmünzen festgestellt werden könnte.[134]

Nicht nur Pilgerweg und Handelsstraße, sondern auch Pilgerfahrt und Handelsreise konnten aufs engste miteinander verknüpft sein, wie der LSJ zeigt. So berichtet der Pilgerführer über eine „ungerechte" Zollabgabe in Ostabat bei St-Jean und St-Michel-Pied-de-Port, die von Pilgern verlangt wurde, jedoch nur für Händler gelten dürfte.[135] Pilger und Kaufleute passierten also gleichermaßen diese Stelle, nicht immer konnte oder wollte man Pilger und Händler unterscheiden und verlangte deshalb, wenn möglich, von jedem den Wegzoll. Die Bemühungen, zwischen Pilger und Händler zu differenzieren, vermittelt auch der aus dem 11. Jahrhundert stammende Zolltarif von Jaca[136], der neben Kaufleuten und Pilgern wallfahrende Kaufleute (*romei mercatores*[137]) nennt. Für die ersten wurde der jeweilige Zoll für die unterschiedlichsten Güter festgelegt, Pilger waren frei von jeder Abgabe und beim Bündelinhalt der *romei mercatores* sollte man schätzen, was für Hin- und Rückweg benötigt werde und lediglich den Rest mit Zoll belegen. Die Unterscheidung des Tarifs in drei Personengruppen macht einerseits die wohl häufige Verknüpfung von Pilger- und Handelsfahrt deutlich[138], andererseits läßt sie auch vermuten, daß geschickte Kaufleute nicht nur als *romei mercatores*, sondern sogar als angebliche Pilger versucht haben dürften, die Zollstelle ohne Abgabe zu passieren.

Im Zusammenhang mit dem Aufschwung des Handels ist die Stadtentstehung an der Pilgerstraße häufig als besonderes Charakteristikum der städtischen Entwicklung auf der Pyrenäenhalbinsel angesehen worden.[139] GARCÍA DE VALDEAVELLANO glaubte in

---

[133] Hist. Comp. III, 33 (ES XX, S. 534f.), vgl. VAZQUEZ DE PARGA u. a., wie Anm. 3, S. 389–392, ferner VALIÑA SAMPEDRO, wie Anm. 29, S. 49.

[134] F. BOUZA BREY, La moneda de Tours y la peregrinación (Comp. 11/1966, S. 444–456), vgl. auch Ch. E. DUFOURCQ / J. GAUTIER-DALCHÉ, in ihrem Literaturbericht (Le Moyen Age 79/1973, S. 73–122), S. 93. BOUZA BREY wertet schriftl. und archäolog. Zeugnisse aus dem Ende des 12. Jhs. aus, seine Beobachtungen dürften jedoch auf einen weiteren Zeitraum verweisen.

[135] V, 7, VIELLIARD, S. 20–22.

[136] Edition mit Interpretation: J. M. LACARRA, Un arancel de aduanas del siglo XI, Zaragoza 1950, Edition, S. 19f. (der Text ist von 1076–1094). Auch abgedruckt bei: VAZQUEZ DE PARGA u. a., wie Anm 3, Bd. III, S. 109. Interpretation in bezug auf die Jakobuswallfahrt: LACARRA, wie Anm. 92.

[137] Diese Einteilung wird ebenfalls in der Praxis nicht immer leicht anzuwenden gewesen sein, vgl. VAZQUEZ DE PARGA, u. a., wie Anm. 3, Bd.I, S. 495.

[138] Einen weiteren Hinweis darauf, daß Pilger- und Handelsfahrt wohl häufig kombiniert wurden, bietet das offizielle Verbot, bei Strafwallfahrten dieses zu tun (vgl. MAES, Strafwallfahrten, wie Anm. 6, S. 113). – Auf die Möglichkeiten, in den von Pilgern und Händlern gemeinsam besuchten Herbergen Handel zu treiben, macht F. GARRISON, Les hôtes et l'hébergement des étrangers au Moyen Age. Quelques solutions de droit comparé (Etudes d'histoire du droit privé offertes à P. PETOT, Paris 1959, S. 199–222), S. 201ff. aufmerksam.

[139] Vgl. VAZQUEZ DE PARGA u. a., wie Anm. 3, Bd. I, S. 465–497; M. DEFOURNEAUX, Les Français en Espagne aux XIe et XIIe siècles, Paris 1949, S. 230–258; GARCÍA DE VALDEAVELLANO,

Fortführung der Thesen von PIRENNE, daß für die Bildung dieser Städte der Anschluß Spaniens an den mittel- und westeuropäischen Handels- und Wirtschaftsraum verantwortlich zu machen sei.[140] Neben dem neuen Stadttypus an der Pilgerstraße wurde das städtische Leben im christlichen Spanien seit den größeren Reconquistaerfolgen hauptsächlich durch die wiedereroberten „alten" moslemischen Städte und die zur Sicherung der Grenzen entstandenen Grenzstädte bestimmt.[141]

Bei der Besiedlung der neuentstandenden Städte an der Pilgerstraße darf man den „fränkischen" Siedlungsanteil als recht hoch veranschlagen[142], oft wurde fränkischen Leuten der Siedlungsvorgang durch königliche Vorrechte erstrebenswert gemacht.[143] Diese juristische Sonderstellung führte häufiger, vor allem in Nàvarra, zu Auseinandersetzungen mit der ungleich schlechter behandelten „einheimischen" Bevölkerung.[144] Andeutungsweise thematisiert der PT diese Spannungen.[145] Viele der dort geschilderten Episoden haben Städte mit fränkischer Bevölkerung zum Schauplatz, so z. B. Sahagún[146], Pamplona[147], Monjardín[148] und Najera[149]. So kämpfte Karl auch nicht nur gegen die Sarazenen, sondern auch gegen Furre, einen Fürsten aus Navarra in Monjardín.[150] Wenn also der „profränkische" PT an der Pilgerstraße entstand oder verbreitet wurde[151], so kam hierbei sicher der „fränkischen" Bevölkerung dieser Städte ein großer Anteil zu.

Schon der recht fragmentarische Charakter der Information im LSJ über die Verflechtung von Wallfahrt und Ökonomie zeigt, daß hier nicht das eigentliche Darstellungsinteresse der Autoren bzw. des Kompilators lag. Sie interessierte vielmehr

---

wie Anm. 166, S. 103–177 und die dort angegebene Literatur. Knapper auch: H. AMMANN, Vom Städtewesen Spaniens und Westfrankreichs im Mittelalter (Studien zu den Anfängen des europäischen Städtewesens, Konstanz – Lindau 1958, ND 1965, S. 105–150), S. 111 und 118.

[140] GARCIA DE VALDEAVELLANO, wie Anm. 116, S. 87ff. und S. 100.

[141] Vgl. zu dieser Dreiteilung: J. M. LACARRA, Les villes frontière dans l'Espagne des XIe et XIIe siècles (Le Moyen Age 69/1963, S. 205–222), S. 205.

[142] Vgl. DEFOURNEAUX, wie Anm. 139, S. 230ff.; GARCÍA DE VALDEAVELLANO, wie Anm. 116, S. 103–176, bes. S. 103ff., J. M. LACARRA, A propos de la colonisation „franca" en Navarre et en Aragon (Annales du Midi 65/1953, S. 331–342), S. 333–35 und VAZQUEZ DE PARGA u.a., wie Anm. 3, Bd. I, S. 469–78. Der Ausdruck, „franco" umfaßt tendenziell die verschiedensten mitteleuropäischen Völker (ibid. S. 479). Vgl. auch oben, Kapitel 5.2., S. 130f.

[143] VAZQUEZ DE PARGA u. a., wie Anm. 3, S. 480–482.

[144] Ibid. S. 482f. Bei den im 12. Jh. auftretenden kommunalen Bewegungen ist allerdings nach den Forschungen von J. GAUTIER-DALCHÉ, Les mouvements urbains au XIIe siècle. Influences étrangères ou phénomènes originaux? (Relaciones Hispano-Francesas a traves del tiempo = Cuadernos de Historia, Anejos de la Revista Historia 2/1968, S. 51–64) kein direkter (nord-) französicher Einfluß festzustellen. Insofern ist AMMANN, wie Anm. 139, S. 119 zu korrigieren.

[145] VAZQUEZ DE PARGA u. a., wie Anm. 3, Bd. I, S. 484–489. Hier werden Thesen von J. BÉDIER, wie Anm. 46, S. 101–105 weiterentwickelt. Man vergleiche auch die besonders negative Schilderung der Navarresen im I. Buch und im Pilgerführer (Vgl. oben Kap. 2.4., S. 37 mit Anm. 146).

[146] PT, 8, HÄMEL – DE MANDACH, S. 48.

[147] PT, 2, ibid., S. 42f. und PT, 11, ibid., S. 52ff.

[148] PT, 16, ibid. S. 60f.

[149] PT, 17, ibid. S. 61ff.

[150] S. Anm. 148.

[151] Vgl. Anm. 145.

die innere Haltung des Pilgers, vor allem seine Bußgesinnung. Die Hinweise auf den Weg und seine Schwierigkeiten werden nur gegeben, um möglichst vielen Pilgern eine Wallfahrt zu ermöglichen und auch zu erleichtern. Dementsprechend erwähnt das 5. Kapitel des Pilgerführers auch alle diejenigen lobend, die aus Liebe zu Gott und zum Apostel Jakobus Teile des Pilgerweges erneuerten oder Brücken bauten.[152]

Die Mißstände am Pilgerweg werden hingegen umfassend und detailliert kritisiert (oft z. B. mit Ortsangabe[153]). Dies bedeutete einen ersten Schritt, um sie abzubauen, waren doch so künftige Pilger konkret gewarnt. Daneben setzt der LSJ jedoch auch geistige Waffen ein. Meist geschieht dies in einem allgemeinen Appell an die Missetäter, Reue zu zeigen und Buße zu tun mit dem Hinweis auf die schrecklichen Strafen des Jüngsten Gerichtes.[154] Noch weitergehend wird dargelegt, wie gegen den oben erwähnten „ungerechten" Zoll vorzugehen sei.[155] Hier wird nicht nur von den Übeltätern, sondern von allen, die direkt oder indirekt von ihrem Vorgehen profitieren, also auch von den Priestern, die ihnen das christliche Heil vermitteln, eine öffentliche Buße verlangt. Bis zu diesem Zeitpunkt empfiehlt der Kompilator eine auch in Santiago auszusprechende Exkommunikation. Ein Priester, der den Zöllnern unabhängig von diesen Bedingungen verzeihe, solle ebenfalls mit Bann belegt werden. Das betrügerische Vorgehen eines Gastgebers in Toulouse wurde sogar nach einem erfolgten Wunder des

---

[152] V, 6, VIELLIARD, S. 10–12: *Hec sunt nomina . . . qui . . . viam Sancti Jacobi a Raphanello usque ad Pontem Minee pio amore Dei et apostoli . . . refecerunt: . . . Petrus, qui pontem Minee a regina Hurraca confractum refecit* und ferner der kurze Hinweis im 8. Kapitel, ibid. S. 80: *Deinde visitandum est in Yspania beati Dominici confessoris corpus, qui calciatam que est inter Nageram urbem et Radicellas fecit. . .*

[153] Vgl. die Textstellen oben Anm. 127–132, die Authentizität dieser Berichte wird im Eingangsbrief besonders betont, fol. 1ᵛ, WHITEHILL, S. 2.

[154] I, 17, fol. 88ᵛ, WHITEHILL, S. 167f.: *O vos falsi hospites et subdoli nummularii et negociatores iniqui, convertimini ad dominum Deum vestrum postponite ᵃ nequicias vestras, dimittite cupiditatem, auferte fraudes iniquas a vobis. Quid dicetis in iudicii die, quando videbitis omnes illos quos fraudastis accusantes vos coram Deo? Scitote ᵇ vos despexisse Deum in nequiciis vestris innumeris. Veruntamen nisi conversi ab innumeris fraudibus vestris fueritis, ipsos sanctos Iacobu(m) scilicet et Petru(m), Egidiu(m), Leonardum, ipsam Dei genitricem Mariam ᶜ Podiensem, Magdalenam, Martinvm ᵈ Turonense(m), Ioh(anne)m Baptistam Ang(e)liacensem, Michaele(m) ᵉ Marinu(m), Bartholomeu(m) Boneuentinu(m), Nicholavm ᶠ Bariansem accusatores coram Deo ᵍ habebitis, quorum peregrinos defraudastis. De vobis ad iudicium venientibus ad Deum conquerendo ipsi dicent: Hi sunt Domine, qui tot ac tantis fraudibus nostros peregrinos deceperunt, tot iniquitates in eis ingecerunt (sic!). Secundum opera manuum eorum tribue ʰ illis, redde retribucionem eorum ipsis, quoniam non intellexerunt opera Domini et in opera manuum eorum destrues illos et non edificabis eos. Veniat mors super illos et descendant in infernum viventes, quoniam nequicie in habitaculis eorum in medio eorum.*
a) zweites „p" auf Rasur, von frd. (?) Hd. b) Fragezeichen und Anfangs-„s" auf Rasur, von frd. Hd. c) *Mariam* fett geschrieben, darüber von frd. Hd: *absit.* d) *Martinvm* fett. e) *Michaele(m)* fett. f) *Nicholavm* fett. g) anschl. ein Buchstabe durch Rasur gelöscht. h) *tribue* auf Rasur, von frd. (?) Hd.
Eine Randnotiz vor dieser Passage nennt die Städte, wo der Betrug in einer *scola fraudis* erlernt werden könnte: Le Puy, St-Gilles, Tours, Piacenza, Lucca, Rom, Bari und Barletta. Vgl. die Tabelle der Randnotizen im Anhang, S. 205.

[155] Vgl. oben, Anm. 135.

hl. Jakobus durch öffentliches Gutachten geahndet: *hospitem vero, ... ibidem communi examine mortem addicatum ibico suspenderunt.*[156] Vor allem im Zusammenhang mit diesen Berichten über die Mißstände werden die Rechte des Pilgers klar herausgestellt, so dasjenige, von jedem Zoll befreit zu sein[157] oder das Recht auf gute Beherbergung.[158] Die christliche Gastungspflicht ist Gegenstand eines eigenen Kapitels im V. Buch[159]; mit einigen „Strafwundern" werden die möglichen Strafen derjenigen bezeichnet, die einem Pilger die Herberge verwehren.

Immer wieder sind es konkrete Mißstände, die den Kompilator interessieren, die allgemeinen, besonders seit dem Beginn des 12. Jahrhunderts entstandenen Verordnungen von kirchlicher und weltlicher Seite zum Schutze der Pilger scheinen ihm weniger vertraut oder bedeutend zu sein.[160] Sicherlich zeigt sich hier wohl eine Skepsis gegenüber allgemeinen Dekreten, dem Kompilator bedeutete der Schutz von Pilgern durch Gott und seine Heiligen, von allem durch den hl. Jakobus weitaus mehr; 22 Mirakel berichten, wie der Apostel in Gefahren aller Art, oftmals bei einer Pilgerreise Beistand leistete. Vor allem dieses Vertrauen auf die Kraft und die Hilfe des Heiligen will der LSJ stärken.

Zusammenfassend gesehen steht die Konzeption der Jakobuswallfahrt der LSJ im Spannungsfeld zwischen Anschauungen „gelehrter" und „populärer" Religion. In der Gedankenführung dominieren meist gebildete, theologisch exakte Formulierungen, jedoch mußten bei einem Phänomen wie „Wallfahrt", das grundsätzlich bereits eher der „Volksreligion" zugeordnet werden kann, immer wieder populäre Anschauungen im Text durchscheinen. Stichwortartig sei hier erneut an den Wunderglauben, die zahlreichen Riten und Symbole und den Wunsch nach physischer Nähe zum Heiligen

---

[156] II, 5, fol. 143ʳ, WHITEHILL, S. 268, vgl. hierzu oben, Kap. 5.1., Anm. 21.

[157] V, 7, VIELLIARD, S. 22–24: *Sciendum quia ipsi portageri a peregrinis tributum accipere nullo modo debent ...* An gleicher Stelle heißt es, auch die kurz zuvor erwähnten hinterlistigen Fährleute von St-Jean de Sorde (ibid. S. 20) dürften allenfalls von Reichen oder für ein Pferd ein Beförderungsgeld verlangen.

[158] Vgl. Anm. 156.

[159] V, 11, VIELLIARD, S. 122–124, vgl. Kap. 5.1., S. 112 mit Anm. 24.

[160] Vgl. hierzu: VALIÑA SAMPEDRO, wie Anm. 29, S. 37–58, E. WOHLHAUPTER, Wallfahrt und Recht (Wallfahrt und Volkstum, wie Anm. 36, S. 217–242), S. 226ff., GARRISON, wie Anm. 8, S. 1179–1181. Bezeichnenderweise werden fast immer Pilger und Händler dem gleichen Schutz unterstellt, so z. B. in Beschlüssen spanischer Konzilien: *Mercatores, romarii, et peregrini, non pignerentur, et qui aliter egerit, duplet quae tulerit et sit excommunicatus, et solidos LX persolvat domino illius honoris* (Konzil von Compostela, 1113, Hist. Comp. I, 96, ES XX, S. 181); *Ut negotiatores, et peregrini, et laboratores in pace sint, et securi per terras eant, ut nemo in eos vel erum* (sic!) *res manus mittat* (Verkündigung der Konzilsbeschlüsse von León, 1114, durch Diego Gelmírez, ibid. I, 101, ES XX, S. 192); *Peregrini, mercatores, non capiantur, neque pignorentur nisi propria culpa ...* (Konzil von Compostela, 1124, Bestimmungen zum Gottesfrieden, ibid. II, 71, ES XX, S. 418). Vgl. zur kirchenpolitischen Bedeutung: L. VONES, Die ‚Historia Compostellana' und die Kirchenpolitik des nordwestspanischen Raumes 1070–1130, Köln – Wien 1980, S. 337f. und S. 468. – Auch das 1. Laterankonzil (1123) nahm zum Pilgerschutz Stellung: *Si quis Romipetas et peregrinos, apostolorum limina et aliorum sanctorum visitantes capere molestare tentaverit, donec satisfecerit ...* (Conciliorum oecumenicorum decreta, hg. von J. ALBERIGO u. a., Freiburg 1962, ³1973, S. 169).

erinnert. Das Anliegen des „gelehrten" Kompilators lag hingegen darin, die Wallfahrt und die innere Einstellung des Pilgers hierzu weiter zu läutern, seinen Weg mitzubestimmen, schließlich auch, ihn vor jeglicher Gefahr und Betrug zu bewahren.

Die Schilderung der bestehenden Mißstände ließ die Verflechtung von Religion und Ökonomie schlaglichtartig erkennen: Die Entwicklung von Wallfahrt und Ökonomie standen in wechselseitger, unauflöslicher Beziehung, die bis ins Spätmittelalter bestimmend blieb:

– ohne größere Pilgermassen Rückgang des Handels und des auf die Pilger ausgerichteten Gewerbes,
– ohne zunehmendes Gewerbe und Handel keine materielle Versorgung der Pilgerbedürfnisse, Stagnation oder Rückgang der Pilgerbewegung.

Ebenso bot die Wallfahrt nach Compostela eine gute Möglichkeit, fromme Werke und geschäftsmäßigen Handel miteinander zu verbinden.

7. ZUSAMMENFASSUNG UND AUSBLICK

Abschließend gilt es nunmehr, die wichtigsten Ergebnisse der vorliegenden Arbeit zusammenzufassen. Die dargelegten Überlegungen zum LSJ hatten zum Ziel, das Verhältnis von Religion und Gesellschaft anhand des Jakobuskultes für das beginnende 12. Jahrhundert zu konkretisieren. Obwohl für diese Fragestellung auf eine recht geeignete Quelle, die Kompilation des LSJ, zurückgegriffen werden konnte, die zu den verschiedensten Aspekten eine Antwort versprach, wurde diese Ausgangssituation auch gleichzeitig wieder zum Problem, weil die diversen Schichten und Komponenten des LSJ bereits eine lebhafte Diskussion entfacht hatten, die es zu berücksichtigen galt. Hinzu traten die philologischen Schwierigkeiten der hier zur Interpretationsgrundlage erhobenen Handschrift CC; allerdings ließ sich in diesem Punkt einiges über die bisherige Forschung hinausgehend präzisieren.[1]

Der LSJ stellt eine vom Kompilator gewollte Einheit dar; das verknüpfende Band muß neben dem im ganzen Werk feststellbaren Anliegen der Jakobusverehrung in der angeblichen Autorschaft Papst Calixts (II.) gesehen werden. Der Zweck des Buches, eine Auswahl von mündlicher und schriftlicher Tradition mit Neuem zu einem für die Jakobusverehrung verbindlichen Werk zusammenzustellen, ließ den Kompilator auf päpstliche Legitimationshilfe zurückgreifen (Kap. 4.1.).

Eine verstärkt auf den Inhalt der Kompilation konzentrierte Analyse verdeutlichte, daß der hl. Jakobus zusammen mit Johannes und Petrus zu den drei wichtigsten Aposteln gezählt wird; dies ließen die Auswahl der Bibelzitate und Lesungen, ferner der Argumentationsgang der Predigten an vielen Stellen erkennen. In einigen „überspitzten" Passagen, die sich eindeutig gegen die Interessen des Rivalen Toledo, darüberhinaus teils auch gegen den römischen Primat richteten, forderte der Kompilator indirekt eine primatsähnliche Stellung Compostelas in Spanien, ja sogar einen geistigen Vorrang der Apostelstadt innerhalb der westlichen Mittelmeerwelt (Kap. 4.2. und 4.3.). Der Apostel Jakobus fungiert jedoch nicht nur als Schutzherr bestimmter Interessen, sondern der Kompilator stellt ihn ebenso — zuweilen mit den anderen Aposteln — als Vorbild für die *vita apostolica* heraus, deren wesentliche Ziele neben Armut, Keuschheit und gemeinsamem Leben vor allem in der Predigt- und Missionstätigkeit liegen. Die Verbindung von Predigt und *vita apostolica* kennzeichnet auch die Bewegung der Kanonikerreform zu Beginn des 12. Jahrhunderts, ein wichtiger Hinweis auf den Standort des Kompilators (Kap. 4.4 und 4.5.).

---

[1] Es sei hier an den Nachweis von Schreiber B-Karolus für einige Folia des V. Buches (Kapitel 2.3., S. 25, Anm. 81), an die Klassifizierung der Randnotizen (Anhang, 8.3., S. 206), schließlich an den Nachweis verschiedener wörtlicher Übernahmen innerhalb des LSJ (Kapitel 4.4., S. 101f., Anm. 246; Kapitel 6.2., S. 179f., Anm. 81) erinnert. Ferner dürfte die von mir erstellte buchstabengetreue Wiedergabe des Textes der Handschrift CC erstmals eine solide Textgrundlage für eine Interpretation des LSJ geboten haben.

Auch der Versuch, den LSJ einer bestimmten sozialen Gruppe zuzuordnen, verwies auf die Funktion des hl. Jakobus als Vorbild bzw. als Mittler zu Gott. Personen, Thema und Struktur der dem Alltagsgeschehen wohl recht nahestehenden Mirakelberichte legten es nahe, den LSJ in die Nähe des ritterlichen Milieus zu rücken. Die Form der erkennbaren Religiosität war jedoch erst vorläufig mit dem Attribut „Kriegerreligion" zu kennzeichnen, weil das II. Buch des LSJ Hinweise auf eine spezielle Ritterethik vermissen läßt. Erst der PT, wesentlich programmatischer, entwickelt eine solche ethische Konzeption des christlichen Ritters. Das hier vertretene Programm liegt im Spannungsfeld von *militia saecularis* und *militia Dei*, ein Charakteristikum, das für die gesamte Kompilation mit Sicherheit zutrifft. Der Krieg, genauer gesagt der Missionskrieg, ist Gottesdienst und Beispiel für die *militia Dei*. Entsprechend schwankt auch die Bedeutung des apostolischen Vorbildes Jakobus stetig zwischen kriegerischer und friedlicher Funktion (Kap. 5.1. und 5.2.).

„Die Reform des Rittertums war ein Korrelat zur klerikalen und kirchenpolitischen Reform."[2] Dieser Satz Carl ERDMANNS läßt sich durch unsere Interpretation des LSJ bestätigen und konkretisieren. Ritterliche und priesterliche Aufgaben und Ziele sind nicht voneinander zu trennen, beide Seiten des reformerischen Anliegens werden fortwährend auf verschiedenste Weise miteinander verknüpft, vor allem durch moralisierende Einschübe. Die Verbindung von *militia saecularis* und *militia Dei* eignet vor allem auch der theoretischen Konzeption der Ritterorden, denen der Kompilator sicherlich in irgendeiner Form verbunden war. Zu den Vorläufern dieser Bewegung dürften aber neben den Zisterziensern vor allem auch die reformierten Kanoniker gehört haben (Kap. 5.3.).

Den Ritterorden oblag es auch, für einen Schutz der Pilger auf ihrem Weg zu sorgen. Die Bedrängung des Pilgerweges in Spanien liefert auch im PT ein Zusatzargument, um zum Kampf gegen den Glaubensfeind aufzurufen; auf die zahlreichen Gefahren während einer Pilgerreise macht vor allem das V. Buch des LSJ aufmerksam. In bezug auf die Wallfahrt geht es dem Kompilator jedoch insbesondere darum, die innere Einstellung des Pilgers zu läutern. Die christlich bestimmte Wallfahrt sollte ein Weg der Buße sein, die vor allem in der Vergebung der Sünden die Möglichkeit zur weiteren Heiligung des Pilgers bot. Hierbei hatte sich der Kompilator mit zahlreichen Formen der „Volksreligion" auseinanderzusetzen; teils griff er diese auf, teils brandmarkte er sie als schwerwiegende Irrtümer (Kap. 6).

Kehren wir zu den Ausgangsüberlegungen am Beginn dieser Arbeit zurück[3], so ist festzuhalten, daß die Bedeutung des hl. Jakobus für die Gesellschaft des 12. Jahrhunderts in allen genannten Funktionen zu sehen ist, als Vorbild und Maßstab, Helfer und Mittler zum entfernteren Gott, schließlich als Legitimator ganz bestimmter Interessen.

C. ERDMANN hat den kriegerischen Ritterheiligen eine besondere Bedeutung für die Entstehung des populären Kreuzzugsgedankens zugeschrieben. Auch die Analyse des LSJ zeigte, welche Bedeutung dem Ritterpatronat des hl. Jakobus zukommt. Der Heilige erscheint jedoch nicht ausschließlich in dieser Funktion, sondern steht auch als

---

[2] C. ERDMANN, Die Entstehung des Kreuzzugsgedankens, Stuttgart 1935, ND Darmstadt 1974, S. 130.
[3] Vgl. oben, Vorbemerkungen und Kap. 3.

Apostel für eine Reform der Kleriker, eine Rückbesinnung auf das „apostolische Leben". Für beide Aspekte bot der Apostel Jakobus ein in besonderer Weise geeignetes Vorbild. Als Prediger und Apostel stand er für die „apostolische Lebensweise", als Missionar und erster Märtyrer unter den Aposteln trat er in die unmittelbare Nähe zu den für den Glauben kämpfenden Rittern, die dem Apostel letztlich bis ins Martyrium folgen sollten. Somit ist auch dem vorbildlichen Leben des Jakobus das Spannungsfeld von *militia Dei* und *militia saecularis* eigen. Hier dürfte der wesentliche Unterschied zwischen Jakobus und anderen Ritterheiligen liegen, denn ein Apostel, der Vorbild für *vita apostolica* und Krieg gleichzeitig darstellte, ist unter den Ritterheiligen sonst nicht mehr anzutreffen. Aus diesem Grund trifft die von ERDMANN geäußerte Behauptung, die kriegerische Rolle des hl. Jakobus sei im 12. Jahrhundert fest ausgebildet[4], nach den hier angestellten Untersuchungen nur teilweise zu: Im 12. Jahrhundert und, soweit ich sehe, noch darüberhinaus ist die kriegerische nur eine von mehreren Funktionen des hl. Jakobus. Die ebenfalls von ERDMANN gestellte Frage, ob das Ritterpatronat des Apostels in die Zeit vor den ersten Kreuzzug zurückreiche[5], kann auch aus dem LSJ beantwortet werden. Die Analyse von Mirakel 19 des LSJ, das mit Sicherheit aus mündlichen Traditionen der zweiten Hälfte des 11. Jahrhunderts schöpft, hat gezeigt, daß die verfolgbaren Anfänge zumindest in diese Zeit gehören.[6]

Neben der Rolle als apostolisches Vorbild diente der Heilige als Schutzherr und Legitimator von Interessen; die Ansprüche auf Pilgergaben und Geschenke, ferner auf die Vorrangstellung seiner Grabstätte in Spanien haben diese Funktion mehrfach belegt. Auch die Verbindung von Jakobuskult und Ökonomie weist in diese Richtung.

Die dritte im LSJ erkennbare Funktion des hl. Jakobus, die Mittlerschaft zu Gott, konnte aufgrund der Differenzierung von „religion populaire" und „religion savante" genauer umschrieben werden. Die Wundergläubigkeit des Volkes, der Wunsch nach physischer Nähe zum Heiligen, das Berühren der hl. Stätte und zahlreiche andere Riten zeigten, welch starke Mittlerfunktion die „Volksreligion" dem Heiligen zumaß. Auch die Analyse der Mirakelberichte des LSJ unterstrich, wie die „Volksreligion" den Heiligen sogar als direkten Helfer und Intervenienten sucht; lediglich eine stereotype Schlußformel am Ende jeder Geschichte verwies auf die gelehrte Version, die dem Heiligen lediglich Interzession zubilligt.

Der Gang der Untersuchung dürfte gezeigt haben, wie vielschichtig uns die Kompilation des LSJ entgegentritt. Deshalb scheint es geboten, nunmehr noch einige weitere Ergebnisse, die sich aus der Interpretation des LSJ ergeben haben, auf bisherige Arbeiten zu beziehen und künftige Forschungsaufgaben zu skizzieren.

Der konkrete Vollzug des Jakobuskultes in Wallfahrt und anderen Verehrungsformen dürfte durch eine vollständige Auswertung des Materials, das der LSJ hierzu bietet, die Forschungen von LACARRA und LABANDE[7] ergänzt und präzisiert haben. Die Scheidung in „populäre" Devotionsformen und die „gelehrte" Konzeption

---

[4] ERDMANN, wie Anm. 2, S. 255 mit Anm. 24.

[5] Ibid.   [6] Vgl. oben, Kapitel 5.1., S. 111.

[7] J. M. LACARRA, Espiritualidad del culto y de la peregrinación a Santiago antes de la primera cruzada (Pellegrinaggi e culto dei Santi in Europa fino alla 1ª crociata, Todi 1963, S. 113–145) und die Arbeiten von LABANDE (vgl. Literaturverzeichnis).

eines Heiligenkultes müßte nun durch den Vergleich mit anderen Verehrungszentren weiter fruchtbar gemacht werden.[8']

Das Bild, das der LSJ in Bezug auf die Kirchengeschichte Spaniens bietet, trifft sich mit Ergebnissen, die VONES aufgrund der Analyse der Hist. Comp. für diesen Zeitraum vorgelegt hat.[9] An einigen Stellen konnten Bezugspunkte zwischen Hist. Comp. und LSJ herausgearbeitet werden; so nehmen beide Werke kaum von der Exemtion Compostelas Notiz, stellen den besonderen Charakter des hl. Jakobus neben Johannes und Petrus heraus und verdeutlichen die latenten Primatsansprüche von Diego Gelmírez.[10] Allerdings charakterisiert der LSJ eine noch weitergehende propagandistische Ausrichtung als die Hist. Comp., so greift der Kompilator – wenn auch vereinzelt – äußerst pointiert Vorrechte von Rom und Toledo an.

Von publizistischen Zügen ist auch das Verständnis der Reconquista und des Kreuzzuges im LSJ geprägt. Wie Urban II. in Clermont verbindet der PT geschickt den Wallfahrtsgedanken mit der Idee des hl. Krieges und verspricht ebenso himmlischen Lohn für die Teilnahme am Heidenkampf. Die Verheißungen himmlischer Freuden für die Verbreitung von Kreuzzugsaufrufen scheint der LSJ nur noch mit einer eventuell von ihm abhängigen Urkunde Diegos von Compostela gemein zu haben.[11] Die Untersuchung des LSJ liefert damit Hinweise zur frühen Praxis der Kreuzzugswerbung und Kreuzpredigt.[12] Eng mit diesem Bereich hängt die Konzeption des (Ordens-) Ritters zusammen. Die Kompilation tritt hier in engen Kontakt zur Schrift „De laude novae militiae" Bernhards von Clairvaux.[13]

Die Wertungen und programmatischen Forderungen des LSJ lenkten mehrfach den Blick auf die Kanonikerreform des 11./12. Jahrhunderts. Mit diesem Stichwort sind auch verschiedene Gesichtspunkte, die unsere Überlegungen leiteten, zusammenzufassen: so förderten die Päpste Calixt II. und Innozenz II., die als Legitimatoren des Werkes herangezogen wurden, das kanonische Leben als *vita apostolica* und griffen so die seit dem 11. Jahrhundert im Okzident verstärkte Apostelverehrung auf.[14] Durch die

---

[8] Gute Ansätze für das Frühmittelalter jetzt bei A. BAUCH, Ein bayrisches Mirakelbuch aus der Karolingerzeit. Die Monheimer Walpurgis-Wunder des Priesters Wolfhard, Regensburg 1979, S. 48–91; für Nahwallfahrtszentren: P. A. SIGAL, Maladie, pèlerinage et guerison au XIIe siècle. Les miracles de saint Gibrien à Reims (A.E.S.C. 24/1969, S. 1522–39).

[9] L. VONES, Die ‚Historia Compostellana' und die Kirchenpolitik des nordwestspanischen Raumes 1070–1130, Köln 1980. VONES erwähnt den LSJ nur summarisch (S. 524).

[10] Vgl. S. 83 mit Anm. 146; S. 80, Anm. 129 und S. 91ff.

[11] Vgl. Kap. 4.1., S. 67f. und Kap. 5.2.3., S. 146f.

[12] Soweit ich sehe gibt es zur Frühzeit der Kreuzpredigt keine zusammenfassende Arbeit, sieht man von V. CRAMER, Kreuzpredigt und Kreuzzugsgedanke. Textvergleiche und Predigtgedanken von Urban II. (1095) bis Humbert von Romans (1266) (Das Heilige Land 81/1937, S. 142–154, 82/ 1938, S. 15–36) ab. – Zur späteren Zeit: P. B. PIXTON, Die Anwerbung des Heeres Christi: Prediger des Fünften Kreuzzugs in Deutschland (DA 34/1978, S. 166 – 192).

[13] Vgl. Kap. 5.3., S. 157f.

[14] Vgl. E. DELARUELLE, Dévotion populaire et hérésie au Moyen Age (Hérésies et sociétés, hg. von J. LE GOFF, Paris 1968, S. 147–155) S. 149f. und: K. BOSL, Regularkanoniker (Augustinerchorherren) und Seelsorge in Kirche und Gesellschaft des europäischen 12. Jahrhunderts (Abh. der bayr. Akad. der Wiss., phil.-hist. Kl., NF 86, München 1979) S. 23ff.

Betonung von Seelsorge und Predigt als neue Aufgaben wurde so auf die Herausforderung der hochmittelalterlichen Aufbruchsperiode eine kirchliche und auch gesellschaftliche Antwort gesucht.[15] Wenn sich aber die Reformbewegung der Kanoniker verstärkt der Vermittlung von Glauben annahm, so hatte sie Elemente der „Volksreligion" (wie Wunderglaube, Wallfahrten, Heiligenverehrung und Kreuzzugsgedanke) anzusprechen und ggf. zu beeinflussen. Der LSJ bietet somit ein Beispiel dafür, wie die zweite, „nachgregorianische" Phase der Kirchenreform auch in literarisch-hagiographischen Werken Fuß faßte; die Forschung zur Kanonikerreform wird in Zukunft auch Quellen wie den LSJ stärker berücksichtigen müssen.[16]

Somit dürfte auch der Charakter des LSJ klarer erkennbar sein. Zwischen 1140 und 1150 in der Form des CC entstanden, weisen zahlreiche Indizien darauf hin, daß ein Kanoniker nicht nur Teile von Buch IV und V verfaßt hat, sondern wohl für die gesamte Kompilation verantwortlich zeichnet.[17] Er schuf die Einheit des Werkes, indem er durch moralisierende Einschübe Bezugspunkte zwischen den einzelnen Teilen herstellte.[18]

Durch eine stärker auf den Inhalt des LSJ bezogene Analyse konnten so einige Ergebnisse P. DAVIDS zur Genese des Jakobusbuches präzisiert bzw. modifiziert werden.[19] Weitere Fortschritte in dieser Frage werden sicher auch maßgeblich von erneuter philologischer Forschung abhängen.[20] Das größte Desiderat bleibt nach wie vor eine Edition des LSJ, die vor allem die in der Kompilation verwendeten Quellen kenntlich machen müßte. So läßt sich zwar jetzt bereits sagen, daß der Rückgriff auf Autoritäten wie Augustinus, Hieronymus, Beda Venerabilis, schließlich Gregor I. und Leo I. für einzelne Kapitel von Buch I in bestimmter Weise typisch ist, weil hier Namen angesprochen sind, die von der Reformbewegung der Kanoniker immer wieder bemüht wurden. Ein letztlich stichhaltiger Beweis dürfte in dieser und in anderen Fragen jedoch erst dann zu führen sein, wenn wir über eine kritische Edition verfügen.

---

[15] G. DUBY, Les chanoines réguliers et la vie économique des XIe et XIIe siècles (La vita comune del clero nei secoli XI e XII. Atti della Settimana di studio, Mendola 1959, 1. Bd., Mailand 1962, S. 172–182, ND in: ders., Hommes et structures du Moyen Age, Paris 1973, S. 203–213) und BOSL, wie Anm. 14.

[16] In dieser Beziehung steht die Forschung noch in den Anfängen, dies dokumentiert der Literaturbericht von St. WEINFURTER, Neuere Forschung zu den Regularkanonikern im dt. Reich des 11. und 12. Jahrhunderts (HZ 224/1977, S. 379–397).

[17] Einiges spräche sogar dafür, erneut die Frage zu erörtern, ob Aimericus Picaudus mit einem Jerusalemer Kanoniker Aimericus, der 1131 nach Compostela reiste (Hist. Comp. III,26, ES XX, S. 523f., vgl. oben, Kap. 2.4., Anm. 147), gleichgesetzt werden könnte. Dieser letztgenannte Aimericus, so könnte den bisherigen Argumenten zugefügt werden, war Mitglied der Kanonikergemeinschaft vom Hl. Grab, der Keimzelle der Ritterorden. Diese Frage möchte ich aber selbst nach der umfangreichen Analyse des LSJ nicht vorschnell entscheiden, da über beide Kleriker zu wenige Daten bekannt sind, die einen gesicherten Zuordnungsversuch rechtfertigen würden.

[18] Vgl. oben, S. 136, Anm. 192 und S. 154, Anm. 303.

[19] DAVID, IV/1949, S. 96–103, Berichtigungen: oben, S. 62, Anm. 24, S. 114., S. 126f., S. 177, Anm. 68.

[20] Meine Arbeit konnte hier nur einzelne weitere Bausteine liefern: vgl. oben, Kap. 2.3., S. 62, Anm. 26, S. 87, S. 96, Anm. 222, S. 101f., Anm. 246, S. 110ff., S. 131, Anm. 149, S. 152, Anm. 287, S. 179, Anm. 81.

Abschließend seien noch einige Bemerkungen in methodischer Hinsicht
erlaubt. Die vorliegende Arbeit hat versucht, die Anregungen der Religions- und
Mentalitätsgeschichte weitgehend zu nutzen.[21] Das Begriffspaar „Volksreligion" und
„gelehrte Religion" erlaubte es, die Informationen des LSJ nach den Formen
kollektiver Devotionspraxis und der theoretischen Konzeption einer Heiligenkultes zu
scheiden. Für das karolingische Aquitanien hat J. C. POULIN ebenfalls mit dieser
Dichotomie erfolgreich gearbeitet, wobei er die Interferenz von „mentalité cléricale"
und „mentalité populaire" durchaus zugestand.[22] Trotzdem ist der Begriff „Volksreligion" nach wie vor keine Ideallösung, weil er noch zu unspezifisch ist. Dies entspricht
zwar auch oft der Quellenlage, jedoch bleibt die Aufgabe, hier ein geeigneteres
Begriffspaar zu suchen.[23] Die Analyse der Mirakelgeschichten im LSJ hat gezeigt, daß
es zuweilen möglich ist, den Begriff „Volksreligion" auf eine soziale Gruppe hin
einzuengen. An dieser Stelle hätte weitere Forschung anzusetzen und das enorme
hagiographische Material auch für das Hochmittelalter nicht nur nach Zeiten und
Räumen, sondern auch nach sozialem Bezug, religiösen Denkschemata und Kultformen
vergleichend zu erschließen. Doch können dies nur Anregungen zu einem weiteren
Forschungsprogramm sein, dessen Konturen erst in erneuter praktischer Arbeit
konkrete Gestalt annehmen können.[24]

---

[21] Vgl. oben, Kap. 3.

[22] Vgl. J. C. POULIN, L'idéal de sainteté dans l'Aquitaine carolingienne d'après les sources
hagiographiques (750–950), Quebec 1975, S. 112 u. ö. Vgl. dazu die Bemerkungen von W. POHL-
KAMP, Hagiographische Texte als Zeugnisse einer „histoire de sainteté" (Frühmittelalterliche
Studien 11/1977, S. 229–240), der vor allem die methodischen Verdienste von POULIN hervorhebt.

[23] Der Vorschlag von M. MOLLAT, Les formes populaires de la piété au Moyen Age (Actes du
99e Congrès nat. des Sociétés Savantes, Besançon 1974, Paris 1977, S. 7–25, ND in: ders., Etudes
sur l'économie et la société de l'Occident médiéval. XIIe–XVe siècle, London 1977, Nr. XIII) unter
dem Volk den „populus christianus" und letztlich die „Laien" zu verstehen, führt hier noch nicht
genügend weit.

[24] Einiges hierzu bei F. LOTTER, Methodisches zur Gewinnung historischer Erkenntnisse aus
hagiographischen Quellen (HZ 229/1979, S. 298–356), gute praktische Ansätze bei BAUCH und
besonders SIGAL, wie Anm. 8. Vgl. auch Kap. 5.1. und Anm. 22.

8. ANHANG

8.1. Exkurs: Versuch einer statistischen Beschreibung der Petenten der Urkunden Calixts II. (französisch-spanischer Raum)

Anhand einer statistischen Beschreibung der Bittsteller (Petenten) (diese sind zu Beginn des 12. Jahrhunderts häufig, aber nicht immer als identisch mit den Urkundenempfängern anzusehen), welche die Urkunden Calixts II. impetriert haben, soll versucht werden, diejenigen gesellschaftlichen Gruppen zu ermitteln, die der Rechtshilfe Papst Calixts II. besonderes Gewicht beimaßen.[1] Hierbei wäre vor allem geographisch, institutionell und personell zu unterscheiden.

Eine solche Statistik hat methodisch einige Faktoren in Betracht zu ziehen, die grundsätzlich zu beachten sind:

– Die Ermittlung ganz bestimmter Petentengruppen ist vom Zustand der Überlieferung nicht unabhängig.
– Nur wenn die Bitten „kanonisch gerecht" waren[2] bzw. wenn der jeweilige Petent Unterstützung seiner Bitten durch Mitglieder der Kurie finden konnte[3], werden diese zu urkundlichem Erfolg geführt haben.
– Schließlich wird auch die päpstliche Reisetätigkeit, ein zunehmendes Herrschaftsmittel der Päpste seit der Zeit des Reformpapsttums[4], die Zusammensetzung der Bittgesuche und Urkunden beeinflußt haben. Es ist deshalb geboten, das päpstliche Itinerar zu berücksichtigen.

Deshalb soll im folgenden
1. eine Auflistung der Petenten anhand des „Bullaire" Calixts II. von U. ROBERT[5] erfolgen, um dann
2. die personellen Verhältnisse an der Kurie mittels der Studien von KLEWITZ, SCHMALE und HÜLS[6] sowie

---

[1] Vgl. E. PITZ, Papstreskript und Kaiserreskript im Mittelalter, Tübingen 1971, S. 314 (= Bibliothek des Deutschen Historischen Instituts in Rom 36) und ders., Die römische Kurie als Thema der vergleichenden Sozialgeschichte (Quellen und Forschungen aus ital. Archiven und Bibliotheken 58/1978, S. 216–359), S. 282f.

[2] PITZ, Kurie, wie Anm. 1, S. 283f.

[3] Vgl. z. B. zur Käuflichkeit von Privilegien die von K. JORDAN aus der Hist. Comp. zusammengestellten Beispiele: Zur päpstlichen Finanzgeschichte im 11. und 12. Jahrhundert (Quellen und Forschungen aus ital. Archiven und Bibliotheken 25/1933–34, S. 61–104), S. 83–88.

[4] PITZ, Papstreskript, wie Anm. 1, S. 311.

[5] U. ROBERT (Hg.), Bullaire du pape Calixte II, 2 Bde, Paris 1891.

[6] H. W. KLEWITZ, Die Entstehung des Kardinalkollegiums (ZRG KA 56/1936, S. 115–221, ND in: ders., Reformpapsttum und Kardinalkollegium, Darmstadt 1957, S. 11–134); F. J. SCHMALE, Studien zum Schisma des Jahres 1130, Köln – Graz 1961 (= Forschungen zur kirchlichen Rechtsgeschichte und zum Kirchenrecht, 3); ders., Papsttum und Kurie zwischen

3. das Itinerar Calixts II.[7]

hierzu in Beziehung zu setzen.[8]

zu 1): Das Urkundencorpus der Urkunden Calixts II. umfaßt nach der Edition von ROBERT 530 Urkunden. Abzuziehen sind einige von ROBERT aufgenommene Erwähnungen und Fragmente, die für die hier gestellte Frage nicht in Betracht zu ziehen sind. Da für den LSJ als Autor(en) und Kompilator Kleriker aus dem französisch-spanischen Raum vermutet werden müssen[9], ist der Urkundenanteil für diesen Empfängerbereich insbesondere zu beachten: ca. 290 Urkunden, weit mehr als die Hälfte, richten sich an französische und spanische Empfänger. Dabei ist der Anteil im ersten und zweiten Pontifikatsjahr Calixts II. besonders hoch. Die Zahl der Petenten ist um einiges geringer als die der Empfänger. Abgesehen von ca. 50 Urkunden, für die aufgrund des Charakters kein spezieller Petent in Frage kam (z. B. Einladung zu einem Konzil o. ä.) oder für die aufgrund des Rechtsinhaltes kein eindeutiger Petent ermittelt werden konnte, lassen sich für die angegebene Urkundenauswahl folgende Petentengruppen unterscheiden:

– Mönchsgemeinschaften: 78
– Kanoniker und Säkularklerus: 23
– weltlicher Adel: 7
– päpstliche Legaten: 4

Einige Personen bzw. Gemeinschaften fungieren besonders häufig als Petenten, sie seien hier (bei mindest dreimaligem Nachweis als Petent) gesondert aufgeführt:

Mönchsgemeinschaften:
– Cluny (17mal)
– St-Gilles (14mal)
– Marseille, St-Victor (6mal)
– Vendôme (6mal)
– La Grasse (4mal)
– Aniane (3mal)
– Saumur, St-Florent (3mal)
– St-Denis (3mal)
– Tournus (3mal)

Kanoniker und Säkularklerus:
– Besançon, St-Jean (7mal)
– Santiago de Compostela (5mal)
– Vienne (4mal)

Gregor VII. und Innozenz II. (Probleme des 12. Jahrhunderts, Stuttgart 1968, S. 13–32, = Vorträge und Forschungen, 12); R. HÜLS, Kardinäle, Klerus und Kirchen Roms 1049–1130, Tübingen 1977 (= Bibliothek des Deutschen Hist. Inst. in Rom, 48).

[7] Das Itinerar hat bereits ROBERT, wie Anm. 5, S. XLII–XLV zusammengestellt.

[8] Der Überlieferung kann an dieser Stelle keine weitere Beachtung mehr geschenkt werden, Insgesamt ist die Überlieferung für den Pontifikat Calixts II. als relativ gut einzuschätzen.

[9] Vgl. oben, Kap. 2.4., zusammenfassend S. 46f.

Bischöfe und Kathedralkapitel:
- Santiago de Compostela (15mal)
- Poitiers (5mal)
- Porto (5mal)
- Toledo (4mal)

Weltlicher Adel:
Alfons (VII.), König von Galizien (9mal)
Ludwig, König von Frankreich (5mal)

Die häufige Präsenz dieser Gruppe als Petenten liegt nicht nur darin begründet, daß sie besonders zahlreich die päpstliche Rechtshilfe in Anspruch nahmen, sondern oft auch darin, daß sie diese besonders intensiv, so z. B. durch das Erwirken mehrerer Urkunden für eine Rechtsangelegenheit, um eventuelle Ansprüche anderer durch zusätzliche Papsturkunden auszuschalten, herbeiführen konnten.

zu 2): Die Anfänge der römischen Kurie sind eng mit der Zeit des Reformpapsttums verknüpft.[10] Besondere Beachtung verdient in unserem Zusammenhang das entstehende Kardinalkolleg, dessen personelle Zusammensetzung das Verhältnis von Papsttum und „Gesamtkirche" zumindest teilweise widerspiegeln könnte.[11] Mit den Kardinälen erhielten erstmals, besonders seit dem Pontifikat Calixts II., Elemente der außerrömischen Kirche eine Bedeutung für die „Gesamtkirche".[12] Dieses Kolleg konnte insbesondere auch für Sedisvakanzen eine gewisse Kontinuität garantieren.[13] Ablesbar ist sein steigender Einfluß an dem seit der Mitte des 11. Jahrhunderts auftretenden Brauch, päpstliche Urkunden durch Kardinalsunterschriften korroborieren zu lassen. Eine Wurzel dieser Gepflogenheit darf in der Privaturkunde vermutet werden, in der zur Regelung rechtlicher Angelegenheiten häufig Zeugen genannt werden.[14] Ein begrenzter Einfluß der Kardinäle bei der Ausstellung päpstlicher Urkunden ist durchaus anzunehmen. Für das hier vorliegende Urkundencorpus können allerdings nur die Bemerkungen SCHMALES unterstrichen werden, der für die Zeit des Pontifikates

---

[10] Vgl. K. JORDAN, Die Entstehung der römischen Kurie (ZRG KA 28/1939, S. 97–151, ND mit Nachtrag: Darmstadt 1962).

[11] Vgl. zur Entstehung des Kardinalkollegs grundlegend: KLEWITZ, wie Anm. 6. Ferner: K. GANZER, Das römische Kardinalkollegium (Le istituzioni ecclesiastiche della „Societas christiana" nei secoli XI–XII. Papato, cardinalato ed episcopato, Mailand 1974, S. 153–181, = Atti ... Mendola 1971); ders., Die Entwicklung des auswärtigen Kardinalats im hohen Mittelalter. Ein Beitrag zur Geschichte des Kardinalskollegiums vom 11.–13. Jahrhundert, Tübingen 1963 (= Bibliothek des Deutschen Hist. Inst. in Rom, 26); HÜLS, wie Anm. 6, S. 3–45. Ganz speziell zur Zeit Calixts II.: L. PELLEGRINI, Cardinali e curia sotto Callisto II (1119–1124) (Contributi dell'Istituto di storia medioevale, II, Raccolta in memoria di SERGIO MOCHI ONORY, Mailand 1972, S. 507–557). Lediglich um den Nachweis der römischen Provenienzen bemüht sich H. TILLMANN, Ricerche sull' origine dei membri del collegio cardinalizio nel XII secolo (Rivista storica della chiesa in Italia 24/1970, S. 441–464; 26/1972, S. 313–353; 29/1975, S. 363–402). Zur Doktrin, weniger zur praktischen Umsetzung: G. ALBERIGO, Cardinalato e collegialità. Studi sull'ecclesiologia tra l'XI e il XIV secolo, Florenz 1962, bes. S. 5–50.

[12] Vgl. SCHMALE, Papsttum, wie Anm. 6, S. 22.

[13] Ibid., S. 28f.   [14] Vgl. HÜLS, wie Anm. 6, S. 45.

Calixts II., besonders seit dem Kanzler Aimericus (1123), eine Umstrukturierung des Kardinalskollegs nachweist, die vor allem den Einfluß von Reformklöstern und Regularkanonikern stärkte.[15] Es ist nicht möglich, einen Beweis in dieser Hinsicht für die hier durchgemusterten Urkunden konkret anzutreten. Von den zitierten 290 Urkunden enthalten nur sechs Exemplare Kardinalsunterschriften[16], so daß eine Zuordnung bestimmter Petenten zu einzelnen Kardinälen, die in den Unterschriftenlisten auftauchen, als zufällig angesehen werden müßte.

Zu 3): Das Itinerar Calixts II. ist insofern für unsere Fragestellung von besonderer Bedeutung, als Calixt nicht in Rom, sondern in Cluny zum Papst gewählt wurde (Februar 1119) und erst mehr als ein Jahr später (März 1120) erstmals in Italien urkundete. Bis zu diesem Zeitpunkt ist er fast einmal durch das gesamte Gebiet des heutigen Frankreich gezogen und ein Gutteil der Urkunden für französische Empfänger entstand in dieser Zeit.[17] Dies macht sicherlich anschaulich, warum gerade in

---

[15] Vgl. SCHMALE, Studien, wie Anm. 6, S. 43, 91ff. und 139f.

[16] Fälschungen wurden nicht berücksichtigt. – Überhaupt kam mir bei der Durchsicht der Urkunden Calixts II. die Vermutung, daß vor allem Urkundenempfänger aus dem italienischen Raum mit Kardinalsunterschriften in den Privilegien rechnen konnten. Dies entspricht insofern den Forschungen SCHMALES und dem hier vertretenen Ansatz, als erst seit 1123 verstärkt Kardinäle aus außerrömischen Gebieten in die Kurie einbezogen wurden. Diese konnten dann auch besser für nichtitalienische Petenten Ansprechpartner und Intervenienten werden. – Ich glaube allerdings, daß SCHMALE die spirituelle Bedeutung der Kardinäle überschätzt hat. Der Einschnitt von 1123, der laut SCHMALE auch ein quantitativer Einschnitt in bezug auf die Empfängergruppen von Urkunden sein soll (verstärkt Kanonikergemeinschaften als Empfänger) kann für die französisch-spanischen Empfängergruppen nicht bestätigt werden. – Die herkömmliche Urkundenlehre benutzt das Kriterium der Kardinalsunterschriften als Unterscheidungsmerkmal zwischen feierlichem (mit Unterschriften) und einfachem Privileg oder Brief (vgl. z. B. H. BRESSLAU, Handbuch der Urkundenlehre für Deutschland und Italien, Bd. I, Leipzig ²1912, S. 80f. und L. SCHMITZ-KALLENBERG, Die Lehre von den Papsturkunden, in: Grundriß der Geschichtswissenschaft, hg. von A. MEISTER, I, Leipzig – Berlin ²1913, S. 172–230, S. 209f.). Eine solche formale Unterscheidung kann für die hier verfolgte Fragestellung nicht ergiebig sein. Die starke Präsenz von Kardinalsunterschriften bei Urkunden für italienische Empfänger läßt eher darauf schließen, daß Beziehungen zur Kurie (u. U. auch durch Bezahlung) eher den Ausschlag dafür gegeben haben könnten, ob ein Privileg als „feierliches Privileg" ausgestellt wurde oder nicht. Es ist wohl nicht abwegig, an Zahlungen für die Ausstellung eines „feierlichen Privileges" zu denken. Dies legt z. B. eine der sechs französisch-spanischen Papsturkunden mit Kardinalsunterschriften nahe: JL 6823 wurde von Bischof Diego Gelmírez durch mehrere Zahlungen erwirkt (vgl. JORDAN, wie Anm. 3, S. 80f.). Auch B. KATTERBACH/W. M. PEITZ, Die Unterschriften der Päpste und Kardinäle in den „Bullae maiores" vom 11. bis 14. Jahrhundert (Miscellanea F. EHRLE, 4, Studi e testi 40/1924, S. 177–274) gehen nur auf äußere (paläographisch-diplomatische) Fragen ein, wenn auch das Problem der rechts- und wirtschaftsgeschichtlichen Grundlagen für das Entstehen der „bullae maiores" zum Schluß als Forschungsdesiderat betont wird (S. 262).

[17] Dies sind ca. 40% der von mir erwähnten 290 Urkunden für französische und spanische Empfänger. Es handelt sich um Urkunden bis einschließlich no. 157 bei ROBERT (wie Anm. 5). – Es sei hier darauf hingewiesen, daß zu Beginn des Pontifikates Calixts II. in Rom der Gegenpapst Mauritius Burdinus (Gregor VIII.) Ansprüche auf die Cathedra Petri geltend machte. Dies bedingte sicherlich u. a. die zahlreichen Reisen Calixts und wohl auch den hohen Urkundenanteil in seinem ersten Pontifikatsjahr. Vgl. zum Gegenpapsttum, das bis 1121 dauerte: C. ERDMANN,

Frankreich auf einen Papst wie Calixt II. zur Legitimation des LSJ zurückgegriffen wurde. Allerdings kann dem Itinerar des Papstes, wie auch der personellen Zusammensetzung des Kardinalkollegs nur sekundäre Bedeutung beigemessen werden; von den oben zitierten Gemeinschaften[18] haben alle – mit Ausnahme von Aniane – auch Urkunden erwirkt, die nicht in Orten Frankreichs ausgefertigt worden sind.

Die hier versuchte vorläufige Analyse der Petenten konnte nur dazu dienen, einige Zentren herauszustellen, welche die Rechtshilfe Calixts II. besonders häufig beanspruchten. In einer noch weiter gefaßten Analyse, die zusätzlich die Pontifikate der vorhergehenden und nachfolgenden Päpste miteinbezöge, könnte durch Vergleich sicherlich wahrscheinlich gemacht werden, ob der Kompilator einer der hier herausgestellten religiösen Gemeinschaften zugeordnet werden könnte. Die Analyse der Petenten rückte jedoch teilweise Zentren ins Blickfeld, die auch die inhaltliche Analyse des LSJ als besonders „verdächtig" erscheinen ließ: St-Denis, Cluny, St-Gilles, Poitiers, schließlich die Apostelstadt Santiago de Compostela.[19]

8.2. Editionsgrundsätze der in dieser Arbeit wiedergegebenen Zitate nach dem Codex Calixtinus

Die in dieser Arbeit befolgten Grundsätze für die Wiedergabe von Teilen aus dem LSJ nach der Handschrift CC haben sich aufgrund allgemeiner Überlegungen[20] und bisheriger spezieller Forschungen[21] zur Überlieferungsgeschichte des LSJ ergeben.

Oberster Grundsatz soll die buchstabengetreue Wiedergabe der Handschrift von Compostela sein. Damit wird auf den Anspruch, einen Urtext im Sinne des Lachmannschen Archetypus herzustellen, verzichtet. Das Ziel ist vielmehr, dem Leser den Zustand des CC auch in seiner Uneinheitlichkeit möglichst genau vor Augen zu führen.

a) Deshalb folgt auch die Orthographie der Vorlage. Groß- und Kleinschreibung, die „u" und „v"-Schreibweise[22] wurden im Hinblick auf die heute übliche lateinische

---

Mauritius Burdinus (Gregor VIII.) (Quellen und Forschungen aus ital. Archiven und Bibliotheken 19/1927, S. 205–261) und P. DAVID, L'énigme de Maurice Bourdin, in: ders., Etudes historiques sur la Galice et le Portugal du VIe au XIIe siècle, S. 441–501. Mauritius Burdinus war vorher Erzbischof von Braga gewesen und hatte bereits mit Compostela mehrere Streitigkeiten ausgetragen.

[18] Vgl. oben, S. 220f.   [19] Vgl. hierzu Kap. 4.1., S. 70, mit Anm. 62–66.

[20] In Anlehnung an: H. FUHRMANN, Über Ziel und Aussehen von Texteditionen (Mittelalterliche Textüberlieferungen und ihre kritische Aufarbeitung. Beiträge der Monumenta Germaniae Historica zum 31. Deutschen Historikertag, Mannheim 1976, München 1976, S. 12–27); ders., Überlegungen eines Editors (Probleme der Edition mittel- und neulateinischer Texte. Kolloquium der Dt. Forschungsgemeinschaft, Bonn 1973, hg. von L. HÖDL und D. WUTTKE, Boppard 1978, S. 1–34) und J. SCHULTZE, Richtlinien für die äußere Textgestaltung bei der Herausgabe von Quellen zur neueren deutschen Geschichte (Blätter f. dt. Landesgeschichte 98/1962, S. 1–11). Dieser zuletzt zitierte Richtlinienkatalog ist durchaus auch für ältere Texte teilweise gültig.

[21] Vgl. oben, Kap. 2.3., zu erwähnen sind hier erneut HÄMEL und HÄMEL-DE MANDACH, bes. S. 7–34 zur Überlieferung und zu den Editionsprinzipien.

[22] Die Handschrift verwendet als Kleinbuchstaben durchgängig *u*, als Großbuchstaben und in der Zierschrift das *V*.

Schreibweise normalisiert, ansonsten wird der ursprüngliche Zustand der Handschrift wiedergegeben.[23]

b) Abkürzungen werden grundsätzlich ohne Kennzeichnung aufgelöst; nur bei
   Eigennamen oder in Zweifelsfällen wird die Auflösung durch Klammer oder in einer
   Anmerkung gekennzeichnet.[24]

c) Zahlen werden getreu nach der Handschrift wiedergegeben. Eine Vereinheitlichung
   in Hinsicht auf einen Abdruck in Worten oder in arabischen Ziffern empfiehlt sich
   nicht, da aus der Übernahme von Zahlen in anderen Handschriften Hinweise auf die
   Überlieferungsgeschichte des LSJ gewonnen werden können.[25]

d) Die Gliederung des Textes folgt zwar weitgehend dem CC, jedoch werden Absätze
   und Interpunktion zur besseren Texterschließung sinngemäß angewandt.[26]

e) Verschiedene Schriftarten (z. B. Zierschrift), hervorgehobene Stellen u. a. werden durch Anmerkung kenntlich gemacht.[27]

f) Alle Eingriffe in den äußeren Zustand des CC werden angemerkt, insbesondere
   Korrekturen (Rasuren, interlineare Zusätze, Unterpünktelungen usw.), Randbemerkungen, verschiedene Schreiber usw.[28]

Alle hier genannten Besonderheiten werden mit Buchstaben angemerkt, damit keine
Verwechslung mit den sonst üblichen Anmerkungsziffern möglich ist.

Hiermit dürfte der wissenschaftlichen Pflicht Genüge getan sein, die für diese Arbeit
dienende Quellenbasis soweit wie möglich zugänglich als auch den Prozeß ihrer
Erstellung durchschaubar zu machen.

---

[23] Auch ꝑ steht nur dort, wo es die Handschrift verzeichnet. Von weiteren Normalisierungen
wird deshalb abgesehen, weil die Bedeutung bestimmter philologischer Besonderheiten des LSJ in
der Form des CC noch nicht bis ins letzte erforscht ist.

[24] Die Edition des PT von HÄMEL – DE MANDACH macht die Abkürzungen im Text kenntlich,
allerdings nicht immer ohne Fehler (vgl. die Rezension von W. ZILTENER in: Zs. für roman.
Philologie 83/1967, S. 123). Dieses Verfahren einer paläographischen Edition hat hier den Sinn, die
Abkürzungspraxis der verschiedenen Schreiber zu veranschaulichen (vgl. S. 34), für den gesamten
LSJ ist dies jedoch nicht nötig, da sich diese Frage für Buch I–III in ungleich geringerem Maße
stellt, vgl. oben S. 25f. „Nomina sacra" wurden aufgelöst.

[25] Vgl. HÄMEL – DE MANDACH, S. 35.

[26] Vgl. ibid., S. 34 (übereinstimmend).

[27] Für die Textteile mit Noten sei grundsätzlich auf die Edition und besonders das Facsimile bei
G. PRADO, in: WHITEHILL, Bd. II, La Musica, verwiesen.

[28] Vgl. hierzu oben, Kap. 2.3.

8.3 Tabelle der Randnotizen im Codex Calixtinus

folio	Zeichen im Text (Form/Farbe)	außen	Mitte	innen	Umrahmung am Rand - Form	gl. Hd.	frd. Hd.	frag-lich	Bemerkungen
20ʳ	†rot	–	–	rot	rechteckig, außen		x		Zum Mirakelfest am 3. Oktober
21ᵛ	⊕rot	rot		rot	gl. ⊕ innen			x	Ausschmückend.
26ʳ	i.d. Rand hin.geschr.	rot		rot	[Form]	x			Von HA vergessen und ergänzt, die Notiz endet mit "mira", das auf der nächsten Zeile mit "culorum" zu einem Wort ergänzt wird.
28ᵛ	†rot	rot		rot	doppelt.Rechteck verziert, innen			x	ergänzend und ausschmückend; ein vollständiger Satz.
33ᵛ	†rot	–		rot	gezackte, verz.einf. Umrahmung, †innen	x			Von HA vergessen und ergänzt; die Schlußworte sind im vorhergehenden Satz und in der Randnotiz gleich.
40ᵛ	im Rand vorgesetzt bzw. angefügt	rot		rot	[Form]	x			Von HA vergessen und ergänzt; sonst wäre die Satzkonstruktion unsinnig.
42ᵛ	†rot	rot		rot	dopp.,freigest.Recht-eck,†innen	x			Ausschmückend; die Schrift ist sehr klein, deshalb ist trotz starker Ähnlichkeit fraglich, ob sie HA zugeordnet werden kann.
45ʳ	†rot	grün	gelb	grün	dreif. Rechteck, †innen	x			Von HA vergessen, da das erste Wort der Randnotiz als auch das folgende Wort ein fortlaufenden Text identisch sind.
46ᵛ	†rot	ocker		grün	dopp.,freigest.verziert.Rechteck†innen	x			Von HA vergessen, da das letzte Wort des vorhergehenden Satzes, als auch dasjenige der Randnotiz identisch sind.
60ᵛ	†rot	grün		rot	[Form] †innen	x			Von HA vergessen, da die letzten drei Worte der Randnotiz mit denjenigen des vorhergehenden Satzes identisch sind.
71ᵛ	†rot			rot	einf. Rechteck, verziert † innen	x			Von HA vergessen, da das erste Wort der Randnotiz mit dem ersten im Text folgenden Wort identisch ist.
78ʳ	† rot			rot	einf. Rechteck, leicht verz.†innen	x			Aufzählung der nach Compostela pilgernden Völker und Stämme um einige Namen ergänzt.
82ʳ	i.d.Rand hinein geschr.	rot		rot	leicht verziert	x			Von HA vergessen, der Wortteil 'pas' 'pascit' steht am Ende der Zeile als auch am Ende der Randnotiz
87ʳ	⌐rot	–		rot	leicht verziert, auf d.unt.Rand, innen			x	Form sehr abweichend von den übrigen Randnotizen, inhaltlich ergänzt die Passage den Text um ein weiteres Beispiel.
88ᵛ	†rot	grün	rot	grün	teilweise dreifaches Rechteck, leicht verziert, †innen			x	Die Schrift ähnelt zwar HA, jedoch hebt sich die Passage inhaltlich stark ab, sie berichtet im Zusammenhang mit den Mißständen an der Pilgerstraße von den Städten, wo der Betrug in Schulen erlernt werden könne.
94ʳ	†grün	ocker		grün	dopp., leicht verziertes Rechteck, innen	x			Von HA vergessen, da die ersten drei Worte der Randnotiz mit denen des folgenden Satzes übereinstimmen.
113ʳ	i.d.Rand hin.geschr.	–		rot	einf. Rechteck, leicht verziert			x	Die Schrift dürfte sich geringfügig von HA unterscheiden, inhaltlich bietet die Passage eine Ergänzung zu den Vorschriften Pseudo-Calixts, die Vigil des hl. Jakobus zu feiern.
123ᵛ	☉,rot mit schwarzen Punkten	rot		rot	dopp.,leicht verziert. Rechteck, ☉ innen			x	Die Randnotiz umfaßt drei ausgelassene Worte im Evangelium (Mt. 10,13). Trotzdem läßt die äußere Form zumindest fraglich erscheinen, ob hier HA ergänzte.
152ʳ	†rot	grün		rot	dopp. Rechteck, †außen	x			Zum Mirakelfest am 3. Oktober.
161ʳ	†rot	rot		grün	dopp. Rechteck, †außen	x			Zum Mirakelfest am 3. Oktober.
166ᵛ	grün	ocker		rot	dopp. Rechteck, innen	x			Im PT am Ende v. Kap. 4: Ergänzung, wegen der Analogie in der Form und der HA zumindest äußerst ähnlichen Schrift wird sie hier der gl. Hd. zugeordnet.
188ʳ	// schwarz	rot		(blau) (verblich.)	(dopp.) Rechteck, verziert, a.d. unt. Rand // außen			x	Die im Text stehende Zahl wird unten auf der Seite in Buchstaben wiederholt; auch die abweichende äußere Form läßt diese Notiz zumindest als fraglich erscheinen.
194ᵛ	∫ schwarz	–		rot	Rechteck, stark verziert, ∫ innen	x			Wohl von HA vergessen bei der Aufzählung der Flüsse am Pilgerweg, dies legen auch ähnliche Anfangs- und Schlußworte von Randnotiz und dem vorhergehenden Satz nahe.
195ᵛ	†schwarz i.ocker	–		ocker	verziertes Rechteck außen.			x	Die Liste der zu verdammenden Zoll- und Wegegeldeinnehmer wird um einen Namen erweitert, die Schrift ist eindeutig fremd.
197ʳ	⊤ rot	–		rot	Rechteck, ⊤ innen			x	1 Ortsname ergänzt, die Schrift scheint von HA, die äußere Form läßt die Notiz als fraglich erscheinen.
208ʳ	i.d. Rand hinein geschrieben	–		rot	trapezförmig	x			Wohl von HA vergessen, hierauf weist ein zweimal vorkommendes "superius" hin, ein Teil der alten Zeile scheint auf Rasur und mit neuer, kleinerer Schrift beschrieben zu sein.

8.4. Abbildungen und Karte

8.4.4. Abbildungsnachweis

Abb. 1: Santiago de Compostela, Kathedralarchiv, Codex Calixtinus, fol. 160^v–161^r

Abb. 2: Santiago de Compostela, Kathedralarchiv, Codex Calixtinus
  a) fol. 128^r
  b) fol. 128^v

Abb. 3: Santiago de Compostela, Kathedralarchiv, Codex Calixtinus, fol. 1^r

Abb. 4: Santiago de Compostela, Kathedralarchiv, Codex Calixtinus, fol. 4^r

Abb. 5: Santiago de Compostela, Kathedralarchiv, Codex Calixtinus, fol. 162^v

8.5. Bibliographie

8.5.1. Quellen

Erzählende, liturgische u. ä. Quellen:

Ademar von Chabannes, Epistola de apostolatu Martialis (MPL, 141, Paris 1853, Sp. 87–112)

Aldhelmi opera, hg. von R. EWALD, Berlin 1919, ND 1961 (= MGH, AA, 15)

Alanus de insulis, Summa de arte praedicatoria (MPL, 210, Paris 1855, Sp. 109–198)

Anonymus: Die Texte des Normannischen Anonymus, hg. von K. PELLENS, Wiesbaden 1966 (= Veröffentlichungen des Instituts für Europ. Gesch., Abt. Religionsgeschichte, Bd. 42)

Anselmi Havelbergensis episcopi Dialogi (MPL, 188, Paris 1890, Sp. 1139–1248)

Anselm von Canterbury: Memorials of St. Anselm, hg. von R. W. SOUTHERN und F. S. SCHMITT, London 1969

Antifonario visigotico mozarabe de la catedral de León, hg. von L. BROU und J. VIVES, Barcelona – Madrid 1953–1959 (= Monumenta Hispaniae sacra, Series liturgica V, 1)

Beati in Apocalipsin libri duodecim, hg. von H. A. SANDER, Rom 1930 (= Papers and Monographs of the American Academy in Rome, VII)

Sancti Beati a Liebana in Apocalipsin Codex Gerundensis, hg. von J. MARQUES CASANOVAS/ W. NEUSS/C. DUBLER, Olten und Lausanne 1962 (mit Facsimile)

Beda Venerabilis, Excerptiones Patrum, Collectanea (MPL, 94, Paris 1850, Sp. 539–560)

Sancti Bernardi Opera, hg. von J. LECLERCQ/C. H. TALBOT/H. M. ROCHAIS, 7 Bde, Rom 1957–1974

Bernardus Clarevallensis, Liber ad milites Templi de laude novae militiae (Sancti Bernardi Opera, Bd. 3, Tractatus et opuscula, hg. von J. LECLERCQ und H. M. ROCHAIS, Rom 1963, S. 213–239)

Bonizo von Sutri, Liber de vita christiana, hg. von E. PERELS, Berlin 1930 (= Texte zur Geschichte des römischen und kanonischen Rechts im Mittelalter, I)

Brunonis episcopi Singnini libellus de symoniacis, hg. von E. SACKUR, Hannover 1892 (= MGH, LdL, II, S. 543–565)

Crónica Najerense, hg. von A. UBIETO ARTETA, Valencia 1966 (= Textos medievales, 15)

Eusebius von Caesarea, Historia ecclesiastica, hg. von G. BARDY, 4 Bde, Paris 1952 (= Sources chrétiennes, 31, 41, 55, 73bis)

Freculphi chronicorum tomi duo (MPL, 106, Paris 1861, Sp. 918–1258)

Fulcheri Carnotensis Historia Hierosolymitana, 1095–1127, hg. von H. HAGENMEIER, Heidelberg 1913

Sancti Gregorii Magni XL Homiliarum in Evangelia libri II (MPL, 76, Paris 1849, Sp. 1075–1312)

Historia Compostelana sive de rebus gestis D. Didaci Gelmirez, primi Compostellani archiepiscopi, hg. von H. FLOREZ, Madrid 1765, ND Madrid 1965 (= ES XX) (teilweise ND: MPL, 170, Paris 1894, Sp. 879–1236)

Historia Compostelana o sea Hechos de D. Diego Gelmírez, primer arzobispo de Santiago, traducción de M. SUAREZ, notas e introducción de J. CAMPELO, Santiago de Compostela 1950

Historica dedicationis Ecclesiae S. Remigii apud Remos auctore Anselmo (MPL, 142, Paris 1853, Sp. 1411–1440)

Historia Silense, hg. von J. PEREZ DE URBEL und A. G. RUIZ-ZORRILLA, Madrid 1959

Sancti Isidori Hispalensis episcopi de ecclesiasticis officiis (MPL, 83, Paris 1862, Sp. 737–826)

Liber commicus sive lectionius missae quo Toletana Ecclesia ante annos MCC utebatur, hg. von J. PEREZ DE URBEL und A. G. RUIZ-ZORRILLA, 2 Bde, Madrid 1940–1955 (= Monumenta Hispaniae Sacra, Series liturgica, 2–3)

Liber Sancti Jacobi:

    hier maßgebliche Handschrift: Codex Calixtinus, Arch. cat., Santiago de Compostela

Gesamtausgabe:

    Liber Sancti Jacobi, Codex Calixtinus, hg. von W. M. WHITEHILL, Bd. 1, Santiago de Compostela 1944 (Bd. 2: La Música, reproducción en fototipia seguida de la transcripción por D. G. PRADO; Bd. 3: Estudios e indices, Santiago de Compostela 1944)

Übersetzung mit Kommentar:

    Liber Sancti Jacobi, Codex Calixtinus, trad. por A. MORALEJO/C. TORRES/J. FEO, Santiago de Compostela 1951

Edition einzelner Teile:

Aus Buch I:

HÄMEL, A.: Die Rolandlegende des Pseudo-Turpin (Estudios hispanicos. Homenaje a Archer M. HUNTINGTON, Wellesley 1952, S. 219–228) S. 228 (Teile von I,9)

ders.: Aus dem Liber Sancti Jacobi des Kapitelarchivs von Santiago de Compostela (Revue hispanique 81/1933, S. 378–392) S. 379ff. (Prolog und Teile von I, 17)

WAGNER, P.: Die Gesänge der Jakobsliturgie zu Santiago de Compostela aus dem sogenannten Codex Calixtinus, Freiburg 1931 (= Collectanea Friburgensia, NF Fasc. XX) (Fast alle mit Noten versehenen Teile des CC)

MPL, 26, Sp. 143–144 und Sp. 197–199; MPL, 76, Sp. 1093–1095 und Sp. 1263–65; MPL, 93, Sp. 9–14; MPL 163, Sp. 1375–1390 (einzelne Ausschnitte von I, 1, 2, 13, 14, 16, 18, 20)

Aus Buch II:

Acta Sanctorum, hg. von J. BOLLAND und Nachfolgern, Bd. VI Julii, Paris – Rom ³1868, S. 47–59

MPL, 163, Sp. 1369–1373

Aus Buch III:

MEYER, P.: Romania 31/1902, S. 257–261

Buch IV:

Codex quartus Sancti Jacobi de expedimento et conversione Yspanie et Gallecie editus a beato Turpino archiepiscopo, hg. von W. THORON, Boston 1934

Historia Karoli Magni et Rotholandi ou Chronique du Pseudo-Turpin, hg. von C. MEREDITH-JONES, Paris 1936, ND 1972

The Pseudo-Turpin, ed. from Bibl. Nat. fds. lat. Ms. 17656 with an Annotated Synopsis, hg. von H. M. SMYSER, Cambridge (Mass.) 1937

Der Pseudo-Turpin von Compostela, hg. von A. HÄMEL, aus dem Nachlaß von A. DE MANDACH (Bayerische Akad. der Wissenschaften, phil.-hist. Kl., München 1965) (Im Literaturverzeichnis Hinweise zu den zahlreichen weiteren Editionen dieses vierten Teiles)

Buch V:

Le Codex de St-Jacques de Compostelle. Livre IV, hg. von F. FITA und J. VINSON (Revue de linguistique et de philologie comparée, 15/1882, S. 1–20 und S. 225–270) und separat.

Le Guide du Pèlerin de St-Jacques de Compostelle, texte latin du XIIᵉ siècle édité et traduit en français d'après les manuscrits de Compostelle et de Ripoll, hg. von J. VIELLIARD, Mâcon – Paris 1938, ⁴1969

Libro de la Peregrinación del Códice Calixtino, hg. von C. ROMERO DE LECEA, Madrid 1971 (Facsimile mit spanischer Übersetzung)

Lucas Tudensis, Chronicon mundi (Hispaniae Illustratae ... scriptores, hg. von A. SCHOTT, Bd. IV, Frankfurt 1608, S. 1–116)

Missale Mixtum secundum regulam beati Isidori dictum mozarabes, hg. von A. LESLEY, Rom 1755, ND Toledo 1875 (= MPL, 85, Paris 1862)

Ordericus Vitalis, Historiae ecclesiasticae Libri tredecim, hg. von M. CHIBNALL, 6 Bde, Oxford 1968–1980

Pasionario Hispánico (siglos VII–XI), hg. von A. FABREGA GRAU, 2 Bde, Madrid–Barcelona 1953–1955 (= Monumenta Hispaniae Sacra, Series liturgica, 6)

Petri Alphonsi, Dialogi (MPL, 157, Paris 1854, Sp. 535–672)

Sancti Petri Damiani opuscula varia – opusculum nonum: De eleemosyna (MPL, 145, Paris 1853, Sp. 207–222)

Roberti monachi Historia Iherosolimitana (Recueil des Historiens des Croisades, Historiens Occidentaux, Bd. III, Paris 1866, S. 717–882)

Rodericus Ximenius de Rada, Opera. Reimpresión facsímil de la edición de 1793, ed. LORENZANA, Valencia 1968 (= Textos medievales, 22)

Rodulfus Glaber, Historiarum libri quinque, hg. von M. PROU, Paris 1886 (= Collection de textes pour servir à l'étude et l'enseignement de l'histoire, 1)

Sampiro, su cronica y la Monarquía Leonesa en el siglo X, hg. von J. PEREZ DE URBEL, Madrid 1952 (= Consejo Superior de investigaciones cientificas, Escuela de Estudios Medievales, XXVI)

Venantius Fortunatus, Carminum epistolarum expositionum libri undecim, VIII, hg. von F. LEO, Berlin 1881 (= MGH, AA, 4,1, S. 7–270)

Vita S. Theotonii canonici regularis, Acta Sanctorum, Bd. VI, Feb., Paris–Rom 1864, S. 111–120

Urkunden, Quellensammlungen, Regesten u. ä. Hilfsmittel:

Urkunden:

Cartulaire de l'Ordre du Temple (1119?–1150), hg. von Marquis D'ALBON, Paris 1913

Codex diplomaticus ordinis Sancti Rufi Valentiae. Publié d'après les chartes originales conservées aux Arch. dép. de la Drôme et divers recueils manuscrits, hg. von U. CHEVALIER, Valence 1891

La documentación pontificia hasta Innocencio III (965–1216), hg. von D. MANSILLA, Rom 1955 (= Monumenta Hispaniae Vaticana, Sección Registros, 1)

Papsturkunden einzelner Päpste:

Calixt II.: Bullaire du pape Calixte II, hg. von U. ROBERT, 2 Bde, Paris 1891, ND Hildesheim – New York 1979

Innocenz II.: Innocentii II pontificis Romani epistolae et privilegia (MPL, 179, Paris 1855, Sp. 55–686)

Paschalis II.: Paschalis II pontificis Romani epistolae et privilegia (MPL, 163, Paris 1854, Sp. 31–448)

Urban II.: Urbani II pontificis Romani epistolae et privilegia (MPL, 151, Paris 1881, Sp. 283–558)

Quellensammlungen:

ALBERIGO, J./JOANNOU, P. P./LEONARDI, C./PRODI, P. (Hgg.): Conciliorum oecumenicorum decreta, Freiburg 1962

BLUME, C./DREVES, G. M. (Hgg.): Analecta hymnica medii aevi, 55 Bde, Leipzig 1886–1922

dies. (Hgg.): Hymnica Gotica. Die mozarabischen Hymnen des alten spanischen Ritus, Leipzig 1897 (= Analecta Hymnica medii aevi, Bd. 27)

BOLLAND, J. u. Nachf. (Hgg.): Acta Sanctorum quotquot toto orbe coluntur . . ., Bd. 1–67 (fol), Antwerpen – Brüssel 1643–1940, Paris – Rom ³1863–70

DREVES, G. M. (Hg.): Hymnodia Hiberica. Liturgische Reimoffizien aus spanischen Brevieren, Leipzig 1894 (= Analecta Hymnica medii aevi, Bd. 17) (im Anhang: Carmina Compostellana, die Lieder des sogenannten Codex Calixtinus)

LACARRA, J. M. (Hg.): Documentos para el estudio de la Reconquista y Repoblación del Valle del Ebro, 3 Bde, Zaragoza 1946–1952 (separat aus: Estudios de Edad Media de la Corona de Aragón, II, III und V)

LÓPEZ FERREIRO, A. (Hg.): Fueros municipales de Santiago y de su tierra, 2 Bde, Santiago de Compostela 1895–1896, ND 1975

MABILLON, J. (Hg.): Acta Sanctorum ordinis Sancti Benedicti, 9 Bde (fol), Paris 1668–1701

MANSI, G. D. (Hg.): Sacrorum conciliorum nova et amplissima collectio, Bd. 21, Venedig 1776, ND Graz 1960

MIRBT, C. (Hg.): Quellen zur Geschichte des Papsttums und des römischen Katholizismus, Tübingen ⁵1934

Vie des Saints, hg. von den Bénédictins de Paris, Bd. 7, Paris 1949 und Bd. 12, Paris 1956

Regesten und regestenähnliche Werke:

BARRAU DIHIGO, L.: Etude sur les actes des rois asturiens, 718–910 (Revue hispanique 46/1919, S. 1–191)

Bibliotheca hagiographica latina, 2 Bde, Brüssel 1898–1901

ERDMANN, C.: Papsturkunden in Portugal (Abhandl. der Gesellschaft der Wiss. zu Göttingen, phil.-hist. Kl. NF 20,3, Berlin 1927)

JAFFÉ, Ph.: Regesta pontificum Romanorum ab condita ecclesia ad annum post Christum natum 1198, Berlin 1851, 2. Aufl. von W. WATTENBACH, bearb. von S. LÖWENFELD, F. KALTENBRUN-NER und P. EWALD, Leipzig 1885–1888, ND Graz 1956

TUBACH, F. C.: Index Exemplorum. A Handbook of Medieval Religious Tales, Helsinki 1969 (= FF Communications, 204)

ZIMMERMANN, H.: Papstregesten 911–1024, Wien – Köln – Graz 1969 (= J. F. BÖHMER, Regesta Imperii II,5)

Wörterbücher:

DU CANGE, Ch.: Glossarium mediae et infimae latinitatis, Bd. 1–3, Paris 1678, Bd. 1–10 bearb. von L. FAVRE, Niort ⁵1883–1887, ND Graz 1954

Mittellateinisches Wörterbuch bis zum ausgehenden 13. Jahrhundert, hg. von der bayr. Akad. der Wiss. und der Akad. der Wiss. der DDR, München 1973ff. (bisher ein Band und mehrere Lieferungen)

NIERMEYER, J. F.: Mediae latinitatis lexicon minus, Leiden 1976

8.5.2. Literatur

Laufende Spezialzeitschriften:

Compostela. Boletín de la Archifradía del Apostol Santiago, Santiago de Compostela 1/1948ff.

Compostellanum. Revista trimestrial de la Archidiocesis de Santiago de Compostela. – Sección de Estudios Jacobeos, 1/1956ff.

Compostelle, Bulletin du Centre d'Etudes compostellanes, Paris 1956ff. (erscheint recht unregelmäßig)

Ruta Jacobea. Organo de los Amigos del Camino de Santiago de Estella, Estella 1/1967ff.

Bibliographien und Literaturberichte:

Dufourcq, Ch. E./Gautier-Dalché, J.: Économies, sociétés et institutions de l'Espagne chrétienne du Moyen âge (Le Moyen Age 79/1973, S. 73–122 und S. 285–319)

dies.: L'Espagne, de la conquête arabe au siècle d'Or (travaux parus de 1969 à 1979) (Revue historique 263/1980, S. 425–461)

dies.: Histoire de l'Espagne au Moyen âge (Revue historique 245/1971, S. 127–168 und S. 443–482)

dies.: Les royaumes chrétiens d'Espagne au temps de la „reconquista" d'après les recherches récentes (1948–1969) (Revue historique 248/1972, S. 367–402)

Gaiffier, B. de: Hispana et Lusitana I–VII (AB 77/1959, S. 188–217; 80/1962, S. 382–422; 84/1966, S. 467–469; 87/1969, S. 486–513; 91/1973, S. 148–153; 92/1974, S. 387–408; 94/1976, S. 395–414)

Guerra Campos, J.: Bibliografía (1950–1969). Veinte años de Estudios Jacobeos (Comp. 16/1971, S. 575–736, = 2° Congreso Internacional de Estudios Jacobeos)

Kippenberg, H. G.: Wege zu einer historischen Religionssoziologie. Ein Literaturbericht (Verkündigung und Forschung, Beihefte zu „Evangelische Theologie" 16,2/1971, S. 54–82)

ders.: Religion und Interaktion in traditionalen Gesellschaften (Verkündigung und Forschung, Beihefte zu „Evangelische Theologie" 19,1/1974, S. 2–24)

Konetzke, R.: Literaturbericht über spanische Geschichte. Veröffentlichungen von 1950 bis 1966 (HZ, Sonderheft 3/1969, S. 208–285)

Mayer, H. E.: Literaturbericht über die Geschichte der Kreuzzüge (HZ, Sonderheft 3/1969, S. 641–731)

Weinfurter, St.: Neuere Forschung zu den Regularkanonikern im deutschen Reich des 11. und 12. Jahrhunderts (HZ 224/1977, S. 379–397)

Spezialliteratur:

Actes du VIᵉ congrès international de la Société Rencesvals, Aix en Provence 1973, ersch. 1974

Aigrain, R.: L'hagiographie. Ses sources. Ses méthodes. Son histoire, Paris 1953

Alberigo, G.: Cardinalato e collegialità. Studi sull' ecclesiologia tra l'XI e il XIV secolo, Florenz 1969

Aldea, Q.: Canonigos regulares (Diccionario de Historia Eclesiastica de España, 4 Bde, Madrid 1972–1975, Bd. 1, S. 334–335)

Alphandéry, P.: La chrétienté et l'idée de croisade, hg. von A. Dupront, 2 Bde, Paris 1954–1959

D'Alverny, M. T.: La connaissance de l'Islam en Occident du IXᵉ au milieu du XIIᵉ siècle (Settimane di Studio del Centro italiano di studi sull' alto medioevo, XII, Spoleto 1965, S. 577–603)

Ammann, H.: Vom Städtewesen Spaniens und Westfrankreichs im Mittelalter (Studien zu den Anfängen des europäischen Städtewesens, Konstanz – Lindau 1958, ND 1965, S. 105–150, = Vorträge und Forschungen, 4)

ANAWATI, G.: Théologie musulmane au Moyen âge (P. WILPERT (Hg.), Antike und Orient im Mittelalter. Vorträge der Kölner Mediaevistentagungen 1956–1959, Berlin 1962, S. 196–218 = Miscellanea Mediaevalia, 1)

ANGLÉS, H.: Die Mehrstimmigkeit des Calixtinus von Compostela und seine Rhythmik (Festschrift H. BESSELER, Leipzig 1961, S. 91–100)

ANSPRENGER, F.: Untersuchungen zum adoptianischen Streit im 8. Jahrhundert, (Diss. masch.) Berlin 1952

APRAÍZ, A. de: Notas sobre la cultura de las peregrinaciones. Algunas lecturas de la Guía del Peregrino del siglo XII (Bulletin Hispanique 87/1939, S. 60–64)

ARONSTAM, R. A.: Penitential Pilgrimages to Rome in the Early Middle Ages (Archivum historiae pontificiae 13/1975, S. 65–85)

ASSION, P.: Die Mirakel der hl. Katharina von Alexandrien, Diss. Heidelberg 1969

ders.: Die mittelalterliche Mirakelliteratur als Forschungsgegenstand (Archiv für Kulturgeschichte 50/1968, S. 172–180)

AYUSO MAZARUELA, T.: Standum est pro traditione (Santiago en la historia, la literatura y el arte, Bd. I, Madrid 1954, S. 83–126)

BAIST, G.: Mitteilungen zu Roland-Turpin (Verhandlungen der 43. Versammlung dt. Philologen und Schulmänner in Köln 1895, Leipzig 1896, S. 96f.)

BARBERO, A./VIGIL, M.: Sobre los orígenes sociales de la Reconquista, Barcelona 1974

BARRAU-DIHIGO, L.: Recherches sur l'histoire politique du royaume asturien (718–910), Tours 1921 (aus: Revue hispanique, Bd. 52)

BARREIRO FERNÁNDEZ, J.: Concilios provinciales compostelanos (Comp. 15,4/1970, S. 511–552)

BARRET, P./GURGAND, J. N.: Priez pour nous à Compostelle, Paris 1978 (auch: Livre de poche 5350, Paris 1978)

BAUCH, A.: Ein bayrisches Mirakelbuch aus der Karolingerzeit. Die Monheimer Walpurgiswunder des Priesters Wolfhard, Regensburg 1979 (= Quellen zur Geschichte der Diözese Eichstätt, II)

BAUS, K. / EWIG, E.: Die Reichskirche nach Konstantin dem Großen, 1. Halbband: Die Kirche von Nikaia bis Chalkedon, Freiburg – Basel – Wien 1973 (= Handbuch der Kirchengeschichte, 2,1)

BECKER A.: Papst Urban II. (1088–1099). Teil I. Herkunft und kirchliche Laufbahn. Der Papst und die lateinische Christenheit, Stuttgart 1964 (= Schriften der MGH, 19,1)

BECKER, G.: Catalogi Bibliothecarum Antiqui, Bonn 1885, ND 1973

BECKER, Ph. A.: Grundriss der altfranzösischen Literatur, Bd. 1, Heidelberg 1907

ders.: Die Heiligsprechung Karls des Großen und die damit zusammenhängenden Fälschungen (Berichte über die Verhandlungen der sächs. Akad. der Wiss., phil.-hist. Kl., Leipzig 1944/48, 3. Heft, S. 1–26. – ND in: ders., Zur romanischen Literaturgeschichte, München 1967, S. 308–323)

BÉDIER, J.: Commentaires sur la Chanson de Roland, Paris 1922

ders.: Les légendes épiques. Recherches sur la formation des Chansons de Geste, 4 Bde, Paris 1912, ³1929, ND 1966

ders.: La chronique de Turpin et le pèlerinage de Compostelle (Annales du Midi 23/1911, S. 425–450 und 24/1912, S. 18–48)

BENITO RUANO, E.: España y las cruzadas (Anales de historia antigua y medieval 2/1951–52, S. 92–121)

ders.: Estudios santiaguistas, León 1978 (= Unidad de Investigaciones, Publicaciones, 8)

ders.: Las ordenes militares españolas y la idea de cruzada (Hispania 16/1956, S. 3–15)

BENNASSAR, B.: St-Jacques de Compostelle, Paris 1970

BENZINGER, J.: Zum Wesen und zu den Formen von Kommunikation und Publizistik im Mittelalter. Eine bibliographisch-methodologische Studie (Publizistik 15/1970, S. 295–318)

BERGER, P. L.: Zur Dialektik von Religion und Gesellschaft. Elemente einer soziologischen Theorie, Frankfurt 1973 (= Conditio humana)

BERLIÈRE, U.: Les pèlerinages judiciaires au Moyen âge (Revue bénédictine 7/1890, S. 520–526)

Bernard of Clairvaux. Studies presented to D. J. LECLERCQ, Washington 1973 (=Cistercian Studies Series, 23)

BERKEY, M. L.: The Liber Sancti Jacobi. – The French Adaption by Pierre de Beauvais (Romania 86/1965, S. 77–103)

BERSCHIN, W.: Bonizo von Sutri. Leben und Werk, Berlin – New York 1972 (= Beiträge zur Geschichte und Quellenkunde des Mittelalters, 2)

BEUMANN, H.: Kreuzzugsgedanke und Ostpolitik im hohen Mittelalter (Historisches Jahrbuch 72/1953, S. 112–132. – ND in: ders. (Hg.), Heidenmission und Kreuzzugsgedanke in der deutschen Ostpolitik des Mittelalters, Darmstadt ²1973, S. 121–145, = Wege der Forschung, 7)

BIGGS, A. G. Diego Gelmirez, First Archbishop of Compostela, Washington 1949

BISCHOFF, B.: Die europäische Verbreitung der Werke Isidors von Sevilla (Isidoriana, León 1961, S. 317–343)

BISHKO, Ch. J.: Gallegan Pactual Monasticism in the Repopulation of Castile (Estudios dedicados a MENÉNDEZ PIDAL, 2/1951, S. 513–531)

ders.: Hispanic Monastic Pactualism: The Controversy continues (Classical folia. Studies in the Christian Perpetuation of the Classics 27/1973, S. 173–185)

ders.: The Spanish and Portuguese Reconquest 1095–1492 (K. M. SETTON (Hg.), A History of the Crusades, Bd. III, Wisconsin 1975, S.396–456)

BLAKE, E. O.: The Formation of the Crusade Idea (Journal of Ecclesiastical History 21/1970, S. 11–31)

BLOCH, M./BRAUDEL, F./FEBVRE, L. u. a.: Schrift und Materie in der Geschichte. Vorschläge zu einer systematischen Aneignung historischer Prozesse, hg. von C. HONEGGER, Frankfurt/M. 1977 (= ed. suhrkamp 814)

BOISSONADE, P.: Cluny, la papauté et la première croisade internationale contre les Sarrasins d'Espagne: Barbastro (1064–65) (Revue des Questions historiques 60, 3e série 20/1932, S. 287–301)

ders.: Les premières croisades françaises en Espagne. Normands, Gascons, Aquitains et Bourguignons (1018–1032) (Bulletin Hispanique 36/1934, S. 5–28)

BONILLA SANCHEZ, L.: Historia de las peregrinaciones en el mundo. Sus orígenes, rutas y religiones, Madrid 1965

BORIAS, A.: Hospitalité augustinienne et bénédictine (Revue d'histoire de la spiritualité 50/1974, S. 3–16)

BORINO, G. B. (Hg.): Studi Gregoriani, 11 Bde, Rom 1947–1978

BORST, A.: Das Rittertum im Hochmittelalter (Saeculum 10/1959, S. 213–231, ND in: ders. (Hg.), Das Rittertum im Mittelalter, Darmstadt 1976, S. 212–246)

ders. (Hg.): Das Rittertum im Mittelalter, Darmstadt 1976 (= Wege der Forschung, 349)

ders.: Die Sebaldslegenden in der mittelalterlichen Geschichte Nürnbergs (Jahrbuch für fränkische Landesforschung 26/1966, S. 19–178)

BOSL, K.: Der „Adelsheilige". Idealtypus und Wirklichkeit. Gesellschaft und Kultur im merowingerzeitlichen Bayern des 7. und 8. Jahrhunderts. (Speculum historiale, Festschrift für J. SPÖRL, Freiburg-München 1965, S. 167–187, jüngster ND in: F. PRINZ (Hg.), Mönchtum und Gesellschaft im Frühmittelalter, Darmstadt 1976, S. 354–386)

ders.: Gesellschaftswandel, Religion und Kunst im hohen Mittelalter (Sitzungsberichte der bayr. Akad. der Wiss., phil.-hist. Kl., München 1976, H. 2)

ders.: Die horizontale Mobilität in der europäischen Gesellschaft im Mittelalter und ihre Kommunikationsmittel (Zs. für bayr. Landesgeschichte 35/1972, S. 40–53) ders.: Regularkanoniker (Augustinerchorherren) und Seelsorge in Kirche und Gesellschaft des europäischen 12. Jahrhunderts (Abhandlungen der bayr. Akad. der Wiss., phil.-hist. Kl., NF 86, München 1979)

ders.: Zu einer Soziologie der mittelalterlichen Fälschung (ders., Frühformen der Gesellschaft im mittelalterlichen Europa. Ausgew. Beiträge zu einer Strukturanalyse der mittelalterlichen Welt, München-Wien 1964, S. 413–424)

BOTTINEAU, Y.: Les chemins de St-Jacques, Paris (1964)

ders.: Le légende de St-Jacques (R. DE LA COSTE MESSELIÈRE (Hg.), Pèlerins et chemins de St-Jacques en France et en Europe du Xᵉ siècle à nos jours, Paris 1965, S. 25–34)

BOUZA BREY, F.: La moneda de Tours y la peregrinación (Comp. 11/1966, S. 449–456)

BRANDT, A. von: Werkzeug des Historikers, Stuttgart ⁹1980 (= Urban Bücher, 33)

BRAUN, J.: Die liturgische Gewandung im Occident und Orient. Nach Ursprung und Entwicklung, Verwendung und Symbolik, Freiburg 1907, ND Darmstadt 1964

BRESSLAU, H.: Handbuch der Urkundenlehre für Deutschland und Italien, Bd. I, Leipzig ²1912

BRÜHL, C.: Der ehrbare Fälscher. Zu den Fälschungen des Klosters S. Pietro in Ciel d'Oro zu Pavia (DA 35/1979, S. 209–218)

ders.: Festkrönung (Handwörterbuch zur deutschen Rechtsgeschichte, Bd. I, Berlin 1971, Sp. 1109f.)

ders.: Kronen- und Krönungsbrauch im frühen und hohen Mittelalter (HZ 234/1982, S. 1–32)

ders.: Fränkischer Krönungsbrauch und das Problem der „Festkrönungen" (HZ 194/1962, S. 265–326)

BUCHNER, M.: Das gefälschte Karlsprivileg für St. Denis BM²Nr. 482 und seine Entstehung (Historisches Jahrbuch 42/1922, S. 12–28 und S. 250–265)

ders.: Das fingierte Privileg Karls des Großen für Aachen — eine Fälschung Rainalds von Dassel — und die Entstehung der Aachener „Vita Karoli Magni" (Zs. des Aachener Geschichtsvereins 47/1927, S. 179–254)

ders.: Pseudo-Turpin, Rainald von Dassel und der Archipoet in ihren Beziehungen zur Kanonisation Karls des Großen (Zs. für französische Sprache und Literatur 51/1928, S. 1–72)

BULST-THIELE, M. L.: Sacrae domus militiae templi Hierosolymitani magistri. Untersuchungen zur Geschichte des Templerordens 1118/9–1314, Göttingen 1974 (= Abhandl. der Akad. der Wiss. Göttingen, phil.-hist. Kl., 3, Folge 86)

BURGER, A.: La légende de Roncevaux avant la Chanson de Roland (Romania 70/1948–49, S. 433–473)

ders.: La question rolandienne. Faits et hypothèses (CCM 4/1961, S. 269–291)

ders.: Sur les relations de la Chanson de Roland avec le récit du faux Turpin et celui du Guide du pèlerin (Romania 73/1952, S. 242–247)

BURIDANT, C.: La traduction du Pseudo-Turpin du ms. Vatican Regina 624. Edition avec introduction, notes et glossaire, Genf 1974 (= Publications Romanes et Françaises, 142)

CAMPELO, J.: Orígen del Arzobispado de Santiago y evolución historica de sus sufraganeas (Comp. 10/1965, S. 485–505)

CAMPO DEL POZO, F.: El monacato de San Augustín en España hasta la gran unión en el ano 1256 (G. MELVILLE (Hg.), Secundum regulam vivere, Festschrift für N. BACKMUND, Windberg 1978, S. 5–30)

CANTERA ORIVE, J.: La Batalla de Clavijo, Vitoria 1944

CARRIER DE BELLEUSE, A. E.: Coutumier de l'Ordre de St-Ruf en usage à la cathédrale de Maguelone, Sherbrooke 1950 (= Etudes et Documents sur l'Ordre de St-Ruf, 8)

ders.: Liste des abbayes, chapitres, prieurés et églises de l'Ordre de St-Ruf de Valence en Dauphiné (Bulletin de la Société d' Archéologie et de Statistique de la Drôme, 64/1933–34, S. 260–274, S. 306–323, S. 372–381, S. 402–423; 65/1935–36, S. 29–44, S. 99–114, S. 167–190, S. 215–229)

CARRO GARCÍA, J.: La escritura de concordia entre Don Diego Peláez, obispo de Santiago y San Fagildo, abad del monasterio de Antealtares (CEG 4/1949, S. 111–122)

ders.: Estudios Jacobeos, Santiago de Compostela 1954 (= CEG, Anejo 10)

ders.: Don Diego Peláez. La construcción de la actual basilica (Galicia 4, 19/1935, S. 27–30)

ders.: Las miniaturas (W. M. WHITEHILL (Hg.), Liber Sancti Jacobi, Codex Calixtinus, Bd. III, Estudios y Indices, Santiago de Compostela 1944, S. LXVII–LXXV)

ders.: A pelegrinaxe ao Xacobe de Galicia, Vigo 1965

CASTRO, A.: España en su historia. Cristianos, moros y judíos, Buenos Aires 1948, Neubearb. unter dem Titel: La realidad histórica de España, Mexico 1954, dt.: Spanien, Vision und Wirklichkeit, Köln – Berlin 1957

ders.: Dos ensayos, Mexico 1956

ders.: Santiago de España, Buenos Aires 1958

CAUCCI, P.: Las peregrinaciones italianas a Santiago (aus dem Ital.), Madrid 1971

CAUWENBERGH, E. van: Les pèlerinages expiatoires et judiciaires dans le droit communal de la Belgique au moyen âge, Louvain 1922 (= Université de Louvain, recueil des travaux publiés par les membres des conférences d'histoire et de philologie, 48)

CEPEDA ADÁN, J.: Los dioscuros y Santiago en el siglo XVIII (Anuario de Estudios Medievales 1/ 1964, S. 647–649)

CHAMOSO LAMAS, M.: Los Lugares Santos Jacobeos. Iria Flavia, Padrón y Compostela (Santiago en España, Europa y America, Madrid 1971, S. 21–54)

ders.: Noticias sobre recientes descubrimientos arqueológicos y artísticos efectuados en Santiago de Compostela (Principe de Viana 32/1971, S. 35–49)

ders.: Noticias de las excavaciones arqueológicas en la Catedral de Santiago (Comp. 1,2/1956, S. 5–48, 1,4/1956, S. 275–328, 2,4/1957, S. 225–330)

CHARPENTIER, L.: Les Jacques et le mystère de Compostelle, Paris 1971, dt.: Santiago de Compostela. Das Geheimnis der Pilgerstraßen, Freiburg 1979

Les Chemins de St-Jacques. Textes de Saint Augustin et Miracles de St-Jacques, trad. par E. de Solms, Paris 1970

CID, C.: Santiago el Mayor en el texto y en las miniaturas del „Beato" (Comp. 10/1965, S. 231–283)

CLAUDE, D.: Die Anfänge der Wiederbesiedlung Innerspaniens (SCHLESINGER, W. (Hg.), Die deutsche Ostsiedlung des Mittelalters als Problem der europäischen Geschichte, Sigmaringen 1975, S. 607–656, = Vorträge und Forschungen, 18)

COCHERIL, M.: Essai sur l'origine des ordres militaires dans la péninsule ibérique (Collectanea ordinis Cisterciensium Reformatorum 20/1958, S. 346–361 und 21/1959, S. 228–250, 302–329)

ders.: Les Ordres militaires cisterciens au Portugal (Bulletin des Etudes portugaises, n. s. 28–29/ 1967–68. S. 11–71)

COHEN, E.: In the Name of God and of Profit. The Pilgrimage Industry in Southern France in the Late Middle Ages, Brown Univ. Ph. Diss. 1977

dies.: „In haec signa": Pilgrim-Badge-Trade in Southern France (Journal for Medieval History 2/ 1976, S. 193–214)

Colóquios de Roncesvalles (Agosto 1955), Zaragoza 1956

COMFORT, W.: The Literary Role of the Saracens in the French Epic (Publications of the Modern Language Association of America 55/1940, S. 628–659)

CONANT, K. J.: The Early Architectural History of the Cathedral of Santiago de Compostela, Cambridge (Mass.) 1926

COSTE-MESSELIÈRE, R. de la: Les chemins de St-Jacques de Compostelle et la Renaissance du XIᵉ siècle (Centre international d'études romanes, 1962, S. 8–16)

ders.: L'Europe et le pèlerinage de St-Jacques de Compostelle (Santiago en España, Europa y America, Santiago de Compostela 1971, S. 147–322) ders.: Importance réelle des Routes dites de Saint Jacques dans les pays du sud de la France et l'Espagne du Nord (Bulletin philologique et historique du Comité des travaux historiques et scientifiques 1969, Paris 1972, S. 452–470)

ders. (Hg.): Pèlerins et chemins de St-Jacques en France et en Europe du Xe siècle à nos jours, Paris 1965 (Ausstellungskatalog)

ders.: A propos d'une publication récente (Compostelle 16/1963, S. 8f.)

ders.: Sources et illustrations de l'histoire des établissements hospitaliers et du pèlerinage de St-Jacques de Compostelle des passages du Loire au grand chemin chaussé des pèlerins de St-Jacques (= Actes des Congrès de la Féderation des Sociétés Savantes des Deux-Sèvres, Thouars (1976) et Champdeniers (1977), Bulletin de la Société historique et scientifique des Deux-Sèvres, 2e série, 10/1977, no. 2–3)

COUSIN, P.: Les débuts de l'Ordre des templiers et Saint Bernard (Mélanges St-Bernard, XXIVe congrès de l'Association bourguignonne des Sociétés Savantes, 1953, Dijon 1954, S. 41–52)

COWDREY, H. E. J.: The Cluniacs and the Gregorian Reform, Oxford 1970

ders.: Cluny and the First Crusade (Revue Bénédictine 83/1973, S. 285–311)

ders.: Pope Urban II's Preaching of the First Crusade (History, NS 55/1970, S. 177–188)

CRAM, K. G.: Judicium belli. Zum Rechtscharakter des Krieges im deutschen Mittelalter, Münster – Köln 1955 (= Beiheft zum Archiv für Kulturgeschichte, 5)

CRAMER, V.: Kreuzpredigt und Kreuzzugsgedanke. Textvergleiche und Predigtgedanken von Urban II. (1095) bis Humbert von Romans (1266) (Das Heilige Land 81/1937, S. 142–154, 82/1938, S. 15–36)

CURTIUS, E. R.: Über die altfranzösische Epik. IV. St-Denis und der Codex Calixtinus (Romanische Forschungen 62/1950, S. 294–305, ND in: ders., Gesammelte Aufsätze zur romanischen Philologie, Bern 1960, S. 237–244)

DAVID, P.: La première campagne d'Abou Yousof Al Mansour contre Silves (Bulletin des Etudes Portugaises 16/1952, S. 177–184)

ders.: L'énigme de Maurice Bourdin (ders., Etudes historiques sur la Galice et le Portugal du VIe au XIIe siècle, Paris 1947, S. 441–501)

ders.: Etudes historiques sur la Galice et le Portugal du VIe au XIIe siècle, Paris 1947 (= Collection portugaise, 7)

ders.: Etudes sur le livre de St-Jacques attribué au pape Calixte II (Bulletin des Etudes portugaises 10/1945, S. 1–41, 11/1947, S. 113–185, 12/1948, S. 70–223, 13/1949, S. 52–104) (auch separat)

ders.: Grégoire VII, Cluny et Alphonse VI. (ders. Etudes historiques sur la Galice et le Portugal du VIe au XIIe siècles, Paris 1947, S. 341–439)

ders.: Notes Compostellanes (Bulletin des Etudes portugaises 15/1951, S. 180–193)

DEFOURNEAUX, M.: Carlomagno y el reino asturiano (Estudios sobre la monarquía asturiana, Colección de trabajos realizados con motivo del XI centenario de Alfonso II el Casto, celebrado en 1942, Oviedo 1949, ^{2}1971, S. 89–114)

ders.: Charlemagne et la monarchie asturienne (Mélanges d'histoire du moyen âge dédiés à la mémoire de L. HALPHEN, Paris 1951, S. 177–184)

ders.: L'Espagne et les légendes épiques françaises. La légende de Bernardo del Carpio (Bulletin Hispanique 45/1943, S. 117–138)

ders.: Les Français en Espagne aux XIe et XIIe siècles, Paris 1949

ders.: Saint Jacques et Charlemagne. Le pèlerinage et les légendes épiques françaises (Bulletin de l'Institut français en Espagne no. 46/1950, S. 214–217, ND in: R. de la COSTE-MESSELIÈRE (Hg.), Pèlerins et chemins de St-Jacques en France et en Europe de Xe siècle à nos jours, Paris 1965, S. 105–109)

DELARUELLE, E.: Dévotion populaire et hérésie au Moyen Age (Hérésies et sociétés dans l'Europe pré-industrielle, 11e–18e siècles, hg. von J. LE GOFF, Paris 1968, S. 147–155)

ders.: Essai sur la formation de l'idée de croisade (Bulletin de littérature ecclésiastique 42/1941, S. 24–45 und 86–103, 45/1944, S. 13–46 und 73–90, 54/1953, S. 226–239, 55/1954, S. 50–63)

ders.: L'idée de croisade chez St-Bernard (Mélanges St-Bernard, XXIVᵉ congrès de l'Association bourguignonne des Sociétés Savantes, 1953, Dijon 1954, S. 53–67)

ders.: L'idée de croisade dans la littérature clunisienne du XIᵉ siècle et l'abbaye de Moissac (Annales du Midi 75/1963, S. 419–439)

ders.: La piété populaire au Moyen Age, Turin 1975

ders.: La vie commune des clercs et la spiritualité populaire au XIᵉ siècle (La vita comune del clero nei secoli XI e XII. Atti della Settimana di studio, Mendola 1958, 1. Bd., Mailand 1962, S. 142–174)

DELEHAYE, H.: Cinq leçons sur la méthode hagiographique, Brüssel 1934 (= Subsidia hagiographica, 21)

ders.: Les légendes hagiographiques, Brüssel ³1927, ⁴1955, ND 1968 (= Subsidia hagiographica, 18)

ders.: L'œuvre des Bollandistes à travers trois siècles, 1615–1915, Brüssel 1920, seconde édition avec un guide bibliographique mis à jour, Brüssel 1959 (= Subsidia hagiographica, 13ª)

ders.: Sanctus. Essai sur le culte des saints dans l'antiquité, Brüssel 1927, ND 1954 (= Subsidia hagiographica, 17)

DELGADO CAPENAS, R.: Don Diego Gelmírez, Arzobispo de Santiago consagra y corona a Alfonso VII (Spes, revista de acción catolica, no. 211, julio 1952, S. 8–11)

DELISLE, L.: Note sur le recueil intitulé „De miraculis Sancti Jacobi" (Le cabinet historique, 24/1878, S. 1–9)

DEREINE, Ch.: Chanoines (Dictionnaire d'Histoire et Géographie Ecclésiastique 12/1953, Sp. 353–405)

ders.: Coutumiers et ordinaires des chanoines réguliers (Scriptorium 5/1951, S. 107–113)

ders.: St-Ruf et ses coutumes au XIᵉ et XIIᵉ siècle (Revue bénédictine 59/1949, S. 161–182)

ders.: Vie commune, règle de St-Augustin et chanoines réguliers au XIᵉ siècle (Revue d'histoire ecclésiastique 41/1946, S. 365–406)

DÉRUMAUX, P.: Saint Bernard et les infidèles (Mélanges St-Bernard, XXIVᵉ Congrès de l'Association bourguignonne des Sociétés Savantes, 1953, Dijon 1954, S. 68–79)

D'HEUR, J. M.: St-Jacques de Compostelle et St-Jacques le Majeur dans la littérature occitane (Annales du Midi 83/1967, S. 255–268)

DIAZ Y DIAZ, M. C.: Aspectos de la tradición de la „Regula Isidori" (Studia Monastica 5/1963, S. 27–57)

ders.: Estudios sobre la antigua literatura relacionada con Santiago el Mayor. I. Los himnos en honor de Santiago de la Liturgía hispánica (Comp. 11/1966, S. 457–503, ND in: ders., De Isidoro al siglo XI. Ocho estudios sobre la vida literaria peninsular, Barcelona 1976, S. 235–288)

ders.: Die spanische Jakobus-Legende bei Isidor von Sevilla (Historisches Jahrbuch 77/1958, S. 467–472 = Festschrift ALTANER)

ders.: La literatura jacobea anterior al Códice Calixtino (Comp. 10/1965, S. 283–305)

ders.: El lugar del enterramiento de Santiago el Mayor en Isidoro de Sevilla (Comp. 1/1956, S. 881–885)

ders.: Problemas de la cultura en los siglos XI–XII. La Escuela Episcopal de Santiago (Comp. 16/1971, S. 187–200)

Diccionario de Historia Eclesiastica de España, 4 Bde, Madrid 1972–1975

DOSSAT, Y.: De singuliers pèlerins sur le chemin de St-Jacques en 1272 (Annales du Midi 82/1970, S. 209–220)

DOZY, R.: Recherches sur l'histoire et la littérature de l'Espagne pendant le Moyen Age, 2 Bde, Paris und Leiden ³1881, ND Amsterdam 1965

DUBY, G.: Les chanoines réguliers et la vie économique des XIᵉ et XIIᵉ siècles (La vita comune del clero nei secoli XI e XII. Atti della Settimana di studio, Mendola 1959, 1. Bd., Mailand 1962, S. 172–182, ND in: ders., Hommes et structures du Moyen Age, Paris 1973, S. 203–213)

ders.: Histoire des mentailités (Ch. SAMARAN (Hg.), L'Histoire et ses méthodes, Paris 1961, S. 937–966)

DUCHESNE, L.: St-Jacques de Galice (Annales du Midi 12/1900, S. 145–179)

DUFOURCQ, Ch. E./GAUTIER-DALCHÉ, J.: Histoire économique et sociale de l'Espagne chrétienne au Moyen Age, Paris 1976

DUPARC, A. H.: Un joyau de l'Eglise d'Avignon (La vita comune del clero nei secoli XI e XII. Atti della Settimana di studio, Mendola 1959, Bd. 2, Mailand 1962, S. 115–128)

DUPRONT, A.: D'une histoire des mentalités (Revue roumaine d'histoire 9/1970, S. 381–403)

ders.: Problèmes et méthodes d'une histoire de la psychologie collective (A.E.S.C. 16/1961, S. 3–11)

ders.: La spiritualité des croisés et des pèlerins d'après les sources de la première croisade (Pellegrinaggi e culto dei Santi in Europa fino alla 1ª Crociata, Todi 1963, S. 249–283)

DURAN GUDIOL, A.: La iglesia de Aragón durante los reinados de Sancho Ramírez y Pedro I (1062(?)–1104) (Anthologica Annua 9/1961, S. 85–279 und separat, Rom 1962)

DURKHEIM, E.: Les formes élémentaires de la vie religieuse. Le système totémique en Australie, Paris 1912, ⁴1960

EBEL, U.: Das altromanische Mirakel. Ursprung und Geschichte einer literarischen Gattung, Heidelberg 1965 (= Studia Romanica, 8)

EITEL, A.: Rota und Rueda (Archiv für Urkundenforschung 5/1914, S. 299–336)

ELORDUY, P. E.: De re Jacobea (Boletín de la real Academía de la Historia 135/1954, S. 323–360)

ders.: La tradición jacobea de Galicia en el siglo IX (Hispania 22/1962, S. 323–356)

ENGELS, O.: Die Anfänge des spanischen Jakobusgrabes in kirchenpolitischer Sicht (Römische Quartalschrift 75/1980, S. 146–170)

ders.: Papsttum, Reconquista und spanisches Landeskonzil im Hochmittelalter (Annuarium historiae Conciliorum 1/1969, S. 37–49 und S. 241–287)

ders.: Reconquista (Sacramentum Mundi IV, Freiburg 1969, Sp. 67–71)

ERBE, M.: Moderne französische Sozialgeschichtsforschung. Die Gruppe der ,Annales', Darmstadt 1979

ERDMANN, C.: Die Entstehung des Kreuzzugsgedankens, Stuttgart 1935, ND Darmstadt 1974

ders.: Der Kreuzzugsgedanke in Portugal (HZ 141/1930, S. 23–53)

ders.: Mauritius Burdinus (Quellen und Forschungen aus ital. Archiven und Bibliotheken 19/1927, S. 205–261)

ders.: Das Papsttum und Portugal im 1. Jahrhundert der portugiesischen Geschichte (Abhandlungen der preuß. Akad. der Wiss., 1928, 5, S. 1–63)

ERFURTH, P.: Die Schlachtschilderungen in den älteren Chanson de geste, Diss. Halle 1911

Estudios sobre la liturgía mozárabe, Toledo 1965 (Publicaciones del Instituto provincial de Investigaciones y Estudios toledanos, serie tercera: Estudios, introducciones, repertorios, I)

ETTE, A. van: Les chanoines réguliers de Saint Augustin, Aperçu historique, Cholet 1953

FEBVRE, L.: Le problème de l'incroyance au XVIᵉ siècle. La religion de Rabelais, Paris 1942 (Tb-Ausgabe 1968)

FEIGE, P.: Die Anfänge des portugiesischen Königtums und seiner Landeskirche (Spanische Forschungen der Görresgesellschaft, 1. Reihe: Gesammelte Aufsätze zur Kulturgeschichte Spaniens, Bd. 29, 1978, S. 85–436)

FERNANDEZ RODRIGUEZ, M.: La expedición de Almanzor a Santiago de Compostela (Cuadernos de Historia de España 43–44/1967, S. 345–363)

FILGUEIRO VALVERDE, J.: Glosa a la „Guia del Peregrino" del „Liber Sancti Jacobi", Códice
   Calixtino (Libro de la peregrinación del Códice Calixtino, hg. von C. ROMERO DE LECEA,
   Madrid 1971, S. 29–54)

FINUCANE, R. C.: Miracles and Pilgrims. Popular Beliefs in Medieval England, London –
   Melbourne – Toronto 1977
ders.: The Use and Abuse of Medieval Miracles (History 60/1975, S. 1–10)

FITA, F./FERNANDEZ GUERRA, A.: Recuerdos de un viaje de Galicia, Madrid 1880
ders.: Santiago de Galicia. Nuevas impugnaciones y nueva defensa (Razon y Fe 1/1901, S. 70–74,
   S. 200–206, S. 306–315, 2/1902, S. 35–45, 3/1902, S. 49–62, S. 314–324, S. 475–488)

FLECKENSTEIN, J.: Die Entstehung des niederen Adels und das Rittertum (ders. (Hg.), Herrschaft
   und Stand. Untersuchungen zur Sozialgeschichte im 13. Jahrhundert, Göttingen 1977, =
   Veröffentlichungen des Max Planck Instituts für Geschichte, 51, S. 17–39)
ders.: Die Rechtfertigung der geistlichen Ritterorden nach der Schrift „De laude novae militiae"
   Bernhards von Clairvaux (Die geistlichen Ritterorden Europas, hg. von J. FLECKENSTEIN und
   M. HELLMANN, Sigmaringen 1980, S. 9–22, = Vorträge und Forschungen, 26)

FLICHE, A.: Alphonse II le Chaste et les origines de la reconquête chrétienne (Estudios sobre la
   monarquía asturiana, Oviedo 1949, ²1971, S. 117–134)

FLOOD, B.: St. Bernard's Views of Crusade (Cistercian Studies 9/1974, S. 22–35)

FOLZ, R.: Le souvenir et la légende de Charlemagne dans l'Empire germanique médiéval, Paris
   1950, ND Genf 1973 (= Publications de l'Université de Dijon, 7)

FONTAINE, J.: L'Art préroman hispanique, 2 Bde, (Paris) 1973

FOREY, A. J.: The Templars in the Corona de Aragón, London 1973

FORNASARI, G.: S. Pier Damiani e la storiografia contemporanea: osservazioni in margine a recenti
   studi damianei (Bulletino del Istituto Storico Italiano per il Medio Evo e Archivio Muratoriano
   88/1979, S. 165–200)

FRANZ, A.: Die kirchlichen Benediktionen im Mittelalter, 2 Bde, Freiburg 1909, ND 1960

FRIEDEL, V. H.: Etudes Compostellanes (Otia Merseiana 1/1899, S. 75–112)

FUENTES NOYA, J.: Las peregrinaciones a Santiago de Compostela. Estudio Historico, Santiago de
   Compostela 1898

FÜRST, C. G.: I cardinalati non romani (Le istituzioni ecclesiastiche della „societas christiana" dei
   secoli XI–XII. Papato, cardinalato ed episcopato. Atti della quinta Settimana di studio, Mendola
   1971, Mailand 1973, S. 185–198)
ders.: Cardinalis. Prolegomena zu einer Rechtsgeschichte des römischen Kardinalkollegiums,
   München 1967

FÜRSTENBERG, F. (Hg.): Religionssoziologie, Neuwied – Berlin 1964 (= Soziologische Texte, 19)

FUHRMANN, H.: Die Fälschungen im Mittelalter: Überlegungen zum mittelalterlichen Wahrheitsbegriff (HZ 197/1963, S. 529–601, ND (teilw.): ders., Einfluß und Verbreitung der pseudoisido-
   rischen Fälschungen, Bd. 1, 1972, S. 86ff. und 101ff.)
ders.: Der alte und der neue Mirbt (Zs. für Kirchengeschichte 79/1968, S. 198–205)
ders.: Studien zur Geschichte mittelalterlicher Patriarchate (ZRG KA 39/1953, S. 112–176, 40/
   1954, S. 1–84, 41/1955, S. 95–183)
ders.: Überlegungen eines Editors (HÖDL, L./WUTTKE, D. (Hgg.), Probleme der Edition mittel-
   und neulateinischer Texte. Kolloquium der Deutschen Forschungsgemeinschaft, Boppard 1978,
   S. 1–34)
ders.: Über Ziel und Aussehen von Texteditionen (Mittelalterliche Textüberlieferungen und ihre
   kritische Aufarbeitung. Beiträge der MGH zum 31. deutschen Historikertag Mannheim 1976,
   München 1976, S. 12–27)

GAIFFIER, B. de: Un abregé hispanique du martyrologe hieronymien (AB 82/1964, S. 5–36)
ders.: Le Breviarium apostolorum (BHL 652). Tradition manuscrite et œuvres apparentées
   (AB 81/1963, S. 89–116)

ders.: Une citation de Théophile d'Antioche dans le „Liber Sancti Jacobi" (Mélanges en l'honneur de Monseigneur M. ANDRIEU, Straßburg 1956, S. 173–179, ND in: ders., Etudes critiques d'hagiographie et d'iconologie, Brüssel 1967 S. 108–114)

ders.: Etudes critiques d'hagiographie et d'iconologie, Brüssel 1967 (= Subsidia hagiographica, 43)

ders.: L'hagiographe et son public au XIe siècle (Miscellanea Historica in honorem L. van der ESSEN, Brüssel 1947, S. 135–166, ND in: ders., Etudes critiques d'hagiographie et d'iconologie, Brüssel 1967, S. 475–508)

ders.: Hagiographie et Historiographie (La Storiografia altomedievale, I, Spoleto 1970, S. 139–166, = Settimane di Studio del Centro italiano di studi sull'alto medioevo, 17)

ders.: La lecture des actes des martyrs dans la prière liturgique en Occident. A propos du passionaire hispanique (AB 72/1954, S. 134–166)

ders.: A propos des légendiers latins (AB 97/1979, S. 57–68)

ders.: Liberatus a suspendio (Mélanges M. ROQUES, 2, 1953, S. 93–98, ND in: ders., Etudes critiques d'hagiographie et d'iconologie, Brüssel 1967, S. 227–232)

ders.: Une ancienne liste des localités où reposent les apôtres (L'homme devant Dieu. Mélanges offerts au Père H. de LUBAC, Bd. 1, Paris 1964, S. 365–371, ND in: ders., Etudes critiques d'hagiographie et d'iconologie, Brüssel 1967, S. 361–368)

ders.: Les manuscrits du Breviarium Apostolorum. Nouveaux témoins (Corona Gratiarum, Miscellanea … E. DEKKERS … oblata, Bd. 1, Brügge 1975, S. 237–241, ND in: ders., Recueil d'hagiographie, Brüssel 1977, no. XVI)

ders.: Mentalité de l'hagiographe médiéval d'après quelques travaux récents (AB 86/1968, S. 391–399)

ders.: Notes sur quelques documents relatifs à la translation de St-Jacques en Espagne (AB 89/1971, S. 47–66)

ders.: Notes on some Documents bearing on the Translatio S. Jacobi to Spain (Classical folia. Studies in the Christian Perpetuation of the Classics 26/1972, S. 3–25)

ders.: Pèlerinage et culte des saints, thème d'un congrès (Pellegrinaggi e culto dei santi in Europa fino alla 1ª crociata, 1961, Todi 1963, S. 11–35, ND in: ders., Etudes critiques d'hagiographie et d'iconologie, Brüssel 1967, S. 31–49)

ders.: Recherches d'hagiographie latine, Brüssel 1971 (= Subsidia hagiographica, 52)

ders.: Recueil d'hagiographie, Brüssel 1977 (= Subsidia hagiographica, 61)

ders.: Les sources de la passion de St-Eutrope de Saintes dans le „Liber Sancti Jacobi" (AB 69/1951, S. 57–66)

ders.: Un thème hagiographique: Le pendu miraculeusement sauvé (Revue belge d'archéologie et d'histoire de l'art, 13/1943, S. 125–148, ND in: ders., Etudes critiques d'hagiographie et d'iconologie, Brüssel 1967, S. 194–227)

ders.: De l'usage et de la lecture du martyrologe. Témoignages antérieurs au XIe siècle (AB 79/1961, S. 40–59)

ders.: Rezension zu VAZQUEZ DE PARGA u. a. (AB 70/1952, S. 214–218)

ders.: Rezension zu WHITEHILL (Hg.) und DAVID (AB 69/1951, S. 173–176)

GALINDO ROMERO, P.: La diplomática en la Historia Compostelana. Discurso leído en la sesión anual del C.S. de I.C., Madrid 1945

GALLAIS, P.: Remarques sur la structure des „Miracles de Notre Dame" (Cahiers d'études médiévales, I, Epopées, légendes, miracles, Monréal-Paris 1974, S. 117–134)

GALLEGO BLANCO, E.: The Rule of the Spanish Military Order of St-James, 1170–1193. Latin and spanish texts edited with apparatus criticus, English translation and preliminary study, Leiden 1971

GAMS, P. B.: Kirchengeschichte von Spanien, 3 Bde, Regensburg 1862–1876, ND Graz 1956

GANZER, K.: Die Entwicklung des auswärtigen Kardinalats im hohen Mittelalter. Ein Beitrag zur Geschichte des Kardinalkollegiums vom 11.–13. Jahrhundert, Tübingen 1963 (= Bibliothek des Deutschen Hist. Inst. in Rom, 26)

ders.: Das römische Kardinalkollegium (Le istituzioni ecclesiastiche della „Societas christiana" dei secoli XI–XII. Papato, cardinalato ed episcopato (Atti della quinta Settimana di studio, Mendola 1971, Mailand 1974, S. 153–181)

GARCÍA ALVAREZ, M. R.: El monasterio de San Sebastián del Pico Sagro (Comp. 6, 2/1961, S. 5–48)

GARCÍA CONDE, A.: Antiguas dignidades de la catedral de Lugo (Boletín de la comsión prov. de Monumentos historicos y artisticos de Lugo 3/1949, S. 276–283)

GARCÍA LARRAGUETA, S. A.: El priorado de Navarra de la Orden de San Juan de Jerusalén. I. Estudio preliminar, II. Colección diplomática, Pamplona 1957

GARCÍA DE VALDEAVELLANO, L.: Sobre los burgos y los burgueses de la España Medieval (Notas para la historia de los orígenes de la burguesía), Madrid 1960

ders.: Historia de España, Bd. I: Desde los orígenes de España hasta la baja Edad Media, Madrid ³1964

ders.: Orígenes de la burguesía en la España medieval, Madrid 1969

GARCÍA VILLADA, Z.: Historia eclesiastica de España, 3 Bde, Madrid 1929–1936

GARRIGÓS A. X.: La actuación del arzobispo Gelmírez a través de los documentos de la Historia Compostelana (Hispania 3, 12/1943, S. 355–408)

GARRISON, F.: Les hôtes et l'hébergement des étrangers au moyen âge. Quelques solutions de droit comparé (Etudes d'histoire du droit privé offertes à P. PETOT, Paris 1959, S. 199–222)

ders.: A propos des pèlerins et de leur condition juridique (Etudes d'histoire du droit canonique dédiées à G. LE BRAS, Bd. II, Paris 1965, S. 1165–1189)

GAUSS, J.: Die Auseinandersetzung mit Judentum und Islam bei Anselm (H. KOHLENBERGER (Hg.), Analecta Anselmiana, Bd. 4,2, Frankfurt 1975, S. 101–109)

dies.: Toleranz und Intoleranz zwischen Christen und Muslimen in der Zeit vor den Kreuzzügen (Saeculum 19/1968, S. 362–389)

GAUTIER-DALCHÉ, J.: Les mouvements urbains dans le nord-ouest de l'Espagne au XIIᵉ siècle. Influences étrangères ou phénomènes originaux? (Cuadernos de Historia, Anejos de la Revista Historia 2/1968, S. 51–64 = Las Relaciones Hispano-Franceses a traves del tiempo)

GEORGES, A.: Le pèlerinage à Compostelle en Belgique et le Nord de la France, suivi d'une étude sur l'iconographie de St-Jacques en Belgique, Brüssel 1971 (= Acad. Royale de Belgique, Classe des Beaux Arts, Mémoires, 2ᵉ série, 13)

GÓMEZ, I. M.: Nota en torno a los orígenes del culto de Santiago en España (Hispania Sacra 7/1954, S. 487–490)

GOÑI GATZAMBIDE, J.: Historia de la bula de la Cruzada en España, Vitoria 1958 (= Victoriensia, 4)

ders.: Los obispos de Pamplona del siglo XII (Anthologica Annua 13/1965, S. 135–360)

GONZÁLEZ, J.: Repoblación de Castilla la Nueva, 2 Bde, Madrid 1975

GONZÁLEZ SOLOGAISTÚA, B.: La influencia económica de las peregrinaciones a Compostela (Economía Española 13–14/1934, S. 77–93 und S. 39–57)

GOTTLOB, A.: Ablaßentwicklung und Ablaßinhalt im 11. Jahrhundert, Stuttgart 1907

ders.: Kreuzablaß und Almosenablaß, Stuttgart 1906, ND Amsterdam 1965 (= Kirchenrechtliche Abhandlungen, hg. von U. STUTZ, 30–31)

GRAUS, F.: Der Heilige als Schlachtenhelfer. Zur Nationalisierung einer Wundererzählung in der mittelalterlichen Chronistik (Festschrift H. BEUMANN, Sigmaringen 1977, S. 330–349)

ders.: Volk, Herrscher und Heiliger im Reich der Merowinger. Studien zur Hagiographie der Merowingerzeit, Prag 1965

GUAL CAMARENA, M.: El hospedaje hispano medieval. Aportaciones para su estudio (Anuario de Historia del derecho español 32/1962, S. 527–541)

GÜNTER, H.: Hagiographie und Wissenschaft (Historisches Jahrbuch 62–69/1949, S. 43–88)

ders.: Psychologie der Legende. Studien zu einer wissenschaftlichen Heiligengeschichte, Freiburg 1949

GUERRA CAMPOS, J.: La carta del papa León sobre la translación de Santiago en el manuscrito 1104 de la biblioteca Casanatense (Comp. 1,2/1956, S. 481–492)

ders.: El descubrimiento del cuerpo de Santiago en Compostela según la „Historia de España" dirigida por Menéndez Pidal (Comp. 1,2/1956, S. 161–199)

ders.: Excavaciones en la Catedral de Santiago (La Ciencia Tomista 51, 273/1960, S. 97–168 und 51,274/1960, S. 269–324)

ders.: El „Liber Sancti Jacobi" o Códice Calixtino (Libro de la Peregrinación del Códice Calixtino, hg. von C. ROMERO DE LECEA, Madrid 1971, S. 17–28)

ders.: Notas criticas sobre el orígen del culto sepulcral a Santiago de Compostela (La Ciencia Tomista 52, 279/1961, S. 417–474 und 52, 280/1961, S. 559–590)

ders.: Roma y Santiago. Bula „Deus omnipotens" de S. S. León sobre el cuerpo del Apóstol Santiago, Santiago de Compostela 1953

ders.: Santiago (Diccionario de Historia Eclesiastica de España, Bd. 4, Madrid 1975, S. 2183–2191)

GUSSONE, N.: Thron und Inthronisation des Papstes von den Anfängen bis zum 12. Jahrhundert. Zur Beziehung zwischen Herrschaftszeichen und bildhaften Begriffen, Recht und Liturgie im christlichen Verständnis von Wort und Wirklichkeit, Bonn 1978 (= Bonner historische Forschungen, 41)

GUTIERREZ ERASO, P. M.: Una version portuguesa del peregrino ahorcado (Ruta Jacobea 3,30/ 1965, S. 5 und 4, 31/1966, S. 2–6)

GUTTON, F.: L'Ordre d'Alcantara, Paris 1975 (= La chevalerie militaire en Espagne, 4)

ders.: L'Ordre de Calatrava, Paris 1955 (= La chevalerie militaire en Espagne, 1)

ders.: L'Ordre de Santiago (St-Jacques de l'Epée), Paris – Liège 1972 (= La chevalerie militaire en Espagne, 2)

HÄMEL, A.: Arnaldus de Monte und der Liber Sancti Jacobi (Homenaja a A. RUBIÓ Y LLUCH, Barcolona 1936, S. 147–159, = Estudis Universitaris Catalans, XXI)

ders.: Aus der Geschichte der Pseudo-Turpin Forschung (Romanische Forschungen, 57/1943, S. 229–245)

ders.: Aus dem Liber Sancti Jacobi des Kapitelarchives von Santiago de Compostela (Revue hispanique 81/1933, S. 378–392)

ders.: Los manuscritos del Falso Turpino (Estudios dedicados a MENÉNDEZ PIDAL, Bd. IV, Madrid 1953, S. 67–85)

ders.: Eine neue Pseudoturpin-Hypothese (Festschrift E. WECHSSLER, Jena – Leipzig 1929, S. 45–52, = Philologisch-philosophische Studien, Berliner Beiträge zur roman. Philologie, I)

ders.: Roland-Probleme (German.-Roman. Monatsschrift 15/1927, S. 141–147)

ders.: Die Rolandlegende des Pseudo-Turpin (Estudios hispanicos. Homenaje a Archer M. HUNTINGTON, Wellesley (Mass.) 1952, S. 219–228)

ders.: Turpin (Lexikon für Theologie und Kirche, Bd. 10, Freiburg ²1965, Sp. 339)

ders.: Überlieferung und Bedeutung des Liber Sancti Jacobi und des Pseudo-Turpin, München 1950 (= Sitzungsberichte der bayr. Akad. der Wiss., phil.-hist. Klasse, Heft 2)

ders.: Rezension zu WHITEHILL (Estudis Romanics 2/1949–50, S. 241–245)

HAIDER, S.: Zu den Anfängen der päpstlichen Kapelle (Mitteilungen des Instituts für österreichische Geschichtsforschung 87/1979, S. 38–70)

HALL, D. J.: English Medieval Pilgrimage, London 1966

Handbuch der Kirchengeschichte, hg. von H. JEDIN, Bd. III,1: Die mittelalterliche Kirche, 1. Halbbd.: Vom Frühmittelalter zur gregorianischen Reform, hg. von KEMPF/BECK/EWIG/JUNGMANN, Freiburg – Basel – Wien 1966

HARTMANN, W.: Beziehungen des Normannischen Anonymus zu frühscholastischen Bildungszentren (DA 31/1975, S. 108–143)

HATEM, A.: Les poèmes épiques des croisades. Genèse, historicité, localisation, Paris 1932

HEHL, E.-D.: Kirche und Krieg im 12. Jahrhundert. Studien zu kanonischem Recht und politischer Wirklichkeit, Stuttgart 1980 (= Monographien zur Geschichte des Mittelalters, 19)

HEIL, W.: Der Adoptianismus, Alkuin und Spanien (Karl der Große, Lebenswerk und Nachleben, hg. von W. BRAUNFELS, Bd. 2: Das Geistige Leben, Düsseldorf 1965, S. 95–155)

HEILER, F.: Altkirchliche Autonomie und päpstlicher Zentralismus, München 1941

HELL, V. u. H.: Die große Wallfahrt des Mittelalters, mit einem Vorwort von H. J. HÜFFER, Tübingen 1964, 3. überarb. Aufl. 1979

HERMANN-MASCARD, N.: Les Reliques des Saints. Formation coutumière d'un droit, Paris 1975 (= Société d'histoire du droit. Coll. d'histoire institutionelle et sociale, 6)

HERWAARDEN, J. van: Opgelegde Bedevaarten. Een studie over de praktijk van oplegen van bedevaarten (met name in de stedelijke rechtspraak) in de Nederlande gerunde de late meddeleeuwen (ca. 1300–ca. 1500), Amsterdam 1978

ders.: The origins of the cult of St. James of Compostela (Journal of Medieval History 6/1980, S. 1–35)

HEYNE, B.: Von den Hansestädten nach Santiago. Die große Wallfahrt des Mittelalters (Bremisches Jahrbuch 52/1972, S. 65–84)

HÖDL, L.: Ablaß (Lexikon des Mittelalters, Bd. I, München 1977, Sp. 43–46)

HÖDL, L./WUTTKE, D. (Hgg.): Probleme der Edition mittel- und neulateinischer Texte. Kolloquium der Dt. Forschungsgemeinschaft, Bonn 1973, Boppard 1978

HOFFMANN, H.: Gottesfriede und Treuga Dei, Stuttgart 1964 (= Schriften der MGH, 20)

HOGBERG, P.: La chronique de Lucus de Tuy (Revue Hispanique 81/1933, S. 401–421)

HOHLER, Ch.: The Badge of St. James (The Scallop. Studies of a Shell and its Influences on Human Kind, hg. von I. COX, London 1957, S. 49–72)

ders.: A Note on Jacobus (Journal of the Warburg and Courtauld Institutes 35/1972, S. 31–80)

HONEGGER, C.: Geschichte im Entstehen. Notizen zum Werdegang der ,Annales' (BLOCH/BRAUDEL/FEBVRE u. a., Schrift und Materie der Geschichte. Vorschläge zu einer systematischen Aneignung historischer Prozesse, hg. von ders., Frankfurt 1977, S. 1–44, = Edit. Suhrkamp, 814)

HORRENT, J.: Notes de critique textuelle sur le Pseudo-Turpin du Codex Calixtinus et du ms. BN nouv. fds. lat. 13774 (Le Moyen Age 81/1975, S. 37–62)

HOWES, H. W.: The Cult of Sant Jago at Compostela (Folk-Lore 36/1925, S. 132–150)

HUBERT, J.: Les routes du moyen âge (Les Routes de France depuis les origines jusqu'à nos jours, hg. von P. M. DUVAL u. a., Paris 1959, S. 25–56, = Colloques Sarrebruck 1958)

HÜFFER, H. J.: Die leones. Hegemoniebestrebungen und der Kaisertitel (Spanische Forschungen der Görresgesellsch. I. Reihe, Gesammelte Aufsätze zur Kulturgeschichte Spaniens, Bd. 3, Münster 1931, S. 337–384)

ders.: La idea imperial española, Madrid 1933

ders.: Die spanische Jakobusverehrung in ihren Ausstrahlungen auf Deutschland (Historisches Jahrbuch 74/1955, S. 124–138)

ders.: Die mittelalterliche spanische Kaiseridee und ihre Probleme (Saeculum 3/1952, S. 425–443)

ders.: Das spanische Kaisertum der Könige von León-Kastilien, Münster 1931

ders.: Sant'Jago. Entwicklung und Bedeutung des Jakobuskultes in Spanien und dem Römisch-Deutschen Reich, München 1957 ders.: La significación del culto de Santiago en España y sus irradiaciones en Alemania (Revista de la Universidad de Buenos Aires 5,1/1956, S. 375–393)

HÜLS, R.: Kardinäle, Klerus und Kirchen Roms 1049–1130, Tübingen 1977 (= Bibliothek des Deutschen Histor. Inst. in Rom, 48)

HUIDOBRO Y SERNA, L.: Las peregrinaciones jacobeas, 3 Bde, Madrid 1949–1951

IGGERS, G. G.: Die Tradition der Annales in Frankreich. Geschichte als integrale Humanwissenschaft (ders., Neue Geschichtswissenschaft. Vom Historismus zur historischen Sozialwissenschaft. Ein internationaler Vergleich, München 1978, S. 55–96)

Le istituzioni ecclesiastiche della „Societas christiana" dei secoli XI–XII. Papato, cardinalato ed episcopato. Atti della 5ª Settimana di studio, Mendola 1971, Mailand 1974 (= Miscellanea del Centro di Studi Med., 7)

JACKSON, G.: The Making of Medieval Spain, New York 1972 (= Hist. of European Civilisation Library)

JACQUELINE, B.: Episcopat et Papauté chez St-Bernard de Clairvaux, Lille/Paris 1975

St-Jacques de Compostelle. Les grands chemins des peuples. Huit siècles de tradition et d'art (Les dossiers de l'archéologie 20/Paris 1977)

JÄSCHKE, K.-U.: Frühmittelalterliche Festkrönungen? Überlegungen zu Terminologie und Methode (HZ 211/1970, S. 556–588)

JAKOBS, H.: Die Cluniazenser und das Papsttum im 10. und 11. Jahrhundert. Bemerkungen zum Cluny-Bild eines neuen Buches (Francia 2/1974, S. 643–663)

JANINI, J.: Liturgía. B. Liturgía Romana (Diccionario de Historia Eclesiastica de España, Bd. II, Madrid 1972, S. 1320–1324)

JAVIERRE MUR, A.: Documentos para el estudio de la orden de Santiago en Portugal en la edad media (Bracara Augusta 16–17/1964, S. 409–428)

JORDAN, K.: Das Eindringen des Lehnswesens in das Rechtsleben der römischen Kurie (Archiv für Urkundenforschung 12/1931, S. 13–110, ND Darmstadt 1971 mit Nachtrag, = Libelli 325)

ders.: Die Entstehung der römischen Kurie (ZRG KA 28/1939, S. 97–152, ND Darmstadt 1962 mit Nachtrag)

ders.: Zur päpstlichen Finanzgeschichte im 11. und 12. Jahrhundert (Quellen und Forschungen aus ital. Archiven und Bibliotheken 25/1933–1934, S. 61–104)

KANTOROWICZ, E. H.: Laudes regiae. A Study in Liturgical Acclamations and Medieval Ruler Worship, Berkeley – Los Angeles 1946

KARL, M.: Der Pseudo-Turpin Text des Sebastian Ciampi und seine Quellen, phil. Diss. Würzburg 1941

KATTERBACH, B./PEITZ, W. M.: Die Unterschriften der Päpste und Kardinäle in den „Bullae maiores" vom 11. bis 14. Jahrhundert (Miscellanea F. EHRLE, Bd. 4, Rom 1924, S. 177–274, = Studi e testi, 40)

KEHR, P.: Das Papsttum und der katalanische Prinzipat bis zur Vereinigung mit Aragón (Abhandl. der preuß. Akad. der Wiss., phil-hist. Kl., Berlin 1926,1)

ders.: Das Papsttum und die Königreiche Navarra und Aragón bis zur Mitte des 12. Jahrhunderts (Abhandl. der preuß. Akad. der Wiss., phil.-hist. Klasse, Berlin 1928, 4)

ders.: Wie und wann wurde das Reich Aragón ein Lehen der römischen Kirche? Eine diplomatische Untersuchung (Sitzungsberichte der preuß. Akad. der Wiss., phil.-hist. Klasse, Berlin 1928, 18)

KEMPF, F.: Die Kirche im Zeitalter der Gregorianischen Reform (Handbuch der Kirchengeschichte, hg. von H. JEDIN, Bd. 3,1, Freiburg 1966, S. 401–461)

KENDALL, A.: Medieval Pilgrims, London 1970

KENDRICK, T. D.: St. James in Spain, London 1960

KING, A. A.: Liturgies of the Primatial Sees, London 1957

KIPPENBERG, H. G.: Zu einem sozialwissenschaftlichen Verständnis religiöser Weltbilder (Religionsgespräche. Zur gesellschaftlichen Rolle der Religion, Darmstadt – Neuwied 1975, S. 65–94)

KIRSCHBAUM, E.: Das Grab des Apostels Jakobus in Santiago de Compostela (Stimmen der Zeit 176/1965, S. 352–362)

ders.: Die Grabungen unter der Kathedrale von Santiago de Compostela (Römische Quartalschrift 56/1961, S. 234–254)

KLEIN, H. W.: Der Kreuzzugsgedanke im Rolandslied und die neuere Rolandforschung (Die Neueren Sprachen NF 5/1956, S. 265–285, ND in: Altfranzösische Epik, hg. von H. KRAUSS, Darmstadt 1978, S. 195–224, = Wege der Forschung, 304)

KLEWITZ, H. W.: Cancellaria. Ein Beitrag zur Geschichte des geistlichen Hofdienstes (DA 1/1937, S. 44–79)

ders.: Das Ende des Reformpapsttums (DA 3/1939, S. 372–412, ND in: ders., Reformpapsttum und Kardinalkollegium, Darmstadt 1957, S. 207–259)

ders.: Die Entstehung des Kardinalkollegiums (ZRG KA 56/1936, S. 115–221, ND in: ders., Reformpapsttum und Kardinalkollegium, Darmstadt 1957, S. 9–134)

ders.: Die Festkrönungen der deutschen Könige (ZRG KA 28/1939, S. 48–96, ND Darmstadt 1966, = Libelli, 133)

ders.: Reformpapsttum und Kardinalkollegium, Darmstadt 1957

KLOOCKE, K.: J. Bédiers Theorie über den Ursprung der Chansons de Geste und die daran anschließende Diskussion zwischen 1908 und 1968, Göppingen 1972 (= Göppinger akad. Beiträge, 33/34)

KOCKA, J.: Sozialgeschichte – Strukturgeschichte – Gesellschaftsgeschichte (Archiv für Sozialgeschichte 15/1975, S. 1–42, ND in: ders., Sozialgeschichte. Begriff – Entwicklung – Probleme, Göttingen 1977, = Kl. Vandenhoeck Reihe, 1434, S. 48–111)

KÖTTING, B.: Peregrinatio religiosa. Wallfahrt und Pilgerwesen in Antike und alter Kirche, Münster 1950

KONETZKE, R.: Probleme der Beziehungen zwischen Islam und Christentum im spanischen Mittelalter (P. WILPERT (Hg.), Antike und Orient im Mittelalter, Vorträge der Kölner Mediaevistentagungen 1956–1959, Berlin 1962, S. 219–238, = Miscellanea mediaevalia, 1)

KOTTJE, R.: Die Gregorianische Kirchenreform (ders./B. MÖLLER (Hgg.), Ökumenische Kirchengeschichte, Bd. 2., Mainz – München 1973 ²1978, S. 69–102)

ders.: Monastische und kanonikale Reformbestrebungen im 10./11. Jahrhundert (ders./B. MÖLLER (Hgg.), Ökumenische Kirchengeschichte, Bd. 2, Mainz – München 1973 ²1978, S. 60–69)

KUTTNER, St.: Cardinalis. The History of a Canonical Concept (Traditio 3/1945, S. 129–214)

LABANDE, E. R.: Las condiciones de vida del peregrino a Santiago según el „Codex Calixtinus" (Boletín de la Asociación Europea de Profesores de Español 8/1976 (no. 15), S. 45–53)

ders.: Eléments d'une enquête sur les conditions de déplacement du pèlerin aux Xe–XIe siècles (Pellegrinaggi e culto dei Santi in Europa fino alla 1ª crociata. Convegni del Centro di Studi sulla spiritualità medievale, IV, 1961, Todi 1963, S. 95–112, ND in: ders., Spiritualité et vie littéraire de l'Occident, Xe–XIVe siècle, London 1974, no. XIII)

ders.: „Ad limina": Le pèlerin médiéval au terme de sa démarche (Mélanges R. CROZET, Poitiers 1966, S. 283–291, ND in: ders., Spiritualité et vie littéraire de l'Occident, Xe–XIVe siècle, London 1974, no. XIV)

ders.: Les pèlerinages chrétiens à travers les âges (La semaine religieuse du diocèse de Poitiers, 1971, S. 101–105 und 118–123, ND in: ders., Spiritualité et vie littéraire de l'Occident, Xe–XIVe siècle, London 1974, no. XI)

ders.: Recherches sur les pèlerins dans l'Europe des XIe et XIIe siècles (CCM 1/1958, S. 159–169 und S. 339–347, ND in: ders., Spiritualité et vie littéraire de l'Occident, Xe–XIVe siècle, London 1974, no. XII) ders.: Spiritualité et vie littéraire de l'Occident, Xᵉ–XIVᵉ siècle, London 1974

LACARRA, J. M.: Un arancel de aduanas del siglo XI, Zaragoza 1950 (= Consejo superior de Investigaciones cientificas)

ders.: El camino de Santiago en España (Santiago en España, Europa y America, Madrid 1971, S. 59–142)

ders.: A propos de la colonisation „franca" en Navarra et en Aragon (Annales du Midi 65/1953, S. 331–342)

ders.: El combate de Roldán y Ferragut y su representación gráfica en el siglo XII (Anuario del Cuerpo Facultativo de Archiveros, Bibliotecarios y Archeólogos 2/1934, S. 321–338)

ders.: Espiritualidad del culto y de la peregrinación a Santiago antes de la primera cruzada (Pellegrinaggi e culto dei Santi in Europa fino alla 1ª crociata. Convegni del Centro di Studi sulla spiritualità medievale IV, 1961, Todi 1963, S. 113–145)

ders.: Los franceses en la Reconquista y Repoblación del Valle del Ebro en tiempos de Alfonso el Batallador (Las Relaciones Hispano-Francesas a traves del tiempo, Cuadernos de Historia = Anejos de la Revista Historia 2/1968, S. 65–80)

ders.: Historia política del Reino de Navarra hasta su incorporación a Castilla, 3 Bde, Pamplona 1972–73 (= Biblioteca Caja de ahorros de Navarra)

ders.: Le pèlerinage de Saint-Jacques: son influence sur le développement économique et urbain du Moyen Age (= Bulletin de l'Institut français en Espagne, no. 46, déc. 1950, S. 218–221, span. Fassung in: Compostela, mayo 1952, S. 4–6)

ders.: Les villes-frontière dans l'Espagne des XIᵉ et XIIᵉ siècles (Le Moyen Age 69/1963, S. 205–222)

ders./ENGELS, O.: Mauren und Christen in Spanien (711–1035) (Handbuch der Europäischen Geschichte, Bd. 1, hg. von Th. SCHIEFFER, Stuttgart 1976, S. 997–1034)

LACROIX, B./BOGLIONI, P. (Hgg.): Les religions populaires. Colloque international 1970, Quebec 1972 (= Histoire et Sociologie de la Culture, 3)

LAMBERT, A.: Aymeric (Dictionnaire d'histoire et géographie ecclésiastique, V, Paris 1931, Sp. 1296–1298)

LAMBERT, E.: Etudes médiévales, Bd. 1–4, Paris 1956–1957

ders.: L'Historia Rotholandi du Pseudo-Turpin et le pèlerinage de Compostelle (Romania 69/1946–47, S. 362–387)

ders.: Le livre de St-Jacques et les routes du pèlerinage de Compostelle (Revue géographique des Pyrénées et du Sud-Ouest, 14/1943, S. 5–33)

ders.: Les grands monastères portugais (Bulletin des Etudes portugaises, NF 17/1953, S. 66–92)

ders.: Le monastère de Roncevaux, la légende de Roland et le pèlerinage de Compostelle (Mélanges de la Société Toulousaine d'Etudes classiques 2/1948, S. 163–178)

ders.: Ordres et confréries dans l'histoire du pèlerinage de Compostelle (Annales du Midi 55/1943, S. 369–403)

ders.: Le pèlerinage de Compostelle, Paris – Toulouse 1959 (= ND aus: ders., Etudes médiévales, I,4, S. 121–271)

ders.: Roncevaux et ses monuments (Romania 64/1935, S. 17–54)

ders.: Textes relatifs à Roncevaux et aux ports de Cize (Colóquios de Roncesvalles, Zaragoza 1956, S. 123–131)

LE CLERC, V.: Aimeric Picaudi de Parthenai. Cantique et itineraire des pèlerins de St-Jacques de Compostelle (Histoire littéraire de la France, 21, Paris 1847, S. 272–292)

LECLERCQ, H.: Espagne (Dictionnaire d'archéologie chrétienne et de liturgie, Bd. V,1, Paris 1922, Sp. 407–523)

LECLERCQ, J.: L'attitude spirituelle de St-Bernard devant la guerre (Collectanea ordinis Cisterciensium Reformatorum 36/1974, S. 195–225, = VIIIᵉ centenaire de la canonisation de St-Bernard) ders.: Monachisme et pérégrination du IXe au XIIe siècle (Studia Monastica 3/1961, S. 33–52)

ders.: Mönchtum und Peregrinatio im Frühmittelalter (Römische Quartalschrift 55/1960, S. 212–225, erw. ND in: ders., Aux sources de la spiritualité occidentale, Paris 1964, Kap. 2)

ders.: Aux sources de la spiritualité occidentale, Bd. I, Paris 1964

ders.: La spiritualité des chanoines réguliers (La vita comune del clero nei secoli XI e XII. Atti della Settimana di studio, Mendola 1959, Mailand 1962, S. 117–135)

ders.: La vie et la prière des chevaliers de Santiago d'après leur règle primitive (Liturgica 2, Monserrat 1958 = Scripta et Documenta, 10, S. 347–357)

LE GOFF, J.: Les intellectuels au Moyen Age, Paris 1957 (= Le temps qui court)

ders.: Marchands et banquiers au Moyen Age, Paris ²1960 (= Le temps qui court)

ders.: Les mentalités. Une histoire ambiguë (ders./P. NORA (Hgg.), Faire de l'histoire, Bd. II: Nouveaux objets, Paris 1974, S. 76–94)

ders.: Pour un autre moyen âge. Temps, travail et culture en Occident: 18 essais, Paris 1977

LEITMAIER, Ch.: Die Kirche und die Gottesurteile. Eine rechtshistorische Studie, Wien 1951 (= Wiener rechtsgeschichtliche Arbeiten, II)

LEJEUNE, R./STIENNON, J.: La légende de Roland dans l'art du Moyen Age, 2 Bde, Brüssel 1966

LINAGE CONDE, A.: Los orígenes del monacato benedictino en la Península Ibérica, 3 Bde, Rom 1973

ders.: ¿Vida canonical en la „Repoblación" de la Península Ibérica? (Secundum regulam vivere, Festschrift für N. BACKMUND, hg. von G. MELVILLE, Windberg 1978, S. 73–85)

LIPSIUS, R. A.: Die apocryphen Apostelgeschichten und Apostellegenden. Ein Beitrag zur altchristlichen Literaturgeschichte, 3 Bde, Braunschweig 1883–1890

LOMAX, D. W.: Las milicias cisterciences en el reino de León (Hispania 23/1963, S. 29–43)

ders.: La Orden de Santiago (1170–1275), Madrid 1965 (= Consejo Superior de Investigaciones científicas. Escuela de Estudios medievales. Estudios, XXXIII)

ders.: The Order of Santiago and the Kings of León (Hispania 18/1958, S. 3–37)

ders.: The Reconquest of Spain, London – New York 1978, dt.: Die Reconquista – Die Wiedereroberung Spaniens durch das Christentum, München 1980 (= Heyne Tb, 39)

LÓPEZ, A.: Bibliografía del Apóstol Santiago (Nuevos estudios crítico-historicos acerca de Galicia, Bd. I, hg. von L. GÓMEZ CANEDO, Santiago de Compostela 1947, S. 3–130)

ders.: Os miragres de Santiago (Nuevos estudios crítico-historicos acerca de Galicia, Bd. I, hg. von L. GÓMEZ CANEDO, Santiago de Compostela 1947, S. 224–251)

LÓPEZ CALO, J.: La notación musical del Códice Calixtino de Santiago y la de Ripoll y el problema de su interdependencia (Comp. 8,4/1963, S. 181–189)

LÓPEZ FERREIRO, A.: Fueros municipales de Santiago y de su tierra, 2 Bde, Santiago de Compostela 1895/96, ND 1975

ders.: Historia de la santa Iglesia de Santiago de Compostela, 11 Bde, Santiago de Compostela 1898–1911

ders.: Santiago y la crítica moderna (Galicia Histórica, Revista bimestral 1/1901, no. 1, S. 225, no. 2, S. 66, no. 3, S. 129, 2/1902, no. 4, S. 209)

LÓPEZ ORTIZ, J.: La espiritualidad de la peregrinación jacobea (Santiago en la historia, la literatura y el arte, Bd. II, Madrid 1955, S. 21–38)

LOT, F.: Etudes sur les légendes épiques françaises, Paris 1958

LOTTER, F.: Die Konzeption des Wendenkreuzzugs. Ideengeschichtliche, kirchenrechtliche und historisch-politische Voraussetzungen der Missionierung der Elb- und Ostseeslawen um die Mitte des 12. Jahrhunderts, Sigmaringen 1977 (= Vorträge und Forschungen, Sonderband 23)

ders.: Legenden als Geschichtsquellen (DA 27/1971, S. 195–202)

ders.: Methodisches zur Gewinnung historischer Erkenntnisse aus hagiographischen Quellen (HZ 229/1979, S. 298–356)

Louis, R.: ohne Titel (Bulletin de la Société Nationale des Antiquaires de France 1948/49, S. 80–97) (häufig zitiert: Aimeri Picaud, compilateur du Liber Sancti Jacobi)

ders.: L'épopée française est carolingienne (Coloquios de Roncesvalles 1955, Zaragoza 1956, S. 327–460)

Lourie, E.: The Will of Alfonso I. „El Batallador", King of Aragon and Navarre: a Reassessment (Speculum 50/1975, S. 635–651)

Macary, M. M.: Chemins et pèlerins vers St-Jacques de Compostelle à travers le Bas-Limousin (Bulletin de la Société scientifique, historique et archéologique de la Corèze 96/1974, S. 58–78, = Actes du 34ᵉ Congrès de la Fédération des Sociétés Savantes du Centre de la France, Brive 1974)

Mac Kay, A.: Spain in the Middle Ages. From Frontier to Empire. 1000–1500, London-Basingstoke 1977

Maes, L. Th.: Les pèlerinages expiatoires et judiciaires des Pays Bas méridionaux à Saint Jacques de Compostelle (Boletín de la Universidad de Santiago, no. 51–52/1948, S. 13–22, auch in: Compostela no. 19, Mai 1951, S. 5–9)

ders.: Mittelalterliche Wallfahrten nach Santiago de Compostela und unsere Liebe Frau von Finisterra (Festschrift G. Kisch, Stuttgart 1955, S. 99–118)

Magnien, E.: Le pèlerinage de St-Jacques de Compostelle et l'expansion de l'Ordre de Cluny (Bulletin du Centre international d'Etudes Romanes 3/1957, S. 3–17)

Maíz Eleizegui, L.: La Borgoña – Cluny – Compostela (Compostela 40/1956, S. 16–23)

Mâle, E.: L'Art religieux du XIIᵉ siècle en France, Paris 1922, ⁵1947

ders.: L'Art religieux du XIIIᵉ siècle en France, Paris 1923, ⁸1948

ders.: St-Jacques le Majeur (Bulletin trimestriel du Centre international d'Etudes Romanes, Paris 1957, Heft 1/2, S. 4–26)

Mañaricua, A. E. de: El abad Cesáreo de Montserrat y sus pretensiones al arzobispado de Tarragona (Scriptorum Victoriense 12/1965, S. 30–73)

Mandach, A. de: La genèse du „Guide du pèlerin de St-Jacques", Orderic Vital et la date de la geste de Guillaume (Mélanges offerts à R. Lejeune, Bd. II, Gembloux 1969, S. 811–827)

ders.: Naissance et développement de la chanson de Geste en Europe, I.: La geste de Charlemagne et de Roland, Genf 1961 (Rezensionen hierzu: Adler, Archiv für das Studium der Neueren Sprachen 199/1962–63, S. 425f. Bourciez, Revue des langues romanes 75/1962, S. 135ff. de la Coste-Messelière, Compostelle 16/1963, S. 8f. Meredith-Jones, Speculum 37/1962, S. 634ff. Ruggieri, Studi medievali, ser. terza, 3/1962, S. 632ff. Segre, Zs. für romanische Philologie 79/1963, S. 437ff. Thorpe, Scriptorium 17/1963. S. 383ff.)

ders.: Naissance et développement de la chanson de Geste en Europe, II.: Chronique de Turpin. Texte Anglo-Normand de Willem de Briane, Genf 1963

ders.: L'ouvrage de Turpin est-il vraiment une chronique en prose? Une comparaison entre l'art poétique de Turpin et de Turoldus (CCM 3/1960, S. 71–75)

Mandrou, R.: L'histoire des mentalités (Encyclopaedia Universalis, Bd. VIII, Paris ⁸1975, S. 436–438)

Manitius, M.: Geschichte der lateinischen Literatur des Mittelalters, III. Bd., München 1931

Manselli, R.: La religion populaire au Moyen Age. Problèmes de méthode et d'histoire, Monréal – Paris 1975 (= Conférences Albert le Grand)

Mansilla, D.: Disputas diocesanas entre Toledo, Braga y Compostela en los siglos XII al XV (Anthologica Annua 3/1955, S. 89–143)

ders.: Formación de la metrópoli eclesiastica de Compostela (Comp. 16/1971, S. 73–101)

Marés, F.: Cluny y la ruta de los peregrinos a Santiago (Ensayo. Boletín de las Escuelas de Artes y oficios Artísticos y Superior de Bellas Artes de San Jorge de Barcelona 13/1961, S, 25–38)

Martí Bonet, J. M.: Las pretensiones metropolitanos de Cesáreo abad de Santa Cecilia de Monserrat (Antologica Annua 21/1974, S. 157–182) ders.: Roma y las Iglesias particulares en la concesión del palio a los obispos y arzobispos de Occidente. Año 513–1143, Barcelona 1976

MARTÍN, J. L.: Fernando II y la Orden de Santiago (Anuario de Estudios Medievales 1/1964, S. 168–195)

ders.: La monarquía portuguesa y la Orden de Santiago (1170–1195) (Anuario de Estudios Medievales 8/1972–1973, ersch. 1974, S. 463–466)

MARTINEZ, T.: Orígenes de la Orden militar de Santiago (1170–1195), Barcelona 1974

ders.: El camino jacobeo. Una ruta milenaria, Bilbao 1976

MARTINS, M.: Os autos dos apostolos e o Livro de Santiago (Brotéria. Revista contemporânea de cultura 48/1949, S. 304–316)

ders.: Peregrinações e livros de milagres na nossa Idale Média, Lissabon ²1957

ders.: O Pseudo-Turpin na versaõ portuguesa da História do Imperador Carlos Magno (Brotéria. Revista contemporânea de cultura 59/1954, S. 380–395)

MARX, K./ENGELS, F.: Über Religion, Berlin-Ost 1958

MAURER, M.: Papst Calixt II., Theil I. Vorgeschichte, phil. Diss. München 1886

ders.: Papst Calixt II., Theil II. Pontifikat, Habil. Schr. Würzburg 1889

MAUSS, M.: Soziologie und Anthropologie, Bd. I–II, Frankfurt – Berlin – Wien 1978 (= Ullstein Tb 3448 und 3491)

MAYER, H. E.: Geschichte der Kreuzzüge, Stuttgart 1965, ⁴1976

ders.: Probleme moderner Kreuzzugsforschung (Vierteljahresschrift für Sozial- und Wirtschaftsgeschichte 50/1963, S. 505–513)

MAYER, U.: Die Grundlegung der Kreuzzugsidee Bernhards von Clairvaux in seiner Schrift „De laude novae militiae", Mag. arb. Gießen 1977

MENÉNDEZ PIDAL, R.: La chanson de Roland et la tradition épique des Francs, Paris ²1960

ders.: La España del Cid, Madrid 1929, ⁶1967, dt.: Das Spanien des Cid, 2 Bde, München 1936–1937

ders. (Hg.): Historia de España, Bd. VI von Fr. J. PEREZ DE URBEL und R. DEL ARCO Y GARRAY, Madrid 1956

ders.: El Imperio Hispánico y los Cinco Reinos. Dos épocas en la estructura política de España, Madrid 1950

MEREDITH-JONES, C.: The Chronicle of Turpin in the Saintonge (Speculum 13/1938, S. 160–179)

ders.: The Conventional Saracen of the Songs of Geste (Speculum 17/1942, S. 201–225)

MEYER, P.: Fragments de manuscrits français. I. Fragment d'une chanson de geste relative à la guerre d'Espagne (Romania 35/1906, S. 22–31)

MICCOLI, G.: Pier Damiani e la vita comune del clero (La vita comune del clero nei secoli XI e XII. Atti della Settimana de studio, Mendola 1959, Mailand 1962, Bd. I, S. 186–211)

MIECK, I.: Les témoignages oculaires du pèlerinage à St-Jacques de Compostelle. Etude bibliographique (du XIIᵉ au XVIIIᵉ siècle) (Comp. 22/1977, S. 201–233)

MIRANDA MARTINEZ, E.: Repoblaciones en Navarra en el siglo XII. Peralta (Homenaje a D. J. M. LACARRA DE MIGUEL en su jubilación del profesorado, Bd. II, Zaragoza 1977, S. 115–122)

MISSONE, D.: La législation canoniale de St-Ruf d'Avignon à ses origines. Règle de St-Augustin et coutumier (Moissac et l'Occident au XIᵉ siècle. Actes du colloque international de Moissac, 3.–5. mai 1963, Toulouse 1964, S. 147–166, auch in: Annales du Midi 75/1963, S. 471–489)

MOLLAT, M.: Les formes populaires de la piété au Moyen Age (Actes du 99ᵉ Congrès nat. des Sociétés Savantes, Besançon 1974, Paris 1977, S. 7–25, ND in: ders., Etudes sur l'économie et la société de l'Occident médiéval. XIIᵉ–XVᵉ siècle, London 1977, Nr. XIII)

ders.: Notes sur la vie maritime en Galice au XIIᵉ siècle d'après l'Historia Compostelana (Anuario de Estudios Medievales 1/1964, S. 531–540)

Il monachesimo e la riforma ecclesiastica (1049–1122) (Atti della 4ª Settimana di studio, Mendola 1968, Mailand 1971, = Publicazioni dell'Università cattolica del Sacro Cuore, contributi serie terza, Varia, 7. Miscellanea del Centro di Studi Medioevali, VI)

MONTERO DÍAZ, S. u. a.: La orden de Calatrava, Cinco conferencias, Ciudad Real 1959

MORALEJO LASO, A.: Las cítas poeticas de San Fortunato en el Códice Calixtino (CEG 4/1949, S. 349–366)

ders.: Milagro de Santiago de la liberación de los cristianos y huída de los sarracenos de Portugal (Compostela 24/1953, S. 5–8)

ders.: Sobre el sentido de unos versos de Venancio Fortunato a San Martín Dumiense en relación con la tradición jacobea (Bracara Augusta 9–10/1958–1959, S. 18–24, erweiterter ND in: Comp. 3,4/1958, S. 341–348)

ders.: Tres versiones del Milagro XVII del Libro II del Calixtino (CEG 5/1950, S. 337–352)

ders.: Versos del Códice Calixtino de Santiago relativos a hechos de la historia medieval de Portugal (Bracara Augusta 16–17/1964, S. 185–194)

ders.: Sobre las voces hebraicas de una secuencia del Calixtino y su transcripción (CEG 10/1955, S. 361–372)

ders.: La voz Sicera en el „Codex Calixtinus" (CEG 5/1950, S. 444–446)

MOXÓ, S. de: Repoblación y sociedad en la España cristiana medieval, Madrid 1979

MULLINS, E.: The Pilgrimage to Santiago, London 1974

MUNDÓ, A.: El Cod. Parisinus lat. 2036 y sus añadiduras hispánicas (Hispania Sacra 5/1952, S. 67–78)

MUNRO, D. C.: The Speech of Pope Urban II at Clermont 1095 (American Historical Review 11/ 1905–1906, S. 231–242)

NAVASCUÉS Y DE JUAN, J. M. de: La dedicación de la iglesia de Sta María de Mérida y de todas las vírgenes (Archivo español de Archeología 21/1948, S. 309–359)

NAZ, R.: Pèlerinage (Dict. de droit canonique 6, Paris 1957, Sp. 1313–1317)

NELSON, L. H.: The Foundation of Jaca (1076): Urban Growth (Speculum 53/1978, S. 688–709)

ders.: Rotrou of Perche and the Aragonese Reconquest (Traditio 26/1970, S. 113–153)

NOTH, A.: Heiliger Krieg und Heiliger Kampf in Islam und Christentum. Beiträge zur Vorgeschichte und Geschichte der Kreuzzüge, Bonn 1966 (= Bonner historische Forschungen, 28)

NOTTARP, H.: Gottesurteilsstudien, München 1956 (= Bamberger Abhandlungen und Forschungen, II)

O'CALLAGHAN, J. F.: A History of Medieval Spain, London 1975

ders.: The Spanish Military Order of Calatrava and its Affiliates. Collected Studies, London 1975

L'Occidente e l'Islam nell'alto medioevo, 2 Bde, Spoleto 1965 (= Settimane di Studio del Centro italiano di studi sull'alto medioevo, XII)

OEXLE, O. G.: Forschungen zu monastischen Gemeinschaften im westfränkischen Bereich, München 1978 (= Münstersche Mittelalterschriften, 31)

OLLIVIER, A.: Les templiers, o. O. (Paris) (1974) (= Le temps qui court)

O'MALLEY, J. F.: An Introduction to the Study of the Hymns of St. James as Literature (Traditio 26/1970, S. 255–291)

OPPEL, H. D.: Zur neueren Exempla-Forschung (DA 28/1972, S. 240–243)

ORLANDIS, J.: La Iglesia en la España visigotica y medieval, Pamplona 1976

OSMA Y SCULL, G. J. de: Catálogo de azabaches compostelanos precedido de apuntes sobre los amuletos contra el aojo, las imágenes del apóstol romero y la cofradía de los azabacheros de Santiago, Madrid 1916

OURSEL, R.: Chemins de transhumance, chemins de pèlerinage (Archeologica no. 14, Paris 1967, S. 71–77)

ders.: Les pèlerins du Moyen Age. Les hommes, les chemins, les sanctuaires, Paris 1963

ders.: Le rôle de Cluny et des ordres hospitaliers dans le pèlerinage de St-Jacques de Compostelle (Pèlerins et chemins de St-Jacques en France et en Europe du Xᵉ siècle à nos jours, hg. von R. de la Coste-Messelière, Paris 1965, S. 59–69)

Pacaut, M.: Structures monastiques, société et Eglise en Occident au XIᵉ et XIIᵉ siècles (Cahiers d'histoire 20/1975, S. 119–136, = Actes du 5ᵉ Congrès de la Société des historiens médiévistes de l'enseignement supérieur public: Aspects de la vie conventuelle au XIᵉ–XIIᵉ siècles)

Paris, G.: De Pseudo-Turpino, Paris 1865

Pastor de Togneri, R.: Conflictos sociales y estancamiento económico en la España medieval, Barcelona 1973

dies.: Diego Gelmírez: Una mentalidad al día. Acerco del rol de ciertas élites de poder (dies., Conflictos sociales y estancamiento económico en la España medieval, Barcelona 1973, frz. Fassung: Mélanges R. Crozet, I, Poitiers 1966, S. 597–608)

Patin, J. P. V./Le Goff, J.: A propos de la typologie des miracles dans le ‚liber de miraculis‘ de Pierre le Vénerable (Pierre Abélard, Pierre le Vénerable. Les courants philosophiques, littéraires et artistiques en Occident au milieu du XIIᵉ siècle, Paris 1975, S. 181–189, = Colloques internationaux du Centre nat. de la Recherche scientifique, no. 546)

Paulus, N.: Geschichte des Ablasses im Mittelalter, 3 Bde, Paderborn 1922–1923

Peake, H.: Santiago. The Evolution of a Patron Saint (Folk-Lore 30/1919, S. 208–226)

Pedret Casado, P.: La venida de Santiago el Mayor a España (Santiago en la historia, la literatura y el arte, Bd. I, Madrid 1954, S. 75–82)

Peinado, N.: Le expedición de Almanzor a Santiago de Compostela en 997 (Boletín de la Real Academía de Córdoba de Ciencias, Bellas Lettras y Nobles Artes 23/1952, S. 76–84)

ders.: La ruta de Almanzor a través de Galicia (Boletín de la Comisión provincial de Monumentos Historicos y Artísticos de Lugo 3/1949, S. 250–256)

Pèlerins et chemins de Saint-Jacques en France et en Europe du Xᵉ siècle à nos jours, hg. von R. de la Coste-Messelière, Paris 1965 (= Ausstellungskatalog)

Pellegrini, L.: Cardinali e Curia sotto Callisto II (1119–1124) (Contributi dell'Istituto di Storia medioevale, Bd. II: Raccolta di studi in memoria di S. Mochi Onory, Mailand 1972, S. 507–557)

Pellens, K.: Das Kirchendenken des Normannischen Anonymus, Wiesbaden 1973

Pensado, J.: Miragres de Santiago, Madrid 1958 (Revista de Filología Española, Anejo LXVIII)

Perez de Urbel, J.: El antifonario de Léon y el culto de Santiago el Mayor en la liturgía mozárabe (Revista de la Universidad de Madrid 3/1954, S. 5–24)

ders.: El culto de Santiago en el siglo X (Comp. 16/1971, S. 11–36)

ders.: Orígenes del culto de Santiago en España (Hispania Sacra 5/1952, S. 1–31)

ders.: Santiago y Compostela en la Historia (con amor y con verdad), Madrid 1977

Petersohn, J.: Saint-Denis – Westminster – Aachen. Die Karlstranslatio und ihre Vorbilder (DA 31/1975, S. 420–455)

Petouraud, Ch.: Geilon, premier abbé de Tournus, évêque de Langres, pèlerin de Compostelle en 883? (Albums du Crocodile, mars-avril/1954, S. 2–44, mai-juin/1954, S. 47–84, juillet-août/1954, S. 83–124)

Peyer, H. K.: Stadt und Stadtpatron im mittelalterlichen Italien, Zürich 1954 (= Wirtschaft, Gesellschaft, Staat. Züricher Studien zur allgemeinen Geschichte, 13)

Pfleger, L.: Sühnewallfahrten und öffentliche Kirchenbuße im Elsaß im späten Mittelalter und in der Neuzeit (Archiv für Elsässische Kirchengeschichte 8/1933, S. 127–162)

Philippart, G.: Les légendiers latins et autres manuscrits hagiographiques, Brepols 1977 (= Typologie des sources du moyen âge occidental, fasc. 24/25)

San Pier Damiani nel IX Centenario della morte (1072–1972), 3 Bde, Cesena 1972–73 (= Centro di studi e ricerche sulla antica provincia ecclesiastica Ravennate, 1)

PIETRI, Ch.: Roma christiana. Recherches sur l'Eglise de Rome, son organisation, sa politique, son idéologie de Miltiade à Sixte III (311–440), 2 Bde, Rom 1976 (= Ecole française de Rome, 224)

PIETZCKER, F.: Die Schlacht bei Fontenoy 841. Rechtsformen im Krieg des frühen Mittelalters (ZRG GA 81/1964, S. 318–340)

PINELL, J. M.: Liturgía. A. Liturgía Hispánica (Diccionario de Historia Eclesiastica de España, II, Madrid 1972, S. 1303–1320)

PITZ, E.: Religiöse Bewegungen im mittelalterlichen Niedersachsen (Niedersächsisches Jahrbuch für Landesgeschichte 49/1977, S. 45–66)

ders.: Die römische Kurie als Thema der vergleichenden Sozialgeschichte (Quellen und Forschungen aus ital. Archiven und Bibliotheken 58/1978, S. 216–359)

ders.: Papstreskript und Kaiserreskript im Mittelalter, Tübingen 1971 (= Bibliothek des Deutschen Hist. Inst. in Rom, 36)

ders.: Supplikensignatur und Briefexpedition an der römischen Kurie im Pontifikat Papst Calixts III., Tübingen 1972 (= Bibliothek des Deutschen Hist. Inst. in Rom, 42)

PIXTON, P. B.: Die Anwerbung des Heeres Christi: Prediger des Fünften Kreuzzugs in Deutschland (DA 34/1978, S. 166–182)

PLÖTZ, R.: Der Apostel Jacobus in Spanien bis zum 9. Jahrhundert (Gesammelte Aufsätze zur Kulturgeschichte Spaniens 30/1982, S. 19–145)

PLOTINO, R./FERNÁNDEZ ALONSO, J.: Santo Giacomo il Maggiore apostolo (Bibliotheca Sanctorum, VI, Rom 1965, Sp. 363–388)

POHLKAMP, W.: Hagiographische Texte als Zeugnisse einer „histoire de sainteté" (Frühmittelalterliche Studien 11/1977, S. 229–240)

PORTELA PAZOS, S.: Orígenes del culto al Apóstol Santiago en España (Santiago en la historia, la literatura y el arte, Bd. I, Madrid 1954, S. 23–73)

PORTELA SANDOVAL, F. J.: El camino de Santiago, 3 Bde, Madrid 1971

POSCHMANN, B.: Der Ablaß im Lichte der Bußgeschichte, Bonn 1948 (= Beiträge zur Religions- und Kirchengeschichte des Altertums, 4)

POULIN, J.-C.: L'idéal de sainteté dans l'Aquitaine carolingienne d'après les sources hagiographiques (750–950), Quebec 1975

POWICKE, F. M.: Rezension zu: The Pseudo-Turpin ... hg. von H. M. SMYSER, 1937

PRADO, G.: La Musica (WHITEHILL, W. M. (Hg.), Liber Sancti Jacobi, III. Estudios e indices, Santiago de Compostela 1944, S. XLV–LXIV)

PRIETO BANCES, R.: Santiago, constructor de España (Santiago en la historia, la literatura y el arte, Bd. II, Madrid 1955, S. 9–19)

PRINZ, F.: Heiligenkult und Adelsherrschaft im Spiegel merowingischer Hagiographie (HZ 204/1967, S. 529–544)

ders.: Klerus und Krieg im früheren Mittelalter. Untersuchungen zur Rolle der Kirche beim Aufbau der Königsherrschaft, Stuttgart 1971 (= Monographien zur Geschichte des Mittelalters, 2)

ders.: Frühes Mönchtum im Frankenreich. Kultur und Gesellschaft in Gallien, den Rheinlanden und Bayern am Beispiel der monastischen Entwicklung (4.–8. Jahrhundert), München – Wien 1965

PROPP, V.: Morphologie des Märchens, hg. von K. EIMERMACHER, München 1972 (= Literatur als Kunst, hg. von W. HÖLLERER)

PRUTZ, H.: Die geistlichen Ritterorden. Ihre Stellung zur kirchlichen, politischen, gesellschaftlichen und wirtschaftlichen Entwicklung des Mittelalters, Berlin 1908, ND 1958

RABANAL ALVAREZ, M.: Griego medieval en el „Codex Calixtinus". El Aliluia en Greco y otros grecismos esporádicos (CEG 8/1953, S. 179–205)

ders.: Las palabras griegas de la „Prosa Sancti Jacobi" (I, XXVI) (Compostela, julio 1950, S. 17f.)

RAHNER, K.: Ablaß (Lexikon für Theologie und Kirche, Bd. I, Freiburg ²1957, Sp. 46–53)

RAPHAEL, F.: Le pèlerinage, approche sociologique (M. SIMON (Hg.), Les pèlerinages de l'Antiquité biblique et classique à l'Occident médieval, Paris 1973, S. 9–31)

REICHARDT, R.: „Histoire des Mentalités". Eine neue Dimension der Sozialgeschichte am Beispiel des franz. Ancien Régime (Internat. Jahrbuch für Sozialgeschichte der deutschen Literatur 3/1978, S. 130–166)

REILLY, B. F.: The „Historia Compostelana": The Genesis and Composition of a Twelfth Century Spanish Gesta (Speculum 44/1969, S. 78–85)

ders.: Existing Manuscripts of the „Historia Compostelana" (Manuscripta 15/1971, S. 131–152)

ders.: The Nature of Church Reform at Santiago de Compostela during the Episcopate of Don Diego Gelmírez. 1100—1140 A. D., Bryn Mawr College, Phil. Diss. 1966

ders.: Santiago and St. Denis: The French Presence in Eleventh Century Spain (Catholic Historical Review 54/1968–1969, S. 467–483)

RENOUARD, Y.: Le pèlerinage à St-Jacques de Compostelle et son importance dans le monde médiéval (Revue historique 156/1951, S. 254–261, ND in: ders.: Etudes d'histoire médiévale, Bd. II, Paris 1968, S. 727–738)

RICHARD, J.: Etablissements bourguignons en terre de croisade (Annales de Bourgogne, 1950, S. 48–54)

RICHTER, H. (Hg.): Cluny. Beiträge zu Gestalt und Wirkung der cluniazensischen Reform, Darmstadt 1975 (= Wege der Forschung, 241)

RICO, F.: Las letras latinas del siglo XII en Galicia, León y Castilla (Abaco II, Madrid 1969, S. 9–91)

RILEY-SMITH, J.: What were the Crusades, New York 1977

RISCO, V.: Manual de Historia de Galicia, Vigo 1952, ³1954

Die geistlichen Ritterorden Europas, hg. von J. FLECKENSTEIN und M. HELLMANN, Sigmaringen 1980 (= Vorträge und Forschungen, 26)

RITTNER, V.: Kulturkontakte und soziales Lernen im Mittelalter. Kreuzzüge im Licht einer mittelalterlichen Biographie, Köln – Wien 1973 (= Kollektive Einstellungen und sozialer Wandel im Mittelalter, 1)

RIVERA RECIO, J. F.: El Arzobispo de Toledo don Bernardo de Cluny (1086–1124), Rom 1962 (= Publicaciones del Instituto Español de Historia Eclesiástica, 8)

ders.: Cabildos regulares en la provincia de Toledo durante el siglo XII (La vita comune del clero nei secoli XI e XII. Atti della Settimana di studio, Mendola 1958, Bd. I, Mailand 1962, S. 220–238)

ders.: La Iglesia de Toledo en el siglo XII (1086–1208), Bd. I, Rom 1966

ders.: La primacía eclesiástica de Toledo en el siglo XII (Anthologica Annua 10/1962, S. 11–87)

ROBERT, U.: Aymeric Picaud et le recueil des Miracles de Saint Jacques (Bulletin de la Société nationale des antiquaires de France, Paris 1890, S. 291–294)

ders.: Histoire du pape Calixte II, Paris 1891

RODRÍGUEZ AMAYA, E.: La sede metropolitana emeritense, su traslación a Compostela e intentos de restauración (Revista de Estudios extremeños 5/1949, S. 493–559)

RODRÍGUEZ GONZALES, A.: Legados y jueces apostolicos en la diocesis compostelana (Comp. 10/1965, S. 357–382)

ROMERO DE LECEA, C.: „Medievalia Hispanica" y el Libro de la Peregrinación del Códice Calixtino (Libro de la Peregrinación del Códice Calixtino, hg. von dems., Madrid 1971, S. 13–16)

ROUSSEL, R.: Les pèlerinages, Paris ¹1955, ²1972 (= Que sais-je, 666)

ders.: Les pèlerinages à travers les siècles, Paris 1954

ROUSSET, P.: Saint Bernard et l'idéal chevaleresque (Nova et Vetera, Fribourg 1970, S. 28–35) ders.: L'idéal chevaleresque dans deux Vitae clunisiens (Etudes de Civilisation Médiévale, IXᵉ–XIIᵉ siècle. Mélanges offerts à E. R. LABANDE, Poitiers 1975, S. 623–633)

ders.: L'idée de croisade chez les chroniqueurs d'Occident (Relazioni del X congresso internazionale di scienze storici III, Florenz 1955, S. 547–563)

ders.: La notion de chrétienté aux 11ᵉ et 12ᵉ siècles (Le Moyen Age 63/1963, S. 191–203)

ders.: Les origines et les caractères de la première croisade, Genf 1945

RUNCIMAN, St.: A History of the Crusades, 3 Bde, Cambridge 1951–1954; dt: Geschichte der Kreuzzüge, 3 Bde, München 1957–1960

RUSSEL, F. H.: The Just War in the Middle Ages, Cambridge 1975 (= Cambridge Studies in Medieval Life and Thought, 8)

SAEBEKOW, G.: Die päpstlichen Legationen nach Spanien und Portugal bis zum Ausgang des 12. Jahrhunderts, Berlin 1931

SALA BALUST, L.: Los autores de la „Historia Compostelana" (Hispania 3/1943, S. 16–69)

SALMON, P.: Etudes sur les insignes du pontife dans le rite romain, Rom 1955; dt: Mitra und Stab. Die Pontifikalinsignien im römischen Ritus, Mainz 1960

SALVADOR Y CONDE, J.: El libro de la peregrinación a Santiago de Compostela, Madrid 1971

SÁNCHEZ ALBORNOZ, C.: Sobre el acta de consegración de la iglesia de Compostela en 899 (Classica et Iberica. A Festschrift in Honor of J. M. F. MARIQUE (S. J.), hg. von P. T. BRANNAN, Worcester (Mass.) 1975, S. 275–292)

ders.: En los albores del culto jacobeo (Comp. 16/1971, S. 37–72, ND in: ders.: Orígenes de la nación española. Estudios críticos sobre la historia de Asturias, 3 Bde, Oviedo 1972–1975, Bd. 2, S. 367–395)

ders.: Asturias resiste. Alfonso el Casto salva a la España cristiana (Logos 5/1946, S. 9–33)

ders.: La autentica batalla de Clavijo (Cuadernos de Historia de España 9/1948, S. 94–139)

ders.: El culto de Santiago no deriva del mito dioscórido (Cuadernos de Historia de España 28/ 1958, S. 5–42, ND in: ders.: Miscelanea de Estudios historicos, León 1970, S. 419–455)

ders.: Despoblación y Repoblación del Valle del Duero, Buenos Aires 1966

ders.: Sobre una epistola del Papa Juan IX a Alfonso de Asturias (Bulletin de l'Institut historique belge de Rome 44/1974, S. 551–563)

ders.: La España cristiana de los siglos VII al XI. 1. El reino Asturleonés (722–1037): Sociedad, economía, gobierno, cultura y vida, Madrid 1980 (= Historia de España, 7)

ders.: España. Un enigma histórico, 2 Bde, Buenos Aires 1956

ders.: Ante la Historia Compostelana (Logos 7/1954, S. 67–95, ND in: ders.: Españoles ante la Historia, Buenos Aires 1958, S. 75–110)

ders.: Investigaciones sobre la historiografía hispana (siglos VIII–XIII), Buenos Aires 1967

ders.: El Islam de España y el Occidente, Madrid 1974 (= überarb. Fassung der gleichnamigen Abh. in: Settimane di studio del Centro italiano di studi sull' alto medioevo, XII, Spoleto 1965, S. 149–389)

ders.: Miscelanea de Estudios historicos, Léon 1970 (= Fuentes y Estudios de Historia Leonesa, 3)

ders.: Orígenes de la nación española. Estudios críticos sobre la historia del reino de Asturias, 3 Bde, Oviedo 1972–1975

SÁNCHEZ ALONSO, B.: Historia de la historiografía española, Bd. I, Madrid 1941, ²1947

SÁNCHEZ CANDEIRA, A.: El „Regnum-Imperium" leonés hasta 1037, Madrid 1951

SÁNCHEZ CANTON, F. J.: Les Français à Compostelle (Bulletin de l'Institut français en Espagne no. 46/1950, S. 231–234)

SÁNCHEZ MARTIN, E.: El padre Villada y la venida de Santiago a España, Valladolid 1940

SÁNDEZ OTERO, R.: Emblemas jacobeos (Compostela no. 29/1954, S. 10f. und no. 30/1954, S. 6f.)

Santiago en la historia, la literatura y el arte, 2 Bde, Madrid 1954–1955

Santiago en España, Europa y América, Madrid 1971 (Publicaciones del Ministerio de Información y Turismo)

SANTIFALLER, L.: Liber Diurnus, Studien und Forschungen, hg. von H. ZIMMERMANN, Stuttgart 1976 (= Päpste und Papsttum, 10)

ders.: Die Verwendung des Liber Diurnus in den Privilegien der Päpste von den Anfängen bis Ende des 11. Jahrhunderts (Mitteilungen des Instituts für Österreichische Geschichtsforschung 49/1935, S. 225–336, ND in: ders., Liber Diurnus. Studien und Forschungen, hg. von H. ZIMMERMANN, Stuttgart 1976, S. 14–158)

SAROIHANDY, J.: La légende de Roncevaux (Homenaje ofrecido a MENÉNDEZ PIDAL, Bd. II, Madrid 1925, S. 259–284)

SAXER, V.: Légende épique et légende hagiographique. Problèmes d'origine et d'évolution des chansons de geste (Revue des sciences religieuses 33/1959, S. 372–395)

SCHÄFERDIEK, K.: Der adoptianische Streit im Rahmen der spanischen Kirchengeschichte (Zs. für Kirchengeschichte 80/1969, S. 291–311 und 81/1970, S. 1–16)

SCHIEFFER, R.: Die Entstehung von Domkapiteln in Deutschland, Bonn 1976 (= Bonner hist. Forschungen, 43)

SCHIEFFER, Th.: Die abendländische Kirche des nachkarolingischen Zeitalters (ders. (Hg.), Europa im Wandel von der Antike zum Mittelalter, Stuttgart 1976, = Handbuch der Europäischen Geschichte, Bd. 1, S. 1054–1067)

SCHICKL, P.: Die Entstehung und Entwicklung des Templerordens in Katalonien und Aragon (Spanische Forschungen der Görresgesellschaft, 1. Reihe, Gesammelte Aufsätze zur Kulturgeschichte Spaniens, Bd. 28, 1975, S. 91–229)

SCHIMMELPFENNIG, B.: Die Anfänge des Heiligen Jahres von Santiago de Compostela im Mittelalter (Journal of Medieval History 4/1978, S. 285–303)

ders.: Die Zeremonienbücher der römischen Kurie im Mittelalter, Tübingen 1973 (= Bibliothek des Deutschen Hist. Inst. in Rom, 40)

SCHMALE, F. J.: Kanonie, Seelsorge, Eigenkirche (Historisches Jahrbuch 78/1959, S. 38–63)

ders.: Papsttum und Kurie zwischen Gregor VII. und Innozenz II. (Probleme des 12. Jahrhunderts, Sigmaringen 1968, S. 13–32, = Vorträge und Forschungen, 12; überarb. Fassung von HZ 193/1961, S. 265–285)

ders.: Studien zum Schisma des Jahres 1130, Köln – Graz 1961 (= Forschungen zur kirchlichen Rechtsgeschichte und zum Kirchenrecht, 3)

SCHMITT, J. C.: „religion populaire" et culture folklorique (A.E.S.C. 31/1976, S. 941–953)

SCHMITZ-KALLENBERG, L.: Die Lehre von den Papsturkunden (Grundriß der Geschichtswissenschaft, hg. von A. MEISTER, Bd. I, Leipzig – Berlin ²1913, S. 172–230)

SCHMUGGE, L.: Kirche und Gesellschaft im Hochmittelalter (Jahres- und Tagungsbericht der Görresgesellschaft 1976, Köln 1977, S. 63–82)

ders.: „Pilgerfahrt macht frei" — Eine These zur Bedeutung des mittelalterlichen Pilgerwesens (Römische Quartalschrift 74/1979, S. 16–31)

ders.: Zisterzienser, Kreuzzug und Heidenkrieg (Die Zisterzienser. Ordensleben zwischen Ideal und Wirklichkeit, Ausstellungskatalog Bonn 1980, S. 57–68)

SCHRAMM, P. E.: Kaiser, Könige und Päpste. Gesammelte Aufsätze zur Geschichte des Mittelalters. Bd. IV,1: Rom und Kaiser. Geistliche und weltliche Gewalt. Das Reformpapsttum. Zur Geschichte von Nord- und Westeuropa, Stuttgart 1970

ders.: Der König von Frankreich. Das Wesen der Monarchie vom 9. zum 16. Jahrhundert, 2 Bde, Weimar 1939, 2. verb. Aufl. Darmstadt 1960

ders.: Das kastilische Königtum und Kaisertum während der Reconquista (11. Jahrhundert bis 1252) (Festschrift G. RITTER, hg. von R. NÜRNBERGER, Tübingen 1950, S. 87–139, ND in: ders., Kaiser, Könige und Päpste, Bd. IV,1, Stuttgart 1971)

SCHREIBER, G.: Deutschland und Spanien, Düsseldorf 1936

ders.: Mönchtum und Wallfahrt in ihren Beziehungen zur mittelalterlichen Einheitskultur (Historisches Jahrbuch 55/1935, S. 160–181)

ders.: Prämonstratenserkultur des 12. Jahrhunderts (Analecta Praemonstratensia 16/1940, S. 41–107)

ders.: Strukturwandel der Wallfahrt (ders. (Hg.), Wallfahrt und Volkstum in Geschichte und Leben, Düsseldorf 1934, S. 1–183)

ders. (Hg.): Wallfahrt und Volkstum in Geschichte und Leben, Düsseldorf 1934

SCHREINER, K.: Discrimen veri ac falsi. Ansätze und Formen der Kritik an der Heiligen- und Reliquienverehrung des Mittelalters (Archiv für Kulturgeschichte 48/1966, S. 1–53)

ders.: Zum Wahrheitsverständnis im Heiligen- und Reliquienwesen des Mittelalters (Saeculum 17/1966, S. 131–169)

SCHUMACHER, B.: Die Idee der geistlichen Ritterorden im Mittelalter (Altpreußische Forschungen 1/1924, S. 5–24; ND in: H. BEUMANN (Hg.), Heidenmission und Kreuzzugsgedanke in der deutschen Ostpolitik des Mittelalters, Darmstadt ²1973, S. 364–385)

SCHWARZ, B.: Die Organisation kurialer Schreiberkollegien von ihrer Entstehung bis zur Mitte des 15. Jahrhunderts, Tübingen 1972 (= Bibliothek des Deutschen Hist. Inst. in Rom, 37)

SCHWENK, B.: Aus der Frühzeit der geistlichen Ritterorden Spaniens (Die geistlichen Ritterorden Europas, hg. von J. FLECKENSTEIN und M. HELLMANN, Sigmaringen 1980, S. 109–140, = Vorträge und Forschungen, 26)

SCHWINEKÖPER, B.: Der Handschuh im Recht, Ämterwesen, Brauch und Volksglauben. Die Erforschung der mittelalterlichen Symbole, Wege und Methoden, Berlin 1938, ND Sigmaringen 1981

SCHWINGES, R. Ch.: Kreuzzugsideologie und Toleranz im Denken Wilhelms von Tyrus (Saeculum 25/1974, S. 367–385)

ders.: Kreuzzugsideologie und Toleranz. Studien zu Wilhelm von Tyrus, Stuttgart 1977 (= Monographien zur Geschichte des Mittelalters, 15)

SCUDIERI RUGGIERI, J.: Il pellegrinaggio compostellano e l'Italia (Cultura Neolatina 30/1970, S. 185–198)

SECRET, J.: St-Jacques et les chemins de Compostelle, Paris 1955

SEEBERG, R.: Lehrbuch der Dogmengeschichte, Bd. 3: Die Dogmenbildung des Mittelalters, ND der 4. Aufl. Darmstadt 1959

SEGL, P.: Cluny in Spanien. Ergebnisse und neue Fragestellungen (DA 33/1977, S. 560–570)

ders.: Königtum und Klosterreform in Spanien. Untersuchungen über die Cluniazenserklöster in Kastilien-León vom Beginn des 11. bis zur Mitte des 12. Jahrhunderts, Kallmünz 1974

SERVATIUS, C.: Papst Paschalis II., Stuttgart 1979 (= Päpste und Papsttum, 14)

SETTON, K. M. (Hg.): A History of the Crusades, Bd. 1–3, Philadelphia u. a. 1958–1975

SEWARD, D.: The Monks of War. The Military Religious Orders, London 1972

SHOLOD, B.: Charlemagne in Spain. The Cultural Legacy of Roncesvalles, Genf 1966

SHORT, I.: Le pape Calixte II, Charlemagne et les fresques de Sta Maria in Cosmedin (CCM 13/ 1970, S. 229–238)

ders.: The Pseudo-Turpin Chronicle: Some Unnoticed Versions and their Sources (Medium aevum 38/1969, S. 1–22)

ders.: The Anglo-Norman Pseudo-Turpin Chronicle of William de Briane, Oxford 1973

SICILIANO, I.: Les chansons de geste et l'épopée. Mythes – Histoire – Poèmes, Turin 1968 (= Bibliotheca di Studi francesi, 3)

SIGAL, P. A.: Maladie, pèlerinage et guérison au XIIᵉ siècle. Les miracles de saint Gibrien à Reims (A.E.S.C. 24/1969, S. 1522–1539)

ders.: Les marcheurs de Dieu. Pèlerinages et pèlerins au moyen-âge, Paris (1974) (= Coll. U, Prisme)

SILVA PINTO, S. da: O problema de S. Pedro Mártir. 1. Bispo de Braga, Braga 1959

SILVESTRE, H.: Le problème des faux au moyen-âge. A propos d'un livre récent de M. Saxer (Le Moyen Age 66/1960, S. 351–370)

SIMON, M. (Hg.): Les pèlerinages. De l'antiquité biblique et classique à l'Occident médiéval, Paris 1973 (= Etudes d'histoire des religions)

SIVAN, E.: L'Islam et la croisade. Idéologie et propagande dans les réactions des musulmans aux croisades, Paris 1968

SMYSER, H. M.: The Engulfed Lucerna of the Pseudo-Turpin (Harvard Studies and Notes in Philogogy and Literature 15/1933, S. 49–73)

ders.: An Early Redaction of the Pseudo-Turpin (Speculum 11/1936, S. 277–293)

SOMERVILLE, R. E.: Concilium Claromontense 1095. – A Methodological Study in Church History, (Phil. Diss.) Yale Univ. 1968

Soulac et le Médoc dans le pèlerinage de Saint-Jacques de Compostelle, Soulac 1975 (= Ausstellungskatalog)

SOUTHERN, R. W.: The Making of the Middle Ages, London 1953, dt.: Gestaltende Kräfte des Mittelalters. Das Abendland im 11. und 12. Jahrhundert, Stuttgart 1960

ders.: The English Origins of the Miracles of the Virgin (Medieval and Renaissance Studies 4/1958, S. 176–216)

ders.: Western Society and the Church in the Middle Ages, Harmondworth 1970, dt.: Kirche und Gesellschaft im Abendland des Mittelalters, Berlin 1975

ders.: Western Views of Islam in the Middle Ages, Cambridge (Mass.) 1962, dt.: Das Islambild des Mittelalters, Stuttgart 1981

SPANGENBERG, P.-M.: Das altfranzösische Mirakel. Ein Modus der Wirklichkeitserfahrung im späten Mittelalter (Lendemains. Zeitschrift für Frankreichforschung und Französischstudium, 4,16/1979, S. 43–55)

SPIEGEL, G. M.: The Cult of St-Denis and Capetain kingship (Journal of Medieval History 1/1975, S. 43–69)

STARKIE, W. F.: Road to Santiago, Pilgrims of St. James, New York 1957

STEPHENS, J. F.: Church Reform, Reconquest and Christian Society in Castile-Leon, at the Time of the Gregorian Reform (1050–1135), (Phil.Diss.) New York 1977

STIENNON, J.: Le voyage des Liégois à St-Jacques de Compostelle en 1056 (Mélanges F. ROUSSEAU, études sur l'histoire du pays mosan au moyen âge, Brüssel 1958, S. 553–581)

STOKSTAD, M.: Santiago de Compostela in the Age of the Great Pilgrimages, Norman, Univ. of Oklahoma Press 1978

Studi su S. Bernardo di Chiaravalle nell'ottavo centenario della canonizazione. Convegno internazionale certosa di Firenze, 1974, Rom 1975 (= Bibl. Cisterciensis)

SUMPTION, J.: Pilgrimage. An Image of Medieval Religion, London 1975

SZÖVERFFY, J.: Die Annalen der lateinischen Hymnendichtung, 2 Bde, 1964–65

ders.: Iberian Hymnody. Survey and Problems, Worcester (Mass.) 1971

TAVIANI, H.: Les voyageurs et la Rome légendaire au moyen âge (Voyage, quête et pèlerinage dans la littérature et la civilisation médiévales, Aix 1976, S. 7–23)

TELLENBACH, G.: Libertas. Kirche und Weltordnung im Zeitalter des Investiturstreites, Stuttgart 1936

ders.: Mentalität (Geschichte – Wirtschaft – Gesellschaft. Festschrift für C. BAUER zum 75. Geburtstag, hg. von E. HASSINGER/J. H. MÜLLER/H. OTT, Berlin 1974, S. 11–30)

TERRASSE, H.: Islam d'Espagne. Une recontre de l'Orient et de l'Occident, Paris 1958

TILLMANN, H.: Ricerche sull' origine dei membri del collegio cardinalizio nel XII secolo (Rivista storica della chiesa in Italia 24/1970, S. 441–464, 26/1972, S. 313–353, 29/1975, S. 364–402)

TÖPFER, B.: Volk und Kirche zur Zeit der beginnenden Gottesfriedensbewegung in Frankreich, Berlin-Ost 1957 (= Neue Beiträge zur Geschichtswissenschaft, 1)

TORRE Y DEL CERRO, A.: Las etapas de la Reconquista hasta Alfonso II. (Estudios sobre la monarquía asturiana, Oviedo 1949, ²1971, S. 133–174)

TORRES RODRIGUEZ, C.: Arca marmorea (Comp. 2,2/1957, S. 147–166)

ders.: Nota sobre „Arca Marmorea" (Comp. 4,2/1959, S. 164–171)

TORROBA BERNALDO DE QUIROS, F.: Retablo estelar del Apostol. El camino de Santiago, Madrid 1971

TURNER, V.: Dramas, Fields and Metaphors. Symbolic Action in Human Society, Ithaca 1974

TURNER, V. und E.: Image and Pilgrimage in Christian Culture. Anthropological Perspectives, New York 1978

UBIETO ARTETA, A.: Los Primeros años del Hospital de Santa Cristina del Somport (Príncipe de Viana 27/1966, S. 267–276)

ders.: La introducción del rito romano en Aragón y Navarra (Hispania Sacra 1/1948, S. 299–324)

ULLMANN, W.: A Short History of the Papacy in the Middle Ages, London 1972; dt.: Kurze Geschichte des Papsttums im Mittelalter, Berlin – New York 1978 (= Sammlung Göschen, 2211)

USSÍA URRUTICOECHEA, M. de: El Obispo-Prior de las órdenes militares españolas, Vitoria 1966

VALIÑA SAMPEDRO, E.: El camino de Santiago. Estudio Historico-Juridico, Madrid 1971 (= Monografías de historia eclesiastica, V)

VALOUS, G. de: Quelques observations sur la toute primitive observance des Templiers et la Regula pauperum commilitonum Christi Templi Salomonici rédigée par Saint Bernard au concile de Troyes (1128) (Mélanges St-Bernard, XXIVᵉ congrès de l'Association bourguignonne des sociétés savantes, Dijon 1953, Dijon 1954, S. 32–40)

VAUCHEZ, A.: La spiritualité du Moyen-âge occidental (VIIIᵉ–XIIᵉ siècles) Paris 1975 (= Coll. SUP – l'historien, 19)

VÁZQUEZ DE PARGA, L.: Aymeric Picaud y Navarra (Correo erudito 4/1947, S. 113–114)

ders.: El Liber Sancti Jacobi y el Códice Calixtino (Revista de Archivos, Bibliotecas y Museos 53/ 1947, S. 35–45)

ders./LACARRA, J. M./URÍA RÍU, J.: Las peregrinaciones a Santiago de Compostela, 3 Bde, Madrid 1948–1949 (= Consejo Superior de Investigaciones científicas. Escuela de Estudios Medievales)

VEGA INCLAN, Marqués de la: Guía del Viaje a Santiago (Libro V del Códice Calixtino), Madrid 1927

VELASCO GÓMEZ, C.: Santiago y España. Orígenes del cristianismo en la Peninsula, Madrid 1948

VELOZO, F. J.: Jacobus Zebedaei — Um desaparecido hino a São Tiago Maior (Revista de Portugal 30/1965, S. 293–324)

VERHEIJEN, L.: La règle de St-Augustin, 2 Bde, Paris 1967

VIANE, A.: Vlamingen op Strafbedevaart naar Compostella (Biekorf, Westvlaams Archief voor Geschiedenis, Brügge 1974)

VICENS VIVES, J.: Manual de historia económica de España, Barcelona ⁴1965

VIELLIARD, J.: Le livre de St-Jacques et le guide du pèlerin (Pèlerins et chemins de St-Jacques en France et en Europe du Xᵉ siècle à nos jours, hg. von R. de la COSTE-MESSELIÈRE, Paris 1965, S. 35–40)

VILLA-AMIL Y CASTRO, J.: Libri Sancti Jacobi (Ensayo de un catálogo sistematico y critico de algunos libros, folletos y papeles que tratan en particular de Galicia, Madrid 1875, S. 153–158; = no. 276)

VILLEY, M.: L'idée de la croisade chez les juristes du Moyen-Age (Relazioni del X congresso internazionale di scienze storici III, Firenze 1955, S. 565–594)

La vita comune del clero nei secoli XI e XII. Atti della Settimana di studio: Mendola, settembre 1959, 2 Bde, Mailand 1962 (= Miscellanea del Centro di studi medioevali III)

VIVES, J.: La dedicación de la Iglesia de Santa María de Mérida (Analecta Sacra Tarraconensia 22/ 1949, S. 67–73) ders.: Importancia de la Epigrafía para la Historia de la İglesia antigua (Analecta Gregoriana 70/ 1954, S. 19–38)

ders.: Liturgía. C. Calendarios Liturgicos (Diccionario de Historia Eclesiastica de España II, Madrid 1972, S. 1324–1326)

VOGEL, C.: Le pèlerinage pénitentiel (Pellegrinaggi e culto dei Santi in Europa fino alla 1ª crociata. Convegni del Centro di studi sulla spiritualità medievale 4, 1961, Todi 1963, S. 39–94; auch in: Revue des sciences religieuses 38/1964, S. 113–153)

VONES, L.: Die ‚Historia Compostellana' und die Kirchenpolitik des nordwestspanischen Raumes 1070–1130. Ein Beitrag zur Geschichte der Beziehungen zwischen Spanien und dem Papsttum zu Beginn des 12. Jahrhunderts, Köln-Wien 1980 (= Kölner Hist. Abhandlungen, 29)

VORGRIMLER, H.: Buße und Krankensalbung, Freiburg – Basel – Wien ²1978 (= Handbuch der Dogmengeschichte, Bd. IV)

Voyage, quête, pèlerinage dans la littérature et la civilisation médiévales, Aix en Provence 1976 (= Senefiance, 2, Cahiers du C.U.E.R.M.A.)

WAAS, A.: Geschichte der Kreuzzüge, 2 Bde, Freiburg 1956

ders.: Der Heilige Krieg in Islam und Christentum (Die Welt als Geschichte 19/1959, S. 211–255)

WACH, J.: Religionssoziologie (Handwörterbuch der Soziologie, hg. von A. VIERKANDT, Stuttgart 1931, S. 479–494)

WALPOLE, R. M.: Sur la chronique du Pseudo-Turpin (Travaux de Linguistique et de Littérature 3,2/1965, S. 7–18)

ders.: The Old French Johannes Translation of the Pseudo-Turpin Chronicle, 2 Bde, Berkeley – Los Angeles – London 1976

ders.: Philip Mouskès and the Pseudo-Turpin Chronicle, Berkeley – Los Angeles 1947 (= University of California Publications in Modern Philology, Bd. 26, 4, S. 327–440) (vgl. die Rez. von: WALLACE-HADRILL, J. M.: Medium Aevum 17/1948, S. 37–45)

WEBER, M.: Gesammelte Aufsätze zur Religionssoziologie, 3 Bde, Tübingen ⁴/⁵1963–64

ders.: Wirtschaft und Gesellschaft. Grundriß der verstehenden Soziologie, Studienausgabe hg. von J. WINCKELMANN, Tübingen ⁵1972

WEINFURTER, St.: Neuere Forschung zu den Regularkanonikern im dt. Reich des 11. und 12. Jahrhunderts (HZ 224/1977, S. 379–397)

WEISSTHANNER, A.: Mittelalterliche Rompilgerführer. Zur Überlieferung der Mirabilia und Indulgentiae Urbis Romae (Archivalische Zeitschrift 49/1954, S. 39–64)

WERNER E.: Die Kreuzzugsidee im Mittelalter (Wiss. Zeitschrift der Karl Marx Univ. Leipzig 7/ 1957–58, S. 135–140)

WHITEHILL, W. M.: The Date of the Beginning of the Cathedral of Santiago de Compostela (The Antiquaries Journal 15/1935, S. 336–342)

ders.: El libro de Santiago (ders. (Hg.), Liber Sancti Jacobi, Codex Calixtinus, Bd. III. Estudios y Indices, Santiago de Compostela, S. XIII–XLIII)

WINTER, J. M. van: Rittertum. Ideal und Wirklichkeit, München 1969

WINTERER, H.: Zur Priesterehe in Spanien bis zum Ausgang des Mittelalters (ZRG KA 52/1966, S. 370–383)

Wörterbuch der Münzkunde, hg. von F. W. SCHRÖTER, Berlin 1930

WOHLHAUPTER, E.: Studien zur Rechtsgeschichte des Gottes- und Landfriedens in Spanien, Heidelberg 1933 (= Deutsche rechtl. Beiträge, 14,2)

ders.: Wallfahrt und Recht (Wallfahrt und Volkstum in Geschichte und Leben, hg. von G. SCHREIBER, Düsseldorf 1934, S. 217–242)

YAÑEZ NEIRA, D.: Orígenes de la orden de Calatrava (Cistercium 10/1958, S. 275–288)

ZIMMERMANN, H.: Das Mittelalter. I. Teil: Von den Anfängen bis zum Ende des Investiturstreites, Braunschweig 1975 ders.: Das Papsttum im Mittelalter. Eine Papstgeschichte im Spiegel der Historiographie, Stuttgart 1981 (= UTB 1151)

8.6. *Korrekturnachtrag*

Nachdrucke:

DELARUELLE, E.: Essai sur la formation de l'idée de croisade (ders., L'idée de croisade au Moyen Age, Turin 1980, S. 1–128)

ders.: L'idée de croisade chez St-Bernard (ibid., S. 153–170)

ders.: L'idée de croisade dans la littérature clunisienne du XIᵉ siècle et l'abbaye de Moissac (ibid., S. 129–152)

KUTTNER, St.: Cardinalis. The History of a Canonical Concept (ders., The History of Ideas and Doctrines of Canon Law in the Middle Ages. Medieval Councils. Decretals and Collections of Canon Law, London 1980, no. IX)

TELLENBACH, G.: Mentalität (Ideologie und Herrschaft im Mittelalter, hg. von M. KERNER, Darmstadt 1982, S. 385–407)

Zum Bau der Jakobusbasilika (Kapitel 2.1.)

SÁNCHEZ ALBORNOZ, C.: Marmoles romanos en la iglesia Alfonsi de Compostela (Cuadernos de Historia de España 63–64/1980, S. 347–351)

Zur Volksreligion (Kapitel 3 und 7)

La culture populaire au moyen âge. Etudes présentées au quatrième colloque de l'Institut d'Etudes Médiévales de l'Université de Montréal, hg. von P. BOGLIONI, Quebec 1979 (vgl. bes. die Beiträge von J.-C. POULIN und P. J. GEARY)

VAUCHEZ, A.: Religion et société dans l'Occident médiéval, Turin 1980 (Sammelband verstreut erschienener Aufsätze)

BREDMOND, C./LE GOFF, J./SCHMITT, J.-C.: L'exemplum, Brepols 1982 (= Typologie des sources du Moyen Age Occidental, fasc. 40)

Zum Kardinalskolleg unter Innozenz II. (Kapitel 4.1 und 8.1)

MALECZEK, W.: Das Kardinalskollegium unter Innozenz II. und Anaklet II. (Archivum historiae pontificiae 19/1981, S. 27–78)

Zu den Kanonikern (Kapitel 4.4. und 5.3)

Istituzioni monastiche e istituzioni canonicali in Occidente (1123–1215), Mendola 1977, Mailand 1980 (mit zahlreichen einschlägigen Einzelbeiträgen)

Zum Kunsthandwerk in Compostela (Kapitel 6.3)

MORALEJO-ALVAREZ, S.: „Ars sacra" et sculpture romane monumentale: le trésor et le chantier de Compostelle (Les Cahiers de Saint-Michel de Cuxà 11/1980, S. 189–238)

8.7. Register

Das Register verzeichnet Orts- und Personennamen mit Ausnahme der fast durchgängig auftretenden Bezeichnungen (Pseudo-) Calixt, Jakobus, (Pseudo-) Turpin, Santiago de Compostela, Spanien und deren Ableitungen. Zusammengesetzte Namen mit „St." suche man unter dem Hauptstichwort. Die Titelheiligen der Kirchen innerhalb eines Ortes erscheinen unter dem Hauptort. Eine genaue geographische Lagebeschreibung wurde nur dann gegeben, wenn der Ort weder im DUDEN Wörterbuch geographischer Namen, Mannheim 1966, noch in der Brockhaus Enzyklopädie, Wiesbaden [17]1966–1974, noch auf der beigegebenen Karte (nach S. 251) verzeichnet ist. Bei den Personen wird – soweit möglich – die Regierungszeit oder das Todesjahr angegeben. Alle sonstigen Zahlen verweisen auf die Seiten des Textes. Neben den auf den S. IX–XI aufgenommenen gelten folgende Abkürzungen: B. = Bischof, Eb. = Erzbischof, Hist. = Historiograph, Kg. = König, Kl. = Kloster, L. = Land, Landschaft, O. = Ort, P. = Papst.

TAFEL 1

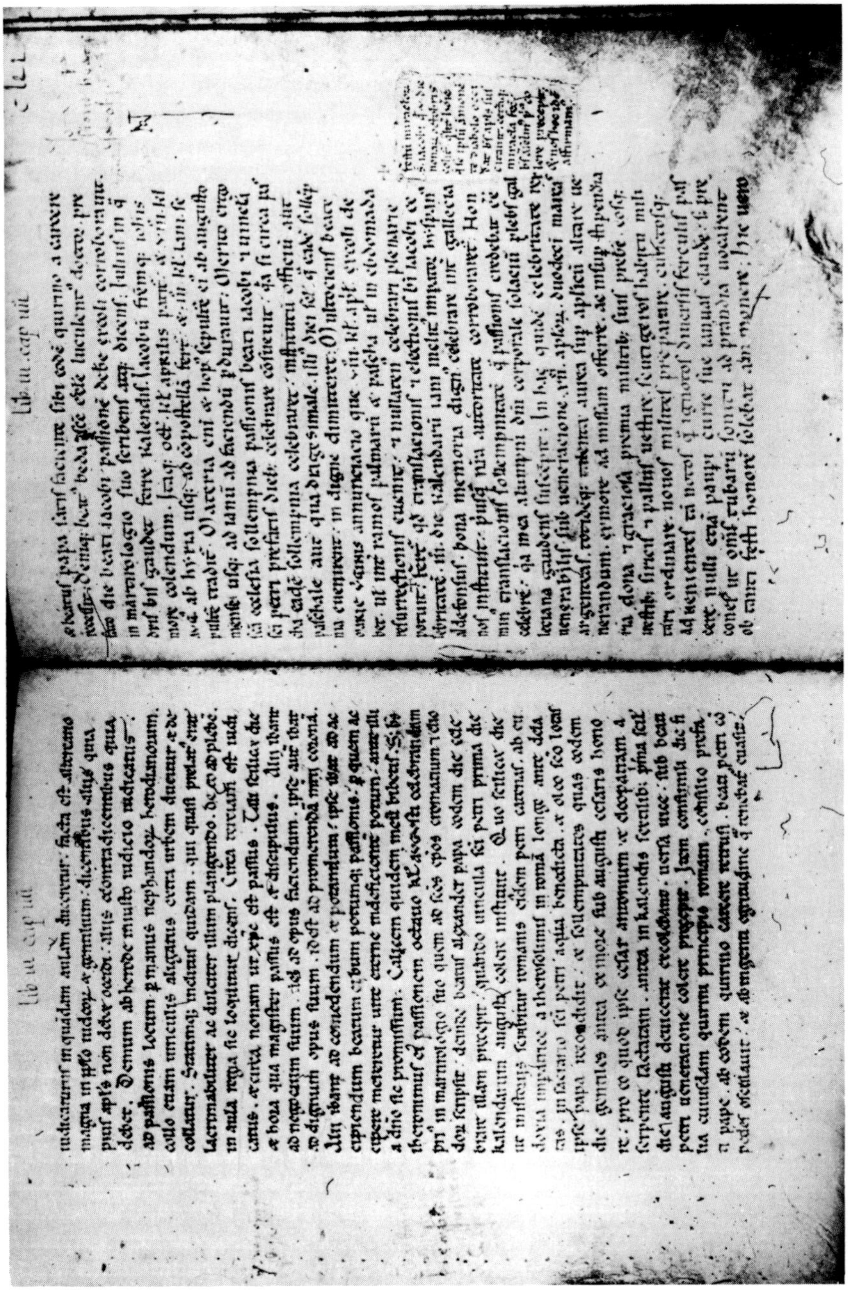

Abb. 1: fol. 160^{v}–161^{r}. – fol. 160^{v} von Schreiber B-Karolus – fol. 161^{r} von Schreiber HA – auf fol. 161^{r} eine Randnotiz zur Einführung des Mirakelfestes von frd. Hd.

TAFEL 2

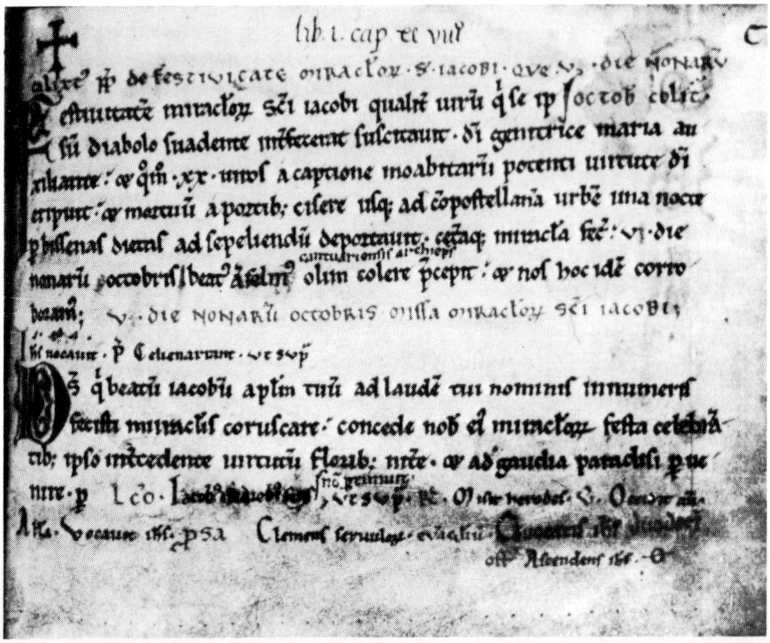

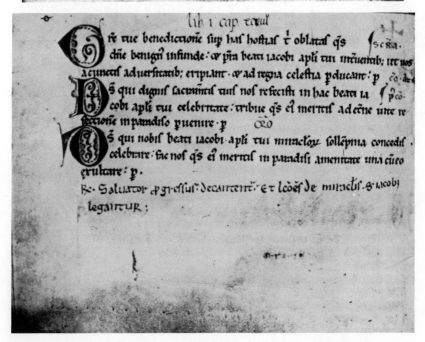

Abb. 2: Codex Calixtinus, fol. 128ʳ⁻ᵛ, zum Mirakelfest am 3. Oktober: Schreiber X

Abb. 3: Codex Calixtinus, fol. 1ʳ (JL † 7108). Der angebliche Papst Calixt schreibend (Schrift von HA)

TAFEL 4

Abb. 4: Codex Calixtinus, fol. 4ʳ

Abb. 5: Codex Calixtinus, fol. 162^v (Übergang von Buch III zu Buch IV) Karl der Große zieht mit seinem Heer von Aachen nach Spanien

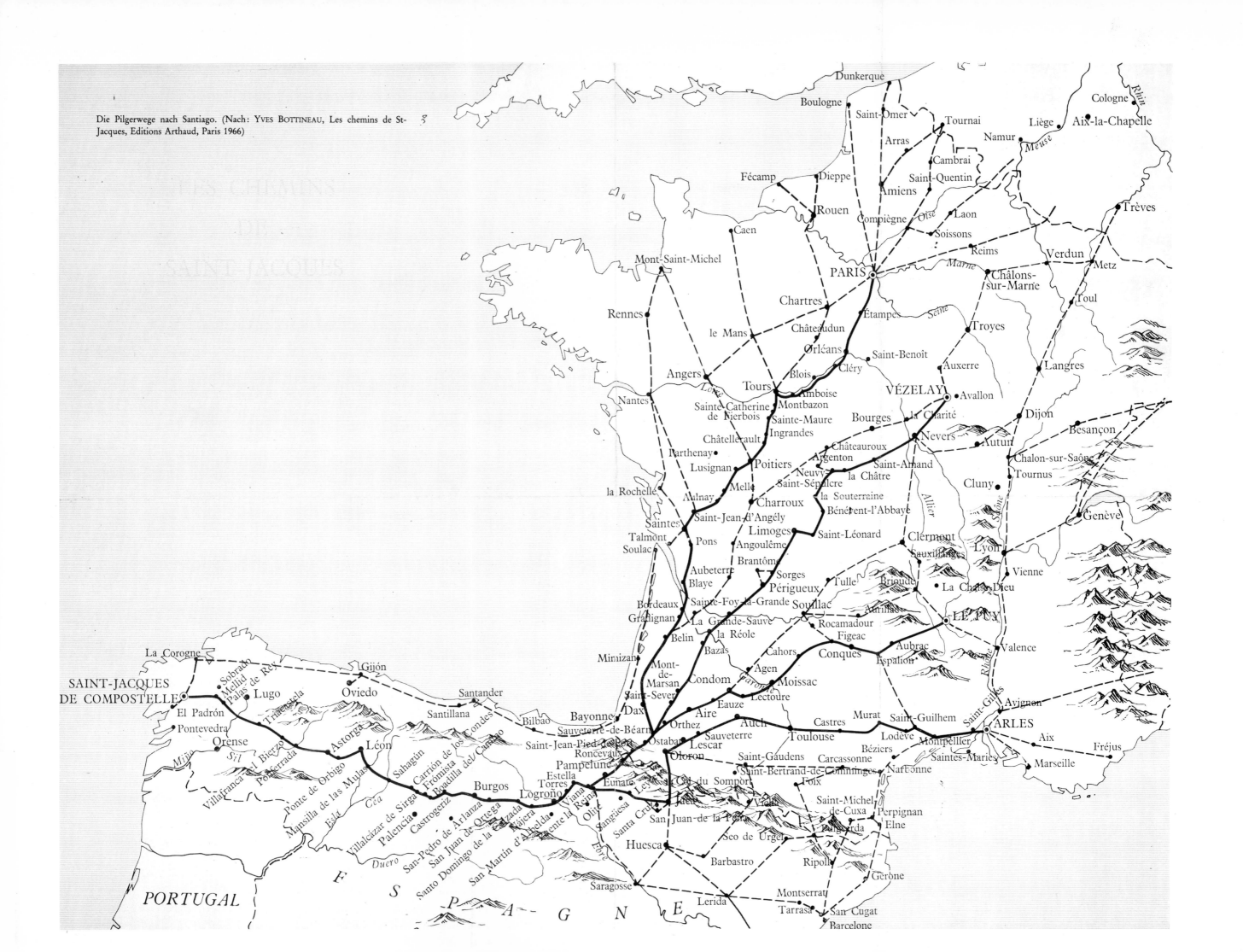

Die Pilgerwege nach Santiago. (Nach: YVES BOTTINEAU, Les chemins de St-Jacques, Editions Arthaud, Paris 1966)